HISTOIRE ECCLÉSIASTIQUE

SOURCES CHRÉTIENNES

N° 516

SOZOMÈNE

HISTOIRE ECCLÉSIASTIQUE
LIVRES VII-IX

TEXTE GREC DE L'ÉDITION J. BIDEZ – G.C. HANSEN (GCS)

INTRODUCTION
PAR
Guy SABBAH

ANNOTATION
PAR
Laurent ANGLIVIEL DE LA BEAUMELLE, Université de Picardie
Guy SABBAH, Université Lumière-Lyon II

TRADUCTION
PAR
(†) André-Jean FESTUGIÈRE, o.p.
ET **Bernard GRILLET**, Université Lumière-Lyon II

INDEX GÉNÉRAL

Ouvrage publié avec le concours de l'Œuvre d'Orient

LES ÉDITIONS DU CERF, 29, Bd LA TOUR-MAUBOURG, PARIS 7ᵉ
2008

*La publication de cet ouvrage a été préparée avec le concours
de l'Institut des « Sources chrétiennes »
(HiSoMA, UMR 5189 du Centre National de la Recherche Scientifique).
La révision en a été assurée par Jean REYNARD.*

http://www.sources-chretiennes.mom.fr

INTRODUCTION

> *« C'est par cela surtout que Dieu a montré que la piété seule suffit à assurer le salut des princes et que ne sont rien sans elle armées, vigueur de l'empereur et tout le reste de l'appa-rat »* (*H.E.* IX, 1, 2)

Les livres VII, VIII et IX : diversité et constantes

Alors que les livres I-II rapportent l'établissement du christianisme sous Constantin (324-337), que les livres III-IV exposent les efforts de Constance II pour imposer l'arianisme aux dépens de l'orthodoxie incarnée par Athanase d'Alexandrie (337-361) et que les livres V-VI assurent le passage de la dynastie des Constantiniens à celle des Valentiniens (361-378), les livres VII, VIII et IX, histoire de la dynastie valentino-théodosienne (379-*ca* 415), sont si différents l'un de l'autre qu'à première vue il est impossible de les considérer comme formant un ensemble. Le dernier est même si éloigné des autres par sa matière et sa méthode qu'on doit lui reconnaître un statut à part qui ne tient pas seulement à sa brusque interruption. En indiquant à la fin de la dédicace la répartition de son ouvrage en « dyades », Sozomène a lui-même isolé ce dernier livre, dédié au règne de Théodose II, des « tomes septième et huitième », consacrés l'un aux règnes conjoints de Gratien, Valentinien II et Théodose Ier, l'autre à ceux des fils de ce dernier, Arcadius en Orient et Honorius en Occident.

Repères historiques

De l'unité ....

La période couverte par les livres VII, VIII et IX est très fertile en événements politiques et militaires. Il faut les rappeler brièvement même s'ils ne servent que de cadre à une histoire qui reste fondamentalement celle de l'Église. Après la défaite et la mort de l'empereur hérétique Valens à Andrinople (9 août 378), Gratien, qui règne en Occident depuis la mort, en 375, de son père Valentinien Ier, doit faire face seul aux invasions gothiques. Son frère Valentinien II n'étant âgé que de huit ans, il fait appel à Théodose, général d'origine espagnole et catholique nicéen convaincu, pour lui confier la défense de la partie orientale de l'Empire (379). Dès l'année suivant son élévation à l'Augustat, Théodose promulgue, le 28 février 380, l'édit de Thessalonique enjoignant à ses sujets de se ranger à la foi nicéenne et proclamant hérétiques toutes les autres sectes ; il le confirme et le précise l'année suivante (10 janvier 381) et réunit un concile œcuménique à Constantinople au printemps 381 et encore en 382 et 383. Bien qu'il se soit assuré la paix avec les Goths auxquels il permet, par le traité (*foedus*) du 3 octobre 382, de résider dans certaines zones désertes situées entre le Danube et les Balkans, son règne est marqué par plusieurs épisodes dramatiques parmi lesquels deux guerres civiles : devenu premier Auguste après l'assassinat de Gratien par l'usurpateur Maxime (15 août 383), il est obligé de quitter sa cour de Constantinople pour venir à bout du « tyran » (28 août 388). Puis il doit faire face à la dernière « réaction païenne » qui se traduit par l'usurpation d'Eugène soutenue par les chefs païens du Sénat, après la mort du jeune Valentinien II (15 mai 392) : il quitte à nouveau l'Orient (printemps-été 394) pour remporter la victoire de la « Rivière froide » (6 septembre 394). A sa mort (17 janvier

395), il laisse la partie orientale de l'Empire à son fils aîné Arcadius, proclamé en 383, effectivement Auguste de 395 à 408, et la partie occidentale à son fils cadet Honorius, proclamé en 393, effectivement Auguste de 395 à 423.

à la division de l'Empire

Commence alors le processus d'éloignement progressif entre les deux *partes imperii* qui aboutira à leur rivalité puis à leur rupture. Le mari de la nièce de Théodose, le généralissime Stilichon auquel ont été confiées la tutelle du jeune Honorius et la régence, cherche, de 395 à son assassinat en 408, à étendre les prérogatives de l'Occident sur l'Orient. Le plus belliqueux des chefs des fédérés goths, Alaric, est lancé alternativement par les gouvernants de l'une des parties contre l'autre. Les troupes barbares dévastent l'Empire d'Occident, malgré plusieurs victoires, jamais décisives, remportées sur elles par Stilichon. En Orient, Arcadius, empereur soumis à ses conseillers, puis à son épouse Eudoxie, doit faire face aux exigences et aux ambitions de son généralissime, le goth Gainas qui est tué le 23 décembre 400 et surtout il se heurte à Jean Chrysostome, évêque de Constantinople depuis le 26 février 398, aussi intransigeant que populaire en raison de son éloquente prédication. Très soutenu et très admiré par ses fidèles, Jean se fait, par son autoritarisme, beaucoup d'ennemis parmi les évêques, il heurte aussi de front l'empereur et surtout l'impératrice. Menés par l'évêque d'Alexandrie Théophile, ses ennemis obtiennent sa condamnation au concile du Chêne (septembre 403), sa déposition puis son exil d'abord en septembre 403, puis en juin 404, suivi par sa mort le 14 septembre 407.

Un destin contrasté : Orient et Occident

La mort d'Arcadius survient le 1er mai 408. De ses cinq enfants, seul le quatrième est un fils. En attendant que le futur Théodose II ait l'âge de régner — il n'a que sept ans à la mort d'Arcadius —, le gouvernement est exercé par l'habile préfet Anthémius de 404/405 à 414, tandis que Pulchérie, sœur aînée du jeune prince, prend en charge son éducation morale et religieuse et exerce quelque temps la régence en qualité d'*Augusta*, à partir du 4 juillet 414. Le règne de Théodose en Orient (408-450) est une ère de paix relative, les Perses adoptant une attitude généralement conciliante et les Huns échouant dans leurs tentatives d'invasion. La paix religieuse est cependant troublée par les hérésies nestorienne puis monophysite qui nécessitent la réunion de conciles à Éphèse en 431 puis en 449.

En revanche, la situation militaire et politique de l'Occident est très instable. Honorius, reclus à la cour de Ravenne, est en butte à plusieurs tentatives d'intimidation de la part d'Alaric, particulièrement après l'assassinat de Stilichon en août 408. Déçu dans ses ambitions, le chef goth finit par installer sur le trône le sénateur païen Attale le 3 novembre 409, tandis que surgit en Bretagne un autre usurpateur plus dangereux, Constantin III, qui s'empare de la Gaule et d'une partie de l'Espagne (407-411). Attale, jugé incapable, est dégradé en juin ou juillet 410 par Alaric qui s'empare de Rome et la saccage du 24 au 27 août 410, avant de mourir en octobre 410, quand il s'apprêtait à passer en Afrique. Constance, un général d'Honorius particulièrement capable, réduit l'usurpation de Constantin III en 411. Il obtiendra la main de Galla Placidia, demi-sœur d'Honorius, et sera élevé à l'Augustat sous le nom de Constance III en 421 : leur fils Valentinien sera intronisé par l'empereur d'Orient sous le nom de Valentinien III en 425. Une certaine harmonie semble alors rétablie entre les deux *partes imperii*, Valentinien III épousant la fille de Théodose II, Licinia Eudoxia, le 29 octobre 437.

La construction de l'histoire

Une matière historique aussi complexe devait être assez fermement construite pour servir efficacement la thèse d'ensemble : la direction imprimée par le Dieu tout puissant aux affaires humaines afin d'accomplir cette « révolution chrétienne [1] » qui, de Constantin Ier à Théodose II, transforme l'ensemble du monde.

Structure du livre VII

Le livre VII est réparti en vingt-sept chapitres dans les éditions modernes selon des divisions établies par des humanistes qui sont responsables aussi des titres [2]. Par rapport aux livres antérieurs, on n'y discerne pas une construction aussi nettement fondée sur les principes d'alternance entre Orient et Occident, affaires intérieures et affaires extérieures et/ou de symétrie de part et d'autre de chapitres consacrés à un sujet crucial comme le monachisme [3]. Cependant, par sa place centrale, le chapitre 15, consacré à la destruction, en 391, du Sérapéum d'Alexandrie, haut lieu du paganisme et symbole de la résistance acharnée des païens, apparaît comme le sommet de la politique religieuse de Théodose. La

1. Selon l'expression de P. VAN NUFFELEN, *Un héritage de paix et de piété. Étude sur les histoires ecclésiastiques de Socrate et de Sozomène*, Louvain 2004 (*Orientalia Lovaniensia Analecta* 142). Cette révolution est quantitative (l'expansion spatiale du christianisme) et qualitative (l'approfondissement et la victoire de la piété, p. 126-127).

2. Les titres de chapitres ne se trouvent dans aucun des dix manuscrits dont les principaux sont B et B2, xive et xve s. (*Baroccianus* 142), C, xiiie s. (*Alexandrinus* 60) et V, fin du xiiie ou xive s. (*Marcianus graecus* 917). L'édition *princeps* est celle de R. Estienne (1544), les titres se trouvent dans les traductions latines de Christopherson (1558) et de Musculus (1562). L'édition ancienne la plus remarquable est celle d'H. Valois (1668).

3. Cf. les introductions des t. 1, p. 60-65, t. 2, p. 14-20 et t. 3, p. 24-40.

victoire du pieux empereur sur Maxime (chap. 14) et son
triomphe sur Eugène (chap. 24) se distribuent autour de ce
sommet. Il n'y a pas lieu d'y voir une intention particulière,
mais l'observation de l'ordre chronologique, de règle dans
l'historiographie, qui régit naturellement la composition
d'un livre où l'empereur est unique — ce qui exclut l'alternance, possible dans le cas de Valentinien Ier et Valens — et
où la ligne du récit, consacré à l'établissement et à la conso-
lidation de l'orthodoxie, se déroule sans interruption, renversement ni véritable péripétie.

Après une brève séquence A, consacrée aux suites militaires et politiques de la catastrophe d'Andrinople — défense
de Constantinople, choix de Théodose par Gratien (chap. 1-
3) —, se développe une longue séquence B (chap. 4-12)
débutant par l'élévation de Théodose à l'Augustat et surtout
son baptême qui se traduit aussitôt par une politique religieuse vigoureusement nicéenne — édit de Thessalonique,
promotion de Grégoire de Nazianze au siège de Constantinople, concile œcuménique dans la capitale en 381, choix de
Nectaire après la démission de Grégoire, deuxième concile
œcuménique condamnant radicalement les sectes autres
que les homoousiens et chassant leurs partisans des églises.

La séquence C, encore plus développée (chap. 13-27), est
scindée en deux par le récit des événements politiques et
militaires — mort de Valentinien II et usurpation d'Eugène
(chap. 22), victoire de Théodose sur le « tyran » (chap. 24).
Elle traite plus largement de questions disciplinaires et
d'affaires religieuses : la pénitence et ses modalités, la fixa-
tion de la date de Pâques, la diversité des us et coutumes des
différentes églises, la découverte des reliques de saint Jean
Baptiste, puis, juste avant la mort de Théodose, de celles des
prophètes Habacuc et Michée. La dernière séquence (D)
équilibre l'éloge de Théodose par celui de saints évêques,
Ambroise de Milan, dont le franc-parler sut imposer la loi de
l'Église à l'empereur à l'occasion du massacre de Thessalonique (chap. 25), Épiphane de Salamine, grand pourfen-

deur d'hérésies (chap. 27) et celui d'évêques thaumaturges, Donat d'Euroia et Théotime de Tomi (chap. 26). Elle contribue à maintenir le règne dans le cadre de l'histoire sans verser dans le panégyrique. On aboutit au schéma suivant :

Séquence A (introduction) : chap. 1-3

Séquence B (baptême et politique religieuse de Théodose) : chap. 4-12

Point axial : chap. 15 (destruction du Sérapeum)

Séquence C (questions disciplinaires et religieuses) : chap. 13-24 (avec interruption aux chap. 22 et 24 : affaires politiques)

Séquence D (éloge d'évêques et de saints hommes ; mort de Théodose) : chap. 25-27.

Structure du livre VIII

Théoriquement consacré aux règnes d'Arcadius et d'Honorius, ce qui aurait permis de renouer avec le principe d'alternance entre Orient et Occident, le livre VIII est en fait presque entièrement dédié à Jean Chrysostome : la mort de l'évêque clôt le livre VIII comme celle de l'empereur a clôturé le livre VII. La phrase initiale du livre IX qui résume le livre précédent — « Tels furent les événements relatifs à Jean » —, ne laisse pas de doute sur la nature biographique du livre VIII et sur l'intention de Sozomène. Les événements d'Occident n'apparaissent qu'à la fin, au vingt-cinquième chapitre qui évoque très succinctement Stilichon général d'Honorius [1] et aux chapitres 26-27 qui donnent le texte des deux lettres envoyées d'Occident par Innocent Ier, évêque de Rome, l'une à Jean Chrysostome, l'autre à ses clercs et à ses fidèles.

---

1. Cette brève notice, tirée d'OLYMPIODORE DE THÈBES (fr. 2, *FHG* IV, Müller, p. 58-59 = fr. 1, 1, dans R. C. BLOCKLEY, *The fragmentary classicising Historians of the later Roman Empire*, Liverpool 1983, II, p. 154-155), sera du reste textuellement réinsérée au livre IX, 4, 2-4.

Certes, les personnages politiques comme le préfet Rufin, le grand chambellan Eutrope, et militaires comme le généralissime goth Gaïnas, son compatriote Tribigild, son vainqueur Fravitta, ne sont pas totalement absents ; certes aussi l'empereur et surtout l'impératrice jouent un rôle, de plus en plus négatif, dans le camp des adversaires de Jean. Il n'empêche : il n'est aucun des vingt-huit chapitres de ce livre où Jean ne soit présent et au premier plan, dominant ses adversaires de sa hauteur spirituelle, les autres ne servant que de faire-valoir, même des évêques aussi puissants que Théophile d'Alexandrie, aussi prestigieux qu'Épiphane de Salamine. Par une succession inéluctable d'étapes qui l'entraînent du trône glorieux de la capitale à un exil misérable au bout du monde (chap. 22) et à une mort douloureuse, solitaire et abandonnée (chap. 28), le drame personnel de Jean, partagé non seulement par ses partisans les plus déterminés, les « johannites », mais aussi par tout le peuple fidèle de Constantinople, constitue l'étoffe tragique de ce livre, sans doute l'un des plus réussis, des mieux unifiés, des plus profondément « ressentis » de l'*Histoire ecclésiastique*.

Une construction en climax, une division en actes auraient pu suffire à représenter cette tragédie. Sozomène a cependant voulu la parfaire au nom de sa conviction la plus intime : la supériorité de la vie ascétique, de la « vraie philosophie » des moines, sur la vie du siècle tristement marquée au sommet — les évêques — par un esprit d'ambition et de jalousie opposé à l'idéal évangélique. Le nœud du drame de Jean, où se joue son destin, est son implication involontaire dans la querelle qui oppose les saints moines d'Égypte, les « Longs Frères », à leur évêque Théophile d'Alexandrie. Or c'est au centre du livre que sont placés les prémices de l'hostilité de Théophile contre ces moines taxés d'origénisme (chap. 12) et leur fuite auprès de Jean qui attire désormais sur lui les foudres du rusé patriarche alexandrin (chap. 13).

De part et d'autre se disposent une séquence A, les onze premiers chapitre où la gloire et la popularité de Jean s'élèvent au zénith, et les onze chapitres (14-24) de la séquence B, à la suite de l'affaire des « Longs » (chap. 12-13), où sont détaillées les étapes du renversement qui fait passer l'évêque d'une position de force à une posture d'accusé, puis de condamné, enfin d'exilé. Étant situés hors de cette structure symétrique — ascension puis descente progressives de Jean jusqu'à la « catastrophe » finale — les derniers chapitres (25-28) apparaissent comme un appendice occidental à ce qui constitue l'unité du livre : la division de l'Église d'Orient entre les sièges d'Alexandrie et de Constantinople qui se disputent férocement la prééminence.

Mais une telle rallonge n'est pas dénuée de sens. L'intervention d'Innocent Ier fut tardive et inefficace. Sozomène aurait donc pu la taire ou la mentionner seulement, sans lui donner le relief extraordinaire que lui confère la citation *in extenso*, contraire à son habitude, des deux lettres, pourtant verbeuses, du pontife romain. C'est qu'elle marque en fait la concrétisation d'un renversement d'alliance essentiel dans la politique ecclésiastique. Alors que jusqu'ici et particulièrement du temps d'Athanase, Alexandrie représentait Rome et la résistance de l'orthodoxie nicéenne et, grâce à l'appui du pape, bénéficiait d'une primauté indiscutée en Orient, l'injustice criante faite à Jean — ou, plus objectivement, la constatation du danger que pouvait, si Rome n'y prenait garde, représenter Alexandrie aux mains d'évêques à l'énergie sans scrupule et s'appuyant sur des cohortes de moines fanatiques — aboutit à un désaveu de l'évêque d'Alexandrie, prélude au retrait, cette fois définitif, de son ancien privilège [1]. Ainsi Jean, condamné, exilé, tourmenté à mort

---

1. Le concile de Constantinople (printemps 381) avait déjà statué dans son troisième canon que l'évêque de Constantinople aurait le second rang après l'évêque de Rome, au grand désappointement de l'Église d'Antioche et surtout de celle d'Alexandrie (PIGANIOL, *L'Empire chrétien*, p. 241). Un prélat aussi pugnace et récalcitrant que Théophile d'Alexandrie ne pouvait

remporte cependant la victoire pour le bien de son église. Apporté à l'église de la « nouvelle Rome » et à son chef par la plus haute autorité spirituelle de la chrétienté, cet appui, si tardif qu'il puisse paraître, devance pourtant de trente-cinq ans le triomphe que l'Orient, d'un commun accord entre le patriarche Proclus et l'empereur Théodose II, ne lui accordera qu'en 439 avec le retour de ses cendres et leur transfert dans l'église des saints Apôtres.

Le schéma peut être défini ainsi :

Séquence A (chap. 1-11) : gloire et popularité de Jean Chrysostome

Séquence B axiale (chap. 12-13) : l'affaire des « Longs Frères »

Séquence C (chap. 14-24) : l'affaiblissement et la chute de Jean

Séquence D (chap. 25-28) : conséquences des troubles religieux : invasion des Huns, brigandage des Isauriens, manœuvres de Stilichon, lettres d'Innocent Ier.

Structure du livre IX

On aurait tort de mésestimer l'importance du livre IX [1]. Certes, il est tronqué ; par certains aspects, il apparaît comme seulement ébauché ; par la prédominance qu'il accorde aux affaires politiques et militaires, il est à part. Mais la place solitaire qu'il occupe dans l'architecture générale de l'*Histoire ecclésiastique* dont les huit livres précédents sont groupés deux par deux, le fait qu'il soit consacré à

pas accepter de gaîté de cœur un tel affront et devait au contraire, par tous les moyens, s'efforcer de le réparer.

1. P. VAN NUFFELEN, *Un héritage…*, p. 145 : « Le dernier livre constitue l'apothéose de l'*Histoire ecclésiastique*, dans lequel Sozomène célèbre l'apogée de l'accroissement de l'Église ». L'idée est reprise dans l'article « Sozomenos und Olympiodoros von Theben oder wie man Profangeschichte lesen soll », *JAC* 47, 2004, p. 81-97 du même auteur.

l'empereur vivant et doive embrasser à lui seul une période aussi longue que celle que couvrent les livres VII et VIII [1] prouvent et renforcent à la fois sa valeur de conclusion générale. Aussi l'historien devait-il apporter un soin tout particulier à l'harmonie de sa structure. Autant qu'on puisse en juger, il projetait d'y revenir à la composition fondée sur l'alternance des séquences et sur la symétrie.

A une séquence « religieuse » et orientale dominée par la figure dévote de Pulchérie enseignant la piété à son jeune frère et obtenant l'affection divine par son vœu de virginité (chap. 1-3) succède une longue séquence B politique et militaire (chap. 4-16) presque exclusivement consacrée à l'Occident. Ainsi se répondent et s'opposent doublement la séquence A consacrée à l'Orient et à la piété chrétienne et la séquence B consacrée à l'Occident et à la politique et la guerre d'où l'élément religieux paraît quasiment absent. Le chapitre final de cette séquence B réintroduit cependant in extremis la théologie de l'histoire en attribuant à l'action divine, en réponse à la piété d'Honorius, l'ensemble des « victoires » remportées sur Alaric et sur les usurpateurs dont Attale et Constantin III ne furent que les principaux (16, 1).

A cette conclusion de la séquence B, entièrement occidentale, succède dans le même chapitre 16 un retour à l'Orient, considéré au point de vue politico-militaire comme un havre de paix [2] et surtout au point de vue religieux comme un lieu privilégié de miracles et de sainteté avec la découverte des reliques du prophète Zacharie et du protomartyr Étienne. Cette séquence C constituée du seul chapitre 17 [3] reste ina-

1. Exactement trente ans, de la défaite de Valens à Andrinople (378) à la mort d'Arcadius (408). Le livre IX devait couvrir une période égale (408-439). Il aurait donc dû être au moins aussi long que le livre VI, le plus développé de l'*H.E.* (40 chapitres).

2. Paix de cent ans avec les Perses (IX, 4, 1), échec des Huns et massacre des Skires (IX, 5).

3. Il faudrait modifier la capitulation humaniste, car le chapitre 17 commence en fait dès 16, 3.

chevée. Mais il est clair que, consacrée à l'Orient, elle se serait opposée à la séquence B, dédiée à l'Occident et que, donnant une place importante à l'invention des reliques, elle aurait fait plus longuement écho au deuxième chapitre de la séquence A rapportant la découverte des reliques des Quarante martyrs de Sébaste.

Sur la suite et l'étendue de cette séquence C, sur le nombre et le contenu des séquences qui l'auraient suivie, toute hypothèse serait arbitraire. On peut supposer que Sozomène ne pouvait qu'y faire l'éloge de la politique orthodoxe de Théodose II et de Pulchérie et de leur combat contre les « dogmes bâtards [1] » et que des épisodes marquants que Socrate rapporte dans son livre VII — liquidation de l'usurpation de Jean en Occident, campagnes victorieuses contre les Perses, succession des évêques à Constantinople jusqu'à Proclus — y auraient eu leur place. Mais Sozomène y parlait-il et en quels termes de l'impératrice Eudocie revenant de Jérusalem avec de précieuses reliques précisément en 439, année du dix-septième consulat de Théodose que Sozomène, avec Socrate, avait fixée comme terme de son histoire ? Il est impossible de le dire.

On peut cependant proposer le schéma suivant :

Séquence A (chap. 1-3) : Orient — affaires religieuses — Pulchérie

Séquence B (chap. 4-16) : Occident — affaires politico-militaires — Honorius

Séquence C (chap. 16, 3 — 17) : Orient — affaires religieuses —Théodose II ?

Séquence D (entièrement hypothétique) : Occident — usurpation de Jean —Valentinien III

---

1. Voir *H.E.* IX, 1, 9 : « Comme la religion risquait d'être bouleversée par des dogmes bâtards, elle fit face avec zèle et prudence. Que de nouvelles sectes ne l'aient pas emporté de notre temps, nous trouverons que c'est à elle surtout qu'on le doit, *comme on le verra plus loin.* » Il s'agit des séquelles de l'apollinarisme (jusque *ca.* 420), de l'hérésie nestorienne sinon des tout débuts du monophysisme.

Ce qui est sûr, c'est qu'au triomphe temporel de l'empereur Théodose Ier (l. VII) et spirituel de l'évêque Jean Chrysostome (l. VIII), le livre IX ne pouvait pas manquer d'apporter un digne finale. Dans une architecture méditée, « le » livre de Théodose II devait être unique pour réaliser la construction parfaite : celle d'un tryptique, articulation, familière à l'art de Byzance, de trois panneaux représentant chacun une scène ou un personnage historique, les deux volets latéraux se refermant sur le volet central, dans ce cas l'image — ou déjà l'icône ! — de Jean Chrysostome, évêque, saint et martyr. Dans un tel triptyque, les deux Théodose devaient se répondre, le second accomplissant jusqu'à la perfection l'œuvre de paix, par la réduction des hérésies, et de piété entreprise par le premier, de part et d'autre de l'action du saint évêque dont le sacrifice devait alors apparaître comme la condition posée par la Providence pour parachever son œuvre.

La méthode historique

Puisque l'*Histoire ecclésiastique* arrive à son terme, il faut revenir sur la question des sources abordée dans l'édition des premiers livres [1], d'autant plus que les parallèles avec Socrate, mais aussi avec d'autres sources historiques, Rufin, Palladius, le Pseudo-Martyrius, la Collection Alexandrine, Philostorge, Olympiodore de Thèbes et son épigone et fidèle témoin Zosime sont ici particulièrement nombreux et évidents. Le problème doit être posé sans a priori pour ne pas réduire le récit de Sozomène à un étroit et constant démarquage, voire à un plagiat de sources écrites déjà élabo-

---

1. Voir l'introduction générale au t. 1, p. 66-78. Sur le problème de l'importance respective des sources écrites, déjà littérairement élaborées, et des sources non-écrites (autopsie, témoignages oraux et documents), voir P. Van Nuffelen, *Un héritage...*, p. 242-264, qui fait une part trop large, voire presque exclusive, à l'utilisation des sources écrites.

rées [1]. Certes, Sozomène les a connues et utilisées d'une manière qui peut paraître excessive aux yeux des modernes dont la conception de la propriété littéraire est plus exigeante que celle des Anciens. Mais il ne faut pas refuser par principe de lui reconnaître une autonomie dans leur utilisation ou leur combinaison, qu'on sera en droit d'estimer, après examen, plus ou moins grande, et, surtout, il faut se garder de réduire son information à l'utilisation exclusive d'un tel type de sources. Nous ne prendrons ici en compte que les deux principales, l'une païenne, l'autre chrétienne, parce que c'est de leur utilisation, que certains ont le droit d'estimer abusive ou dissimulée, que dépend le jugement d'ensemble qu'il convient de porter sur notre historien.

Les sources écrites

Olympiodore de Thèbes

La longue séquence très documentée sur les affaires politiques et militaires dont les protagonistes sont Honorius, Stilichon, Alaric et Constantin III emprunte l'essentiel de sa matière à l'historien « classicisant » Olympiodore de Thèbes dont l'*Histoire* en 22 livres portait sur les années 407/408 à 425. Toutefois cette dépendance doit être considérée comme triplement limitée, au point de vue de l'extension chronologique, du degré de littéralité, de la méthode et du genre littéraire. D'abord, elle ne peut, en l'état du texte de Sozo-

---

1. Sur les sources écrites utilisées par Sozomène, outre L. Jeep, *Quellenforschungen zu den griechischen Kirchenhistorikern*, dans *Jahrb. f. klass. Philol.*, Suppl. 14, 1885, p. 53-178, aux p. 139 s. et G. Schoo, *Die erhaltenen schriftlichen Hauptquellen des Kirchenhistorikers Sozomenos*, Inaug. Diss., Berlin 1911, voir les prolégomènes de l'édition Bidez-Hansen, *GCS*, 1960 (p. XLIV-LXIV) et l'introduction de l'édition G. C. Hansen, *Fontes christiani*, 2004, 73/1, p. 52-60. P. Van Nuffelen, *Un héritage...*, qualifie d' « imposture » (p. 244) et de « tromperie » (p. 245) l'utilisation qu'il juge masquée de sources écrites.

mène, être observée que sur une partie très réduite de l'*Histoire* d'Olympiodore, les seules années 407/408-411. De plus, la connaissance que nous avons de cette *Histoire*, uniquement par des fragments [1], permet bien d'observer des parallèles entre ces fragments conservés pour la plupart par Photios, en général courts, et des passages limités de Sozomène. Mais on ne peut pas tirer de la comparaison des conclusions aussi assurées et précises que si l'on avait affaire à deux récits également suivis. Il y a trop de « blancs » dans notre connaissance de l'*Histoire* d'Olympiodore pour pouvoir mesurer ou même évaluer le degré réel de dépendance de Sozomène par rapport au récit suivi qu'Olympiodore devait donner de ces quelques années. Enfin ce dernier présentait son ouvrage comme une simple « matière pour l'histoire », ὕλη συγγραφῆς, l'identifiant ainsi non pas à une œuvre littéraire élaborée selon les lois de l'historiographie [2], mais comme un genre inférieur, celui des *hypomnèmata* ou *commentarii*. Tout en faisant la part du topos de modestie, il faut constater que le genre des mémoires était lui aussi en

---

1. R. C. BLOCKLEY, *The fragmentary classicising Historians* ..., I, 1981, aux p. 27-47 (Olympiodorus of Thebes). Les fragments d'Olympiodore se trouvent au vol. II. (1983) du même ouvrage, aux p. 152-220. On ne peut pas être assuré que ces fragments sont transmis d'une manière littérale par le résumé de PHOTIOS (*Bibl.* 80). Bien souvent ces fragments sont des extraits de Sozomène, moins souvent de Philostorge et de Zosime.

2. C'est PHOTIOS, *Bibl.* 80, éd. Henry, t. 1, p. 166, qui permet de le savoir : « Son style est clair mais insipide ... si bien que son œuvre peut être difficilement tenue pour une histoire : il indique lui-même que son travail n'est pas une histoire, mais *un matériau pour l'histoire*. » Sur cet historien, en fait remarquable, poète et homme politique, dont il ne nous reste que des fragments — *FHG* IV, Müller, p. 57-68 et R. C. BLOCKLEY, *The fragmentary classicising Historians* ..., II, 1983, p. 152-220 — et surtout le résumé de PHOTIOS, *Bibl.* 80 (éd. Henry, t. 1, p. 166-187), voir, outre J. MATTHEWS, « Olympiodorus of Thebes and the history of the West (A. D. 407-425) », *JRS* 60, 1970, p. 79-97, et R. C. BLOCKLEY, *The fragmentary classicizing Historians* ..., I, 1981, p. 27-47, le jugement positif de W. LIEBESCHUETZ, « Pagan Historiography and the Decline of the Empire », dans *Greek and Roman Historiography in late Antiquity*, G. MARASCO éd., Leiden 2003, p. 201-206.

vogue depuis, au IVe siècle, le *Biblidion* de Julien, le *Mémorial* d'Oribase et les multiples récits de l'expédition en Perse de l' « Apostat ». Il n'y avait aucun déshonneur, peut-être même y avait-il une certaine satisfaction ou une certaine fierté, à écrire de *simples* mémoires en échappant ainsi aux reproches de partialité ou de falsification adressés à la « grande histoire » dont se réclament toujours, plus ou moins, malgré leurs déclarations de principe, les trois historiens « synoptiques », Socrate, Sozomène et Théodoret.

Dans ces conditions, la construction, à partir de ces matériaux, d'un ensemble cohérent, la touche littéraire qui dramatise la narration quelquefois jusqu'au pathétique, l'esprit chrétien qui anime non seulement certaines anecdotes — la résistance de la fidèle épouse chrétienne au jeune Goth d'Alaric ou l'attitude héroïque de Nonnichia, l'épouse chrétienne du général Gérontius — mais l'ensemble d'un récit qui vise à contredire l'optique païenne d'Olympiodore reviennent en propre à Sozomène[1]. Devenant une de nos principales sources pour la période historique traitée au livre IX, il doit certes, pour l'essentiel, ce privilège à un garant de qualité, mais c'est à lui que revient le mérite d'avoir, en le choisissant, eu l'audace et l'indépendance d'esprit de suivre une source ouvertement non ecclésiastique. Précieuses pour l'historien d'aujourd'hui, ces informations sont naturellement absentes du récit de Socrate qui n'a pas utilisé Olympiodore.

---

1. Les deux épisodes sont en IX, 10, 1-4 et IX, 13, 5-7. P. VAN NUFFELEN, *Un héritage...*, p. 146 montre de quelle manière, par le « télescopage » chronologique, l'escamotage, l'accentuation des traits, Sozomène adapte sa source à sa propre vision chrétienne. Dans son article « Sozomenos und Olympiodoros von Theben ... », *JAC* 47, 2004, p. 81-97, il analyse chapitre par chapitre, par comparaison avec Zosime et avec le résumé de Photios, l'inflexion chrétienne et même le sens différent que Sozomène donne au récit d'Olympiodore (p. 86-96).

Socrate de Constantinople

S'il n'est pas question non plus de nier le nombre et l'importance des points de contact entre Sozomène et Socrate, son probable prédécesseur, il ne faut pas pour autant, en les surestimant, faire disparaître Sozomène derrière lui [1]. Car, outre le fait que la date respective de leurs œuvres n'est pas encore définitivement établie — à notre avis, il y a quelque raison de penser qu'elles ont été, pour la plus grande part, élaborées quasi simultanément et dans un esprit de rivalité —, les différences de contenu et surtout d'optique paraissent aussi importantes que les concordances. Le point de vue novatien de Socrate est beaucoup plus accusé que celui de Sozomène, des développements importants chez Socrate comme la défense d'Origène [2] ou les prologues de ses livres V et VI n'ont pas d'équivalents chez Sozomène, comme, inversement, Socrate ne rapporte rien

1. Pour les différences entre Sozomène et Socrate, voir T. URBAINCZYK, « Observations on the Differences between the Church Histories of Socrates and Sozomen », *Hist.* 46, 1997, p. 355-373. H. LEPPIN, « The Church Historians (I) : Socrates, Sozomenus, and Theodoretus », dans *Greek and Roman Historiography in late Antiquity*, p. 219-253, souligne également, p. 228 : « Sozomenus' main source is Socrates, but his independence should not be undervalued. He did much more than rework Socrates stylistically. » Les dates respectives des *Histoires ecclésiastiques* de Socrate, Sozomène et Théodoret posent encore problème aux spécialistes. Le *terminus post quem* qu'on croyait pouvoir tirer de la mention dans la dédicace, 13 d'une visite de Théodose à Héraclée Pontique en 443 a été ruiné depuis que C. ROUÉCHÉ, « Theodosius II, the Cities and the Dates of the ' Church History ' of Sozomen », *JThS* 37, 1986, p. 130-132, a montré que la constitution 23 des *Novellae Theodosii* (datée du 12 septembre 443) n'avait pas été émise depuis Héraclée Pontique en Bithynie mais depuis Héraclée Salbake, dans le diocèse d'Asie, au cours d'un autre voyage de l'empereur.

2. SOCR., *H.E.* VI, 13 dénonce les attaques jalouses et injustes dont Origène a été l'objet de la part du « quadrige de médisants », Méthode d'Olympe, Eustathe d'Antioche, Apollinaire de Laodicée et Théophile d'Alexandrie, et défend son orthodoxie attestée par Athanase.

de l'usurpation de Constantin III, presque rien des campagnes d'Alaric ni d'un événement aussi important, aussi symbolique que la chute et le sac de Rome en 410 [1]. Socrate est hostile à Jean Chrysostome et favorable à son successeur Atticus, tandis que Sozomène admire sa foi ardente, son ardeur à corriger les erreurs et les vices, son éloquence sans égale et affiche sa sympathie pour les johannites. Il a placé le panégyrique de Théodose II en tête de son ouvrage, Socrate l'a réparti entre deux chapitres de son dernier livre, en le mettant à sa place chronologique [2]. Il est clair que les deux historiens ne portent pas un intérêt égal aux mêmes sujets et au même moment et que leurs options, en ce qui concerne la religion et la politique ecclésiale, sont différentes et même, sur des points importants, opposées.

Socrate V, 1-14 et Sozomène VII, 1-14

Pour nous en convaincre plus objectivement et faute de pouvoir établir ici une comparaison plus précise entre la totalité des livres V et VI de Socrate et des livres VII et VIII de Sozomène qui portent sur la même période de trente ans, de l'accession de Théodose en 379 à la mort d'Arcadius en 408, il faut la limiter à un échantillon de texte tenu comme représentatif, la première partie du règne de Théodose, de 379 à 388, date de sa victoire sur l'usurpateur Maxime, en ne relevant que les différences significatives.

Cette dizaine d'années est traitée en une quinzaine de chapitres par les deux historiens (Socrate V, 1-14 ; Sozo-

---

1. Socr., *H.E.* VII, 10. Le récit du sac de Rome est particulièrement sec et Socrate lui postpose l'élévation d'Attale, ce qui est contraire à la chronologie : Attale fut proclamé dès nov. 409. De plus, il attribue à la peur causée par l'annonce — nulle part ailleurs attestée — de l'arrivée de l'armée d'Orient la « fuite » d'Alaric qui, en fait, projetait d'aller s'emparer de l'Afrique. Saint Augustin a traité de la chute de Rome dans cinq sermons : voir J. C. Fredouille, *Saint Augustin. Sermons sur la chute de Rome*, Paris 2004 (Nouvelle Bibliothèque Augustinienne 8).

2. Socr., *H.E.* VII, 22 et 42.

mène VII, 1-14). Le prologue du l. V de Socrate qui justifie l'introduction des affaires politiques et des guerres dans une *Histoire ecclésiastique* est absent, nous l'avons dit, chez Sozomène : c'est que l'orientation générale plus strictement ecclésiastique de l'*Histoire* de Socrate appelle ici une argumentation apologétique que ne nécessite pas l'histoire d'inspiration plus laïque de Sozomène. Le contenu des chapitres 1 et 2 de Socrate — défense de Constantinople, rôle de l'impératrice Domnica, secours apporté par Mavia, reine des Sarrasins, puis politique religieuse de Gratien : rappel des exilés, liberté religieuse accordée à tous, sauf aux eunomiens, aux photiniens et aux manichéens ; appel à Théodose — se trouve assez exactement chez Sozomène qui cependant ne donne pas la date exacte de l'élévation de Théodose. Les chapitres 3 et 4 de Socrate — les évêques détenant les grands sièges à ce moment ; le retour des macédoniens à leur erreur première — ne paraissent pas avoir de correspondants exacts, à cette place en tout cas, chez Sozomène dont l'intérêt pour les affaires ecclésiastiques et le comportement des sectes paraît plus faible. Le chapitre 5 de Socrate — démêlés de Paulin et de Mélèce à Antioche — correspond au chapitre 3 de Sozomène, comme les chapitres 6 et 7 de Socrate — élection puis démission de Grégoire de Nazianze, ultimatum adressé à l'évêque arien Démophile — correspondent au chapitre 7 de Sozomène qui, cette fois, a donné lui aussi, mais déjà en 5, 5-7, la date consulaire marquant la perte par les ariens de leurs églises à Constantinople. Le chapitre 6 de Sozomène — les ariens, la crainte inspirée par Eunome, l'intervention de l'impératrice Flaccilla, l'épisode du vieil évêque, sans doute Amphiloque d'Iconium —, paraît indépendant. L'histoire du choix de Nectaire par Théodose, cantonnée au chap. 8 de Socrate, est plus longuement et même complaisamment développée par Sozomène dans la deuxième partie du chap. 7 et le chap. 8 en entier. L'anecdote de la femme enceinte tombant du balcon de l'église de l'Anastasia n'est pas chez Socrate : c'est une tradition orale d'origine sans doute populaire et rapportée comme telle [1].

A la liste des évêques reconnus comme orthodoxes énumérés par Socrate à la fin de son chapitre 8 et présente chez Sozomène en 9, 5-6, ce dernier ajoute Térence de Tomi et Martyrios de Marcianopolis. Socrate ne présente pas l'anecdote de Nectaire et de son médecin Martyrios, allègrement rapportée dans un dialogue au style direct (*sermocinatio*) par Sozomène (10, 1-3). Le choix de Flavien comme évêque d'Antioche à la mort de Mélèce contrairement aux serments prêtés antérieurement amène chez Sozomène (11, 1-4) des commentaires immédiats et plus détaillés que ceux que Socrate réserve pour la fin de son chapitre 9. Le deuxième concile convoqué par Théodose à Constantinople, daté au mois près par Socrate (chap. 10), est signalé seulement par l'année consulaire chez Sozomène (chap. 12) : au reste, son importance fut limitée. Sur les débuts de l'usurpation de Maxime (Socrate chap. 11, Sozomène chap. 13), les éléments proprement historiques sont les mêmes, mais Sozomène ajoute l'anecdote dramatique et édifiante, puisée chez Rufin, du maître de la mémoire Bénivolus jetant son baudrier à terre pour refuser obéissance à Justine, l'impératrice arienne [2]. De même, il complète par des éléments, à la fois psychologiques et dramatiques, le récit de l'assassinat de Gratien [3] tout en omettant inversement le lieu — Lyon — et la date consulaire que donne Socrate. Celui-ci, au chap. 12, mentionne et date au jour près la naissance d'Honorius que

1. *H.E.* VII, 5, 4 : « Selon ce que j'ai entendu de la bouche de quelques personnes qui affirmaient dire la vérité » et « Voilà à peu près ce qu'on raconte à ce sujet aujourd'hui encore. »

2. *H.E.* VII, 13, 5-7. Cf. RUFIN, *H.E.* II, 16.

3. Voir *H.E.* VII, 13, 9 : « Gratien, tout juste marié, jeune encore et épris de sa femme. » Ce ne sont pas des enjolivements romanesques, mais, outre que ces détails ont un fondement historique — Gratien venait de se marier avec Laeta après la mort de Constantia, fille posthume de Constance II —, ils rendent compte de la hâte imprudente de l'empereur et de la facilité avec laquelle il fut trompé par Andragathios.

Sozomène indique au début du chap. 14, sans la dater. Il déplace par rapport à Socrate la mention du décès des évêques Agélios, Timothée d'Alexandrie, Démophile, en y ajoutant celle de la mort de Cyrille de Jérusalem ; et, aux derniers instants du novatien Agélios, il accole directement le mot d'assentiment du vieil évêque à ses ouailles qui contestaient son choix pour sa succession — « Ayez Marcien, mais après lui Sisinnius » —, mot que Socrate ne donnera que bien plus loin, au chap. 21 consacré aux dissensions survenues entre les novatiens à cause de Sabbatios qui avait été élevé à la prêtrise par Marcien [1].

La guerre contre Maxime

Sur la défaite et la mort de Maxime, Socrate donne la date — le 6ᵉ jour avant les calendes de septembre sous le consulat de Théodose et de Cynégius — au chap. 14, ce que ne fait pas Sozomène. Enfin, signalant la présence, lors du triomphe célébré à Rome, des « empereurs victorieux », qui ne peuvent être que Théodose et Valentinien II, Socrate ajoute qu'Honorius, appelé par son père, y participa *aussi*. Sozomène ne donne pas cette dernière précision. Lequel des deux a-t-il historiquement raison ? On considère aujourd'hui que seul Honorius accompagna son père [2]. Les deux historiens seraient donc dans l'erreur, Socrate en affirmant la présence des deux empereurs, accompagnés par Honorius, alors que Valentinien II n'a pas participé *physiquement*, autant qu'on sache, au triomphe, Sozomène en affirmant plus explicitement, en le nommant, la présence de Valentinien II et en passant sous silence celle d'Honorius. Il

1. Sozomène a placé ce mot avant le décès d'Agélios, alors que SOCRATE l'insère dans le chapitre traitant des dissensions introduites, postérieurement à ce décès, parmi les novatiens par le schisme de Sabbatios (*H.E.* V, 21).

2. Cf. PIGANIOL, p. 281. Pacatus (*PL* XI), fidèle à la règle du panégyrique, ne mentionne que le seul Théodose. Il n'est pas historiquement fiable.

ne mentionne pas non plus, comme le fait longuement
Socrate pour mettre en valeur la clémence de Théodose,
l'épisode de l'orateur païen Symmaque, auteur d'un panégyrique de Maxime, cherchant asile dans une église appartenant selon toute vraisemblance aux novatiens puisque c'est
l'intercession de Léontius, leur évêque à Rome, qui préserva
Symmaque et lui permit de composer derechef un panégyrique de ... Théodose. L'hypothèse d'une source novatienne,
commune aux deux historiens et qu'ils auraient utilisée dif-
féremment, n'est pas à exclure [1]. Mais si l'on ne croit pas à
une telle possibilité, une autre raison rendrait compte ici des
différences entre Socrate et Sozomène. Ce dernier dont les
sympathies pour les novatiens sont réelles, mais moins fortes, en tout cas moins affirmées que celles de Socrate, pourrait avoir choisi de ne pas toucher à l'action, décisive d'après
Socrate, des novatiens pour obtenir de Théodose le pardon
pour Symmaque. Étant lui-même un nicéen de stricte obédience, il ne pouvait pas représenter Théodose montrant
une complaisance trop vive pour une autre « secte », sans
que l'image de parfait orthodoxe qu'il tient à donner de
l'empereur en fût écornée.

Des différences d'esprit

Quelles que soient les hypothèses sur leur « profession »
— celle de clerc ou de juriste pour Socrate, la question est
encore discutée, celle d'avocat auprès des tribunaux pour
Sozomène —, sur la date respective des deux œuvres, sur
l'existence d'une « source novatienne » qui leur serait commune et sur la dépendance de l'un, Sozomène sans doute,
par rapport à l'autre, une analyse comparative limitée à
l'examen du contenu — l'analyse stylistique n'a pas été

---

1. L'existence d'une « trilogie novatienne », Socrate, Sozomène et la
source dont ils dérivent, hypothèse de W. TELFER, « Paul of Constantinople », *Harvard Theological Review* 43, 1950, p. 31-92, aux p. 42-43, n'est
pas explicitement récusée par G. DAGRON, *Naissance*, p. 431, note 1.

abordée — permet de conclure objectivement sinon à l'autonomie des deux récits, du moins à l'existence de différences
importantes entre eux tant pour le contenu que pour la
structure. Mais elles tiennent plus encore à l'esprit dans
lequel est conçue l'œuvre de chacun qu'à la source qu'il
aurait utilisée. Socrate apparaît comme écrivant dans un
esprit plus historique, indiquant des dates précises, donnant
une information plus complète, Sozomène dans un esprit
plus littéraire, privilégiant l'anecdote, allégeant les indications de date.

Plus important peut-être encore, leur « idéologie » ou leur
option religieuse est bien distincte : si l'un est résolument
novatien et oriente sans timidité sa représentation dans ce
sens, l'autre privilégie exclusivement l'orthodoxie nicéenne,
en prenant garde de souligner toujours que les novatiens
sont une autre secte (αἵρεσις), distincte des catholiques, et
que s'il parle d'eux positivement, c'est parce que, sur la
question de la foi, autrement dit la Trinité consubstantielle
de Nicée, ils ne diffèrent pas des orthodoxes. Si les points de
contact sont nombreux et souvent étroits, si l'on admet,
comme le veut la *communis opinio*, que c'est Sozomène qui
a puisé chez Socrate, les différences sont, elles aussi, assez
notables pour qu'on écarte l'imputation de plagiat et pour
qu'on admette au contraire que Sozomène pouvait légitime-
ment estimer que son œuvre n'était pas un double inutile.
D'autant que ces différences, déjà sensibles dans le livre VII,
vont en s'accentuant dans le livre VIII — où le parti de
Sozomène favorable à Jean Chrysostome et aux johannites
s'oppose, avec toutes les conséquences historiographiques
que cela implique, à celui de Socrate, proche d'Anthémius
et de Troïlus hostiles à l'évêque et, par conséquent, fort
réservé sinon critique à l'égard de la « Bouche d'or » —, et
plus encore dans le livre IX où le récit n'a presque plus rien
en commun avec le dernier livre de Socrate.

Autopsie et témoignages oraux

Même si elle a ses limites, une telle autonomie ou, en tout cas, une telle prise de distance ne pouvait que s'affirmer au fur et à mesure que les événements rapportés se rapprochaient de la date finale de 439 et que Sozomène était en mesure de s'appuyer davantage sur l' « autopsie » et sur l'interrogatoire de témoins directs. Nombreuses sont les histoires ou anecdotes qui lui ont été rapportées ou qu'il a recueillies après enquête [1], mais les deux pôles dans lesquels s'affirme le caractère personnel de son information sont Constantinople, lieu de son activité professionnelle au moment où il écrit [2], et la Palestine, particulièrement la région de Gaza dans laquelle il est né, où il a reçu son éducation et avec laquelle il a conservé des liens familiaux, à l'origine d'un attachement et d'un intérêt solides.

Aussi le recours aux traditions orales, la connaissance des lieux [3], l'insertion de toponymes syria-

---

1. Il est le seul à rapporter l'entrevue orageuse de l'impératrice avec Épiphane au cours de laquelle Eudoxie refusa le « donnant donnant » proposé par l'évêque de Salamine (VIII, 15), le seul aussi à rapporter l'entretien qui réconcilie l'auteur de l'*Ancoratus* avec les Longs. J. N. KELLY, *Golden Mouth*, p. 209-210, est d'avis que ces deux épisodes ne sont pas des racontars postérieurs et qu'ils portent au contraire le sceau de l'authenticité. La mise en doute par P. VAN NUFFELEN, *Un héritage...*, p. 245-246, du caractère personnel des enquêtes et des témoignages recueillis ne paraît pas assez justifiée.

2. Voir par exemple *H.E.* VIII, 5, 6 : « La même pierre qui, aujourd'hui encore, est conservée dans le trésor de l'église de Constantinople » ; VIII, 8, 4-5 (processions et chant de psaumes à Constantinople) : « Quant aux catholiques, ... ils ont continué de le faire jusqu'à aujourd'hui » ; VIII, 9, 6 (pourquoi Jean Chysostome refusait les invitations) : « Je ne puis en donner d'autre raison que celle-ci, que je tiens d'une personne, à mon avis véridique, que j'interrogeais à ce sujet » ; IX, 2, 17-18 (après la découverte à Constantinople des reliques des Quarante Martyrs de Sébaste) : « Une fête publique ... j'y ai assisté moi-même. Ceux qui se sont trouvés à la fête témoigneront qu'il en fut bien ainsi. Presque tous vivent encore. »

3. Voir les deux derniers chapitres du livre VII. En VII, 28, 4, nombreuses notations personnelles concernant Gaza, Maïoumas, les ascètes et évê-

ques [1] enracinent-ils profondément ces derniers livres dans un environnement sémitique qui constitue un élargissement et une originalité par rapport à une histoire « gréco-centrique ». Il n'y a, par exemple, aucune raison sérieuse de mettre en doute que Sozomène, comme il l'affirme, ait appris personnellement à Éleuthéropolis en Palestine les conditions dans lesquelles y furent découverts les corps d'Habacuc et de Michée. Ce n'est pas faire preuve de naïveté que de reconnaître une authentique fierté de natif ou de familier des lieux et de la langue qu'on y parlait dans les précisions qu'il prodigue sur « le village de Kéla, antérieurement nommé Keïla », sur « Berathsatia, lieu distant d'environ dix stades de la ville », sur « la tombe de Michée que... les indigènes appelaient 'tombeau fidèle', en le nommant en leur langue ancestrale Nephsaméémana » (VII, 29, 2). Le recours aux choses vues et à l'interrogatoire de témoins directs s'affirme par rapport aux livres précédents et connaît aussi une progression interne du livre VII au dernier livre. A la fin, malheureusement interrompue, de son ouvrage, l'historien apporte une somme d'informations d'une richesse exceptionnelle, dépassant de loin en intérêt le sec et partial

---

ques du lieu : Zénon et Aias ascètes « à Gaza, au bord de la mer au lieu qu'on nomme précisément Maïoumas » (§ 4), « Aias, dit-on, épousa une femme très belle ... » (§ 5), « Zénon ... renonça au mariage ... on dit ou plutôt nous l'avons vu nous-même quand il était évêque de l'église de Maïoumas » (§ 6). En VII, 29, découverte des corps des prophètes Habacuc et Michée : « Leur corps à tous deux, comme je l'ai appris, furent divinement montrés ... à Zébennos, évêque d'Éleuthéropolis, en Palestine » et le chapitre final de l'*H.E.* IX, 17 (découverte des corps de Zacharie et d'Étienne à nouveau près d'Éleuthéropolis) : « On dit que Zacharias, l'higoumène de la communauté monastique de Gérara ... » § 4, « Voilà ce que j'ai appris » (§ 5). Sur l'origine palestinienne, syriaque ou arabe, de Sozomène, P. Van Nuffelen, *Un héritage...*, p. 46-51, apporte des arguments linguistiques et épigraphiques.

1. *H.E.* VII , 29, 2 : « Le village de Kéla, antérieurement nommé Keïla », « Berathsatia ....Nephsaméémana » ; IX, 17, 1-2 : « Chaphar Zacharia ... Bèththérébin ». Le point sur Sozomène et la Palestine de son temps est fait par E. I. Argov, « A Church Historian in Search of an Identity : Aspects of Early Byzantine Palestine in Sozomen's *Historia ecclesiastica* », *Zeitschrift für antikes Christentum*, Bd 9, Heft 2, 2005, p. 367-396.

récit d'Orose et le récit tronqué et non exempt de méprises de Zosime [1].

Documents

L'importance croissante prise par l'expérience, l'observation personnelles et les témoignages oraux font que la part laissée aux documents se réduit. La préface générale s'interrogeait sur la place à leur accorder et, sans les exclure ni les mésestimer, se refusait à les reproduire *in extenso* [2]. En recourant aussi souvent qu'il peut à l' « autopsie » et aux témoignages directs, en limitant la place des documents, Sozomène s'assure une autonomie, ou une distance, plus grande par rapport à Socrate : on a affaire à deux récits de plus en plus indépendants. Sozomène s'affirme comme un juriste capable d'appuyer son récit sur les lois de Théodose et de les interpréter correctement [3] ; il n'hésite pas à se faire archéologue pour dresser le compte rendu des fouilles qui amenèrent au jour les reliques des Quarante Martyrs de Sébaste [4].

Seul le livre VIII présente une exception explicite : la citation complète des deux lettres du pape Innocent Ier,

1. OROS., *hist.* VII, 36-43 et Zos. V, 26-VI, 13.

2. Sozomène y limitait, « pour ne pas alourdir l'exposé », l'utilisation des documents aux seuls points controversés « en vue de démontrer la vérité » (I, 1, 14). J. BIDEZ, *La tradition manuscrite de Sozomène et la Tripartite de Théodore le lecteur*, Leipzig 1908, *Texte und Untersuchungen zur Geschichte der Altchristlichen Literatur* 32/2, p. 93, souligne « le prix des documents qu'il cite ou résume et dont il est le seul à nous garder la trace ».

3. R. M. ERRINGTON, « Christian Accounts of the Religious Legislation of Theodosius I », *Klio* 79, 1997, Heft 2, p. 398-435 : « Only Sozomenos, himself a lawyer, took the trouble to gain access to the Code », p. 435.

4. L'extrême précision du détail est remarquable en IX, 2, 13 et 15. L'ordre historique de l'exposé, partant des dernières volontés d'Eusébia pour arriver à la découverte de la châsse, est l'inverse de l' « ordre archéologique » qui, partant de la trouvaille, s'efforce de remonter la chaîne de l'histoire.

l'une à Jean Chrysostome, l'autre à ses clercs et aux fidèles de Constantinople. Sozomène a découvert personnellement ces pièces. Les a-t-il trouvées déjà traduites du latin ou la connaissance de la « langue des Romains » qu'on attend d'un juriste lui a-t-elle permis de les traduire lui-même, l'expression est ambiguë et ne permet pas de trancher. Elles ne figurent pas en tout cas chez Socrate [1]. Sozomène les a recueillies soit dans les archives du Patriarcat de Constantinople [2], soit plutôt, puisqu'il ne précise pas le canal par lequel il y a accédé, ce qu'il aurait probablement fait s'il s'agissait d'archives officielles, dans les dossiers pieusement conservés par les « johannites », les fidèles de Jean Chrysostome persécutés qui se tenaient à l'écart à Constantinople ou s'étaient réfugiés en Bithynie [3]. D'après l'orientation de son

1. Lettres d'Innocent à « son cher frère Jean » (VIII, 26, 2-6) et aux clercs et aux fidèles de Constantinople (VIII, 26, 7-19). Non seulement ces lettres importantes (cf. PIETRI, *Roma christiana*, p. 1314) ne sont pas chez Socrate, mais elles ne figurent dans aucune collection latine de lettres pontificales, notamment la *Collectio Avellana*. Il n'y a pas lieu de supposer qu'elles aient été forgées par les johannites : ayant été adressées, l'une à l'évêque, alors déchu et proscrit, et l'autre à ses partisans qui n'étaient pas en position de force, elles n'ont pas été accueillies dans les collections impériales. PALLADIOS, *Dial.* III, 40, éd. A. M. Malingrey, *SC* 341, p. 68-69, semble bien se référer rapidement à elles. P. VAN NUFFELEN, *Un héritage* ..., p. 75, voit aussi dans les milieux johannites de Constantinople ou de Bithynie la source de l'information de Sozomène.

2. C. BAUR, *John Chrysostomus and his time*, Westminster 1959-1960 (trad. de *Johannes Chrysostomus und seine Zeit*, Munich, 1929-1930), pense, p. 335-338, que les deux lettres papales ont été écrites à la fin de l'automne 404 et que « Sozomène a probablement trouvé dans les archives du Patriarcat une traduction en grec de ces deux lettres sur l'authenticité desquelles il n'y a pas de doute » (p. 338, note 40).

3. Sur les johannites, les partisans de Jean qui, depuis la retraite forcée de ce dernier, ne se rendaient plus à la Grande Église mais tenaient des assemblées séparées en différents lieux, voir SOCR., *H.E.* VI, 18, 14-15 et SOZ., *H.E.* VIII, 21, 4. Cf. R. BRÄNDLE, *Jean Chrysostome (349-407)*. « *Saint Jean Bouche d'or* ». *Christianisme et politique au IVᵉ s.*, trad. franç., Paris 2003 (Cerf-Histoire) ; J. N. A. KELLY, *Golden Mouth. The Story of John Chrysostomus, ascetic, preacher, bishop*, Londres 1995, puis 1996 et P. VAN NUFFELEN, *Un héritage...*, p. 75.

récit très favorable à Jean, Sozomène, — à supposer qu'il
n'ait pas fait lui-même partie des johannites qui luttèrent
longuement pour arracher aux évêques de Constantinople et
d'Alexandrie, avec l'appui de Rome, la réhabilitation de leur
évêque —, avait du moins des sympathies et des accoin-
tances dans leur milieu qui lui permettaient de consulter ces
précieuses lettres pontificales. Il les cite pour renforcer la
légitimité de Jean Chrysostome en fournissant la preuve de
l'appui que lui apportait Rome et pour démontrer le courage
et l'esprit de justice du pape qui pouvaient être en l'occurrence contestés.

Ce n'est pourtant pas que Sozomène ignore les documents : il est mieux renseigné que Socrate sur le concile du
Chêne dont le patriarche Photios nous a conservé les actes [1]
ou, en tout cas, il s'y intéresse davantage. Il se réfère aussi à
l'existence de documents infalsifiables pour faire taire les
sceptiques qui mettraient en doute la générosité déployée
par Pulchérie en vue de fondations pieuses et charitables :
ces incrédules sont renvoyés aux pièces que détiennent à ce
sujet les intendants de la maison — *cubiculum* — de Pulchérie. On comprend que le nombre et surtout le caractère
technique, voire comptable, de telles pièces aient interdit de
les faire figurer dans une Histoire. Mais la référence, même
générale, à de tels documents conservés dans des archives
privées montre que Sozomène en connaissait l'existence et
qu'il avait donc, sinon ses entrées personnelles dans la « mai-

---

1. Comparer *H.E.* VIII, 17 et 19 et Socr., *H.E.* VI, 15, 14-17. Photios
(*Bibl.* 59, éd. Henry, p. 52-57) énumère les vingt-neuf griefs invoqués
contre Jean Chrysostome par l'accusateur Macaire de Magnésie, puis les
dix-sept accusations contenues dans le libelle du moine Isaac : la
troisième — Jean prenait ses repas en solitaire —, la dixième — il empié-
tait sur les provinces d'autrui et y consacrait des évêques —, la
quinzième — il avait accueilli des partisans d'Origène — trouvent écho
chez Sozomène, mais pour être vivement réfutées. Théod., *H.E.* V 34, 1-3,
qui s'avoue très gêné par cette désastreuse affaire et ne veut pas donner de
noms, résume rapidement la suite des événements qui amenèrent la destitution de Jean et ne donne même pas le lieu du synode qui la décida.

son » de Pulchérie, du moins des relations avec des personnes de son entourage [1].

Variété littéraire et constantes thématiques

Sur le plan littéraire, Sozomène fait preuve de la souplesse
qu'il a conquise dans le maniement de plusieurs genres
d'écriture historique illustrés par les modèles classiques. Le
livre VII relève proprement de l'histoire : le politique et le
militaire s'y entrelacent en proportion relativement égale
avec le religieux, sans que l'attention se concentre sur le seul
Théodose, ce qui l'aurait fait basculer dans le panégyrique.
La figure de l'évêque Ambroise de Milan assume le rôle
indispensable de contrepoids que ne joue pas celle de
l'empereur Gratien, pourtant responsable du choix de Théodose et adversaire décidé du paganisme. Le livre VIII, consacré presque entièrement à la politique ecclésiastique, s'appa-
rente davantage à une monographie, plus précisément à une
biographie encomiastique à la gloire de Jean Chrysostome,
dans la tradition classique de Xénophon, d'Isocrate ou
même de Polybe [2]. Le livre IX juxtapose hardiment les
séquences consacrées à Pulchérie, proches du panégyrique
et même de l'hagiographie, et les séquences politico-
militaires, ancrées dans la tradition de l'historiographie classique, sans donner pourtant l'impression d'un bariolage
outré ni d'un mélange des genres.

En effet, ces nuances de ton ne sont que la contrepartie de
constantes thématiques remarquablement stables : l'accent
mis sur la piété des empereurs, des évêques, au moins de
ceux qui sont conscients de leur mission, du « peuple

---

1. *H.E.* IX, 1, 11 : « On verra que je n'écris pas cela mensongèrement ni
par faveur si l'on parcourt le compte rendu de ces choses qu'ont écrit les
intendants de sa maison et si l'on apprend de ces documents si les faits
s'accordent avec mon ouvrage. » *Contra* P. Van Nuffelen, *Un héritage ...*,
p. 254.

2. On pense à l'*Agésilas*, à l'*Évagoras* ou même à la *Vie de Philopoe-
men* (perdue).

fidèle », la toute puissante efficacité de la Providence dont dépendent les succès des uns et les échecs des autres, la louange de l'ascétisme et de la sainteté des moines, du moins ceux qui, contrairement aux « vagants » de Constantinople, restent attachés à leur vocation de prière et de silence. Elles maintiennent entre ces trois livres un lien idéologique suffisamment étroit qui constitue ce qu'on pourrait appeler une théologie de l'histoire. Le dernier est sans doute celui où la présence divine est le plus constamment mise en évidence : c'est à la faveur divine pour Pulchérie, son frère et ses sœurs, que sont dues la découverte des reliques, la paix à l'intérieur et à l'extérieur, les victoires remportées par Honorius sur les ennemis et sur une multitude d'usurpateurs.

Cette cohésion thématique est encore renforcée par l'affirmation des grandes tendances littéraires, d'un « art de la représentation » dont les prémices ont été observés dans les livres précédents. La dramatisation du récit se fait encore plus vive, comme dans la scène pathétique du père obligé, lors du massacre de Thessalonique, de choisir, sans pouvoir s'y résoudre, entre ses deux fils pour soustraire l'un des deux à la mort, la représentation des « Pâques sanglantes » de l'année 404, la scène violente où une épouse chrétienne résiste au désir d'un jeune barbare lors du sac de Rome — scène qui n'est pas dénuée d'une valeur symbolique si la chaste épouse, réplique de la Lucrèce de Tite-Live, représente bien la *Roma christiana* [1]. La caractérisation plus poussée des personnages s'épanouit en véritables portraits [2] :

1. Voir *H.E.* VII, 25, 5-6 (lors du massacre de Thessalonique) ; VIII, 21, 1-4 ; IX, 10, 1-4 (prise de Rome). Sur le massacre de Thessalonique, voir D. WASHBURN, « The Thessalonian Affair in the Fifth-Centuries Histories », dans *Violence in Late Antiquity*, H. A. DRAKE éd., Ashgate, 2006, p. 215-224, comparaison, favorable à notre auteur pour la valeur proprement historique, entre Sozomène, Théodoret et Socrate (qui occulte complètement l'épisode).

2. Non seulement les portraits des personnages de première grandeur, Ambroise de Milan, Jean Chrysostome et Pulchérie, mais aussi des seconds rôles, les évêques Épiphane de Salamine, Théophile d'Alexandrie, Atticus

si celui de Théodose est peint d'une couleur trop uniforme pour acquérir un vrai relief [1], il n'en va pas de même pour celui de Jean Chrysostome dont le portrait inspiré par une fervente admiration n'exclut pas cependant les contrastes violents [2], ni pour celui d'Eudoxie, impératrice, épouse et mère, chez laquelle la piété et la révérence pour l'évêque se heurtent à la dignité et à l'orgueil froissés par la rigueur ou les outrages, réels ou imaginaires, de Jean [3]. Même un personnage qui ne joue qu'un rôle secondaire, l'évêque de Constantinople Atticus, est gratifié d'un portrait qui est un chef-d'œuvre d'ambiguïté, où chaque trait positif est immédiatement limité ou contredit par une réserve, voire par une critique qui paraît répliquer, en reprenant ses rubriques, au portrait louangeur que Socrate donne du même

de Constantinople et même un certain Auxence, fils du chrétien Addâs qui avait fui la Perse en raison des persécutions (VIII, 21, 8).

1. Sozomène reconnaît la responsabilité de Théodose dans le massacre de Thessalonique (VII, 25). Encore prend-il soin d'encadrer ce triste épisode (§§ 3-6) par une double mention de la repentance de Théodose (§§ 1-2 et § 7). Les historiens païens font un tout autre portrait de l'empereur, lui reprochant sa mollesse, son goût du luxe, des dépenses somptuaires et sa politique favorable aux barbares (F. PASCHOUD, « La figure de Théodose chez les historiens païens », dans *La Hispania de Teodosio*, Congreso intern. Segovia, 1997, vol. 1, p. 193-200). La vérité historique se situe sans doute entre l'hagiographie des uns et la polémique des autres (représentée par Zosime).

2. Cf. *H.E.* VIII, 9, 5 : « Les clercs et beaucoup de moines l'avaient pris en haine, ils l'appelaient homme dur et emporté, maladroit et orgueilleux. » S'il s'agit là du portrait que tracent de Jean ses adversaires, Sozomène ne cache pas (*H.E.* VIII, 3, 1-2) qu'il était « par nature prompt au blâme », qu' « il s'abandonnait à ses impulsions », « que son inclination naturelle avait pris grande liberté de parole » et qu' « elle suscitait promptement ses élans de colère contre les pécheurs ».

3. Voir *H.E.* VIII, 10, 6 : « jusqu'à ce que, dans l'église des Saints Apôtres, elle lui eut mis sur les genoux son fils Théodose avec supplications et profusion de serments » ; 18, 5 : « elle lui fit savoir qu'elle le vénérait comme évêque et comme l'initiateur de ses enfants » ; 20, 2 : « l'impératrice, qui avait le souvenir des mortifications précédentes, se tenant à nouveau pour outragée, est emplie de fureur ». Ajouter en VIII, 15, 1-2, son altercation avec Épiphane.

personnage [1]. La prédilection pour l'anecdote moralisante [2] ou édifiante [3] et pour la forme dialoguée au style direct [4] est désormais librement affichée. Les prises de position personnelles se multiplient pour indiquer une source, exprimer une hésitation ou un doute sur une interprétation controversée, insister au contraire sur la véracité d'un fait qui paraît incroyable, porter un jugement positif ou critique sur de hauts personnages [5].

---

1. Socr., *H.E.* VII, 2 et 25. Sozomène ne pardonne pas à Atticus d'avoir été l'un des ennemis de Jean Chrysostome alors que Socrate apprécie qu'il ait entretenu de bonnes relations avec les novatiens. L'opposition de Socrate et de Sozomène autour de Jean Chrysostome (cf. P. Van Nuffelen, *Un héritage* ..., p. 29-36 sur Socrate, anti-johannite, et p. 71-79 sur Sozomène, pro-johannite) s'exprime aussi dans le portrait de l'évêque novatien Sisinnius : Sozomène emprunte bien à Socrate — ou à la source qu'il a en commun avec lui — une série de bons mots de Sisinnius, mais il se garde de rapporter comme lui le dialogue aigre-doux que le chef des novatiens eut avec Jean Chrysostome, tant il est soucieux de préserver de tout contact suspect la figure de l'orthodoxie parfaite que Jean incarne à ses yeux.

2. L'histoire d'Épiphane et des deux mendiants (*H.E.* VII, 27, 5-8) a tout l'air d'une fable ésopique dont la moralité serait christianisée : « Ceux qui se conduisent ainsi avec ses serviteurs cherchent à Le tromper, Lui qui pourtant sait tout, entend tout et voit tout. »

3. Par exemple *H.E.* VIII, 5, 3-5 : une épouse macédonienne est convertie par le miracle du pain transformé en pierre ; 19, 4-7 : mort opportune de l'ascète Nilammon pour échapper à l'épiscopat dont il se jugeait indigne.

4. *H.E.* VII, 5, 4-6 : Théodose et le vieil évêque ; VII, 10, 3 : Nectaire et son médecin ; VIII, 1, 11-14 : Sisinnius réplique du « tac au tac » à ses détracteurs ; VIII, 5, 3 : le macédonien converti et son épouse rétive ; VIII, 15, 1-2 : l'impératrice et Épiphane ; VIII, 15, 3-5 : Ammonios et Épiphane etc... Sur la figure appelée *sermocinatio* (*dialogoi*), cf. *Rhet. ad Herenn.* IV, 65 ; Cic. *orat.* II, 328 ; Quint. IX, 2, 29 s. (le « dialogisme » consiste à faire tenir à une personne un langage en accord avec sa situation).

5. Dans le seul livre VII, interventions personnelles en 7, 7 : « Et il me semble à moi qu'il faut admirer ... » ; 8, 8 : « je ne sais pas exactement si c'est vrai, je suis persuadé toutefois .... » ; 10, 3 : « je loue l'homme, quant à moi, pour son refus et c'est pourquoi je lui ai fait place dans mon histoire » ; 16, 1 : « là-dessus les opinions diffèrent : je dirai, quant à moi, ce que je pense » ; 17, 8 : « j'ai écrit d'après ce que j'ai appris ... Parcourir en détail toutes les discussions soulevées ... serait trop longue tâche et pour moi difficile, car je n'ai aucune expérience en ces sortes de disputes » ; 18, 7 :

Une certaine vision de l'Église

Une vision contrastée

Pour Sozomène, la victoire de l'empereur est celle de Dieu. C'est à la piété que revient la victoire, victoire sur les ennemis de l'extérieur, les barbares, et de l'extérieur, les usurpateurs mais surtout les hérésies. Un livre à première vue aussi « laïque » dans sa matière que le dernier est ordonné à une démonstration, celle d'une « théologie de l'histoire » dans laquelle les événements, si dramatiques, si menaçants, si cruels qu'ils soient, sont toujours soumis à la volonté divine et tournent finalement dans le sens fixé par la Providence, sans que pourtant l'action et la volonté des hommes soient niées. L'historien a le souci de mettre en lumière la continuité de cette action divine depuis les prophètes de l'Ancien Testament — c'est pour cette raison qu'il donne un tel relief à la découverte miraculeuse des corps d'Habacuc et de Michée et, plus miraculeuse encore, celle du corps intact de Zacharie — jusqu'à l'invention des reliques des Quarante soldats, martyrs sous Licinius, par l'*Augusta* Pulchérie pour le compte de l'empereur Théodose.

Mais, malgré ce bel optimisme, il se dégage de ces derniers livres, d'une manière encore plus franche, plus audacieuse même que dans les livres précédents, une vision hautement contrastée de l'Église, centrée sur les Églises d'Orient, les plus remuantes, et plus encore sur celle de Constantinople, la plus porteuse d'avenir. Sozomène ne se lasse pas de répéter que les querelles dogmatiques, les rivalités, mesquineries, intrigues des clercs et surtout des évêques pour la conquête du pouvoir et de la richesse temporels — la

« Quant à moi, il m'arrive de m'étonner... » ; 19, 9 : « comme je l'ai appris » ; 11 : « comme je le questionnais à ce sujet .... » ; 27, 8 : « j'ai fait mention pour ... montrer ... ».

rivalité entre Antiochus de Ptolémaïs et Sévérianus de Gabala pour « ramasser de l'argent » à Constantinople auprès de personnes aussi naïves et généreuses que la riche et vertueuse diaconesse Olympias est représentée de façon particulièrement crue (VIII, 10, 1-5) — portent préjudice à la véritable et pure religion et, par voie de conséquence, à la prospérité intérieure et à la capacité de l'Empire à tenir en respect l'ennemi extérieur. Il l'affirme comme une vérité générale : « Quand il y a discorde entre les prêtres, les affaires publiques aussi sont atteintes de tumultes et de trouble [1]. » A l'opposé de telles divisions génératrices de désordre, il fait l'éloge d'une vertu faite de piété authentique, de désintéressement, de respect, de dévouement et de courage à l'image de celle des martyrs et des moines, ceux du moins qui « restaient en paix dans leurs monastères » et ne se montraient pas « vaguant par la ville » [2]. A l'image aussi de Jean Chrysostome dont tout l'honneur est d'avoir joint les œuvres à la parole : « Quand la parole est soutenue de l'ornement des œuvres, elle paraît à bon droit digne de foi ; sans les œuvres, elle fait paraître l'orateur comme un simulateur et un homme qui condamne ses propres dires [3] ... »

Un point de vue « social »

Un point de vue que nous dirions plus « social », plus engagé, fidèle à l'esprit de Jean Chrysostome et, au-delà de lui, à celui des premiers chrétiens, n'est pas absent : l'historien dénonce les abus et la cruauté des puissants et des gens établis, prend position en faveur des humbles dont la foi simple, sans faille ni faiblesse, reste indéfectiblement attachée à leur pasteur qui les défend contre les « iniquités » des riches [4] et dont le discours, en s'attaquant à ceux qui prati-

---

1. *H.E.* VIII, 25, 1.
2. *H.E.* VIII, 9, 4.
3. *H.E.* VIII, 2, 4.
4. *H.E.* VIII, 8, 6.

quaient l'injustice, « plaisait, comme de juste, à la masse, mais fâchait les riches et les puissants, qui sont ceux qui le plus souvent commettent des fautes [1] ». Ces derniers, membres du clergé compris, sont tout prêts, dit l'évêque, à quémander auprès de personnes généreuses sans discernement, comme la diaconesse Olympias, des dons dont ils n'ont nul besoin et qui devraient être réservés aux indigents [2]. Si Sozomène croit bon aussi de rapporter (VIII, 12, 6) les mots du prêtre Isidore déclarant à son évêque Théophile d'Alexandrie « qu'il valait mieux restaurer par les soins appropriés les corps des malades, qu'on doit plus proprement regarder comme temples de Dieu, ... que d'élever des murs », fussentils ceux d'une église, c'est bien parce qu'il partage la conviction que la priorité absolue doit aller aux déshérités. Cette même conviction poussa Jean Chrysostome à entamer la construction d'un grand hôpital pour les lépreux, les exclus de Constantinople, dans la campagne proche de la capitale. Elle lui coûta cher en lui aliénant, aussi, les propriétaires des grands domaines jouxtant Constantinople, inquiets de cette « dangereuse » proximité, des risques — inexistants ! — de contagion, et surtout de la moins-value prévisible de leurs terres. Du coup, au nom de cette perspective « sociale », Sozomène semble bien regretter que Jean se soit acharné, certes sous la pression de la lointaine mais prestigieuse Église de Milan, à écarter de l'épiscopat de Nicomédie l'ancien médecin Gérontius, alors que ce dernier faisait preuve d'une « égale diligence à l'égard de tous, riches et pauvres [3] ».

---

1. *H.E.* VIII, 2, 11. Noter le caractère personnel du commentaire hardiment généralisant.

2. *H.E.* VIII, 19, 1-3 (leçon de discernement) : « Toi, en apportant de la richesse aux riches, tu ne fais rien d'autre que jeter tes biens à la mer. » Les évêques Antiochus de Ptolémaïs et Sévérianus de Gabala avaient été des premiers à bénéficier des largesses d'Olympias. Nul doute que les admonestations adressées par Jean à celle-ci ne leur aient pas fait grand plaisir !

3. *H.E.* VIII, 6, 7.

La place des femmes

Dans une sorte de galerie de héros chrétiens, les femmes de grande énergie et de haute vertu tiennent toute leur place. Sozomène affiche même un certain féminisme, non certes au sens actuel du terme, mais conforme à la tradition chrétienne de l'égalité entre les sexes [1] qui se réalise de son temps dans l'égale puissance et dignité des empereurs et des impératrices [2]. Égale puissance qui se justifie par une égale, sinon plus grande et plus naturelle piété. Entre Dieu ou le Christ et ses servantes, l'impératrice Pulchérie mais aussi la vierge consacrée Matrona, macédonienne pourtant [3], la diaconesse Olympias « répandant ses richesses sur tous les quémandeurs ... et ne pensant qu'aux choses divines », ce qui lui valut d'être réprimandée par Jean, elle qui fit preuve jusqu'au bout d'un courage inaccessible aux menaces [4], et la vaillante Nikarétè, modèle de toutes les vertus chrétiennes — humilité, courage, prudence, philanthropie, amour des pauvres, discrétion et modestie, goût de l'ascèse [5] — se réalise au plus haut point la réciprocité de l'échange entre la piété, l'*eusebeia*, et l'affection divine, la *theophileia*. Les

1. *Épître aux Galates* 3, 28 : « Vous tous baptisés dans le Christ, vous avez revêtu le Christ ; il n'y a ni Juif, ni Grec, il n'y a ni esclave ni homme libre, il n'y a ni mâle ni femelle car tous vous ne faites qu'un dans le Christ. » Voir M. ALEXANDRE, « De l'annonce du Royaume à l'Église. Rôles, ministères, pouvoirs de femmes », dans *Histoire des femmes*, t. 1, *L'Antiquité* (dir. P. SCHMITT PANTEL), 1991, p. 439-471, en particulier p. 457-471.

2. Voir K. G. HOLUM, *Theodosian Empresses. Women and imperial Dominion in late Antiquity*, Berkeley 1982 ; L. JAMES, *Empresses and Power in Early Byzantium*, Leicester 2001. Selon M. ALEXANDRE, *ibid.*, p. 469 : « En déployant leur *basiléia*, les impératrices théodosiennes expriment, à travers leurs libéralités, leur volonté d'action religieuse. »

3. *H.E.* VII, 21, 4-9.

4. *H.E.* VIII, 9, 1-3 ; 24, 4-6 ; 27, 8. Sur Olympias, « donatrice et fondatrice », voir M. ALEXANDRE, *ibid.*, p. 468-469. Sur les formes de la pauvreté à Byzance, voir É. PATLAGEAN, *Pauvreté économique et pauvreté sociale à Byzance (4ᵉ-7ᵉ siècles)*, Paris-La Haye 1977.

5. *H.E.* VIII, 23, 4-7.

femmes, notamment celles de la famille impériale, plus encore celles qui sont « nées dans la pourpre », se présentent comme d'indispensables médiatrices. De leur pouvoir spirituel, de la grâce qu'elles se sont acquise auprès de Dieu découle aussi un pouvoir temporel légitime qu'elles peuvent conférer à leur tour à ceux qui leur en paraissent dignes. Ainsi fera Pulchérie pour Marcien.

Ce pouvoir féminin se situe dans un cadre plus large, celui de la relation entre l'Église et l'Empire. En confiant l'éducation du jeune Théodose à la pieuse Pulchérie, « Dieu a montré que la piété seule suffit à assurer le salut des princes et que ne sont rien sans elle armées, vigueur de l'empereur et tout le reste de l'apparat [1] ». Le récit des événements politiques et militaires qui constituent la presque totalité du livre IX ne vaut pas pour lui-même, pour le simple établissement des faits, il est subordonné à cette démonstration et destiné à « nous convaincre que, pour garder le pouvoir, il suffit à l'empereur d'honorer avec soin la Divinité [2] ». Ainsi, en mettant l'accent sur le nombre et la gravité des « tribulations » d'Honorius, Sozomène a eu pour but de démontrer que Dieu a reconnu la piété de cet empereur en lui assurant la victoire contre tous les usurpateurs. La découverte des corps saints des prophètes et des martyrs contribue à la gloire de Dieu, mais elle est aussi la reconnaissance qu'Il accorde à la piété de Théodose et des évêques de son temps [3], comme Il l'accordera plus tard à Pulchérie, en légitimant ainsi le pouvoir impérial aux yeux du « peuple fidèle ». Ainsi est fermement tracé le cadre d'un Empire qui doit à la protection divine la victoire sur ses ennemis et sur le temps. Les guerres de son époque ont donc pour Sozomène

1. *H.E.* IX, 1, 2.
2. *H.E.* IX, 16, 1.
3. *H.E.* VII, 29, 1-3. Remarquer que la gloire de la « découverte » des reliques d'Habacuc est attribuée à Théodose et aux évêques de son temps, alors que le tombeau d'Habacuc à Keila était connu depuis longtemps comme l'atteste la notice de l'*Onomasticon* d'Eusèbe, p. 114 l. 15 (éd. Klostermann, *GCS*, 1904, rémpr. 1966).

un sens eschatologique qui dépasse de bien loin celui d'une lutte pour l'argent, la terre ou le pouvoir : ce sont autant de marches nécessaires pour l'ascension jusqu'au triomphe final de l'orthodoxie sous Théodose II, tout comme, en sens opposé, elles ont pour fin, selon Philostorge, la punition divine de la tyrannie sectaire exercée par les nicéens et, selon Zosime, l'inéluctable décadence à laquelle l'abandon des dieux condamne l'Empire désormais tombé entre les mains des « impies ».

Vers l'affirmation de l'identité de Byzance

Dans ce récit d'une époque où se distend puis se rompt l'unité de l'Empire, Sozomène est un témoin remarquable de la construction d'une identité de Byzance de plus en plus distincte de l'identité occidentale et romaine. Elle se définit d'abord par l'affirmation de la piété comme valeur première, par l'union indissoluble du religieux et du politique, par la foi dans l'intervention continuelle de la Providence dans les affaires humaines. Elle se manifeste par autant de miracles, apparitions nocturnes, songes prémonitoires, victoires inespérées, invention de saintes reliques [1], dont les bénéficiaires, l'empereur Théodose Ier comme l'impératrice Pulchérie,

---

1. Parmi les manifestations du surnaturel, noter en VII, 23, 4, l'apparition démoniaque ; en VII, 24, 3-8, la victoire inespérée de Théodose sur Eugène ; en VII, 26, 6-8, les miracles de l'évêque Théotime ; en VII, 27, 1-8, les miracles d'Épiphane, de son vivant et après sa mort ; en VIII, 4, 12-14, l'apparition de soldats géants gardant le palais ; en VIII, 5, 3-6, la transformation du pain en pierre ; en VIII, 24, 2, le songe de Sisinnius concernant le martyr Eutrope ; en VIII, 28, 3, l'apparition du martyr Basiliskos à Jean Chrysostome ; en IX, 2, 7 la triple apparition de saint Thyrse, puis l'apparition des Quarante martyrs à Pulchérie ... On ne peut pas pour autant souscrire à l'opinion de P. VAN NUFFELEN, Un héritage..., p. 291 selon lequel « Sozomène sacrifie le tout pour un beau conte parsemé de miracles ». Voir dans Dictionnaire des miracles et de l'extraordinaire chrétiens, dir. P. SBALCHIERO, Paris, Fayard, 2002, les articles apparitions, découvertes miraculeuses, possession, voyance, fontaines et sources miraculeuses, guérison, charisme de connaissance, incorruptibilité, conversion subite, reliques ...

sont pour cela eux-mêmes admirés et vénérés. Dans cette
identité de Byzance qui prolonge sur ce point, en l'accentuant, la mentalité accueillante de l'Antiquité tardive, il
n'existe pas de fracture ni même de distinction entre ce que
nous appelons le rationnel et l'irrationnel : le miracle et le
merveilleux ne sont jamais connotés négativement ou de
façon sceptique, bien au contraire ils apparaissent comme la
réalisation « normale » dans les affaires humaines de la toute-
puissance divine. Cette coexistence tranquille du raisonnement logique et de l'accueil du merveilleux s'observe dans le
récit des miracles du saint évêque Épiphane de Salamine :
l'historien y prend soin de faire taire en invoquant des précédents célèbres — du reste tous miraculeux ! — la moindre résistance sceptique [1].

A l'époque de la rédaction, une foi chrétienne aussi fervente est loin d'être inconciliable avec l'amour respectueux
des lettres et de la culture qui, dans le cadre de l'hellénisme
culturel illustré par le tout puissant préfet et poète Cyrus de
Panopolis et par l'impératrice et femme de lettres Eudocie,
constitue le socle du premier « humanisme byzantin » [2]. Le
goût des belles lettres est l'une des rares qualités que l'historien veut bien reconnaître à Atticus, le deuxième successeur
de l'irremplaçable Jean : « Comme il avait bon goût, chaque
fois qu'il était de loisir, il pratiquait les plus renommés des

1. *H.E.* VII, 27, 4-8 : « ce n'est pas une raison pour douter qu'Épiphane
ait accompli une chose pareille. » Les précédents invoqués sont Grégoire le
thaumaturge, l'apôtre Pierre, Jean l'Évangéliste, les filles de Philippe.

2. Voir P. LEMERLE, *Le premier humanisme byzantin. Notes et remarques sur enseignement et culture à Byzance des origines au IXe s.*, Paris
1971 (Bibliothèque Byzantine, Études 6), p. 43-73 : « Les IVe et Ve siècles
montrent une vitalité extraordinaire des études classiques », p. 51 et, d'un
point de vue plus précis, A. FROLOW, « Climat et principaux aspects de l'art
byzantin », *Byzantinoslavica* 26, 1965, p. 40-61, qui souligne, p. 45,
« l'authentique esprit d'hellénisme qui pénétrait la société byzantine »
jusqu'à la période médiévale (si Jean Chrysostome et les Cappadociens
étaient les disciples immédiats de la seconde sophistique, Photios, au IXe s.,
jugeait encore la qualité d'un style à l'aune de son atticisme et, au XIIe s.,
Anne Comnène maniait la langue de Thucydide).

auteurs grecs [1] ». Plusieurs remarques sur la prudence à observer à l'égard de « non-initiés » montrent aussi que le public que Sozomène espérait toucher comptait également des Hellènes au double sens, religieux et culturel, du terme [2].

De ce double point de vue, les évêques, eux non plus, ne sont pas estimés seulement en fonction de leur piété, de leurs vertus, mais aussi de leur parole, de leur éloquence, de la fidélité de celle-ci aux meilleurs modèles de la grécité classique. Nul doute que dans l'admiration de Sozomène pour Jean Chrysostome, évêque et martyr, une grande part ne revienne aussi à l'éloquence extraordinaire de la « Bouche d'or » [3]. Et cela même si, comme l'historien le laisse entendre, elle l'entraîna à l'imprudence, voire aux excès d'une parole qui se laisse emporter, voire dépasser par elle-même : l'évêque Sévérianus de Gabala, l'un de ses pires ennemis, qui soutenait que rien n'est impardonnable aux yeux de Dieu sinon l'orgueil et que si Jean n'était coupable de rien d'autre, il était assurément coupable de ce péché-là [4], n'était, malgré sa mauvaise foi, pas loin d'une vérité que Sozomène ne refusait pas de reconnaître ! Cet orgueil ne pouvait que mettre l'évêque en posture d'affrontement, moins avec le transparent Arcadius qu'avec l'autoritaire et

1. *H.E.* VIII, 27, 6.

2. *H.E.* VIII, 5, 4 : « au moment des mystères — les initiés savent ce que je veux dire » ; 21, 2 : « les autres excès, ... les initiés ne les ignorent pas, mais je dois les taire pour le cas où un non-initié lirait ce livre » ; IX, 2, 11 : « l'ambon — c'est la tribune des lecteurs ». Il est probable qu'en refusant de donner sur les « Pâques sanglantes » d'avril 404 le détail des actes scandaleux et sacrilèges qu'il pouvait trouver chez Palladius, Jean Chrysostome (*Lettre à Innocent*), le pseudo-Martyrius (*Vie de Jean Chrysostome*) et dans les milieux johannites de Constantinople et de Bithynie, Sozomène a voulu aussi maintenir son récit dans les limites objectives de l'histoire.

3. Non seulement l'éloquence entraînante et enflammée de Jean Chrysostome est maintes fois soulignée, mais Sozomène insiste sur le fait qu'il eut pour maître de rhétorique le célèbre rhéteur d'Antioche Libanius (*H.E.* VIII, 2, 2 et 5).

4. *H.E.* VIII, 18, 3.

intelligente Eudoxie. L'évocation des rapports complexes de ces deux impérieuses et intraitables personnalités et, par elles, des relations tendues entre l'Église et l'Empire [1], est riche d'une vérité psychologique et d'une dignité morale dont les intrigues mesquines des prélats jaloux et des traîtres font ressortir la noblesse.

Une œuvre mutilée, censurée ou inachevée ?

Pourquoi l'année 439 ?

On ne peut pas manquer de se heurter au mystère que constitue la fin brutale que l'auteur ne prévoyait pas, ou plutôt d'être attiré par lui. L'œuvre a-t-elle été mutilée par le temps ou par la volonté des hommes ? Celle de Zosime pose le même problème : son livre VI s'interrompt brutalement, encore plus tôt, avant le récit de la prise de Rome par Alaric (410). Entre les trois explications simples qui ont pu être proposées, accident de la transmission manuscrite, autrement dit mutilation accidentelle de l'archétype d'où découlent les dix manuscrits existants, exercice de la censure impériale, maladie ou mort de l'auteur, il est difficile de trancher : aucune d'elles n'est entièrement satisfaisante. Et d'abord pourquoi Sozomène avait-il adopté comme *terminus*

---

1. M. WALLRAFF, « Le conflit de Jean Chrysostome avec la cour chez les historiens ecclésiastiques grecs », dans *L'historiographie de l'Église des premiers siècles*, B. POUDERON, Y. M. DUVAL éd., Paris, Beauchesne, 2001 (*Théologie historique* 114), p. 61-370, montre que les historiens constantinopolitains, devant ménager à la fois l'évêque et la cour, ont rejeté toute la faute sur l' « égyptien » Théophile d'Alexandrie (p. 365). Pour lui (p. 370), la distance temporelle par rapport aux événements fait que le récit de Sozomène est la synthèse la plus équilibrée entre les extrêmes représentés par les adversaires et les partisans de Jean Chrysostome. Voir également l'examen critique des sources anciennes sur le conflit entre l'évêque et l'impératrice par F. VAN OMMESLAEGHE, « Jean Chrysostome en conflit avec l'impératrice Eudoxie. Le dossier et les origines d'une légende », *Analecta Bollandiana*, t. 97, fasc. 1-2, 1979, p. 131-159.

le dix-septième consulat de Théodose II (439) ? Pour faire
comme Socrate ? Parce que, conscient du fait que son guide
lui manquerait pour la suite, il ne voulait pas s'aventurer
au-delà ? Ce serait se faire une bien piètre idée de ses capacités d'historien. En fait, cette date coïncidait avec une solen-
nité particulière, la célébration des huitièmes *Quinquenna-
lia* de l'empereur. D'une manière moins officielle mais tout
aussi importante aux yeux d'un avocat ou légiste d'une piété
ardente, elle coïncidait également avec la promulgation officielle, dans les deux parties de l'Empire, du Code Théodosien, le 1er janvier 439, et avec le retour, la même année, de
l'impératrice Eudocie, envoyée en mission par Théodose
pour rapporter de Jérusalem à Constantinople, telle une
nouvelle Hélène, des reliques lourdes de richesse spirituelle.
Il ne faut pas négliger non plus qu'en 439 eut lieu le transfert
des cendres de Jean Chrysostome dans « sa » capitale, ce qui
était fort important pour un partisan de l'évêque et un
sympathisant des johannites. Le choix de la même date
finale par Socrate et par Sozomène peut correspondre pour
l'un à une ou des raisons personnelles qui ne sont pas nécessairement celles de l'autre.

Si le choix de l'année 439 peut s'expliquer par une ou
plusieurs des raisons invoquées, pourquoi Sozomène est-il le
seul à nommer Pulchérie et à faire son éloge ? Pourquoi
Socrate ni non plus Théodoret ne la nomment-t-ils même
pas, la condamnant dans leur histoire à un quasi non-être ?
Cette différence s'explique-t-elle par une raison de date,
d'opportunité qu'il nous est difficile de saisir tant les renver-
sements politiques et religieux ont été nombreux et brutaux
dans ces années 440-443, tant ils sont difficiles à dater abso-
lument et les uns relativement aux autres [1] ? Par une raison

----

1. L'évolution des relations entre Théodose et Eudocie, Théodose et
Pulchérie, Pulchérie et Eudocie, sans oublier leurs relations croisées avec
l'eunuque Chrysaphius, est difficile à saisir et à dater précisément. Voir
toutefois *P.L.R.E.* II, p. 295-297, art. Chrysaphius qui et Ztummas : entre
439 (retour d'Eudocie de Jérusalem) et 443 (exil d'Eudocie à Jérusalem),

d'idéologie, d'appartenance à un parti politico-religieux ? Sozomène a-t-il été censuré parce qu'il faisait l'éloge de Pulchérie quand l'eunuque Chrysaphius, qui se prétendait encore plus dévot que l'*Augusta*, s'emparait du pouvoir [1] ? Ou, ce qui revient presque au même, s'est-il auto-censuré en arrêtant là son *Histoire* parce qu'il y avait danger à la pousser plus loin ?

La fin et les fins

Le problème de la fin est lié à celui des fins : quelles fins Sozomène poursuivait-il en entamant sur les traces immédiates de Socrate un parcours de l'histoire ecclésiastique déjà fortement balisé par son probable prédécesseur ? L'histoire, répondra-t-on, n'appartient à personne de façon exclusive. Rien n'interdit de se lancer dans une nouvelle entreprise, si, comme le dit Tite-Live, l'historien croit pouvoir apporter des élément nouveaux et/ou surpasser son ou ses prédécesseurs par les qualités du style [2]. Ce qui paraît bien être le cas ici. De fait, malgré ses imperfections et son ina-

---

Chrysaphius intrigua contre Pulchérie qui dut se retirer du palais (*ca.* 443 ?). D'après STEIN-PALANQUE, p. 293, Eudocie conserva sa puissance au moins jusqu'en 441. Un peu plus tard, en 443, en butte aux menées de Pulchérie et des eunuques de l'empereur sans doute en raison de son supposé adultère avec Paulin, Eudocie se retira pour toujours à Jérusalem, p. 296-297. Pulchérie revint alors à la cour, mais Théodose était dominé par les eunuques. Chrysaphius, « aussi intrigant que dévot », se maintint au pouvoir malgré l'impopularité de son gouvernement jusqu'à la mort de Théodose en 450 (p. 297-298). Pulchérie le fit alors exécuter (p. 312). P. VAN NUFFELEN, *Un héritage...*, p. 86, remarque que, de 439/440, date probable de l'histoire de Socrate, à *ca* 445, la situation a complètement changé : à une période de paix et de stabilité a succédé une période de troubles, tant pour l'Église que pour l'Empire.

1. La « prise de pouvoir » de Chrysaphius est datée *ca.* 443. L'eunuque était l'ennemi à la fois de Pulchérie et d'Eudocie. Voir P. GOUBERT, « Le rôle de sainte Pulchérie et de l'eunuque Chrysaphius », dans A. GRILLMEIER, H. BACHT, *Das Konzil von Chalkedon. Geschichte und Gegenwart*, Würzburg 1951-1954, t. 1, p. 303-321.

2. LIV. *praef.* 2.

chèvement, l'œuvre de Sozomène apparaît comme la plus composée des *Histoires ecclésiastiques,* « meilleure dans l'expression » que celle de Socrate, au jugement de Photios, l'érudit patriarche de Constantinople [1], la plus laïque aussi par son contenu, son esprit et son ambition littéraire. Si bien qu'elle amènerait presque à se demander jusqu'à quel point l'histoire ecclésiastique peut se rapprocher de l'histoire classique sans renier sa nature et son but [2].

La question vaudrait surtout pour le livre IX. Dans aucun des livres précédents, Sozomène ne se montre aussi distant de Socrate et même aussi radicalement opposé à lui. A la matière ecclésiastique à laquelle ce dernier reste pour l'essentiel fidèle s'oppose l'effacement de la religion et de ses protagonistes au profit d'un récit politico-militaire de tradition ouvertement classique. Certes, Sozomène avait l'intention de rééquilibrer son ouvrage, le moment venu, pour la plus grande gloire de Pulchérie et sans doute aussi de Théodose [3]. Mais tel qu'il est, il compte cinq chapitres consacrés aux questions religieuses et douze aux questions profanes.

1. *Bibl.* 30 (éd. Henry, p. 17). Photios souligne aussi que Sozomène apporte d'autres éléments de contenu que Socrate.

2. Sozomène pourrait paraître infidèle à la spécificité de l'histoire ecclésiastique telle que la définit A. MOMIGLIANO, « L'historiographie grecque », trad. de « Greek Historiography », *History and Theory*, vol. XVII, 1, 1978, p. 1-28, dans *Problèmes d'historiographie ancienne et moderne*, Paris 1983, p. 15-52 : « Après Eusèbe, l'histoire ecclésiastique se révéla un compromis instable. Sa rédaction fut grandement facilitée par l'expérience des Grecs, mais elle différait beaucoup de toutes les histoires que les Grecs avaient jamais écrites. Elle supposait la Révélation et jugeait l'histoire en fonction de la Révélation », p. 42. Il faut remarquer cependant d'une part que Sozomène n'est pas le seul des historiens ecclésiastiques à donner une place importante aux événements profanes — Philostorge avait également utilisé Olympiodore dans ses deux derniers livres et, au VIe s., Jean d'Éphèse, historien monophysite, devait faire de même — et d'autre part que la piété tient dans le livre IX aussi une place remarquable : cf. P. VAN NUFFELEN, « Sozomenos und Olympiodoros of Theben... », *JAC* 47, 2004, p. 83.

3. *H.E.* IX, 1, 9. Il ne pouvait pas non plus refuser une juste place à l'impératrice Eudocie encore puissante en 439.

Les parallèles ne s'établissent pas avec Socrate mais avec le païen Zosime [1], tributaire lui aussi d'Olympiodore.

Sozomène est le seul historien orthodoxe à faire un usage si large, à visage découvert, de l'ouvrage profane et de surcroît discrètement païen d'Olympiodore, tandis que le néoarien Philostorge [2] semble bien l'avoir précédé dans cette voie [3]. Pourquoi a-t-il si brutalement changé de type de source et, ce faisant, rompu avec ses propres habitudes ? Pourquoi s'est-il éloigné de la tradition inaugurée par Eusèbe de Césarée au point de paraître même à certains l'avoir oubliée [4] ? Est-ce seulement parce que l'*Histoire* d'Olympiodore, sans doute composée peu de temps après les derniers événements qu'elle rapporte, ceux de l'année

---

1. ZOSIME utilise Olympiodore depuis V, 26 jusqu'à VI, 13 (éd. F. Paschoud, *CUF*, t. III, 1, 1986 et III, 2, 1989). L'éditeur date l'*Histoire* de Zosime du règne d'Anastase Ier (498-518) ou peu après (introd. de la 2e éd. du t. I, 2000, p. XVI).

2. Contrairement à Socrate et à Théodoret, historiens nicéens, l'eunomien PHILOSTORGE, *H.E.* XII, 7, nomme Pulchérie et lui reconnaît un rôle dans l'éducation de son frère. Ainsi les nicéens ne nomment pas Pulchérie qui défendit avec constance et fermeté la foi de Nicée, alors qu'un historien partisan de l'anoméisme d'Eunome, disciple d'Aèce, la nomme et fait état de son œuvre éducative. Ce ne sont donc pas les positions doctrinales qui sont ici en jeu, mais des options politiques pouvant aller jusqu'à l'appartenance à un parti.

3. J. MATTHEWS, « Olympiodorus of Thebes » ..., p. 81 : « Philostorgius' use of Olympiodorus, although questioned, is reasonably sure. » Cela est confirmé par G. MARASCO, *Filostorgio. Cultura, fede e politica in uno storico ecclesiastico del V secolo*, Roma, Institutum Patristicum Augustinianum, 2005, (*Studia Ephemeridis Augustinianum* 92), notamment p. 206 avec, dans la note 82, la bibl. sur Olympiodore et Philostorge et p. 240-243 sur le rapport, tour à tour de dépendance et de polémique, de Philostorge avec Olympiodore. Voir aussi P. VAN NUFFELEN, « Sozomenos und Olympiodoros von Theben ... », *JAC* 47, 2004, p. 81-97 : tout en étant, dans le livre IX, tributaire d'Olympiodore, Sozomène s'applique et réussit à donner une inflexion chrétienne à sa source.

4. J. MATTHEWS, « Olympiodorus » ..., p. 82 : « From the point which he takes up his new source — IX, 4, 1 —, Sozomen almost completely ignores eastern events in favour of western, and seems entirely to forget that he is writing an ecclesiastical history. »

425 [1], était facilement accessible et même parce qu'elle était
la seule disponible pour la période ? Là encore, une telle
réponse serait négative et dévalorisante. Pourquoi ne pas
admettre plutôt que le choix de Sozomène devait répondre à
un critère positif : la reconnaissance de la valeur de l'information et de la méthode remarquables de cette *Histoire* qui
lui a peut-être inspiré aussi l'idée d'une dédicace à Théodose ? Un tel choix ne remettait pas en cause, à ses yeux, sa
confiance dans la supériorité de l'histoire ecclésiastique ni
encore moins sa foi chrétienne. Mais la juxtaposition de
chapitres empreints de la piété la plus fervente, — au début,
l'éloge de Pulchérie confirmé par le récit de la découverte,
grâce à elle, des restes des Quarante martyrs de Sébaste et, à
la fin, l'invention des reliques du prophète Zacharie —, et de
chapitres purement laïcs d'où sont presque absentes les traces de religion, cette juxtaposition qui paraît au lecteur
d'aujourd'hui offrir un contraste plutôt attrayant, a-t-elle à
un certain moment « sauté aux yeux » de l'auteur qui,
voyant là une incompatibilité irréductible, a choisi ou plutôt
s'est trouvé forcé de renoncer, au moins provisoirement, à
poursuivre ? Ainsi s'expliquerait qu'il n'ait pas relu ce qu'il
avait écrit, pour en éliminer les redites, en réduire les contra-
dictions, en corriger les erreurs [2]. A moins de voir dans cette

1. J. MATTHEWS, « Olympiodorus » ..., p. 80. A cette raison « utili-
taire », P. VAN NUFFELEN, « Sozomenos und Olympiodoros von Theben ... »,
p. 85, ajoute une parenté d'esprit — l'intention panégyrique — et la possibilité d'une connaissance et d'un contact personnels de Sozomène avec cet
historien, qui fut aussi poète et diplomate : les renseignements qu'il avait
rapportés de son ambassade chez les Huns étaient particulièrement précieux.

2. Les traces d'inachèvement sont le doublet à propos de la toute puissance de Stilichon (VIII, 25, 2-4 et IX, 4, 2-8) ; les erreurs sur Berona
(Vérone) en Ligurie au lieu de Libarna (IX, 12, 4), sur Iouianus, au lieu de
Iouinus en IX, 15, 3, usurpateur dont Sozomène dit avoir parlé, alors qu'il
ne l'a pas fait, sans compter les promesses qu'il n'a pas pu tenir sur la lutte
de Pulchérie contre les hérésies (IX, 1, 9) et l'invention des reliques
d'Étienne (IX, 16, 1). Il aurait dû citer Héraclianus parmi les principaux
usurpateurs réduits par la piété d'Honorius (IX, 15, 3).

absence, en tout cas cette insuffisance de la relecture, des signes d'une incapacité liée à la maladie ou à la mort [1].

Si, comme nous croyons l'avoir démontré [2], la dédicace à Théodose II et l'éloge de Pulchérie sont étroitement solidaires au point que l'une ne va pas sans l'autre, doit-on, au vu de l'inachèvement du livre IX, admettre que l'ouvrage n'a pas pu être soumis à l'empereur parce qu'il subordonnait — ou donnait prise au reproche de subordonner — la personne et le règne de Théodose à la piété de Pulchérie, ce que tant Socrate que Théodoret se gardaient bien de faire ? Autrement dit, l'*H.E.* n'aurait pas fait l'objet de cette publication globale et immédiate sur laquelle comptait son auteur pour bénéficier de la générosité de l'empereur à l'égard des gens de lettres, mais d'une publication différée de quelque six, sept ou huit années et, sans doute, posthume, au moment où, après la mort de Théodose II (25 juillet 450), Pulchérie, s'étant immédiatement débarrassée de Chrysaphius, son pire ennemi, et retrouvant son plein pouvoir par son « mariage » avec Marcien (25 août 450), pouvait donner la plus large publicité à une œuvre qui la glorifiait ?

Nous proposerons donc, à titre d'hypothèse, de distinguer nettement la date de la rédaction et celle de la publication : la rédaction s'achève avant la mort, en 444, d'Arcadia, sœur de Pulchérie et de Théodose [3], à un moment où Pulchérie

---

1. C'est l'hypothèse de F. Paschoud pour expliquer l'inachèvement de l'ouvrage de Zosime (t. I, 2ᵉ éd., 2000, p. XXIV-XXV).

2. G. Sabbah, « La construction de l'histoire chez Sozomène. De la dédicace à Théodose II à l'éloge de Pulchérie », *Bulletin de l'Association pour l'Antiquité tardive*, nº 14, 2006, p. 65-73.

3. L'emploi du pluriel pour désigner les sœurs de Théodose en IX, 3, 1-3 avec des verbes généralement au présent paraît un indice valide. Après la mort d'Arcadia en 444 (*P.L.R.E.*, II, p. 129), Pulchérie n'a plus qu'une sœur, Marina (*P.L.R.E.*, II, p. 723). Un écart de six ou sept ans entre la rédaction simultanée de la dédicace et du livre IX et la publication de l'*H.E.* permettrait d'admettre, pour la *publication*, la date *ca.* 450 proposée par Al. Cameron, *The empress and the poet*, p. 266 et note 158.

est encore bien en cour et n'a pas été évincée par Chrysa-phius. Mais la poursuite de l'œuvre et sa publication sont bloquées par la disgrâce de Pulchérie et la toute puissance de l'eunuque que l'on croit pouvoir dater *ca* 443. La publica-tion de l'ouvrage resté inachevé ne redevient possible que lorsque Pulchérie a recouvré la plénitude de son pouvoir politique *et* religieux, à partir de son mariage sous condition avec Marcien, sans doute trop tard pour permettre à Sozo-mène d'achever son œuvre et d'en retirer la réputation et les récompenses qu'il en espérait [1].

Une originalité littéraire

Ces considérations plus ou moins vraisemblables ne doi-vent pas occulter le plaisir [2] que procure un récit toujours vif, souvent même aussi dramatique que celui des tentatives d'assassinat dirigées contre Jean Chrysostome [3]. Dans ce passage qui n'a pas de correspondant chez Socrate et dont Sozomène a dû puiser la matière dans les milieux johannites, l'enchaînement rapide et mouvementé des actions est rendu par la simplicité efficace et l'économie du style, l'emploi judicieux des présents de narration alternant avec les temps du passé. Une telle recherche de la vivacité dramatique n'exclut pas la prise de distance, condition impérative de

1. Dédicace 5 : « tu récompenses les auteurs par ton jugement et tes applaudissements et par des images d'or et l'offrande de statues, et par des présents et honneurs de toute sorte. » Si c'est la censure impériale qui a mutilé l'œuvre de sa fin, Sozomène ne croyait pas si bien dire au § 18 : « toi qui es instruit en toutes choses ... reçois de moi cet écrit, examine-le et, y apportant les additions et *retranchements* que t'inspire ton esprit exact, purifie-le par tes soins ».

2. Pour P. Van Nuffelen, *Un héritage* ..., p. 180, une des fonctions traditionnelles de l'histoire, le divertissement du lecteur (le *terpnon*), n'est guère présent chez les historiens de l'Église. C'est vrai au niveau des décla-rations de principe plus qu'à celui de la réalisation. Et sur ce point, la différence est importante entre Socrate et Sozomène.

3. *H.E.* VIII, 21, 5-8. Le récit reflète l'inquiétude, voire la psychose des johannites.

l'histoire, par rapport à des témoignages livrés « à chaud », avec toute une rhétorique émotionnelle, par Palladius et Jean lui-même s'adressant à Innocent sur les « Pâques sanglantes » d'avril 404. Si l'auteur n'est pas toujours aussi heureusement inspiré, l'aptitude à imprimer du mouvement à la phrase et de l' « évidence » (*enargeia*) à la représentation, le recours fréquent au style direct et le maniement habile, souvent incisif, de la forme dialoguée constituent les principaux moyens littéraires qu'il met en œuvre, dans ses passages les plus réussis, pour s'élever du style « ordinaire » à l'authentique style « simple » (*aphélès*) qui représente le niveau littéraire requis par l'histoire [1]. Bref et frappant, le récit atteint le pathétique quand il représente la résistance de l'épouse chrétienne au jeune barbare, épisode digne de Tite-Live par la noblesse des sentiments, ou la mort volontaire des époux Nonnichia et Gérontius, dont les attitudes suggérées évoquent les couples douloureux de « barbares » mourants représentés par la statuaire hellénistique [2].

Dominés par la mort et par la tragédie, de tels épisodes n'excluent pas des récits tout différents, souvent des anecdotes, dans lesquels perce une forme d'humour souriant, comme dans l'histoire d'Épiphane et des deux mendiants qui n'est pas sans ressembler à une fable qui serait racontée pour le plaisir et que seule chistianiserait sa moralité finale (VII, 27, 5-8). Entre ces extrêmes se déploient les talents

---

1. *H.E.* VIII, 21, 5-8. Photios (*Bibl.* 80, p. 167) condamne l'*idiotismos* habituel chez Olympiodore et ne lui reconnaît l'*apheleia* qu'en de rares passages. Il atteste néanmoins qu'Olympiodore avait fait précéder son récit d'une dédicace à l'empereur.

2. *H.E.* IX, 13, 5-7. On pense particulièrement au groupe célèbre du Galate vaincu se tuant après avoir donné la mort à sa femme. La conduite de Nonnichia constitue un véritable *exemplum*, christianisé, qui se situe dans la tradition de Tite-Live — « Ainsi mourut cette femme courageuse ... laissant d'elle à la postérité une mémoire plus forte que l'oubli » —, comme le mépris de Constantius à l'égard du traître Ecdicius, criminel au regard des lois de l'amitié (*H.E.* IX, 14, 4), évoque le prototype de Camille face au « maître d'école de Faléries » (Liv. V, 27).

variés d'une personnalité plus complexe, plus riche et plus indépendante qu'on ne croit, qui n'hésite pas à réélaborer, par quelques gauchissements choisis, une anecdote fournie par une source ou par la tradition, par exemple celle de Théodose aux prises avec le franc-parler d'un « vieil évêque » d'une « ville peu considérable » (VII, 6, 4-6). Certes, c'est ici, comme presque toujours, l'instruction morale, l'édification religieuse du lecteur que Sozomène recherche avant tout, mais pour autant il ne perd pas de vue la nécessité littéraire de nourrir son intérêt et de veiller à son plaisir. Si la thèse est toujours présente, sa démonstration évite, sauf exception, toute lourdeur didactique [1]. Les enchaînements et le sens sont plus souvent suggérés que soulignés. Cette légèreté de touche, à ne pas confondre avec une quelconque superficialité, tient une part importante dans l'originalité littéraire de Sozomène [2]. Mêler, selon la formule horatienne inversée [3], à l'utilité austère de l'histoire, fondée sur des preuves et des raisonnements, la douceur charmante d'un récit proche d'Hérodote par son alliance de simplicité pleine d'art et de candeur bien jouée [4], dans lequel le merveilleux, sous la

1. *H.E.* VIII, 27, 5-8. De la simple juxtaposition du portrait d'Atticus, un « habile », et de celui de Jean, un vrai chrétien, le premier, malgré sa position, ayant peine à séduire ses ouailles, le second, exilé, attirant par son charisme les Arméniens, ses nouveaux compatriotes, et les gens d'Antioche, sa patrie de naissance et de jeunesse, se dégage pour le lecteur la conclusion toute naturelle : sans les œuvres, la parole ne vaut rien.
2. Si la condamnation de Jean Chrysostome et son exil (*H.E.* VIII, 23) ainsi que les souffrances et les humiliations infligées à ses partisans Nikarétè, Eutrope, Olympias et Tigrios, sont suivis à distance dans le récit (27, 1-3) d'une violente chute de grêle à Constantinople, de la mort de l'impératrice, de celle de Cyrinus, un des insulteurs de Jean, et d'Arsace, l'éphémère remplaçant de Chrysostome, Sozomène se garde de présenter personnellement cette succession comme une illustration de la « mort des persécuteurs », laissant à ses lecteurs le choix de l'interprétation, tout en l'orientant (« certains pensèrent que... »).
3. HORAT. *ars* v. 343-344 : *Omne tulit punctum qui miscuit utile dulci* (« il remporte tous les suffrages celui qui mêle l'utile à l'agréable »).
4. Les techniques et les habitudes stylistiques qui apparentent la méthode et le style de Sozomène à ceux d'Hérodote sont relevées par

forme du miracle, tient largement sa place, était une belle gageure pour un juriste de Constantinople tout imprégné de religiosité et de dévotion chrétiennes.

Ce n'est pas l'un des moindres intérêts du récit de Sozomène au point de vue historique ni l'un de ses moindres charmes au point de vue littéraire [1] que de réunir deux points de vue aussi éloignés, voire opposés, que celui de la Palestine profonde et celui de la radieuse capitale de Constantin. L'*Histoire ecclésiastique* offre au lecteur le bonheur assez rare de pouvoir disposer dans une même œuvre de ces deux points de vue et de pouvoir les comparer en éprouvant leurs différences, leurs oppositions mais aussi leurs convergences, sans que le récit bascule de façon exclusive d'un côté, officiel et institutionnel, ni de l'autre, spirituel et orienté vers les profondeurs de l'âme. Entre Béthéléa et Constantinople, les deux pôles d'attraction entre lesquels oscille Sozomène, entre sa fidélité à sa « petite patrie » et sa

---

P. Van Nuffelen, *Un héritage ...*, p. 249, 259 et surtout 261 (usage répétitif de λέγεται/λέγουσι, renvoi aux indigènes — ἐπιχώριοι — garants des traditions locales, présentation régulière de plusieurs versions laissées au choix des lecteurs). Il ne s'agit pas pour autant de simples coquetteries littéraires, mais d'une volonté authentique de prendre modèle, pour la méthode, sur l'« enquête » menée par le « père de l'histoire ».

1. Les appréciations globales portées par les commentateurs et éditeurs de Sozomène sur son style sont contradictoires, depuis le jugement positif du patriarche Photios jusqu'à celui, négatif, de J. Bidez, *La tradition manuscrite de Sozomène et la Tripartite de Théodore le Lecteur*, Leipzig 1908, *Texte und Untersuchungen zur Geschichte der Altchristlichen Literatur* 32/2, p. 92 (« phraséologie d'une élégance futile et monotone ») et, plus nuancé, de P. Van Nuffelen, *Un héritage...*, p. 187 (« style touffu et plus littéraire » avec « un penchant classicisant »). E. I. Argov, « A Church Historian in Search of an Identity : Aspects of Early Byzantine Palestine in Sozomen's *Historia Ecclesiastica* », *Zeitschrift für antikes Christentum*, Bd 9, Heft 2, 1995, p. 367-396, relève justement, p. 389, « le remarquable talent de Sozomène pour présenter un récit trompeusement lisse, dissimulant en fait une ironie subtile entrelacée ». Il faudrait d'abord pouvoir se fonder sur des études plus précises et plus techniques comme celle de G. C. Hansen, « Prosarhythmus bei den Kirchenhistorikern Sozomenos und Sokrates », *Byzantinoslavica* 25, 1965, p. 82-89.

fierté d'appartenir à la grande, Constantinople, devenue de Constantin Ier à Théodose II, par l'effort des empereurs au service de la Providence divine, la capitale politique *et* religieuse de l'Empire, son Histoire se déploie en une vaste synthèse [1] qui embrasse, sans disparate, le désert silencieux des moines et les passions tumulteuses de la « nouvelle Rome ». Pour une période longue d'un siècle (324-420), Sozomène nous offre, en entrelaçant les fils compliqués d'une histoire de l'Église et de l'Empire, une « intrigue » véritablement historique [2], dont l'intérêt est soutenu jusqu'au bout et qu'on regrette de ne pas voir arriver jusqu'à sa véritable fin.

Ce quatrième et dernier volume est le résultat d'une étroite collaboration entre B. Grillet, L. Angliviel de la Beaumelle et G. Sabbah. Il doit aussi beaucoup à l'aide généreuse et amicale de l'équipe de Sources chrétiennes, à laquelle nous exprimons ici notre gratitude, tout particulièrement à son directeur Jean-Noël Guinot, à Monique Furbacco, sa bibliothécaire et documentaliste, et à notre réviseur Jean Reynard.

---

1. P. VAN NUFFELEN, *Un héritage* ..., p. 156 : « nous ne pouvons qu'admirer la grandeur de la synthèse de Sozomène ... ».
2. Pour P. VEYNE, *Comment on écrit l'histoire*, Paris 1971, c'est l'historien qui « choisit son intrigue », donnant ainsi naissance et forme à l'histoire.

ABRÉVIATIONS BIBLIOGRAPHIQUES

Cette liste ne comporte que des travaux plusieurs fois cités.

BAUDOT-CHAUSSIN : BAUDOT-CHAUSSIN, *Vies des Saints et des Bienheureux*, 13 vol., Paris 1935-1939.

BAUR : P. C. BAUR, *Johannes Chrysostomus und seine Zeit*, 2 vol., Munich 1930.

BERNARDI, *Saint Grégoire* : J. BERNARDI, *Saint Grégoire de Nazianze, le théologien et son temps*, Paris 1995.

BLOCKLEY, *The fragmentary classicising Historians* : R. C. BLOCKLEY, *The fragmentary classicising Historians of the later Roman Empire. Eunapius, Olympiodorus, Priscus and Malchus*, Liverpool, t. I, 1981, t. II, 1983.

BLOCKLEY, *The dynasty* : R. C. BLOCKLEY, *The dynasty of Theodosius*, dans *Cambridge Ancient History* t. XIII, 1998, p. 111-137.

BRÄNDLE : R. BRÄNDLE, *Jean Chrysostome 347-407*, trad. fr., Paris 2003.

C.A.H. : *Cambridge Ancient History* t. XIII, AV. CAMERON, P. GARNSEY éd., *The Late Roman Empire, A.D. 337-425*, Cambridge 1998.

CAMERON, *The empress* : AL. CAMERON, « The empress and the poet. Paganism and politics at the court of Theodosius II », *Yale Classical Studies* XXVIII, *Later Greek Literature*, J. J. Winkler-G. Williams éd., Cambridge 1982, p. 217-289.

CAMERON-LONG, *Barbarians* : AL. CAMERON, J. LONG, *Barbarians and Politics at the Court of Arcadius*, Berkeley 1993.

CAVALLERA : F. CAVALLERA, *Le schisme d'Antioche (IVe-Ve siècle)*, Paris 1905.

CHASTAGNOL, *Les fastes* : A. CHASTAGNOL, *Les fastes de la Préfecture de Rome au Bas-Empire*, Paris 1962.

CHASTAGNOL, *La préfecture urbaine* : A. CHASTAGNOL, *La préfecture urbaine à Rome sous le Bas-Empire*, Paris 1960.

DACL : *Dictionnaire d'Archéologie chrétienne et de Liturgie*, Paris 1924-1951.

DAGRON, *Naissance* : G. DAGRON, *Naissance d'une capitale. Constantinople et ses institutions de 330 à 451*, Paris 1974.

DECA : *Dictionnaire Encyclopédique du Christianisme ancien*, dir. A. di Berardino, 2 vol., trad. fr., Paris 1990.

DEJ : *Dictionnaire Encyclopédique du Judaïsme*, dir. G. Wigoder, Paris 1993.

DELMAIRE, *Les institutions* : R. DELMAIRE, *Les institutions du Bas-Empire romain de Constantin à Justinien*, Paris 1995.

DELMAIRE, « Les Lettres d'exil » : R. DELMAIRE, « Les Lettres d'exil de Jean Chrysostome », *Recherches Augustiniennes* 25, 1991, p. 71-180.

DHGE : *Dictionnaire d'Histoire et de Géographie ecclésiastiques*, Paris.

DEMOUGEOT, « Constantin III » : E. DEMOUGEOT, « Constantin III, l'empereur d'Arles », *Hommage à André Dupont. Études médiévales languedociennes*, Montpellier 1974, p. 83-125.

DEMOUGEOT, *De l'unité à la division* : E. DEMOUGEOT, *De l'unité à la division de l'Empire romain 395-410. Essai sur le gouvernement impérial*, Paris 1951.

DEMOUGEOT, *La formation de l'Europe* : E. DEMOUGEOT, *La formation de l'Europe et les invasions barbares, II. De l'avènement de Dioclétien au début du VIᵉ s.* (1-2), Paris 1979.

DRINKWATER, « The usurpers » : J. F. DRINKWATER, « The usurpers Constantinus III (407-411) and Jovinus (411-413) », *Britannia* 29, 1998, p. 269-298.

DTC : *Dictionnaire de Théologie catholique*, Paris 1930-1972.

DUVAL, *Auprès des Saints* : Y. DUVAL, *Auprès des Saints. Corps et âme. L'inhumation « ad sanctos » dans la chrétienté d'Orient et d'Occident du IIIᵉ au VIIᵉ siècle*, Paris 1988.

ERRINGTON, « Christian accounts » : R. M. ERRINGTON, « Christian accounts of the religious legislation of Theodosius », *Klio* 79, 1997, p. 398-435.

GAUDEMET, *L'Église dans l'Empire* : J. GAUDEMET, *L'Église dans l'Empire romain (IVᵉ-Vᵉ s.)*, Paris 1958.

H.E. : sans indication d'auteur renvoie à *l'Histoire ecclésiastique* de Sozomène.

HEFELE-LECLERCQ : C.-J. HEFELE-H.-L. LECLERCQ, *Histoire des conciles*, t. I, 2, Paris 1907.

HOLUM, *Theodosian Empresses* : K. G. HOLUM, *Theodosian Empresses. Women and Imperial Dominion in Late Antiquity*, Berkeley 1982.

JAMES, *Empresses* : L. JAMES, *Empresses and Power in Early Byzantium*, Leicester 2001.

JANIN, *Géographie* : R. JANIN, *La géographie ecclésiastique de l'Empire byzantin. I. Le siège de Constantinople et le patriarcat œcuménique, 3 : Les églises et les monastères*, Paris 1953.

KELLY, *Golden Mouth* : J. N. D. KELLY, *Golden Mouth. The Story of John Chrysostom, ascetic, preacher, bishop*, Londres 1995.

LEPPIN, *Von Konstantin den Grossen* : H. LEPPIN, *Von Konstantin den Grossen zu Theodosius II. Das christliche Kaisertum der Kirchenhistoriken Socrates, Sozomenus, Theodoret*, Göttingen 1996.

LEPPIN, *Theodosius der Grosse* : H. LEPPIN, *Theodosius der Grosse*, Darmstadt 2003.

LIEBESCHUETZ, *Barbarians* : J. H. W. G. LIEBESCHUETZ, *Barbarians and Bishops. Army, Church, and State in the Age of Arcadius and Chrysostom*, Oxford 1990.

LIPPOLD : A. LIPPOLD, *Theodosius der Grosse und seine Zeit*, Stuttgart 1968.

MAC LYNN, *Ambrose* : N. B. MAC LYNN, *Ambrose of Milan. Church and Court in a christian Capital*, Berkeley 1994.

MARAVAL : P. MARAVAL, *Le christianisme ancien de Constantin à la conquête arabe*, Paris 1997.

MATTHEWS, *Olympiodorus* : J. MATTHEWS, « Olympiodorus of Thebes and the history of the West (A. D. 407-425) », *JRS* 60, 1970, p. 79-97.

MATTHEWS, *Western Aristocracies* : J. MATTHEWS, *Western Aristocracies and Imperial Court A. D. 364-425*, Oxford 1975.

MAZZARINO, *Stilicone* : S. MAZZARINO, *Stilicone. La crisi imperiale dopo Teodosio*, Rome 1942.

PALANQUE : J.-R. PALANQUE, *Saint Ambroise et l'Empire romain*,
Paris 1933.

PIETRI, *Histoire* : CH. ET L. PIETRI, *Histoire du christianisme*, t. 1
Le nouveau Peuple des origines à 250, Paris 2000.

PIETRI, *Histoire* : CH. et L. PIETRI, *Histoire du christianisme*, t. 2
Naissance d'une chrétienté (250-430), Paris 1995.

PIETRI, *Roma Christiana* : CH. PIETRI, *Roma Christiana*, t. 1-2,
Rome 1976.

PIGANIOL, *L'Empire chrétien* : A. PIGANIOL, *L'Empire chrétien*,
2e éd. mise à jour par A. CHASTAGNOL, Paris 1972.

P.L.R.E. : *The Prosopography of the Later Roman Empire. I :
A. D. 260-395*, par A. H. M. JONES-J. R. MARTINDALE-J. MORRIS,
Cambridge 1971. *II : A. D. 395-527*, par J. R. MARTINDALE,
Cambridge 1980.

PW : PAULY-WISSOWA, *Realencyclopädie der classischen Alter-
tumswissenschaft*, Stuttgart.

SEECK, *Regesten* : O. SEECK, *Regesten der Kaiser und Päpste
(311-457 p. C.)*, Stuttgart 1919.

STEIN-PALANQUE : E. STEIN, *Histoire du Bas-Empire. I. De l'État
romain à l'État byzantin (284-476)*, éd. fr. par J.-R. PALANQUE,
Paris 1959.

THELAMON : F. THELAMON, *Païens et chrétiens au IVe siècle.
L'apport de l'*Histoire ecclésiastique *de Rufin d'Aquilée*, Collection d'*Études Augustiniennes*, Paris 1981.

TROMBLEY : F. R. TROMBLEY, *Hellenic Religion and Christianization c. 370-529*, t. I, Leiden 1993.

VAN NUFFELEN, *Un héritage* : P. VAN NUFFELEN, *Un héritage de
paix et de piété. Étude sur les histoires ecclésiastiques de
Socrate et de Sozomène*, Louvain 2004.

WOLFRAM, *Histoire* : H. WOLFRAM, *Histoire des Goths*, trad. fr.,
Paris 1990.

TEXTE ET TRADUCTION

Α΄. Ὡς ὑπὸ τῶν βαρβάρων κατεπειγομένων Ῥωμαίων, Μαβία συμμαχίαν πέμπει· καί τινες ἀπὸ τοῦ δήμου τὴν νίκην ἐργάζονται· καὶ ὡς Γρατιανὸς ἐκέλευσε πιστεύειν ὡς βούλεται ἕκαστος.

Β΄. Ὅτι Γρατιανὸς τὸν ἐξ Ἱσπανίας Θεοδόσιον συμβασιλεύειν ἑαυτῷ εἵλετο· καὶ ὡς ἡ Ἕως, πλὴν Ἱεροσολύμων, ὑπὸ Ἀρειανῶν εἴχετο· καὶ περὶ τῆς ἐν Ἀντιοχείᾳ συνόδου, καὶ τῆς τότε περὶ προεδρίας τῶν ἐκκλησιῶν καταστάσεως.

Γ΄. Περὶ τῶν κατὰ τὸν ἅγιον Μελέτιον καὶ Παυλῖνον τῶν Ἀντιοχείας ἐπισκόπων, καὶ περὶ τῶν γενομένων ὅρκων διὰ τὸν ἐπισκοπικὸν θρόνον.

Δ΄. Περὶ τῆς ἀρχῆς Θεοδοσίου τοῦ Μεγάλου, καὶ ὡς παρὰ Ἀσχολίου Θεσσαλονίκης τὸ θεῖον ἐμυήθη βάπτισμα καὶ οἷα ἔγραψε τοῖς μὴ κατὰ τὸν ὅρον τῆς ἐν Νικαίᾳ συνόδου πρεσβεύουσι.

Ε΄. Περὶ Γρηγορίου τοῦ θεολόγου, καὶ ὅτι αὐτῷ τὰς ἐκκλησίας παρέδωκε Θεοδόσιος, ἐξελάσας Δημόφιλον καὶ τοὺς μὴ ὁμοούσιον τῷ Πατρὶ δοξάζοντας τὸν Υἱόν.

ϛ΄. Περὶ τῶν Ἀρειανῶν καὶ ἔτι καὶ τοῦ Εὐνομίου ἀκμάζοντος· καὶ περὶ τῆς εἰς βασιλέα παρρησίας τοῦ ἁγίου Ἀμφιλοχίου.

Ζ΄. Περὶ τῆς δευτέρας ἁγίας οἰκουμενικῆς συνόδου, ὅθεν καὶ διὰ ποίαν αἰτίαν συνέστη. Καὶ περὶ τῆς παραιτήσεως Γρηγορίου τοῦ θεολόγου.

Η΄. Περὶ τῆς προχειρίσεως Νεκταρίου εἰς τὸν Κωνσταντινοπόλεως θρόνον, καὶ ὅθεν ἦν καὶ οἷος τὸν τρόπον.

Θ΄. Περὶ ὧν ἡ δευτέρα οἰκουμενικὴ ἐθέσπισε σύνοδος· καὶ περὶ Μαξίμου τοῦ κυνικοῦ φιλοσόφου.

Ι΄. Περὶ Μαρτυρίου τοῦ Κίλικος καὶ περὶ τῆς ἀνακομιδῆς τῶν λειψάνων τῶν ἁγίων Παύλου τοῦ ὁμολογητοῦ καὶ Μελετίου Ἀντιοχείας.

ΙΑʹ. Περὶ τῆς χειροτονίας Φλαβιανοῦ τοῦ ἐπισκόπου Ἀντιοχείας
καὶ τῶν ἐπὶ ταύτῃ συμβάντων διὰ τὸν ὅρκον.

ΙΒʹ. Ὅτι ἐβουλεύσατο Θεοδόσιος πάσας τὰς αἱρέσεις ἑνῶσαι· καὶ
περὶ Ἀγελίου καὶ Σισινίου, τῶν Ναυατιανῶν, τί εἰσηγήσαντο·
35 καὶ ὡς, συνόδου πάλιν γενομένης, μόνους τοὺς τὸ ὁμοούσιον
δοξάζοντας ὁ βασιλεὺς ἀπεδέξατο· τοὺς δὲ ἄλλως φρονοῦντας,
τῶν ἐκκλησιῶν ἀπήλασε.

ΙΓʹ. Περὶ Μαξίμου τοῦ τυράννου καὶ περὶ τῶν μεταξὺ τῆς βασιλείας Ἰουστίνου καὶ τοῦ ἁγίου Ἀμβροσίου, καὶ ὡς δόλῳ
40 ἀνῃρέθη ὁ βασιλεὺς Γρατιανός· καὶ Οὐαλεντινιανὸς μετὰ τῆς
μητρὸς εἰς Θεοδόσιον ἐν Θεσσαλονίκῃ κατέφυγε.

ΙΔʹ. Περὶ τῆς γενέσεως Ὀνωρίου, καὶ ὅτι τῇ Κωνσταντίνου λιπὼν
Ἀρκάδιον εἰς Ἰταλίαν ἔρχεται. Καὶ περὶ τῆς διαδοχῆς τῶν
Ναυατιανῶν καὶ τῶν ἄλλων πατριαρχῶν· καὶ περὶ τοῦ θρά-
45 σους τῶν Ἀρειανῶν· καὶ ὡς ἀνελὼν τὸν τύραννον Θεοδόσιος
μεγαλοπρεπῆ θρίαμβον ἐν Ῥώμῃ ποιεῖ.

ΙΕʹ. Ὅτι περὶ Φλαβιανοῦ καὶ Εὐαγρίου τῶν Ἀντιοχέων· καὶ περὶ
τῶν εἰς Ἀλεξάνδρειαν γενομένων ἐπὶ καθαιρέσει τοῦ ἱεροῦ
Διανύσου· καὶ περὶ τοῦ Σεραπίου καὶ τῶν καταστραφέντων
50 ἄλλων εἰδωλικῶν νεῶν.

ΙϚʹ. Ὅπως καὶ δι᾽ ἣν αἰτίαν ἀνεπαύθη ὁ ἐν Ἐκκλησίᾳ τῶν μετανοούντων πρεσβύτερος· καὶ ἐπεξεργασία περὶ τρόπου μετανοίας.

ΙΖʹ. Ὡς ὑπερόριον Θεοδόσιος ὁ μέγας τὸν Εὐνόμιον ἐποίησε· καὶ
55 περὶ Θεοφρονίου τοῦ διαδόχου αὐτοῦ καὶ περὶ Εὐτοχίου καὶ
Δωροθέου καὶ τῶν αἱρέσεων αὐτῶν· καὶ περὶ τῶν λεγομένων
Ψαθυριανῶν· καὶ ὡς ἡ τῶν Ἀρειανῶν αἵρεσις εἰς διαφόρους
μοίρας διεχωρίσθη, καὶ ὡς οἱ ἐν Κωνσταντινουπόλει μᾶλλον
ἡνώθησαν.

60 ΙΗʹ. Ὅτι καὶ Ναυατιανοὶ ἑτέραν αἵρεσιν τῶν Σαββατιανῶν συν-
εστήσαντο· καὶ περὶ τῆς ἐν Σαγγάρῳ συνόδου· καὶ περὶ τῆς
ἑορτῆς τοῦ Πάσχα διεξοδικώτερον διήγησις.

ΙΘʹ. Κατάλογος τοῦ συγγραφέως εἰδήσεως ἄξιος, τῶν παρὰ δια-
φόροις ἔθνεσι καὶ Ἐκκλησίαις ἐθῶν.

65 Κʹ. Περὶ τῆς ἐπιδόσεως τοῦ καθ᾽ ἡμᾶς δόγματος καὶ καταλύσεως
εἰς τέλος τῶν εἰδωλικῶν νεῶν, καὶ τῆς πλημμύρας τῆς τότε
Νείλου τοῦ ποταμοῦ.

ΕΡΜΕΙΟΥ ΣΩΖΟΜΕΝΟΥ ΣΧΟΛΑΣΤΙΚΟΥ

ΕΚΚΛΗΣΙΑΣΤΙΚΗΣ ΙΣΤΟΡΙΑΣ

ΤΟΜΟΣ ΕΒΔΟΜΟΣ

1

[PG 67
col. 1417
Bidez 302]

1 Οὐάλεντι μὲν οὖν ὧδε θανεῖν ξυνηνέχθη· οἱ δὲ βάρβαροι ἐπαρθέντες τῇ νίκῃ πάλιν τὴν Θράκην ἐδῄουν καὶ τελευτῶντες τὰ προάστεια Κωνσταντινουπόλεως κατέτρεχον. Κινδυνεύουσι δὲ τότε τοῖς πράγμασι μέγα γεγόνασιν ὄφελος ἐκ μὲν
5 τῶν ὑποσπόνδων Σαρακηνῶν ὀλίγοι παρὰ Μαυίας ἀποσταλέντες, πλεῖστοι δὲ ἀπὸ τοῦ δήμου. **2** Ῥητὸν γὰρ ἐκ τοῦ δημοσίου μισθὸν αὐτοῖς χορηγούσης Δομνίκης τῆς Οὐάλεντος

---

1. Après leur victoire et la mort de Valens (*H.E.* VI, 40, 5), les Goths tentent sans succès de s'emparer d'Andrinople : cf. Amm. 31, 15, 1-5. Puis ils marchent sur Périnthe dont ils pillent les campagnes avoisinantes (Amm. 31, 16, 3) avant d'arriver devant Constantinople.

2. Cf. *H.E.* VI, 38, 5. Ammien, 31, 16, 5-6, évoque le rôle décisif d'un contingent de Sarrasins engagé dans la défense de Constantinople sans préciser qu'il était envoyé par la reine Mavia. Sur cette phylarque des Sarrasins, voir *H.E.* VI, 38, 1-5 et les notes *ad loc.* Il semble que les Goths aient rapidement renoncé à assiéger une ville trop solidement défendue : cf. Amm. 31, 16, 7.

3. Fille de Pétronius, ancien commandant des *Martenses* promu patrice, Domnica épousa Valens dont elle eut un fils, Valentinien Galatès, mort vers

D'HERMIAS SOZOMÈNE LE SCHOLASTIQUE

Histoire Ecclésiastique

Livre VII

Chapitre 1

Les Romains étant pressés par les barbares,
Mavia leur envoie un secours militaire ;
certains hommes du peuple travaillent à la victoire ;
Gratien ordonne que chacun ait la foi qu'il veut.

1 C'est donc ainsi que se produisit la mort de Valens. Exaltés par leur victoire, les barbares ravageaient à nouveau la Thrace et à la fin faisaient des incursions contre les faubourgs de Constantinople [1]. Alors que les affaires étaient en péril, un secours important vint pour une part d'un petit nombre de Sarrasins envoyés en vertu d'une convention par Mavia [2], mais d'un très grand nombre venu du peuple. **2** Domnica, l'épouse de Valens [3], fournissant à ceux-ci,

370, et deux filles, Anastasia et Carosa. D'après Théod., *H.E.* IV, 12, elle aurait entraîné Valens vers l'arianisme sous l'influence d'Eudoxe, évêque de Constantinople. Mais il pourrait s'agir d'un lieu commun inspiré par la misogynie : cf. *P.L.R.E.* I, p. 265. Ammien ne mentionne jamais son rôle dans l'organisation de la défense romaine.

γαμετῆς, ὡς ἔτυχεν ἕκαστος ὁπλιζόμενος ἀντεπεξῄεσαν καὶ τοὺς πολεμίους ἀμυνόμενοι πόρρω τῆς πόλεως ἀπεδίωκον.

10 **3** Γρατιανὸς δὲ ἅμα τῷ ἀδελφῷ πᾶσαν τὴν Ῥωμαίων ἀρχὴν διέπων, οὐκ ἐπαινέσας τὸν θεῖον τῆς γνώμης, ἣν περὶ τοὺς ἑτέρως αὐτῷ δοξάζοντας διετέλεσεν ἔχων, πᾶσι τοῖς ὑπ' ἐκείνου διὰ τὴν θρησκείαν φεύγειν καταδικασθεῖσι τὴν κάθοδον ἀπέδωκε, καὶ νόμον ἔθετο μετὰ ἀδείας ἑκάστους θρησκεύειν 15 ὡς βούλονται καὶ ἐκκλησιάζειν πλὴν Μανιχαίων καὶ τῶν τὰ Φωτεινοῦ καὶ Εὐνομίου φρονούντων.

---

1. D'après Amm. 31, 12, 10 et 31, 15, 2, Valens avait bien mis le trésor et les insignes impériaux en sûreté derrière les remparts de Constantinople. Sur le trésor qui accompagne la cour, cf. R. Delmaire, *Largesses Sacrées et Res Privata, l'*aerarium *impérial et son administration du IVᵉ au VIᵉ s.*, Rome 1989, p. 65. L'allusion de Sozomène à une forme de milice improvisée recrutée dans la population de Constantinople rappelle le mécontentement du peuple de la ville, réclamant à Valens des armes pour combattre lui-même les barbares. Elle rejoint ce que rapporte Ammien en 31, 15, 2 à propos de la défense d'Andrinople à laquelle auraient participé des civils à côté des militaires. Mais Sozomène semble avoir reporté sur Constantinople, qui n'eut pas à connaître un véritable siège, des détails concernant Andrinople.

2. Il s'agit de Valentinien II, né en 371, associé au pouvoir comme troisième Auguste le 22 nov. 375 : Amm. 30, 10, 5 ; *H.E.* VI, 36, 5. Entre la mort de Valens (9 août 378) et l'avènement de Théodose le 19 janv. 379, Gratien et Valentinien II gouvernent la totalité de l'Empire.

3. Les mauvaises relations entre Gratien et Valens tenaient à leur opposition religieuse (Gratien était de tendance nicéenne), à leur rivalité pour la tutelle du jeune Valentinien II, aux succès militaires du neveu, que lui enviait son oncle. Elles sont à l'origine des réticences de Gratien à venir rapidement au secours de Valens avant Andrinople : cf. N. Lenski, *Failure of Empire. Valens and the Roman State in the Fourth Century A. D.*, Berkeley 2002, p. 356-367.

sur le trésor [1], un salaire convenu, ils firent une sortie contre les Goths, chacun armé de ce qu'il avait sous la main, et repoussant l'ennemi, ils le chassèrent loin de la ville. **3** Comme Gratien qui, avec son frère [2], gouvernait tout l'Empire romain, n'approuvait pas les sentiments qu'avait eus constamment son oncle [3] sur ceux qui avaient d'autres opinions que lui, il octroya le retour à tous ceux qui avaient été condamnés à l'exil par Valens pour cause de religion et il édicta une loi permettant à tous de pratiquer librement leur religion à leur guise et de tenir leurs assemblées de culte, sauf aux manichéens, aux photiniens et aux euno-miens [4].

4. On connaît ce texte par les historiens de l'Église et par l'édit du 3 août 379 (*Code Théodosien* XVI, 5, 5), dirigé contre les hérésies interdites, qui mentionne en effet un rescrit de Gratien récemment publié à Sirmium (en sept. 378, d'après SEECK, *Regesten*, p. 250) que l'empereur décide d'annuler. SOCRATE le signale en *H.E.* V, 2, 1 : il autorisait le retour des évêques exilés et proclamait la tolérance entre sectes chrétiennes, à l'exception des eunomiens, des photiniens et des manichéens : cf. *Code Théodosien* XVI, J. ROUGÉ, R. DELMAIRE, F. RICHARD éd., *SC* 497, Paris 2005, p. 233, note 4. Cette tolérance de Gratien continuait la politique de neutralité de Valentinien Ier et cherchait à étendre à l'Orient la situation que celui-ci avait favorisée en Occident : cf. V. MESSANA, *La politica religiosa di Graziano* (Seia n. s. III), Rome 1998, p. 42-44. Sur les photiniens, disciples de Photin de Sirmium accusé de nier la divinité du Christ et l'éternité de son règne, voir *H.E.* IV, 6, 1, *SC* 418, p. 202, note 2 ; sur les eunomiens, ariens extrêmes disciples d'Eunome, voir *H.E.* IV, 25, 6, p. 337, note 3. Les manichéens, dont c'est ici la première mention, tenants d'un dualisme radical totalement contraire à la croyance chrétienne en l'incarnation du Fils de Dieu, avaient fait l'objet de persécutions sous Dioclétien en 302, sous l'imputation de pratiques magiques et d'agissements prétendûment favorables à l'ennemi perse. Ils furent probablement aussi poursuivis avec d'autres hérétiques par Constantin (AMM. 15, 13, 2) ; ils sont également visés par une loi de Valentinien et Valens de 372 : *Code Théodosien* XVI, 5,3.

2

1 Λογισάμενος δέ, ὡς τῶν ἀμφὶ τὸν Ἴστρον βαρβάρων
1420 Ἰλλυριοὺς καὶ Θρᾷκας ἐνοχλούντων ἐπαμύνειν προσῆκεν |,
303 ἀναγκαῖον δὲ καὶ τοῖς πρὸς ἑσπέ|ραν τῆς ἀρχομένης παρεῖναι
καὶ μάλιστα Ἀλαμανῶν τοὺς ἐνθάδε Γαλάτας κακουργούν-
5 των, κοινωνὸν ἐποιήσατο τῆς ἀρχῆς ἐν τῷ Σιρμίῳ Θεοδόσιον, γένος τῶν ἀμφὶ τὸ Πυρηναῖον ὄρος Ἰβήρων, εὐπατρίδην
τε καὶ ἄριστα πολλάκις ἐν πολέμοις διαγενόμενον, ὡς καὶ πρὸ
τῆς βασιλείας ἐν ταῖς τῶν ὑπηκόων γνώμαις ἐπιτήδειον αὐτὸν
δόξαι πρὸς ἡγεμονίαν. 2 Ἐν τούτῳ δὲ πλὴν Ἱεροσολύμων ἔτι
10 τῶν ἀνὰ τὴν ἕω ἐκκλησιῶν οἱ τὰ Ἀρείου φρονοῦντες ἐκράτουν. Μακεδονιανοὶ δὲ καὶ μάλιστα οἱ ἐν Κωνσταντινουπόλει
μετὰ τὰς πρὸς Λιβέριον συνθήκας οὐ μέγα τι διεφέροντο πρὸς
τοὺς ἐπαινοῦντας τὸ δόγμα τῶν ἐν Νικαίᾳ συνελθόντων· ὡς
ὁμοδόξοις δὲ κατὰ πόλεις ἐπεμίγνυντο καὶ ἐκοινώνουν ἀλλή-

---

1. Flavius Theodosius, originaire d'Espagne, né en 346, est le fils de
Flavius Theodosius, maître de la cavalerie de Valentinien Ier. Sa carrière
militaire le mène jusqu'au titre de duc de Mésie. Mais à la suite de l'élimination brutale de son père en 375/376, il se retire sur ses terres en Espagne.
Après le désastre d'Andrinople et la mort de Valens, Gratien l'appelle à
Sirmium et le charge du commandement des troupes en Illyricum, comme
maître de la milice. Ses premiers succès contre les Sarmates lui valent de
recevoir le titre d'Auguste le 19 janvier 379 (*P.L.R.E.* I p. 904, Flavius
Theodosius 4). Justifiée sans doute par ses qualités militaires, sa candidature a aussi trouvé le soutien à la cour de parents et de membres de
l'aristocratie gauloise ou espagnole (J. MATTHEWS, *Western Aristocracies
and imperial court*, Oxford 1975, p. 80-100). Sur Théodose, voir A. LIP-
POLD, *Theodosius der Grosse und seine Zeit*, Stuttgart 1968, S. WILLIAMS,
G. FRIELL, *Theodosius, The Empire at Bay*, London 1994, ainsi que
H. LEPPIN, *Theodosius der Grosse*, Darmstadt 2003.

Chapitre 2

Gratien choisit de s'associer l'espagnol Théodose
pour le pouvoir ; l'Orient, sauf Jérusalem,
alors tenu par les ariens ; le concile d'Antioche
et la constitution que l'on fait alors
sur la préséance des Églises.

1 Ayant considéré qu'il fallait repousser les barbares voisins du Danube qui troublaient l'Illyrie et la Thrace, que d'autre part sa présence était nécessaire dans la partie occidentale de l'Empire, d'autant plus que les Alamans mettaient à mal les Gaulois d'Occident, il associa à Sirmium Théodose au pouvoir [1]. Ce dernier était originaire de chez les Ibères voisins des Pyrénées, de noble famille, et il s'était souvent montré excellent dans les guerres, en sorte que même avant son règne, de l'avis des sujets, il paraissait propre à gouverner. **2** A ce moment, hormis Jérusalem [2], les ariens étaient encore maîtres des églises de l'Orient. En revanche, les macédoniens [3], surtout ceux de Constantinople, après les conventions avec Libère, ne différaient pas beaucoup des tenants du dogme des Pères de Nicée : ils se mêlaient à eux dans les villes comme ayant mêmes opinions

2. L'évêque de Jérusalem Cyrille avait été consacré par un homéen. Après s'être rangé un temps parmi les homéousiens, il avait rejoint le camp de l'*homoousios* : cf. *H.E.* IV, 20, 1.

3. Il s'agit des partisans de l'évêque Macédonius, de tendance homéousienne, qui sont proches de l'église catholique pour la conception des rapports du Père et du Fils mais qui, en revanche, n'acceptent pas la doctrine officielle sur la divinité de l'Esprit, d'où leur appellation de pneumatomaques. Sur Macédonius et les macédoniens, cf. *H.E.* II, 25, 19, *SC* 306, p. 344, note 1 et III, 3, 1, *SC* 418, p. 64, note 2. Sur la permanence et la puissance de ce parti à Constantinople et dans l'Hellespont mais aussi en Phrygie, voir DAGRON, *Naissance...*, p. 424.

15 λοις. 3 Μετὰ δὲ τὸν τεθέντα παρὰ Γρατιανοῦ νόμον ἀδείας
λαβόμενοί τινες τῶν ἐπισκόπων ταύτης τῆς αἱρέσεως κατέλαβον τὰς ἐκκλησίας, ὧν ἐπὶ Οὐάλεντος ἀφῄρηντο. Καὶ συνελθόντες ἐν Ἀντιοχείᾳ τῆς Καρίας ἐψηφίσαντο μὴ δεῖν ὁμοούσιον τῷ πατρὶ τὸν υἱὸν ὀνομάζειν, ἀλλ' ὁμοιούσιον ὡς
20 πρόσθεν. 4 Ἐκ τούτου δὲ οἱ μὲν διακριθέντες ἰδίᾳ ἐκκλησίαζον, οἱ δὲ τῶν ταῦτα ψηφισαμένων ἐναντιότητα καὶ
φιλονικίαν καταγνόντες ἀπέστησαν αὐτῶν καὶ βεβαιότερον
ὡμοφρόνουν τοῖς κατὰ τὸ δόγμα τῆς ἐν Νικαίᾳ συνόδου θρησκεύουσιν.
25 5 Ἐκ δὲ τῶν τότε κατὰ τὸν Γρατιανοῦ νόμον ἐπανελθόν-
των ἐπισκόπων ἀπὸ τῆς συμβάσης αὐτοῖς φυγῆς ἐπὶ τῆς
Οὐάλεντος βασιλείας οἱ μὲν προεδρίας οὐδὲν ἐφρόντισαν,
ἀλλὰ τὴν ὁμόνοιαν τῶν λαῶν προτιμήσαντες μὴ καταλιπεῖν
σφᾶς ἐδεήθησαν τῶν ἀπὸ τῆς Ἀρείου αἱρέσεως μηδὲ διχονοίᾳ
30 κατατέμνειν τὴν ἐκκλησίαν, ἣν παρὰ θεοῦ καὶ ἀποστόλων
μίαν παραδοθεῖσαν φιλονικίαι καὶ φιλοπροεδρίαι εἰς πολλὰς
κατεμέρισαν. 6 Ταύτης δὲ τῆς σπουδῆς ἐγένετο καὶ Εὐλάλιος
ὁ ἐν Ἀμασείᾳ τῇ πρὸς τῷ Πόντῳ ἐπίσκοπος· λέγεται γοῦν
μετὰ τὴν ἐπάνοδον εὑρεῖν ἕτερον προϊστάμενον τῆς αὐτοῦ
35 ἐκκλησίας τῶν Ἀρείου ἐπισκόπων, εἶναι δὲ τοὺς πειθομένους

---

1. Ce concile se réunit à Antioche de Carie à la fin de 378 ou au début de
379. Une partie des macédoniens, profitant de la liberté de culte décrétée
par Gratien, se sépare à nouveau des nicéens et rejette explicitement
l'*homoousios* : cf. Hefele-Leclercq, I 2, p. 984-985.
    2. Avant de partir pour sa dernière campagne gothique, Valens aurait
déjà, dès l'automne 377, rappelé d'exil certains évêques d'après Piganiol,
p. 184 se fondant sur Rufin, *H.E.* I, 13 ; point de vue contredit, à juste titre
semble-t-il, par T. D. Barnes, « The Collapse of the Homoians in the
East », *Studia Patristica* 29, éd. E . A. Livingstone, Louvain, 1997, p. 3-16.
S'il s'agit du retour de Pierre II à Alexandrie, il semble bien que ce dernier
ait pris les devants sans attendre une décision impériale. La décision générale de rappel est attribuée par Sozomène lui-même, *H.E.* VII, 1, 3 à
Gratien. C'est dans un but d'édification religieuse que Rufin et Jérôme
attribuent ce rappel à Valens qui aurait obéi à une pénitence tardive (*sera
paenitentia*). En fait, Valens convaincu qu'il serait victorieux contre les

et ils étaient en communion les uns avec les autres. **3** Après l'édit de Gratien, saisissant cette liberté, certains évêques de cette secte reprirent les églises dont ils avaient été dépouillés sous Valens. Et, s'étant réunis à Antioche de Carie [1], ils décidèrent qu'on ne devait pas dire le Fils consubstantiel au Père, mais semblable quant à la substance comme auparavant. **4** De ce moment, les uns, s'étant séparés, tenaient leurs assemblées de culte à part, les autres, ayant condamné l'opposition et l'esprit de rivalité de ceux qui avaient pris cette décision, s'écartèrent d'eux et partageaient plus fermement les sentiments de ceux dont la religion était conforme au dogme du concile de Nicée.

5 Parmi les évêques qui, en vertu de l'édit de Gratien, revinrent alors de l'exil qu'ils avaient subi sous le règne de Valens [2], quelques-uns ne se soucièrent aucunement de la préséance mais, ayant mis au-dessus de tout la concorde des fidèles, ils invitèrent les évêques du parti arien à ne pas abandonner leurs postes et à ne pas couper en deux, par la discorde, cette Église qui leur avait été livrée comme une par Dieu et les Apôtres et que le goût des querelles et de la préséance avait divisée en beaucoup d'églises. **6** Ce zèle fut en particulier celui d'Eulalios, évêque d'Amasie du Pont [3]. On raconte en tout cas qu'après son retour, il trouva qu'un autre évêque était à la tête de son église, un des évêques ariens, et qu'il n'y avait dans la ville, pour suivre l'arien, pas

---

Goths, n'émit aucun édit de rappel des évêques qu'il avait exilés, même au printemps de 378, quand il quittait Antioche. Sa modération se borna à arrêter les mesures d'exil.

3. L'évêque d'Amasie, présent au concile de Sardique en 343, est plus tard expulsé par Valens et remplacé par un arien. Il retrouve son siège à la mort de Valens (*H.E.* VII, 2) : cf. *DHGE* II, c. 964-70, Amaseia, S. VAILHE. L'attitude d'Eulalios est à rapprocher du compromis proposé par Mélèce à Paulin pour le gouvernement de la communauté nicéenne d'Antioche : cf. *infra* VII, 3, 4. S'agit-il du même personnage qu'Eulalios de Césarée (ou de Sébaste) de Cappadoce mentionné en IV, 24, 9 *SC* 418, p. 326, note 2 ?

78 HISTOIRE ECCLÉSIASTIQUE

αὐτῷ ἐν τῇ πόλει οὐδ' ὅλους πεντήκοντα· προνοούμενον δὲ
τῆς πάντων ἑνώσεως ἀντιβολῆσαι τοῦτον πρωτεύειν καὶ κοινῇ
τὴν ἐκκλησίαν ἰθύνειν, ἆθλον ἐπὶ τῇ ὁμονοίᾳ τὴν προεδρίαν
ἔχοντα. Ἀλλ' ὁ μὲν μὴ πεισθεὶς οὐκ εἰς μακρὰν ἔμελλεν οὐδὲ
40 ὧν εἶχεν ὀλίγων ἡγήσεσθαι προσθεμένων τοῖς ἄλλοις.

3

304 1421 ‖ **1** Ἐν δὲ τῷ τότε καὶ Μελετίου κατὰ τοῦτον τὸν νόμον
ἐπανελθόντος εἰς Ἀντιόχειαν τῆς Συρίας δεινή τις τῷ λαῷ
φιλονικία συνέβη. Παυλίνου γὰρ ἔτι περιόντος, οὗ τὴν εὐλά-
βειαν, ὡς ἔγνωμεν, αἰδεσθεὶς Οὐάλης ὁ βασιλεὺς καταδικάσαι
5 φυγὴν οὐκ ἐτόλμησεν, οἱ μὲν σύνθρονον αὐτοῦ γενέσθαι Μελέτιον ἠξίουν. **2** Ἀντιλεγόντων δὲ τῶν τὰ Παυλίνου φρονούντων καὶ τὴν Μελετίου χειροτονίαν διαβαλλόντων ὡς ὑπὸ
Ἀρειανῶν ἐπισκόπων γεγενημένην, βίᾳ τὸ σπουδαζόμενον εἰς
ἔργον ἦγον οἱ Μελετίου ἐπαινέται. **3** Πλῆθος γὰρ οὐ τὸ τυχὸν
10 ὄντες ἐν μιᾷ τῶν πρὸ τῆς πόλεως ἐκκλησιῶν εἰς τὸν ἐπισκοπικὸν θρόνον ἀνεβίβασαν αὐτόν. Ἑκατέρωθεν δὲ τοῦ λαοῦ
χαλεπαίνοντος καὶ στάσεως προσδοκωμένης θαυμαστή τις
ἐκράτησεν βουλή, πρὸς ὁμόνοιαν αὐτοὺς ἄγουσα. **4** Συνεδόκει
γὰρ ὅρκους λαβεῖν παρὰ τῶν ἐπισκοπεῖν τὸν ἐνθάδε θρόνον

1. Profitant des nouvelles mesures prises par Gratien à la mort de
Valens, Mélèce revient à Antioche, dès 378, après son troisième exil (370).
Sur Mélèce, voir *H.E.* IV, 28, 5-6, *SC* 418, p. 346 et IV, 28, 9, p. 348, note 2.
2. Prêtre antiochéen ordonné évêque d'Antioche en 362 par Lucifer de
Cagliari, de manière contraire aux règles de la discipline ecclésiastique,
puisqu'il y avait déjà en la personne de Mélèce un évêque orthodoxe légitime et que les évêques de la province ecclésiastique concernée n'avaient
pas été consultés : cf. *H.E.* V, 12, 2 et F. CAVALLERA, *Le schisme d'Antioche
(IVᵉ-Vᵉ siècles)*, Paris 1905, p. 116. Il est reconnu par l'Occident et
l'Égypte comme le titulaire « nicéen » légitime contre Mélèce, pourtant
soutenu par l'Orient anti-arien : *DECA*, p. 1994, M. SIMONETTI. Lorsque
Valens condamne Mélèce à l'exil, il épargne Paulin : cf. *H.E.* VI, 7, 10
SC 495, p. 293, note 3.

même cinquante personnes en tout ; préoccupé de l'union de tous, il l'avait supplié de garder la préséance et de diriger l'église en commun avec lui, l'arien conservant la première place comme prix de la concorde. L'arien pourtant ne l'écouta point, et, peu après, il ne devait même plus diriger le petit nombre qu'il avait, car ils s'adjoignirent aux autres.

Chapitre 3

Les événements relatifs à saint Mélèce et saint Paulin,
évêques d'Antioche.
Les serments prononcés à cause du siège épiscopal.

1 A ce moment-là, comme, selon cet édit, Mélèce était revenu à Antioche de Syrie [1], il y eut une grande querelle dans le peuple fidèle. Paulin était encore en vie, lui que l'empereur Valens, comme nous l'avons vu, par respect pour sa dévotion, n'avait pas osé condamner à l'exil [2]. Or certains voulaient que Mélèce devînt le collègue de Paulin. **2** Les partisans de Paulin s'y opposaient et réprouvaient l'élection de Mélèce comme ayant été faite par des évêques ariens ; alors, les tenants de Mélèce réalisèrent par la force ce à quoi ils s'employaient : **3** de fait, en masse assez considérable, ils installèrent Mélèce sur le trône épiscopal dans l'une des églises qui étaient devant la ville [3]. Le peuple fidèle était irrité de part et d'autre et l'on s'attendait à une guerre civile : alors l'emporta une admirable résolution qui amena les gens à la concorde. **4** Il parut bon d'exiger des serments de la

---

3. L'installation de Mélèce sur le siège d'Antioche à la fin de 360 s'était faite à l'initiative des ariens Eudoxe de Constantinople et Acace de Césarée qui le croyaient proche de leur point de vue (*H.E.* IV, 28, 4 *SC* 418, p. 346 note 2) : d'où les accusations des pauliniens qui mettaient en avant le fait qu'ils étaient en communion avec l'évêque de Rome et les lucifériens : cf. *infra* VII, 3, 5. Mélèce, de retour, dut se contenter de l'église de la Palée, à l'extérieur de la ville. Sozomène semble exagérer le nombre et l'influence de la communauté paulinienne : cf. Cavallera, p. 238-240.

15 ἐπιτηδείων εἶναι νομιζομένων ἢ προσδοκωμένων, ὧν ἦσαν
ἕτεροι πέντε καὶ Φλαβιανός, ὡς οὔτε σπουδάσουσιν οὔτε χειροτονίας ἐπ᾽ αὐτοῖς γινομένης ἀνέξονται ἐπισκοπεῖν, ἐς ὅσον
Παυλῖνος ἢ Μελέτιος τῷ βίῳ περιῶσιν· συγχωρεῖν δὲ θατέρου
προτελευτήσαντος τὸν ἕτερον μόνον τὴν ἐπισκοπὴν ἔχειν.
20 **5** Κατὰ ταῦτα δὲ δοθέντων τῶν ὅρκων σχεδὸν τὸ πᾶν ὡμονόει
πλῆθος. Ὀλίγοι δὲ τῶν Λουκίφερος ἔτι διεφέροντο, ὡς ὑπὸ
ἑτεροδόξων Μελετίου χειροτονηθέντος. Ἐπεὶ δὲ τάδε ὧδε
γέγονε, Μελέτιος μὲν ἧκεν εἰς Κωνσταντινούπολιν· **6** ἡνίκα
καὶ ἄλλοις πολλοῖς ἐπισκόποις κατὰ ταὐτὸν γενομένοις ἔδοξεν
25 ἀναγκαῖον εἶναι ἐκ τῆς Ναζιανζοῦ μεταθεῖναι Γρηγόριον καὶ
ἐπιτρέψαι αὐτῷ τὴν ἐνθάδε ἐπισκοπήν.

4

1 Ὑπὸ δὲ τοῦτον τὸν χρόνον Γρατιανὸς μὲν ἔτι τῶν πρὸς
ἑσπέραν Γαλατῶν ὑπὸ Ἀλαμανῶν ταραττομένων ἐπὶ τὴν

1. D'une famille riche, il apparaît dès 350 comme un des chefs du parti
nicéen à Antioche, alors qu'il n'est qu'un simple laïc. Il est ordonné prêtre
en 362 par Mélèce : *DHGE* XVII, 1971, Flavien 7, D. Gorce et *DECA*,
p. 976, S. J. Voicu. Il est mentionné en *H.E.* IV, 25, 3 par anticipation.
2. Sozomène ne mentionne pas plus que Socrate le concile réuni par
Mélèce à Antioche en sept-oct. 379 pour réorganiser la hiérarchie ecclésiastique en Orient. Il réunit pourtant 149 évêques : cf. Hefele-Leclercq I, 2,
p. 985. Cette convocation laisse penser que l'évêque a très vite retrouvé son
siège malgré ce que dit Sozomène. Socrate, *H.E.* V, 5 et Sozomène, qui le
suit de près, font la part belle à Mélèce, au détriment de Paulin, dans le récit
des négociations qui échouèrent à régler le problème du schisme à l'intérieur du parti orthodoxe. La mention du siège promis au survivant (également présente chez Ambroise, *ep.* 6, 4-5) semble suspecte (Pietri,
Histoire ..., t. II, p. 386), tout comme celle de l'échange de serments
(Cavallera, p. 241).
3. Ces lucifériens extrémistes ne se confondent pas avec les partisans
de Paulin, pourtant intronisé par Lucifer de Cagliari : cf. *H.E.* III, 15, 6
SC 418, p. 144, note 1 et V, 12, 2.
4. Grégoire (sur ses débuts, voir *H.E.* VI, 17, 1 *SC* 495 p. 322-327 et les
notes *ad loc.*) avait été contraint par Basile de Césarée d'accepter l'évêché

part de ceux qui, sur place, étaient jugés propres à exercer
l'épiscopat ou de qui on pouvait l'attendre — de ce nombre
était Flavien [1] avec cinq autres — : ils ne feraient pas de
brigue ni, si une élection survenait en leur faveur, ils
n'accepteraient d'être évêques, aussi longtemps que Paulin
et Mélèce seraient en vie ; si l'un des deux venait à mourir, ils
laisseraient l'autre garder seul l'épiscopat. **5** Des serments
ayant été prêtés selon ces termes, presque tout le peuple était
d'accord [2]. Seuls un petit nombre des lucifériens restaient
séparés, alléguant que Mélèce avait été élu par des hétérodoxes [3]. Sur ces entrefaites, Mélèce arriva à Constantinople.
6 C'est le temps où il parut nécessaire aussi à beaucoup
d'autres évêques qui s'étaient réunis là de transférer de
Nazianze Grégoire et de lui confier l'évêché du lieu [4].

Chapitre 4

L'empire de Théodose le Grand ;
il reçoit le divin baptême d'Ascholius de Thessalonique ;
ce qu'il écrit à ceux qui ne respectent pas la définition
du concile de Nicée.

1 En ce temps-là, comme les Gaulois d'Occident étaient
encore malmenés par les Alamans, Gratien revint dans la

---

de Sasimes en 372, mais avait refusé de s'y rendre. En 374, il avait dû
assumer les fonctions épiscopales de son père qui venait de mourir. De cette
ville, il venait souvent à Constantinople (*H.E.* VI, 17, 5). Après la mort de
Valens, le parti nicéen, qui comptait dans ses rangs ses amis Basile de
Césarée et Grégoire de Nysse, le pousse, avec l'appui de Mélèce et de la cour,
à occuper le siège de Constantinople, alors qu'il s'était retiré à Séleucie.
Trois jours après son entrée à Constantinople, Théodose en personne
l'intronise le 27 nov. 380, bien qu'il soit encore théoriquement évêque de
Sasimes. Cette désignation ainsi que l'organisation du concile qui va la
confirmer doivent beaucoup à l'autorité de Mélèce : cf. *DECA*, p. 1108-
1111, J. Gribomont et J. Bernardi, *Saint Grégoire de Nazianze, le théologien et son temps*, Paris 1995.

πατρῴαν ἀνέστρεφε μοῖραν, ἣν αὐτῷ τε καὶ τῷ ἀδελφῷ διοικεῖν κατέλιπεν, Ἰλλυριοὺς καὶ τὰ πρὸς ἥλιον ἀνίσχοντα τῆς
5 ἀρχῆς Θεοδοσίῳ ἐπιτρέψας. 2 Κατωρθοῦτο δὲ κατὰ γνώμην
αὐτῷ τὰ πρὸς τούτους, Θεοδοσίῳ δὲ τὰ πρὸς τοὺς ἀμφὶ τὸν
304 Ἴστρον | βαρβάρους. Ἐπεὶ δὲ τῶν μὲν μάχῃ ἐπεκράτησε, τῶν
δὲ φίλους ἔχειν Ῥωμαίους ἀντιβολούντων ὁμήρους λαβὼν
1424 σπονδὰς ἐδέξατο, | ἧκεν εἰς Θεσσαλονίκην. 3 Νόσῳ δὲ περι-
10 πεσὼν ἐνταῦθα μυσταγωγοῦντος αὐτὸν Ἀχολίου τοῦ τῇδε
ἐπισκόπου ἐμυήθη καὶ ῥᾷον ἔσχεν. Ἐκ προγόνων γὰρ χρι-
στιανίζων κατὰ τὸ δόγμα τῆς ἐν Νικαίᾳ συνόδου ᾔσθη Ἀχο-
λίῳ ὧδε δοξάζοντι καὶ ἔργοις ἀγαθοῖς καὶ συλλήβδην, ὡς

1. Les Alamans profitent du départ de Gratien vers l'Orient, en février
378, avec une partie du *comitatus*, l'armée de mouvement occidentale, pour
menacer la frontière rhénane ; les Alamans Lentiens sont arrêtés par Mallo-
baudes, comte des domestiques. Gratien, de retour, pénètre en territoire
alaman et impose rapidement un traité (Амм. 31, 10, 15-18). Mais la pression germanique reprend lorsque l'empereur se rend en Thrace à la fin de
378 ; il doit revenir pour une brève campagne victorieuse avant l'entrevue
de Sirmium avec Théodose (8 sept. 380) : E. Demougeot, *La formation de
l'Europe...*, t. II, 1, p. 122.

2. Théodose reçoit la responsabilité de l'Orient et de l'Illyricum qui fut
peut-être, dans un premier temps, partagé, le nouvel Auguste n'ayant autorité que sur les diocèses orientaux, ceux de Dacie et de Macédoine, et le
diocèse des Pannonies relevant de l'autorité théorique de Valentinien II. En
septembre 380, Théodose aurait, d'accord avec Gratien, renoncé aux deux
diocèses, et la préfecture d'Italie-Afrique-Illyrie aurait été reconstituée
dans ses anciennes limites sous le contrôle effectif de Gratien : cf. Piganiol, p. 231-233.

3. La chronologie et l'importance exactes des premières campagnes de
Théodose restent incertaines. En 378, il repousse les attaques des Sarmates
sur le front pannonien. Il tente de réorganiser une armée très affaiblie par
les pertes subies lors de la défaite d'Andrinople, en faisant appel entre
autres à des recrues gothiques. Lui-même ou ses généraux remportent
quelques succès contre les Goths en les repoussant entre les monts des
Balkans et le Danube, succès aussitôt proclamés à Constantinople. Mais
Sozomène omet de mentionner le raid du Wisigoth Fritigern qui fut sur le
point de s'emparer du camp de l'empereur en 380 : cf. H. Wolfram,
Histoire des Goths, trad. fr., Paris 1990, p. 145.

partie relevant de son père [1]. Il en avait réservé le gouvernement à lui et à son frère, cependant qu'il avait confié l'Illyrie
et toute la partie orientale de l'Empire à Théodose [2].
2 L'expédition de Gratien contre les Alamans réussit à son
gré, de même celle de Théodose contre les barbares proches
du Danube [3]. Après que ce dernier eut vaincu les uns au
combat, et que, ayant reçu d'eux des otages, il eut conclu la
paix avec d'autres qui suppliaient les Romains de les prendre
pour amis, il arriva à Thessalonique [4]. **3** Là il tomba malade,
sous la conduite d'Acholius, évêque du lieu, il reçut l'initiation et se sentit mieux [5]. Comme il était chrétien par tradition ancestrale selon le dogme du concile de Nicée, ce lui fut
une joie qu'Acholius eût cette croyance et qu'il fût bien doté

4. Thessalonique est le quartier général de Théodose d'où il peut rapidement rejoindre le front gothique. La mention de cette paix présentée de
manière positive par Sozomène qui l'attribue à Théodose pose problème. Si
l'on respecte la chronologie, il s'agit du premier traité passé non par Théodose mais par Gratien avec les Ostrogoths d'Alatheus qui pillaient la Pannonie, à la fin de 380, au moment où Théodose était gravement malade : les
Ostrogoths et les Alains de Saphrac obtinrent d'être installés en Pannonie II
et en Valérie : voir Demougeot, *La formation de l'Europe* ..., II, 1, p. 148.
Mais la présentation des faits (les Goths suppliants) et la paternité de la paix
attribuée à Théodose font penser plutôt au principal *foedus* entre Romains
et Goths, nettement plus tardif, celui d'oct. 382, suite à la *deditio* de
Fritigern et de ses Wisigoths : ceux-ci étaient installés entre Danube et
Balkans, non comme colons mais en gardant leurs structures tribales et
leurs lois, contre prestation occasionnelle du service militaire avec promesse de subsides annuels : cf. Wolfram, *Histoire*..., p. 147 et P. Heather,
Goths and Romans, 342-489, Oxford 1991, p. 157-164. Tout à la glorifica-
tion de l'action théodosienne, Sozomène ne voit pas les dangers de cette
« autonomie » gothique à l'intérieur de l'Empire.

5. L'administration du baptême *in extremis* laisse supposer que la maladie était très grave et que l'empereur était menacé de mort. Elle rappelle
l'exemple de Constantin, baptisé en mai 337, à Nicomédie, peu avant sa
mort. Sozomène reconnaît à l'initiation baptismale une valeur thérapeuti-
que miraculeuse, d'autant plus qu'elle était donnée par un évêque orthodoxe, Acholius de Thessalonique. Fidèle à l'orthodoxie occidentale, celui-ci
participe au concile de Constantinople de 381 : il y reçoit une lettre de
Damase l'invitant, à propos de l'élection de Grégoire, à respecter les canons
de Nicée interdisant aux évêques de changer de siège. Il est également
présent au synode de Rome de 382 : *DECA*, p. 24, J. Prinzivalli.

εἰπεῖν, πρὸς πᾶσαν ἱερωσύνης ἀρετὴν συντεταγμένῳ, ἥσθη δὲ
15 καὶ Ἰλλυριοῖς ἅπασι μὴ μετασχοῦσι τῆς Ἀρείου δόξης.
4 Πυνθανόμενος δὲ περὶ τῶν ἄλλων ἐθνῶν μέχρι μὲν Μακεδό-
νων ἔγνω τὰς ἐκκλησίας ὁμονοεῖν καὶ πάντας ἐπίσης τῷ
πατρὶ τὸν θεὸν λόγον καὶ τὸ ἅγιον πνεῦμα σέβειν, ἐντεῦθεν δὲ
τὰ πρὸς ἔω στασιάζειν, ὡς καὶ τοὺς λαοὺς εἰς διαφόρους
20 αἱρέσεις μεμερίσθαι, καὶ μάλιστα ἀνὰ τὴν Κωνσταντινούπολιν. **5** Λογισάμενος δὲ ἄμεινον εἶναι προαγορεῦσαι τοῖς ὑπη-
κόοις ἣν ἔχει περὶ τὸ θεῖον δόξαν, ὥστε μὴ βιάζεσθαι δοκεῖν
ἀθρόον ἐπιτάττοντα παρὰ γνώμην θρησκεύειν, νόμον ἐκ Θεσσαλονίκης προσεφώνησε τῷ δήμῳ Κωνσταντινουπόλεως·
25 συνεῖδε γὰρ ἐνθένδε ὡς ἀπό τινος ἀκροπόλεως τῆς πάσης
ὑπηκόου καὶ ταῖς ἄλλαις πόλεσι δήλην ἔσεσθαι ἐν τάχει τὴν
γραφήν. **6** Ἐδήλου δὲ διὰ ταύτης βούλεσθαι πάντας τοὺς
ἀρχομένους θρησκεύειν, ὡς ἐξ ἀρχῆς Ῥωμαίοις παρέδωκε
Πέτρος ὁ κορυφαῖος τῶν ἀποστόλων, ἐφύλαττον δὲ τότε
30 Δάμασος ὁ Ῥώμης ἐπίσκοπος καὶ Πέτρος ὁ Ἀλεξανδρείας·
μόνων δὲ τῶν ἰσότιμον τριάδα θείαν θρησκευόντων καθολικὴν
τὴν ἐκκλησίαν ὀνομάζεσθαι, τοὺς δὲ παρὰ ταῦτα δοξάζοντας
αἱρετικοὺς προσαγορεύεσθαι καὶ ἀτίμους εἶναι καὶ τιμωρίαν
προσδέχεσθαι.

1. L'affirmation de Sozomène doit être fortement nuancée. La restauration de l'orthodoxie a provoqué effectivement la mise à l'écart de plusieurs
évêques ariens. Toutefois, un certain nombre, comme Secundianus de Sin-
gidunum et Palladius de Ratiaria, conservèrent leur siège : M. Meslin, *Les
Ariens d'Occident*, Paris 1967, p. 85-88. A Constantinople, l'opposition
arienne aux nicéens restera longtemps vivace : Dagron, *Naissance...*,
p. 451.

2. Sozomène résume de manière exacte, en juriste, le contenu de cet édit
émis à Thessalonique le 28 février 380 (*Code Théodosien* XVI, 1, 2) que
Socrate ignore et dont Théodoret transcrit le contenu de façon imprécise :
les réserves de P. Van Nuffelen, *Un héritage ...*, p. 55, note 309, sur la
fidélité de la transcription par Sozomène, ne sont pas entièrement convain-
cantes. Cet édit est antérieur à la maladie et au baptême de l'empereur
(printemps 380), il n'en est pas la conséquence comme le laisse supposer la

de bonnes actions et bref, en un mot, pour toute sorte de
vertu sacerdotale, ce lui fut une joie aussi que tous les Illyriens fussent étrangers à l'arianisme [1]. **4** Après s'être renseigné sur les autres régions, il apprit que, jusqu'à la Macédoine, les Églises étaient en accord et que tous adoraient le
Dieu Verbe et le Saint-Esprit à égalité avec le Père, mais qu'à
partir de là, l'Orient était divisé, en sorte que les fidèles se
partageaient en des sectes diverses, et surtout à Constantinople. **5** Ayant considéré qu'il valait mieux faire connaître aux
sujets les opinions qu'il tenait sur la divinité, en sorte qu'il
ne parût pas les forcer en leur enjoignant soudain d'avoir
une religion contraire à leur sentiment, il édicta de Thessalonique une loi à l'adresse du peuple de Constantinople ; il
avait compris que de là, comme d'une acropole de tout
l'Empire, le texte serait rapidement connu aussi dans les
autres villes. **6** Il faisait savoir par là qu'il voulait que tous les
sujets eussent la religion que, dès le principe, Pierre, le
premier des Apôtres, avait livrée aux Romains et que main-
tenaient alors Damase, évêque de Rome, et Pierre d'Alexandrie : seule serait dite catholique l'Église de ceux qui donnaient mêmes honneurs aux trois personnes divines ; ceux
qui croyaient autrement seraient déclarés hérétiques, notés
d'infamie et soumis au châtiment [2].

présentation des faits par l'historien : cf. W. ENSSLIN, *Die Religionspolitik
des Kaisers Theodosius der Grosse*, München 1955, p. 21-22. Tout en considérant comme normale l'intervention impériale en matière de dogme dans
la mesure où elle soutient l'orthodoxie, Sozomène s'efforce d'atténuer son
caractère très fortement contraignant : voir H. LEPPIN, *Von Constantin den
Grossen zu Theodosius II, das christliche Kaisertum der Kirchenhistoriken
Socrates, Sozomen, Theodoret*, Göttingen 1996, p. 169. Dans un premier
temps, l'empereur limite à Constantinople le champ d'application de la loi.
Mais il escompte que, diffusées dans les autres villes, ces mesures, destinées
à être appliquées à Constantinople, inciteront à abandonner l'arianisme : cf.
R. M. ERRINGTON, « Christian Accounts of the Religious Legislation of
Theodosius I », *Klio* 79, 1997, p. 414-415.

5

306
1425 | 1 Ταῦτα νομοθετήσας οὐ πολλῷ ὕστερον ἧκεν εἰς Κωνσταντινούπολιν. Ἐκράτουν δὲ τῶν ἐκκλησιῶν | ἔτι οἱ τὰ Ἀρείου φρονοῦντες, ὧν ἡγεῖτο Δημόφιλος· Γρηγόριος δὲ ὁ ἐκ Ναζιανζοῦ προΐστατο τῶν ὁμοούσιον τριάδα δοξαζόντων,
5 ἐκκλησίαζε δὲ ἐν οἰκίσκῳ μικρῷ παρ' ὁμοδόξων αὐτῷ τε καὶ τοῖς ὁμοίως θρησκεύουσιν εἰς εὐκτήριον οἶκον κατασκευασθέντι. 2 Μετὰ δὲ ταῦτα περιφανὴς τῶν ἐν τῇ πόλει νεὼς γέγονεν οὗτος καὶ ἔστιν, οὐ μόνον οἰκοδομημάτων κάλλει τε καὶ μεγέθει, ἀλλὰ καὶ ἐναργῶν θεοφανειῶν ὠφελείαις. Προφαινομένη
10 γὰρ ἐνθάδε θεία δύναμις ὕπαρ τε καὶ ἐν ὀνείρασι πολλοῖς πολλάκις νόσοις τε καὶ περιπετείαις πραγμάτων κάμνουσιν ἐπήμυνε· πιστεύεται δὲ ταύτην τὴν Χριστοῦ μητέρα Μαρίαν τὴν ἁγίαν παρθένον εἶναι· τοιαύτη γὰρ ἐπιφαίνεται. 3 Ἀναστασίαν δὲ ταύτην τὴν ἐκκλησίαν ὀνομάζουσιν, ὡς μὲν
15 ᾤμην, καθότι τὸ δόγμα τῆς ἐν Νικαίᾳ συνόδου, πεπτωκὸς ἤδη ἐν Κωνσταντινουπόλει καὶ τεθνηκός, ὡς εἰπεῖν, διὰ τὴν δύναμιν τῶν ἑτεροδόξων, ἐνθάδε ἀνέστη τε καὶ ἀνεβίω διὰ τῶν Γρηγορίου λόγων. 4 Ὡς δέ τινων ἀληθῆ λέγειν ἰσχυριζομένων ἀκήκοα, ἐκκλησιάζοντος τοῦ λαοῦ γυνὴ ἐγκύμων ἀπὸ

---

1. Le 24 nov. 380 (Seeck, *Regesten*, p. 255).
2. Sur cet évêque arien dont on connaît mal l'action à Constantinople, voir *H.E.* VI, 13, 1 *SC* 495 p. 310, note 1 : cf. Dagron, *Naissance...*, p. 446-447.
3. Grégoire se trouve à la tête d'une communauté encore minoritaire et mal organisée. Sa prédication de plus en plus suivie, la célébration, en 379, de baptêmes avec confession de foi nicéenne, lui ont valu les attaques des ariens (J. Bernardi, *Saint Grégoire...*, p. 179-82) majoritaires dans la capitale mais divisés en multiples tendances souvent hostiles les unes aux autres (Dagron, *Naissance ...*, p. 447).
4. Il s'agit à l'origine d'une salle d'audience dans une maison particulière (§ 1) appartenant à la famille du préfet du prétoire de Constantin, Ablabius, embellie et transformée en église peut-être par Nectaire, avec un

Chapitre 5

*Grégoire le théologien ; Théodose lui remet les églises
après avoir chassé Démophile et ceux qui ne croient pas
que le Fils est consubstantiel au Père.*

1 Peu de temps après cet édit, Théodose arriva à Constantinople [1]. Les ariens, dirigés par Démophile [2], occupaient encore les églises ; Grégoire de Nazianze était à la tête des partisans de la consubstantialité des trois personnes [3] et il tenait des assemblées de culte dans une maisonnette transformée, par ceux qui pensaient comme eux, en maison de prière pour lui et pour ceux qui avaient même religion. **2** Après cela, elle devint et elle est encore une des églises magnifiques de la ville, non seulement par la beauté et l'ampleur des édifices, mais encore par les avantages de manifestes apparitions divines. Souvent en effet, une Puissance divine qui apparaît là, à l'état de veille ou en songe, a porté secours à beaucoup de gens frappés de maladies ou d'accidents malheureux ; on est persuadé que c'est Marie mère du Christ, la Sainte Vierge : c'est sous son aspect en effet qu'elle apparaît. **3** On nomme cette église Anastasia [4], selon moi pour la raison que le dogme du concile de Nicée, tombé désormais et quasi mort à Constantinople par le pouvoir des hétérodoxes, ressuscita et reprit vie à cet endroit grâce aux sermons de Grégoire. **4** Mais selon ce que j'ai entendu de la bouche de quelques personnes qui affirmaient

rideau pour isoler l'officiant lors de la consécration du pain et du vin et une barrière pour tenir les fidèles à l'écart. Le sens initial d'Anastasia, forme populaire pour *anastasis*, résurrection, lié selon Sozomène à la résurrection du dogme de Nicée, sera occulté au Ve s. par le transfert en ce lieu des reliques d'une sainte Anastasie. L'église se trouve non loin de l'Hippodrome, entre la Mésè et les Portiques de Maurianos : cf. R. JANIN, *La géographie ecclésiastique de l'Empire Byzantin*, t. III *Les églises et les monastères*, Paris 1953, p. 26-29 et J. BERNARDI, *Saint Grégoire...*, p. 183-185.

20 τῆς ὑπερῴου στοᾶς καταπεσοῦσα ἐνθάδε τέθνηκε, κοινῆς δὲ
παρὰ πάντων εὐχῆς ἐπ' αὐτῇ γενομένης ἀνέζησε καὶ σὺν τῷ
βρέφει ἐσώθη· ὡς ἐπὶ παραδόξῳ δὲ θειόθεν συμβάντι ταύτην
ἔλαχε τὴν προσηγορίαν ἐξ ἐκείνου ὁ τόπος. Καὶ περὶ μὲν
τούτου τοιοῦτος εἰσέτι νῦν φέρεται λόγος.

25   5 Ὁ δὲ βασιλεὺς πέμψας πρὸς Δημόφιλον ἐκέλευσεν αὐτὸν
κατὰ τὸ δόγμα τῆς ἐν Νικαίᾳ συνόδου θρησκεύειν καὶ τὸν
λαὸν εἰς ὁμόνοιαν ἄγειν ἢ τῶν ἐκκλησιῶν ὑποχωρεῖν. Ὁ δὲ τὸ
πλῆθος συγκαλέσας τὴν βασιλέως ἐδήλωσε γνώμην καὶ εἰς
τὴν ὑστεραίαν πρὸ τῶν τειχῶν ἐκκλησιάζειν προηγόρευσεν·
30 « Ἐπεὶ θεῖος, ἔφη, ἐπιτάττει λόγος· ἐὰν ὑμᾶς διώκωσιν ἐκ
τῆς πόλεως ταύτης, φεύγετε εἰς τὴν ἄλλην[a]. » 6 Τοιάδε προσ-
307 ειπὼν ἐξ ἐκείνου πρὸ τῆς | πόλεως ἐκκλησίαζεν, σὺν αὐτῷ δὲ
καὶ Λούκιος ὁ πάλαι πρὸς τῶν Ἀρείου τὴν Ἀλεξανδρέων
ἐκκλησίαν ἐπιτραπείς· ἐξελαθεὶς γάρ, ὡς εἴρηται, φυγὰς εἰς
35 Κωνσταντινούπολιν ἐλθὼν ἐνθάδε διέτριβεν. 7 Ἀπολιπόντων
δὲ τὴν ἐκκλησίαν τῶν ἀμφὶ Δημόφιλον εἰσελθὼν ὁ βασιλεὺς
ηὔξατο. Καὶ τὸ ἐξ ἐκείνου τοὺς εὐκτηρίους οἴκους κατέσχον
οἱ τριάδα ὁμοούσιον πρεσβεύοντες. Ἔτος δὲ τοῦτο ἦν ἐν ᾧ
Γρατιανὸς τὸ πέμπτον καὶ Θεοδόσιος τὸ πρῶτον ὑπάτευον,
40 τεσσαρακοστὸν δὲ ἀφ' οὗ τῶν ἐκκλησιῶν ἐκράτησαν οἱ ἀπὸ
τῆς Ἀρείου αἱρέσεως.

---

a. Cf. Mt 10, 23

1. Il s'agit probablement d'une galerie en bois, où se tenaient selon
l'usage les femmes et les enfants, construite rapidement pour adapter cette
ancienne salle d'audience de la maison d'Ablabius au fonctionnement ecclésiastique : voir J. Bernardi, Saint Grégoire ..., p. 185.
2. Le message porté à Démophile représente l'application immédiate de
la loi de Théodose. En refusant de se soumettre, l'évêque arien se condamne
à célébrer les offices à l'extérieur de la ville.
3. Lucius, contraint à l'exil par Athanase, H.E. V, 7,1, avait retrouvé le
siège d'Alexandrie sur l'intervention en 373 de Valens qui avait brutalement
mis à l'écart Pierre II : H.E. VI, 19, 4. Il y poursuit activement les partisans
du dogme nicéen, H.E. VI, 19-20. Mais il est chassé d'Alexandrie, lorsque,
profitant des difficultés de Valens et fort du soutien de Damase, Pierre parvient à recouvrer ses églises. Lucius se réfugie alors en 378 auprès de Démophile à Constantinople, H.E. VI, 39,1 : DECA, p. 1500, E. Prinzivalli.

dire la vérité, alors que les fidèles étaient assemblés, une
femme enceinte tomba là de l'étage supérieur [1] et mourut :
tous firent pour elle une prière commune, elle reprit vie et
fut sauvée avec l'enfant qu'elle portait. Dans la pensée que
s'était produit là un miracle envoyé par Dieu, on donna à
partir de là ce nom au lieu. Voilà à peu près ce qu'on raconte
à ce sujet aujourd'hui encore.

5 L'empereur, par un message à Démophile, lui ordonna
d'avoir une religion conforme au dogme du concile de Nicée
et d'amener les fidèles à la concorde, ou bien de se retirer des
églises. Démophile convoqua le peuple, lui fit connaître la
décision impériale et l'invita à tenir assemblée de culte le
lendemain devant les murs : « Car, dit-il, c'est ce que commande la Parole divine : si l'on vous chasse de cette ville,
enfuyez-vous dans l'autre[a]. » **6** Après cette annonce, depuis
ce moment, il tenait les assemblées de culte devant la ville [2],
et avec lui Lucius auquel les ariens avaient confié jadis
l'église d'Alexandrie ; il en avait été chassé, comme je l'ai
dit [3], s'était réfugié à Constantinople et y vivait. **7** Quand
Démophile et les siens eurent quitté l'église, l'empereur y
entra et pria [4]. Depuis ce moment, ceux qui honoraient la
Trinité consubstantielle occupèrent les maisons de prière.
Ce fut l'année où Gratien fut consul pour la cinquième fois,
Théodose pour la première [5], la quarantième année depuis
que les ariens détenaient les églises.

4. Théodose conduit personnellement sous escorte militaire Grégoire
pour qu'il prenne possession de l'église des Saints Apôtres, au milieu des cris
d'une foule hostile, le 27 nov. 380. Grégoire, ne se jugeant pas encore pleine-
ment légitime, commence par refuser de s'asseoir sur le trône épiscopal et
s'installe parmi les prêtres. C'est à la demande du peuple, qui a changé d'attitude à son égard, qu'il prend place sur le trône : voir *Autobiographie*, v. 1305-
1395, dans SAINT GRÉGOIRE DE NAZIANZE, *Œuvres poétiques, poèmes personnels*, II, 1-11, A. Tuilier, J. Bernardi, G. Bady éd., *CUF*, Paris, 2004.

5. En 380 (SEECK, *Regesten*, p. 255). Ce consulat vient quarante ans (ou
presque) après la déposition de Paul et la nomination d'Eusèbe de Nicomédie au siège de Constantinople au début de 339 : DAGRON, *Naissance..*,
p. 427. Il n'y a plus d'évêque orthodoxe à Constantinople avant Grégoire.

6

1428 | **1** Ἔτι δὲ οὗτοι, πλῆθος ὄντες ἐκ τῆς Κωνσταντίου καὶ Οὐάλεντος ῥοπῆς, ἀδεέστερον συνιόντες περὶ θεοῦ καὶ οὐσίας αὐτοῦ δημοσίᾳ διελέγοντο καὶ ἀποπειρᾶσθαι τοῦ βασιλέως ἔπειθον τοὺς ὁμόφρονας αὐτοῖς ἐν τοῖς βασιλείοις. Ἡγοῦντο 5 γὰρ ἐπιτεύξεσθαι τῆς ἐπιχειρήσεως τὰ ἐπὶ Κωνσταντίου συμβάντα σκοποῦντες. **2** Τοῦτο δὲ αὐτὸ καὶ τοῖς ἀπὸ τῆς καθόλου ἐκκλησίας φροντίδας καὶ φόβον ἐκίνει· οὐχ ἥκιστα δὲ περιδεεῖς ἦσαν λογιζόμενοι τὴν ἐν ταῖς διαλέξεσιν Εὐνομίου δεινότητα. Οὐ πρὸ πολλοῦ γὰρ οὗτος δι' ἣν ἔσχεν ἐν Κυζίκῳ 10 διαφορὰν ἐπὶ τῆς Οὐάλεντος βασιλείας πρὸς τοὺς αὐτοῦ κληρικοὺς ἀποσχίσας τῶν Ἀρείου καθ' ἑαυτὸν διῆγεν ἐν Βιθυνίᾳ πέραν Κωνσταντινουπόλεως· καὶ πλῆθος ἐπεραιοῦτο πρὸς αὐτόν, οἱ δὲ καὶ ἄλλοθεν συνῇεσαν, οἱ μὲν ἀποπειρώμενοι, οἱ δὲ ὧν λέγει ἀκουσόμενοι. **3** Φήμη δὲ τούτων καὶ εἰς βασιλέα 15 ἦλθεν, καὶ συγγενέσθαι αὐτῷ ἕτοιμος ἦν· ἀλλ' ἡ βασιλὶς Πλακίλλα ἐπέσχε σπουδῇ ἀντιβολοῦσα· πιστοτάτη γὰρ οὖσα φύλαξ τοῦ δόγματος τῆς ἐν Νικαίᾳ συνόδου ἔδεισε, μὴ ὡς εἰκὸς ἐν διαλέξει παραπεισθεὶς ὁ ἀνὴρ μεταβάλοι εἰς τὴν

---

1. Voir *H.E.* IV, 25, 6, *SC* 418, p. 337, note 3. Sous Valens, Eunome est exilé une première fois pour avoir soutenu l'usurpation de Procope. Rappelé sur l'intervention de Valens, évêque de Mursa en Illyricum, il organise à Constantinople une communauté néo-arienne dont ni Eudoxe ni Démophile n'apprécient le radicalisme. Démophile obtient une nouvelle condamnation à l'exil contre Eunome, accusé de susciter des désordres à l'intérieur de l'église de Constantinople. De son retour d'exil à la mort de l'empereur, Eunome vit à Chalcédoine : *DECA*, p. 909, M. SIMONETTI. Sur le rôle et l'efficacité dans les débats théologiques des clercs bien formés à la dialectique (*H.E.* VI, 26, 4), comme Eunome, cf. R. LIM, « Religious disputation and social disorder in Late Antiquity », *Historia* 44, 1995, p. 204-231.

Chapitre 6

Les ariens et encore aussi Eunome dans tout son éclat ;
le franc-parler de saint Amphilochios
à l'égard de l'empereur.

1 Ceux-ci pourtant, nombreux en raison de l'inclination de Constance et de Valens, se réunissaient sans crainte, discutaient publiquement sur Dieu et son essence et cherchaient à persuader ceux qui au palais pensaient comme eux de mettre l'empereur à l'épreuve : considérant ce qui s'était passé sous Constance, ils pensaient qu'ils réussiraient dans leur tentative. **2** Or cela même était cause de souci et de crainte aussi pour les catholiques. Ils étaient effrayés surtout en considérant l'habileté d'Eunome dans les disputes. Peu auparavant en effet, à cause du différend qu'il avait eu avec ses clercs à Cyzique sous le règne de Valens, Eunome s'était séparé des ariens et il vivait à part en Bithynie en face de Constantinople [1]. Or une foule traversait la mer pour le visiter et d'autres affluaient à lui, venant d'ailleurs, soit pour se faire une idée de l'homme soit pour entendre sa parole. **3** Le bruit en vint aux oreilles du prince et il était prêt à un entretien. Mais l'impératrice Flaccilla [2], par d'ardentes supplications, le retint : elle gardait très fidèlement le dogme du concile de Nicée et elle craignit que, insidieusement persuadé, comme il est vraisemblable, par la dialectique

---

2. Aelia Flavia Flaccilla, nommée ici par erreur Placilla, issue d'une famille aristocratique espagnole comme le suggère le gentilice *Aelia*, épouse Théodose en 376 et lui donne trois enfants : Arcadius, Pulchérie et Honorius. Elle meurt vers 387. Elle passe pour très hostile au paganisme comme à l'arianisme. Dans son oraison funèbre, Grégoire de Nysse fait l'éloge de ses vertus (piété, humilité, philanthropie..) : cf. K. HOLUM, *Theodosian Empresses*, Berkeley 1982, p. 23-28.

αὐτοῦ δόξαν. 4 Ἔτι δὲ ἐφ᾽ ἑκάτερα τῆς περὶ ταῦτα σπουδῆς

20 ἀκμαζούσης λέγεται τῶν ἐνδημούντων ἐπισκόπων τῇ Κωνσταντινουπόλει παραγενομένων εἰς τὰ βασίλεια, οἷά γε εἰκός, ἀσπάσασθαι τὸν κρατοῦντα, ὡς συνῆν αὐτοῖς πρεσβύτης τις ἀσήμου πόλεως ἱερεύς, ἁπλοῦς καὶ πραγμάτων ἀτριβής, περὶ δὲ τὰ θεῖα νοῦν ἔχων. 5 Οἱ μὲν οὖν ἄλλοι σεμνῶς μάλα καὶ

308 25 εὐλαβῶς τὸν βασιλέα ἠσπάσαντο· ὁμοίως | δὲ τοῦτον προσεῖπε καὶ ὁ πρεσβύτης ἱερεύς, τῷ δὲ τοῦ βασιλέως παιδὶ συγκαθεζομένῳ τῷ πατρὶ τὴν ἴσην οὐκ ἀπένειμε τιμήν, ἀλλὰ προσελθὼν οἷά γε νηπίῳ « Χαῖρε τεκνίον » ἔφη, τῷ δακτύλῳ σαίνων· κινηθεὶς δὲ πρὸς ὀργὴν ὁ βασιλεὺς καὶ ὡς ἐπὶ ὑβρι-

30 σμένῳ <τῷ> παιδὶ χαλεπαίνων, ὅτι μὴ τῆς ὁμοίας ἠξίωτο

1429 τιμῆς, ἐκβάλ|λεσθαι τὸν πρεσβύτην ὑβριστικῶς ἐκέλευσεν.

6 Ὁ δὲ ἀστεϊζόμενος ὑποστραφεὶς εἶπεν· « Οὕτω δὴ νόμισον, ὦ βασιλεῦ, καὶ τὸν οὐράνιον πατέρα ἀγανακτεῖν πρὸς τοὺς ἀνομοίως τὸν υἱὸν τιμῶντας καὶ ἥττονα τολμῶντας ἀποκα-

35 λεῖν τοῦ γεννήσαντος. » Ἀγασθεὶς δὲ ἐπὶ τῷ εἰρημένῳ ὁ βασιλεὺς μετεκαλέσατο τὸν ἱερέα καὶ συγγνώμην ᾔτει καὶ ἀληθῶς εἰρηκέναι συνωμολόγει. 7 Καὶ ἀσφαλέστερος γενόμενος οὐ προσίετο τοὺς παρὰ ταῦτα δοξάζοντας. Καὶ τὰς ἐπ᾽ ἀγορᾶς ἔριδας καὶ συνόδους ἀπηγόρευσε, καὶ διαλέγεσθαι τὸν

---

1. Selon Théodoret qui relate la même anecdote (*H.E.* V, 16), il s'agit d'Amphiloque, évêque d'Iconium, venu inviter l'empereur à interdire aux hérétiques de tenir des assemblées dans les villes : l'anecdote se trouve aussi dans la *Vita sancti Amphilochii* III (*PG* 39 c. 25). Sozomène est-il mal informé sur le personnage ? Il semblerait plutôt qu'il reconstitue l'épisode à sa manière. En effet, Amphiloque n'était pas encore un vieillard : né vers 340/345, ami de Basile, cousin germain de Grégoire, il avait reçu une éducation rhétorique pour devenir avocat, avant d'accéder en 374 à l'évêché d'Iconium devenue métropole de Lycaonie qui n'avait rien d'une ville « peu considérable ». Il s'y était fait connaître par l'ardeur de sa lutte contre les hérésies, par sa grande rigueur plus que par sa réflexion théologique. Il mourut très âgé, après 394 : *DHGE* II, 1914, c. 1346-1347, A. Tonnat-Barthet et *DECA*, p. 104, S. J. Voicu. L'image du vieillard issu d'une modeste petite cité et capable de parler librement à l'empereur en caressant la tête de son fils relève de la scène de genre illustrant le pouvoir du saint homme.

d'Eunome, son époux ne passât à sa doctrine. **4** Alors que l'ardeur à traiter ces questions dans un sens comme dans l'autre était à son comble, on raconte que les évêques présents à Constantinople vinrent, comme il est normal, saluer l'empereur au palais. Avec eux était un vieillard, évêque d'une ville peu considérable [1], simple et sans expérience des affaires, mais entendu aux choses de Dieu. **5** L'ensemble des évêques salua l'empereur avec grande gravité et respect. Le vieil évêque aussi s'adressa à lui de même, mais il ne rendit pas les mêmes honneurs au fils de l'empereur [2] qui était assis à côté de son père : s'étant approché de lui, « Bonjour, petit », dit-il, comme à un petit enfant, et il le caressait du doigt. L'empereur fut pris de colère et, irrité de ce qui lui semblait une insulte à son fils, parce qu'il n'était pas jugé digne du même honneur, il ordonna avec violence de chasser le vieillard. **6** Mais celui-ci, s'étant retourné, dit avec esprit : « Dis-toi, prince, que le Père céleste s'irrite de la même façon contre ceux qui ne rendent pas à son Fils les mêmes honneurs qu'à lui-même et qui osent le dire inférieur à son Père. » Ravi par cette réponse, l'empereur rappela l'évêque, lui fit ses excuses et convint qu'il avait dit la vérité. **7** Devenu plus assuré, il n'accueillit plus ceux dont les opinions étaient différentes. Il interdit les disputes et les réunions sur la place publique [3] ; il fit en sorte qu'il ne fût pas sans danger de

2. Il s'agit d'Arcadius, né vers 377 et donc âgé alors d'environ quatre ans. L'épisode, tel qu'il est relaté, semble toutefois peu crédible, compte tenu de la rigueur du protocole entourant les personnes impériales qui interdisait une approche aussi facile. Selon Théodoret, Théodose aurait ordonné à Amphiloque d'aller saluer son fils, lui reprochant à tort de ne pas l'avoir fait ; mais il n'est pas question du geste de familiarité qu'évoque Sozomène.

3. A propos de la fréquence des débats théologiques, dans tous les milieux sociaux, y compris sur les sujets les plus complexes, voir GRÉGOIRE DE NYSSE, *Sur la divinité du Fils et de l'Esprit saint*, dans *Gregorii Nysseni Opera* X, 2, p. 121, ed. E. Rhein et alii (*PG* XLVI, c. 557 B). Sur le degré de participation de toutes les catégories sociales aux querelles théologiques, voir M.-Y. PERRIN, « A propos de la participation des fidèles aux controverses doctrinales de l'Antiquité tardive : considérations introductives », *Antiquité Tardive* 9, 2001, p. 179-199.

40 αὐτὸν τρόπον περὶ φύσεως ἢ οὐσίας θεοῦ οὐκ ἀκίνδυνον
ἐποιεῖτο νόμον θέμενος περὶ τούτου καὶ τιμωρίαν ὁρίσας.

7

1 Ἐν τάχει τε καὶ σύνοδον ἐπισκόπων ὁμοδόξων αὐτῷ
συνεκάλεσε βεβαιότητός τε ἔνεκα τῶν ἐν Νικαίᾳ δοξάντων
καὶ χειροτονίας τοῦ μέλλοντος ἐπισκοπεῖν τὸν Κωνσταντινουπόλεως θρόνον. 2 Ὑπολαβὼν δὲ δύνασθαι συνάψαι τῇ καθόλου
5 ἐκκλησίᾳ τοὺς καλουμένους Μακεδονιανούς, ὡς μὴ περὶ μέγα
τι διαφερομένους ἐν τῇ κατὰ τὸ δόγμα ζητήσει, συνεκάλεσε
καὶ τούτους. Συνῆλθον οὖν ἐκ μὲν τῶν ὁμοούσιον τριάδα
δοξαζόντων ἀμφὶ ἑκατὸν καὶ πεντήκοντα, τῶν δὲ ἀπὸ τῆς
Μακεδονίου αἱρέσεως ἓξ καὶ τριάκοντα, ὧν οἱ πλείους ἐτύγ-
10 χανον ἐκ τῶν περὶ τὸν Ἑλλήσποντον πόλεων. 3 Ἡγοῦντο δὲ
τούτων Ἐλεύσιός τε ὁ Κυζίκου καὶ Μαρκιανὸς ὁ Λαμψάκου,
τῶν δὲ ἄλλων Τιμόθεος ὁ τὸν Ἀλεξανδρέων διέπων θρόνον,
οὐ πρὸ πολλοῦ τετελευτηκότα Πέτρον ἀδελφὸν αὐτοῦ ὄντα

1. Théodoret met directement en relation l'anecdote d'Amphiloque avec
une loi interdisant les assemblées des hérétiques. Sozomène replace la loi
impériale dans un contexte plus large qui dépasse l'affaire d'Amphiloque.
Le texte, par l'allusion à un interdit de portée très générale, semble renvoyer
à une loi beaucoup plus tardive interdisant « d'aller en public soit discuter
de la religion soit donner quelque avis » : Code Théodosien XVI, 4, 2
(16 juin 388), trad. dans SC 497, p. 221. A moins que l'historien ne se réfère
ici à une autre loi, celle de janvier 381, visant exclusivement les hérétiques,
photiniens, eunomiens, ariens, dont les assemblées sont prohibées comme
illicites : Code Théodosien XVI, 5, 6.
2. Décidé probablement lors de l'entrevue de Sirmium entre Gratien et
Théodose en septembre 380, le concile de Constantinople se réunit dès le
début de mai 381 (SEECK, Regesten, p. 381) à l'église des Saints Apôtres.
Jusque là, l'église orthodoxe de Constantinople n'a pas d'évêque officiellement reconnu, le choix de Grégoire est encore à confirmer. Théodose
convoque les évêques de ses provinces, celles d'Orient. Manquent ceux de
l'Illyricum ainsi que, au début, ceux d'Égypte que l'empereur a peut-être
invités plus tard. Cent cinquante évêques sont présents ; les participants

discuter à la manière habituelle sur la nature ou l'essence de Dieu, ayant édicté à ce sujet une loi et déterminé un châtiment [1].

Chapitre 7

Le second saint concile œcuménique ;
origine et motif du rassemblement.
La démisssion de Grégoire le théologien.

1 Bientôt l'empereur convoqua aussi un concile des évêques de sa conviction pour confirmer les décisions de Nicée et pour élire celui qui devrait être évêque au siège de Constantinople [2]. **2** Dans la pensée qu'il pouvait adjoindre à l'Église catholique ceux qu'on appelait macédoniens, en tant qu'ils ne différaient pas beaucoup dans la recherche concernant le dogme, il les convoqua eux aussi. S'assemblèrent donc, du parti des homoousiens, environ cent-cinquante évêques, du parti des macédoniens trente-six, dont la plupart venaient des villes de l'Hellespont [3]. **3** Ils avaient à leur tête Éleusios de Cyzique et Marcien de Lampsaque [4] ; les autres étaient présidés par Timothée, occupant le siège d'Alexandrie, qui avait succédé à son frère Pierre mort peu

sont essentiellement ceux du concile d'Antioche de 379. Les Occidentaux sont réunis au même moment à Aquilée, ce qui explique l'absence d'envoyés romains à Constantinople. A la différence de Constantin à Nicée, l'empereur n'assiste pas aux séances, mais suit néanmoins de très près le déroulement des discussions. Sur ce concile, cf. HEFELE-LECLERCQ, t. II 1, p. 1-40 et PIETRI, *Histoire...*, t. II, p. 388-391.

3. SOCR., *H.E.* V, 8 donne les mêmes chiffres.

4. Consacré évêque de Cyzique en 358, Éleusios participe au concile de Séleucie en 359. Homéousien actif, il se trouve plusieurs fois en difficulté sous Constance II, Julien et Valens. Il fait partie de ceux qui, parmi les macédoniens, refusent la divinité du Saint-Esprit : *DECA*, p. 799-800, M. SIMONETTI. Sur Marcien de Lampsaque, cf. *PW* XIV 2, 1930, c. 1531, Marcianos 48, ENSSLIN.

διαδεξάμενος, καὶ Μελέτιος ὁ Ἀντιοχείας ἐπίσκοπος, ἤδη
15 πρώην εἰς τὴν Κωνσταντινούπολιν διὰ τὴν Γρηγορίου κατά-
στασιν ἀφικόμενος, καὶ Κύριλλος ὁ Ἱεροσολύμων, μεταμελη-
309 θεὶς | τότε ὅτι πρότερον τὰ Μακεδονίου ἐφρόνει. **4** Σὺν τού-
τοις δὲ ἦσαν Ἀχόλιός τε ὁ Θεσσαλονίκης καὶ Διόδωρος ὁ
Ταρσοῦ καὶ Ἀκάκιος ὁ Βεροίας· οἳ δὴ πάντες ἐπαινέται τυγ-
20 χάνοντες τῆς ἐν Νικαίᾳ βεβαιωθείσης γραφῆς ἐδέοντο σφίσιν
ὁμογνώμονας γενέσθαι τοὺς ἀμφὶ Ἐλεύσιον, ἀναμιμνήσκον-
τες ὧν τε πρὸς Λιβέριον ἐπρεσβεύσαντο καὶ ὡμολόγησαν διὰ
Εὐσταθίου καὶ Σιλβανοῦ καὶ Θεοφίλου, ὡς εἴρηται. **5** Ἀλλ' οἱ
μὲν μήποτε ὁμοούσιον τῷ πατρὶ τὸν υἱὸν δοξάζειν ἀναφανδὸν
25 εἰπόντες, εἰ καὶ ἐναντία ταῖς πρὸς Λιβέριον ὁμολογίαις ἐροῦ-
1432 σιν, | ἀπεδήμησαν καὶ τοῖς κατὰ πόλιν ὁμοφρονοῦσιν ἔγραψαν
μὴ συνθέσθαι τοῖς ἐν Νικαίᾳ δεδογμένοις. **6** Οἱ δὲ ἐν Κωνσταντινουπόλει προσμείναντες ἐβουλεύοντο τίνι δέοι ἐπιτρέψαι τὴν
ἐνθάδε καθέδραν. Λέγεται γὰρ βασιλέα μὲν θαυμάζοντα
30 τοῦ βίου καὶ τῶν λόγων Γρηγόριον ἄξιον ψηφίσασθαι ταύτης
τῆς ἐπισκοπῆς, συναινέσαι δὲ καὶ τοὺς πλείους τῆς συνόδου
αἰδοῖ τῆς αὐτοῦ ἀρετῆς· τὸν δὲ τὰ μὲν πρῶτα ἑλέσθαι προστατεῖν τῆς Κωνσταντινουπόλεως ἐκκλησίας, αἰσθόμενον δέ
τινας ἀντερεῖν καὶ μάλιστα τοὺς ἐξ Αἰγύπτου παραιτήσασθαι·

---

1. Timothée d'Alexandrie vient de succéder, au début de 381, à
Pierre II, son frère ; il n'arrive à Constantinople avec les autres Égyptiens
qu'après la mort de Mélèce et l'élection de Grégoire à laquelle il s'oppo-
sera : *DECA*, p. 2451, M. SIMONETTI. Mélèce, qui n'est pas encore confirmé
comme évêque d'Antioche, joue un rôle dominant pendant la première
partie du concile qu'il préside ; il est d'accord avec Théodose pour favoriser
la candidature de Grégoire (DAGRON, *Naissance*..., p. 451). Sur Cyrille de
Jérusalem, cf. *H.E.* IV, 5, 1-4, *SC* 418, p. 292, note 1. Sur Acholius de
Thessalonique, voir *supra* VII, 4, 3 avec la note *ad loc.*
2. Diodore de Tarse, antiochéen, moine devenu prêtre, soutient Mélèce
et plus tard Flavien. Il se trouve à la tête de la communauté mélécienne

auparavant, par Mélèce, évêque d'Antioche, qui était déjà
arrivé récemment à Constantinople pour l'installation de Grégoire, et par Cyrille de Jérusalem, qui s'était alors repenti
d'avoir été antérieurement macédonien [1]. **4** Avec eux étaient
Acholius de Thessalonique, Diodore de Tarse et Acace de
Béroé [2] : tous ceux-ci, tenants du texte fermement établi à
Nicée, demandaient à Éleusios et aux siens d'avoir même
sentiment qu'eux, leur rappelant leur ambassade auprès de
Libère et leur confession de foi par la bouche d'Eustathe, de
Silvain et de Théophile, comme il a été dit [3]. **5** Cependant les
macédoniens déclarèrent ouvertement qu'ils n'accepteraient jamais la consubstantialité du Fils et du Père, même
s'ils contredisaient ainsi leur confession de foi à Libère [4] ; ils
quittèrent le concile et écrivirent à ceux qui pensaient
comme eux en chaque ville de ne pas s'associer aux décisions
de Nicée. **6** Sur ce, les évêques demeurés à Constantinople
délibérèrent sur celui auquel il fallait confier le siège du lieu.
L'empereur, dit-on, qui admirait Grégoire pour sa vie et sa
parole, le décréta digne de cet épiscopat et la plupart, dans le
concile, approuvaient par respect pour sa vertu ; de son côté,
Grégoire avait d'abord accepté de présider à l'église de Constantinople, puis, s'étant rendu compte de l'opposition de

jusqu'à son exil en 372. Ordonné évêque de Tarse en 378, il joue un rôle
important au concile de Constantinople. Il est considéré comme le fondateur de l'école exégétique d'Antioche : cf *DECA*, p. 694-695, M. Simonetti. Acace, né en 340, moine correspondant de Basile, est ordonné évêque de Béroée (Alep) par Mélèce en 378. Il participe au concile de
Constantinople. Damase l'excommunie pour avoir ordonné Flavien :
DECA, p. 13, M. Simonetti.

3. Sur l'ambassade d'Eustathe, de Silvain et de Théophile auprès de
Libère pour un rapprochement avec les nicéens, voir *H.E.* VI, 10, 4.

4. Dans la confession de foi présentée à Libère et acceptée par lui figurait
le terme d'*homoousios* : cf. *H.E.* VI, 11, 2.

35 **7** καί μοι τόνδε σοφώτατον ἄνδρα πάντων ἕνεκα, οὐχ ἥκιστα
δὲ τοῦ παρόντος θαυμάζεσθαι <δεῖν δοκεῖ>· οὔτε γὰρ ὑπὸ
εὐγλωττίας ἐνεπλήσθη τύφου οὔτε ὑπὸ κενῆς δόξης εἰς ἐπιθυ-
μίαν ἦλθεν ἡγεῖσθαι τῆς ἐκκλησίας, ἣν παρέλαβε μηκέτι εἶναι
κινδυνεύουσαν. **8** Ἀπαιτοῦσι δὲ τοῖς ἐπισκόποις τὴν παρακα-
40 ταθήκην ἀπέδωκεν, οὐ τοὺς πολλοὺς ἱδρῶτας μεμψάμενος ἢ
τοὺς κινδύνους οὓς ὑπέστη πρὸς τὰς αἱρέσεις ζυγομαχῶν·
καίτοι γε λυποῦν οὐδὲν ἦν μηδενὸς ὄντος μένειν αὐτὸν Κωνσταντινουπόλεως ἐπίσκοπον· ἤδη γὰρ καὶ Ναζιανζοῦ ἕτερος
310 κεχειρο|τόνητο. Ἀλλ' ὅμως ἡ σύνοδος τοὺς πατρίους νόμους
45 καὶ τὴν ἐκκλησιαστικὴν τάξιν φυλάττουσα, ὃ δέδωκε παρ'
ἑκόντος ἀπείληφε μηδὲν αἰδεσθεῖσα τῶν τοῦ ἀνδρὸς πλεονε-
κτημάτων. **9** Ὡς ἐπὶ μεγίστῳ δὲ πεφροντισμένης βουλῆς τῷ
βασιλεῖ καὶ τοῖς ἱερεῦσιν οὔσης, παρεγγυωμένου τε τοῦ κρατοῦντος ἀκριβῆ ποιήσασθαι βάσανον, ὅπως ὅτι μάλιστα καλός
50 τε καὶ ἀγαθὸς εὑρεθείη, ᾧ δέοι πιστεῦσαι τῆς μεγίστης καὶ
βασιλευούσης πόλεως τὴν ἀρχιερωσύνην, οὐ τὴν αὐτὴν γνώμην εἶχεν ἡ σύνοδος, ἕκαστοι δέ τινα τῶν αὐτοῖς ἐπιτηδείων
ἠξίουν χειροτονεῖν.

1. Sozomène simplifie ici considérablement la suite des événements.
Dans un premier temps, sous la présidence de Mélèce, le concile a reconnu
Grégoire comme évêque légitime de Constantinople. A la mort de Mélèce
(fin mai), Grégoire le remplace à la présidence du concile. Mais il se heurte
très vite d'abord aux macédoniens, avec lesquels échouent les négociations
sur une nouvelle formule nuançant le dogme à propos du Saint-Esprit, puis
aux Égyptiens qui, soutenus par Acholius porteur d'instructions de
Damase, s'opposent à sa nomination jugée contraire aux canons de Nicée,
puisqu'il était toujours évêque de Sasimes (J. BERNARDI, *Saint Grégoire* ...,
p. 215). Il ne parvient pas davantage à faire reconnaître Paulin par les
méléciens comme évêque d'Antioche. De tels obstacles à son action ainsi
que son propre manque d'aptitude pour la gestion d'un siège aussi important le poussent à démissionner.

2. Grégoire s'est plaint de n'avoir trouvé, quand il succède à l'arien
Démophile, aucun compte des biens et revenus de l'église de Constantinople : voir son *Autobiographie*, v. 1480-1490, A. Tuilier, J. Bernardi, G. Bady
éd., *CUF*, avec, p. 187, les notes 273, 274 et 275. Son « mépris des richesses
cache une désastreuse gestion des ressources de l'église », d'après DAGRON,
Naissance..., p. 452.

certains et surtout des Égyptiens, il se démit [1]. 7 Et il me semble à moi qu'il faut admirer cet homme très sage pour tout, mais principalement pour ce qu'il fit alors : car il ne fut ni rempli d'orgueil en raison de son éloquence ni conduit par vaine gloire au désir de diriger l'Église qu'il avait reçue alors qu'elle risquait de n'être plus rien. 8 Aux évêques qui le réclamaient, il remit le dépôt [2], sans leur faire de reproche sur ses nombreuses fatigues ou sur les dangers qu'il avait encourus en luttant contre les hérésies. Et pourtant, puisqu'il n'y avait nul autre candidat, il n'y avait aucune gêne à ce qu'il demeurât évêque de Constantinople : car déjà c'est un autre qui avait été élu évêque de Nazianze [3]. Néanmoins le concile, observant les règles traditionnelles et le canon ecclésiastique [4], accepta, d'un homme qui l'offrait de son plein gré, ce qu'il donnait, sans avoir eu aucun égard aux mérites exceptionnels de cet homme. 9 Comme, toutefois, il s'agissait d'une délibération sur un point très important qui préoccupait l'empereur et les évêques, et que le prince enjoignait de faire un examen scrupuleux pour trouver le meilleur à qui l'on devait confier l'épiscopat de la ville la plus considérable et qui était la capitale, les Pères différaient d'avis et chaque parti demandait qu'on élût l'un des siens.

3. Grégoire a toujours refusé le siège de Nazianze, après la mort de son père (374) dont il avait été pendant quelque temps le coadjuteur, comme après son départ de Constantinople. Il y exerce l'intérim quelques mois en attendant l'élection d'un nouvel évêque, Eulalios, avant la fin de 383 : cf. J. BERNARDI, *Saint Grégoire...*, p. 230.

4. Ce canon concernait apparemment la règle du dépôt, une sorte de « reddition de comptes » que le prédécesseur devait remettre à son successeur : cf. J. GAUDEMET, *L'Église dans l'Empire...*, p. 306-311. L'évêque avait à gérer le vaste patrimoine de son église comme un intendant et non comme un propriétaire. Il devait en affecter les revenus à des œuvres cultuelles ou charitables et ne pas disposer du capital. L'aliénation doit être autorisée par le concile provincial ou les évêques de la province.

8

1433 | **1** Ἐν τούτῳ δὲ Νεκτάριός τις Ταρσεὺς τῆς Κιλικίας τοῦ
λαμπροτάτου τάγματος τῆς συγκλήτου ἐν Κωνσταντινουπόλει διέτριβεν. Ἤδη δὲ παρεσκευασμένος εἰς τὴν πατρίδα ἀπιέ-
ναι παραγίνεται πρὸς Διόδωρον τὸν Ταρσοῦ ἐπίσκοπον, εἴ γε
5   βούλοιτο γράφειν ἐπιστολὰς κομισόμενος. **2** Ἔτυχε δὲ τότε
διανοούμενος καθ᾽ ἑαυτὸν ὁ Διόδωρος, τίνα χρὴ προβαλέσθαι
εἰς τὴν σπουδαζομένην χειροτονίαν. Καὶ ἰδὼν εἰς Νεκτάριον
ἄξιον εἶναι τῆς ἐπισκοπῆς ἐνόμισε καὶ κατὰ νοῦν εὐθὺς αὐτῷ
προσετέθη, πολιὰν τἀνδρὸς καὶ εἶδος ἱεροπρεπὲς καὶ τὸ προ-
10   σηνὲς τῶν τρόπων <λογισάμενος>. **3** Καὶ ὡς ἐπ᾽ ἄλλο τι
ἀγαγὼν αὐτὸν παρὰ τὸν Ἀντιοχείας ἐπίσκοπον ἐπήνει καὶ
σπουδάζειν αὐτῷ παρεκάλει. Ὁ δὲ ἐπὶ μεμεριμνημένῳ πράγματι πολλῶν ἐπισημοτάτων ἀνδρῶν ὑποψήφων ὄντων ἐγέ-
λασε τὴν Διοδώρου ψῆφον· ὅμως δὲ πρὸς ἑαυτὸν καλέσας
15   Νεκτάριον περιμένειν βραχύν τινα χρόνον ἐκέλευσεν. **4** Οὐκ
εἰς μακρὰν δὲ προστάξαντος τοῦ βασιλέως τοῖς ἱερεῦσιν
ἐγγράψαι χάρτῃ τὰς προσηγορίας ὧν ἕκαστοι δοκιμάζουσιν
εἰς τὴν χειροτονίαν ἀξίων, ἑαυτῷ δὲ φυλάξαντος ἐκ πάντων
τοῦ ἑνὸς τὴν αἵρεσιν, ἄλλοι μὲν ἄλλους ἐνέγραψαν, ὁ δὲ τῆς
20   Ἀντιοχέων ἐκκλησίας ἡγούμενος ἐγγράφει μὲν οὓς ἐβούλετο,

---

1. Originaire de Tarse, ce sénateur de Constantinople est préteur urbain
(*P.L.R.E.* t. I, p. 621), dignité impliquant la lourde charge financière des
jeux. Cette dignité lui vaut le rang de *lamprotatos*, équivalent du latin
clarissimus.
2. Il s'agit là d'un personnage de rang élevé, un fin diplomate plutôt
qu'un théologien. Ami de Diodore qui est l'évêque de sa cité d'origine,
Nectaire faisait partie du cercle de Basile et de Mélèce : cf. LIEBESCHUETZ,
Barbarians and Bishops ..., Oxford 1991, p. 163. Sur Nectaire, voir aussi
DAGRON, *Naissance* ..., p. 453.
3. Le poids de la volonté impériale paraît une fois de plus décisif et il est
considéré par l'historien comme normal. Sozomène ne conteste pas à
l'empereur le droit de choisir ou d'écarter les évêques (H. LEPPIN, *Von*

Chapitre 8

L'élection de Nectaire au siège de Constantinople ;
ses origines et son caractère.

1 Or, à ce moment, vivait à Constantinople un certain Nectaire de Tarse en Cilicie, qui était membre du très illustre ordre du Sénat [1]. Déjà tout prêt à regagner sa patrie, il vint voir Diodore, évêque de Tarse, pour lui proposer, s'il voulait écrire des lettres, de les porter. 2 Il se trouva qu'alors Diodore, à part lui, réfléchissait sur celui qu'il fallait proposer pour l'élection qu'on briguait. Ayant jeté les yeux sur Nectaire, il le jugea digne de l'épiscopat et il lui fut aussitôt favorable : il avait pris en compte les cheveux blancs de l'homme, son allure digne du sacerdoce, l'affabilité de ses manières [2]. 3 Sous quelque prétexte, il l'amena à l'évêque d'Antioche, fit son éloge, invita Mélèce à prendre parti pour lui. Comme, pour cet office très recherché, beaucoup d'hommes très en vue se présentaient comme candidats, Mélèce se moqua du choix de Diodore : néanmoins, il fit venir Nectaire et il l'engagea à demeurer un peu de temps encore. 4 Peu après, comme l'empereur avait commandé aux évêques d'indiquer par écrit les noms de ceux que chacun d'eux jugeait dignes de l'épiscopat, en se réservant à lui-même le choix d'un seul entre tous [3], les autres écrivirent chacun des noms différents, tandis que le chef de l'Église d'Antioche inscrit ceux qu'il voulait, et tout à la fin, par

Konstantin den Grossen ..., p. 181-187), mais il le juge en fonction de la piété impériale et de l'observance des exigences de la vraie foi : cf. Van Nuffelen, p. 155-156. Socrate, *H.E.* V, 8, en revanche, laisse au « peuple » le rôle décisif. Pour Dagron, *Naissance* ..., p. 451, « l'établissement de l'orthodoxie en 380 est, comme celui de l'arianisme en 360, une manière de coup d'État qui traduit des visées politiques de l'empereur sur Constantinople ».

ἔσχατον δὲ πάντων προστίθησι Νεκτάριον διὰ τὴν πρὸς Διόδωρον χάριν. 5 Ἀναγνοὺς δὲ ὁ βασιλεὺς τῶν ἐγγραφέντων τὸν
κατάλογον, ἔστη ἐπὶ Νεκταρίῳ. Καὶ σύννους γενόμενος
σχολῇ καθ' ἑαυτὸν ἐβουλεύετο τὸν δάκτυλον ἐπιθεὶς τῇ τελευ-
25 ταίᾳ γραφῇ. Καὶ ἀναδραμὼν εἰς τὴν ἀρχὴν αὖθις πάντας
311 ἐπῆλθε, | καὶ Νεκτάριον αἱρεῖται. 6 Θαῦμα δὲ πᾶσιν ἐγένετο,
καὶ ἐπυνθάνοντο ὅστις εἴη Νεκτάριος οὗτος καὶ ποδαπὸς τὸ
ἐπιτήδευμα καὶ πόθεν. Μαθόντες δὲ μηδὲ μυστηρίων μετεσ-
χηκέναι τὸν ἄνδρα ἔτι μᾶλλον κατεπλάγησαν πρὸς τὸ παρά-
30 δοξον τῆς βασιλέως κρίσεως. Ἠγνόει δὲ τοῦτο, οἶμαι, καὶ
Διόδωρος· οὐ γὰρ ἂν ἐθάρρησεν εἰδὼς ἔτι ἀμυήτῳ δοῦναι
ψῆφον ἱερωσύνης, ἀλλ' οἷα εἰκὸς νομίσας πολιὸν ὄντα [μὴ] καὶ
πάλαι μεμυῆσθαι. 7 Οὐκ ἀθεεὶ δὲ ταῦτα συνέβαινεν· ἐπεὶ καὶ ὁ
βασιλεὺς ἀμύητον αὐτὸν εἶναι μαθὼν ἐπὶ τῆς αὐτῆς ἔμεινε
1436 35 γνώμης πολλῶν ἱερέων ἀντιτεινόν|των. Ἐπεὶ δὲ πάντες εἶξαν
καὶ τῇ ψήφῳ τοῦ κρατοῦντος συνέβησαν, ἐμυήθη. Καὶ τὴν
μυστικὴν ἐσθῆτα ἔτι ἠμφιεσμένος κοινῇ ψήφῳ τῆς συνόδου
ἀναγορεύεται Κωνσταντινουπόλεως ἐπίσκοπος. 8 Ταῦτα δὲ
οὕτως γενέσθαι πολλοῖς πιστεύεται τοῦ θεοῦ χρήσαντος τῷ
40 βασιλεῖ· οὐκ ἀκριβῶ δὲ τοῦτο πότερον ἀληθὲς ἢ οὔ· πείθομαί
γε μὴν οὐκ ἐκτὸς θείας ῥοπῆς ἐπιτελεσθῆναι τὸ συμβάν, καὶ
εἰς τὸ παράδοξον τῆς χειροτονίας ἀφορῶν καὶ ἐκ τῶν μετὰ
ταῦτα σκοπῶν, ὡς ἐπὶ πρᾳότατον καὶ καλὸν καὶ ἀγαθὸν
ταυτηνὶ τὴν ἱερωσύνην ὁ θεὸς ἤγαγεν. Καὶ τὰ μὲν ἀμφὶ τὴν
45 Νεκταρίου χειροτονίαν ὧδε ἔσχεν, ὡς ἐπυθόμην.

---

1. Sozomène souligne ce fait que ni Socrate ni Théodoret ne mentionnent. Ce n'est pas un cas isolé : Ambroise lui non plus n'était pas baptisé
quand il fut appelé à l'épiscopat.

faveur pour Diodore, ajoute le nom de Nectaire. **5** Quand l'empereur lut la liste des inscrits, il s'arrêta au nom de Nectaire. S'étant mis à réfléchir, il délibérait à loisir en lui-même, ayant posé son doigt sur le dernier nom inscrit. Puis remontant au début, de nouveau il parcourut toute la liste et choisit Nectaire. **6** La stupéfaction fut générale, on cherchait à savoir qui était ce Nectaire, quel était son métier, d'où il sortait. Quand on eut appris que l'homme n'était même pas initié [1], on fut plus stupéfait encore du choix paradoxal du prince. Même Diodore, je pense, ignorait ce fait : il n'eût pas osé sciemment donner sa voix pour l'épis-copat à un homme encore non initié, mais devant ses che-veux blancs, il avait pensé, comme il est naturel, qu'il était initié depuis longtemps. **7** Cependant, cela ne se produisit pas sans le doigt de Dieu ; car l'empereur, même quand il eut appris que Nectaire n'était pas initié, demeura ferme en son choix, malgré l'opposition de beaucoup d'évêques. Quand tous eurent cédé et se furent associés au choix du prince, il reçut l'initiation. Et alors qu'il portait encore la robe des initiés, il est proclamé, d'un commun vote du concile, évêque de Constantinople. **8** Beaucoup croient que cela se fit par suite d'une révélation de Dieu à l'empereur. Je ne sais pas exactement si c'est vrai ou non. Je suis persuadé toutefois que l'événement n'eut pas lieu sans une influence divine, quand j'ai regard au caractère paradoxal de l'élection et que, d'après ce qui suivit, je considère comment Dieu remit cet épiscopat à un homme très doux et excellent. Telles sont donc les circonstances de l'élection de Nectaire, à ce que j'ai appris.

9

1 Μετὰ δὲ ταῦτα συνελθόντες αὐτός τε Νεκτάριος καὶ οἱ
ἄλλοι ἱερεῖς ἐψηφίσαντο τῆς ἐν Νικαίᾳ συνόδου κυρίαν μένειν
τὴν πίστιν καὶ πᾶσαν αἵρεσιν ἀποκεκηρύχθαι, διοικεῖσθαι δὲ
τὰς πανταχῇ ἐκκλησίας κατὰ τοὺς πάλαι κανόνας, καὶ τοὺς
5 ἐπισκόπους ἐπὶ τῶν ἰδίων μένειν ἐκκλησιῶν καὶ μὴ εἰκῇ ταῖς
ὑπερορίαις ἐπιβαίνειν μήτε ἀκλήτους χειροτονίαις μηδὲν
αὐτοῖς προσηκούσαις σφᾶς ἐπιβάλλειν, καθὰ πρότερον ὡς
ἔτυχε διωκομένης τῆς καθόλου ἐκκλησίας πολλάκις συνέβη.
2 Τὰ δὲ παρ᾽ ἑκάστῃ συμβαίνοντα τὴν τοῦ ἔθνους σύνοδον, ὡς
312 10 ἂν ἄριστα φανείη, διοικεῖν τε καὶ πράττειν. | Μετὰ δὲ τὸν
Ῥώμης τὸν Κωνσταντινουπόλεως ἐπίσκοπον τὰ πρεσβεῖα
ἔχειν ὡς Νέας Ῥώμης τὸν θρόνον ἐπιτροπεύοντα. **3** Ἤδη
γὰρ οὐ μόνον ταύτην εἶχε τὴν προσηγορίαν ἡ πόλις καὶ γερου-

---

1. Nous ne possédons pas les actes du concile. Les canons nous sont
parvenus par les lettres synodales du concile de Constantinople de 382. Le
premier canon confirmait la fidélité à la foi nicéenne et anathématisait les
hérétiques. Mais le concile a également rédigé un symbole dont on connaît
l'existence par les actes du concile de Chalcédoine en 451 : il prolongeait
celui de Nicée en affirmant, en particulier, la divinité du Saint-Esprit et sa
consubstantialité avec les deux autres personnes de la Trinité : cf. HEFELE-
LECLERCQ, t. II 1, p. 18-40 et PIETRI, Histoire..., II, p. 390.
2. Le deuxième canon sur l'obligation pour l'évêque de rester dans les
limites de son diocèse visait en particulier les Alexandrins qui avaient
intrigué pour placer Maxime sur le siège de Constantinople, ordination
déclarée invalide (can. 4) : cf. HEFELE-LECLERCQ, t. II 1, p. 27-28. Sozomène, comme SOCRATE, H.E. V, 8, met en relation les interventions d'évêques dans les affaires des diocèses voisins avec les troubles causés par les
persécutions : il peut s'agir de sièges épiscopaux libérés par l'arrestation de
leurs titulaires ou surtout de situations conflictuelles créées par les apostats
éventuellement désireux de réintégrer l'Église. Ce sont là des commentaires
personnels aux deux historiens. Pour reconstituer une hiérarchie, l'organisation ecclésiastique se calque sur celle des cadres politiques en valorisant
l'autorité des évêques des métropoles de diocèses civils. Sur ces questions,
voir DAGRON, Naissance ..., p. 455-460.

Chapitre 9

Les décisions que prend le second concile œcuménique ;
Maxime, le philosophe cynique.

1 Après cela, Nectaire lui-même et les autres évêques se réunirent et votèrent que la foi de Nicée gardait son autorité, qu'il y avait anathème sur toute hérésie [1], que les Églises de partout seraient gouvernées selon les anciens canons, que les évêques resteraient dans leurs propres Églises et ne mettraient pas le pied à la légère dans celles du dehors, ni ne se mêleraient, sans y être invités, d'ordinations qui ne les regardaient en rien [2], comme cela s'était souvent produit auparavant, le cas échéant, quand l'Église catholique était persécutée. **2** Les affaires propres à chaque Église seraient réglées et exécutées, comme il paraîtrait le mieux, par le synode provincial. Après l'évêque de Rome, c'est l'évêque de Constantinople qui avait la primauté comme occupant le siège de la nouvelle Rome [3] **3** — déjà, en effet, non seulement la ville portait ce nom [4] et jouissait semblablement d'un sénat, de

---

3. Le troisième canon place donc le siège de la capitale en second après celui de Rome et avant ceux d'Alexandrie et d'Antioche, bien qu'il s'agisse d'un évêché sans tradition apostolique. La mesure visait à affaiblir le siège d'Alexandrie, devenu au IVe s. une sorte de vicariat de Rome en Orient, et à valoriser la capitale de l'Empire. L'évêque de Constantinople a une primauté d'honneur après celui de Rome, mais non l'autorité juridiquement reconnue d'un patriarcat : cf. PIETRI, *Histoire* ..., t. II p. 391 et DAGRON, *Naissance*..., p. 454 s., en particulier p. 458 pour la portée politique de ce 3e canon.

4. Sur les étapes de l'assimilation d'abord rhétorique, puis institutionnelle de Constantinople à une « nouvelle Rome », voir DAGRON, *Naissance*..., p. 45-47. Le titre est en usage dans la rhétorique officielle dès avant 330.

σία καὶ τάγμασι δήμων καὶ ἀρχαῖς ὁμοίως ἐχρῆτο, ἀλλὰ καὶ
15 τὰ συμβόλαια κατὰ τὰ νόμιμα τῶν ἐν Ἰταλίᾳ Ῥωμαίων ἐκρί-
νετο, καὶ τὰ δίκαια καὶ τὰ γέρα περὶ πάντα ἑκατέρᾳ ἰσάζετο.)
4 Μάξιμον δὲ μήτε γεγενῆσθαι ἢ εἶναι ἐπίσκοπον μήτε κληρικοὺς τοὺς παρ' αὐτοῦ χειροτονηθέντας· καὶ τὰ ἐπ' αὐτῷ ἢ
παρ' αὐτοῦ πεπραγμένα ἄκυρα ἐψηφίσαντο. Τοῦτον γὰρ
1437 20 Ἀλεξανδρέα τὸ γένος | ὄντα κυνικόν τε φιλόσοφον τὸ ἐπιτή-
δευμα, σπουδαῖον δὲ περὶ τὸ δόγμα τῆς ἐν Νικαίᾳ συνόδου,
κλέψαντες τὴν χειροτονίαν ἐπίσκοπον Κωνσταντινουπόλεως
κατέστησαν οἱ τότε ἐξ Αἰγύπτου συνεληλυθότες. 5 Καὶ τὰ
μὲν ὧδε τῇδε τῇ συνόδῳ ἔδοξε· καὶ ὁ βασιλεὺς ἐπεψηφίσατο,
25 καὶ νόμον ἔθετο κυρίαν εἶναι τὴν πίστιν τῶν ἐν Νικαίᾳ συνεληλυθότων, παραδοθῆναι δὲ τὰς πανταχῇ ἐκκλησίας τοῖς ἐν
ὑποστάσει τριῶν προσώπων ἰσοτίμων τε καὶ ἰσοδυνάμων
μίαν καὶ τὴν αὐτὴν ὁμολογοῦσι θεότητα, πατρὸς καὶ υἱοῦ καὶ
ἁγίου πνεύματος· 6 τούτους δὲ εἶναι τοὺς κοινωνοῦντας
30 Νεκταρίῳ ἐν Κωνσταντινουπόλει, ἐν Αἰγύπτῳ δὲ Τιμοθέῳ
τῷ ἐπισκόπῳ Ἀλεξανδρείας, ἐν δὲ ταῖς ἀνὰ τὴν ἔω ἐκκλησίαις Διοδώρῳ τῷ Ταρσοῦ καὶ Πελαγίῳ τῷ ἐπισκόπῳ Λαο-
δικείας τῆς Σύρων, παρὰ δὲ Ἀσιανοῖς Ἀμφιλοχίῳ τῷ προϊσταμένῳ τῆς ἐν Ἰκονίῳ ἐκκλησίας, ἐν δὲ ταῖς περὶ Πόντον
35 πόλεσιν ἀπὸ Βιθυνῶν μέχρι Ἀρμενίων Ἑλλαδίῳ τῷ Καισα-
1440 ρείας τῆς Καππαδοκῶν ἐπισκόπῳ καὶ | Γρηγορίῳ τῷ Νύσης
καὶ Ὀτρηΐῳ τῷ Μελιτινῆς, ἐν δὲ ταῖς περὶ Θράκην καὶ Σκυ-
θίαν πόλεσι Τερεντίῳ τῷ Τομέων καὶ Μαρτυρίῳ τῷ Μαρκια-

---

1. Il s'agit des « dèmes », formations issues des divisions de l'hippodrome. Ces τάγματα δήμων dont nous ne connaissons guère l'organisation
constituent des groupements reconnus par les autorités : ils donnent au
peuple de Constantinople un rôle particulier et font de lui l'équivalent du
Populus Romanus de l'ancienne capitale : voir DAGRON, *Naissance...*,
p. 353-354.
2. Maxime, philosophe cynique, qui se prétendait confesseur de la foi
victime de la persécution arienne, avait été jugé pour différents délits.
Après s'être attiré la confiance de Grégoire, profitant d'une maladie de ce
dernier, il parvint, soutenu par Pierre d'Alexandrie trop heureux de barrer
la route à son rival, à se faire consacrer à la sauvette évêque de Constantino-

groupements populaires et de magistrats [1], mais encore les
affaires de contrats y étaient jugées selon les lois des
Romains en Italie et les droits et les privilèges étaient pour
tout les mêmes dans l'une et l'autre ville —. 4 Maxime
n'avait été ni n'était évêque [2] et ceux qu'il avait ordonnés
n'étaient pas clercs ; toutes les mesures prises à son sujet ou
par lui, les Pères votèrent qu'elles étaient sans autorité. Ce
Maxime, qui était alexandrin de naissance et, de profession,
philosophe cynique, d'ailleurs zélé en faveur du dogme du
concile de Nicée, les évêques d'Égypte alors réunis l'avaient
furtivement ordonné et établi évêque de Constantinople.
5 Telles furent les décisions de ce concile. Et l'empereur
ratifia et édicta comme loi que la foi des Pères réunis à Nicée
était souveraine et que les Églises de partout devaient être
remises à ceux qui professent qu'est en substance unique et
identique la déité des trois Personnes égales en rang et en
puissance, le Père, le Fils, le Saint-Esprit [3]. 6 C'étaient ceux
qui étaient en communion à Constantinople avec Nectaire,
en Égypte avec Timothée évêque d'Alexandrie, dans les
Églises d'Orient avec Diodore de Tarse et Pélage, évêque de
Laodicée de Syrie, dans les provinces d'Asie avec Amphiloque, évêque de l'église d'Iconium, dans les villes du Pont, de
la Bithynie à l'Arménie, avec Helladius, évêque de Césarée
de Cappadoce, Grégoire de Nysse et Otréius de Mélitène,
dans les villes de Thrace et de Scythie avec Térence de Tomi

---

ple en 380. Mais il ne put se faire reconnaître ni de Grégoire, ni de la
communauté orthodoxe de Constantinople, ni de l'empereur : *DECA*,
p. 1599-1600, D. Stiernon.

3. Sozomène transcrit fidèlement le texte de l'édit du 30 juillet 381
(*Code Théodosien* XVI, 1, 3) : en confirmant ainsi la décision du concile,
l'empereur met à son service la puissance de répression de l'État. Comme
en IV, 4, Sozomène se réfère au texte du *Code*, corrigeant ainsi certaines
affirmations de Socrate : cf. R. M. Errington, « Christian Accounts .. »,
p. 421. Ce texte va exactement dans le même sens que l'édit de Théodose du
19 juillet 381 : *Code Théodosien*, XVI, 5, 8.

νουπόλεως. 7 Τούτους γὰρ καὶ βασιλεὺς αὐτὸς ἐπῄνεσεν ἰδὼν
313 40 καὶ συγγενόμενος, καὶ δόξα ἀγαθὴ περὶ αὐτῶν | ἐκράτει ὡς
τὰς ἐκκλησίας εὐσεβῶς ἀγόντων. Ἐπεὶ δὲ τάδε ἐγένετο καὶ ἡ
σύνοδος τέλος ἔσχεν, οἱ μὲν ἄλλοι ἕκαστος οἴκαδε ἐπανῆλθον.

10

1 Νεκτάριος δὲ ὑπὸ διδασκάλῳ Κυριακῷ τῷ ἐπισκόπῳ
Ἀδάνων τὴν ἱερατικὴν τάξιν ἐμάνθανεν· τοῦτον γὰρ αὐτῷ
συγγενέσθαι ἐπί τινα χρόνον ᾔτησε Διόδωρον τὸν Ταρσέων
ἐπίσκοπον. Προὐτρέψατο δὲ καὶ πολλοὺς ἄλλους Κίλικας
5 αὐτῷ συνεῖναι καὶ Μαρτύριον, ὃν ἐπιτήδειον ἰατρὸν ἔχων καὶ
συνίστορα τῶν ἐν νεότητι ἡμαρτημένων αὐτῷ διάκονον χειροτονεῖν ἐβουλεύετο. 2 Οὐ μὴν ἠνέσχετο Μαρτύριος, ἀνάξιος
εἶναι θείας διακονίας ἰσχυριζόμενος καὶ τῶν αὐτῷ βεβιωμέ-
νων αὐτὸν Νεκτάριον μάρτυρα ποιούμενος. Καὶ ὁ Νεκτάριος
10 «Ἢ οὐκ ἐγώ, ἔφη, ὁ νῦν ἱερεύς, ἀμελέστερόν σου πολλῷ τὸν
πρὸ τοῦ διετέθην βίον, ὡς καὶ αὐτὸς μαρτυρεῖς πολλάκις
διακονησάμενος ταῖς πολλαῖς ἐμαῖς ἀκολασίαις;» 3 Ὁ δέ
« Ἀλλὰ σύ, ὦ μακάριε, ὑπολαβὼν ἔφη, ἔναγχος βαπτισθεὶς

1. Pélage de Laodicée, consacré par Acace de Césarée vers 360, défend
l'orthodoxie sous Valens, ce qui lui vaut l'exil en 372. Il retrouve son siège à
la mort de l'empereur. A Constantinople, il soutient Mélèce puis Grégoire
de Nazianze : *DECA*, p. 1975, G. LADOCSI. Helladius de Césarée de Cappadoce succède à Basile sur le siège de Césarée en 379 : *DECA*, p. 1127,
E. PRINZIVALLI. Grégoire de Nysse, frère de Basile, né vers 335-340, poussé
par son frère sur le siège épiscopal de Nysse en 371, en est déposé par le
parti arien en 376 et part en exil jusqu'en 378. Il joue un rôle important
dans le parti orthodoxe au concile de Constantinople : *DECA*, p. 1111-
1116, J. GRIBOMONT. Otréius de Mélitène en Arménie supérieure (cf.
H.E. VI, 12, 2) succède à Euthymius. Correspondant de Basile de Césarée,
il est un des principaux dirigeants de l'église orthodoxe ; il participe au
concile de Tyane et à celui de Constantinople (*Dict. of Christian Bio-
graphy*, Londres 1887, p. 169). Térence de Tomi succède sur le siège de
Tomi — Constantza — à Vétranio, évêque orthodoxe qui avait résisté à
Valens (SOCR., *H.E.* VI, 21) : cf. J. ZEILLER, *Les origines chrétiennes dans
les provinces danubiennes de l'Empire Romain*, Paris 1918, p. 172 et

et Martyrios de Marcianopolis [1]. **7** Ces évêques en effet avaient été approuvés par l'empereur lui-même qui les avait vus et s'était entretenu avec eux, et ils avaient bonne réputation comme conduisant pieusement leurs Églises. Après ces événements, le concile prit fin et les évêques rentrèrent chacun chez soi.

Chapitre 10

Le cilicien Martyrios ;
le transfert des reliques des saints Paul le confesseur
et Mélèce d'Antioche.

1 Nectaire, lui, sous la conduite de Cyriaque évêque d'Adana [2], apprenait les règles de l'ordre sacerdotal : c'est de Cyriaque en effet qu'il avait demandé, pour quelque temps, la compagnie à Diodore, évêque de Tarse. Nectaire avait invité beaucoup de Ciliciens à demeurer avec lui, en particulier Martyrios, qu'il avait auprès de lui comme son médecin familier et qui était au courant de ses frasques de jeunesse : il délibérait de l'ordonner diacre. **2** Martyrios pourtant refusa, soutenant qu'il était indigne du saint diaconat et prenant Nectaire lui-même à témoin de sa vie passée. « Mais ne sais-je pas, dit Nectaire, moi qui suis aujourd'hui évêque, que ma vie d'avant a été bien plus relâchée que la tienne, comme tu en es le témoin, toi qui as souvent été le serviteur de mes nombreux désordres ? » **3** « Mais toi, très cher, répondit Martyrios, tu viens d'être purifié par le baptême et, en plus, jugé digne du sacerdoce et

p. 360. Martyrios de Marcianopolis, troisième des évêques connus de ce chef-lieu de la province de Mésie inférieure, participe au concile de Constantinople de 381 : cf. J. Zeiller, p. 164 et 600.

2. C'est sans doute l'évêque mentionné par Théod., *H.E.* V, 9, qui avait été chargé par le concile de Constantinople de porter les lettres synodales à Damase. Sur Adana, ville de Cilicie, à mi-chemin entre Tarse et Mopsueste, aujourd'hui encore nommée Adana (« Les saules »), voir *PW* I 1, 1893, c. 3444, Hirschfeld.

κεκάθαρσαι καὶ ἐπὶ τούτῳ ἱερωσύνης ἠξίωσαι, ἀμφότερα δὲ
15 καθάρσια ἁμαρτημάτων τὸ θεῖον ἐνομοθέτησεν· καί μοι
1441 δοκῶ, οὐδὲν διαφέρεις τῶν ἀρτιτόκων βρεφῶν· ἐγὼ | δὲ πάλαι
τῆς θείας βαπτίσεως μετασχὼν τῇ αὐτῇ διετέλεσα βιοτῇ
χρώμενος.» Καὶ ὁ μὲν τοιάδε λέγων οὐχ ὑπέστη τὴν χειροτονίαν. Ἐγὼ δὲ καὶ τῆς παραιτήσεως ἐπαινῶ τὸν ἄνδρα καὶ διὰ
20 τοῦτο μέρος ἐποιησάμην αὐτὸν ταύτης τῆς γραφῆς.

4 Ὁ δὲ βασιλεὺς μαθὼν τὰ συμβάντα Παύλῳ τῷ Κωνσταντινουπόλεως ἐπισκόπῳ γενομένῳ μετεκόμισεν αὐτοῦ τὸ
σῶμα καὶ ἐν τῇ ἐκκλησίᾳ ἔθαψεν, ἣν ᾠκοδόμησε Μακεδόνιος
ὁ ἐπιβουλεύσας αὐτῷ· εἰσέτι τε νῦν ἐπώνυμός ἐστιν αὐτῷ
25 μέγιστος ὢν καὶ ἐπισημότατος ὁ ναὸς οὗτος. Ὁ καὶ πολλοὺς
ἀγνοοῦντας τὴν ἀλήθειαν ὑπονοεῖν ποιεῖ Παῦλον τὸν ἀπόστολον ἐνθάδε κεῖσθαι, μάλιστα δὲ τὰς γυναῖκας καὶ τοῦ δήμου
τοὺς πλείους. 5 Περὶ δὲ τὸν αὐτὸν τοῦτον χρόνον καὶ τὸ
Μελετίου λείψανον διεκομίσθη εἰς Ἀντιόχειαν καὶ παρὰ τὴν
30 θήκην Βαβύλα τοῦ μάρτυρος ἐτάφη. Λέγεται δὲ διὰ πάσης
τῆς λεωφόρου κατὰ βασιλέως πρόσταγμα ἐντὸς τειχῶν εἰς
τὰς πόλεις εἰσδεχθῆναι παρὰ τὸ νενομισμένον Ῥωμαίοις,
ἀμοιβαδόν τε ὑπὸ ψαλμῳδίαις ταῖς κατὰ τόπον τιμώμενον
ἕως Ἀντιοχείας διακομισθῆναι.

1. Macédonius succède à Paul sur le siège de Constantinople en 344. Il
est affaibli par le retour de Paul entre 346 et 350. Ses adversaires au concile
de Constantinople en 360 obtiennent sa déposition à cause de son appartenance à la tendance homéousienne. En 362, il milite contre les ariens. Il fait
partie de ceux qui développent la controverse sur le Saint-Esprit : *DECA*,
p. 1515, M. Simonetti.
2. La décision de l'empereur confirme son attachement à l'orthodoxie.
Sur Paul, évêque de Constantinople, nicéen actif, déposé et mort par stran-
gulation après 350, peu après avoir été transféré à Cucuse en Cappadoce,
voir *H.E.* III, 3, 1, *SC* 418, p. 64, note 1. L'église qui porte son nom fut
construite en fait par son adversaire Macédonius qui fut consacré évêque en
cet endroit. Les macédoniens l'utilisèrent pendant un quart de siècle. Théodose y fait déposer les restes de Paul dont il donne alors le nom à l'église. On
ignore son emplacement exact : cf. R. Janin, *Géographie ecclésiastique ...*,
t. III, p. 407-408.

la Divinité a établi comme loi que ces deux choses effacent les fautes. A mon avis, tu ne diffères en rien des nouveau-nés. Mais moi, il y a longtemps que j'ai reçu le divin baptême, et j'ai persisté dans la même conduite. » Par ces mots, il évita l'ordination. Je loue l'homme, quant à moi, pour son refus, et c'est pourquoi je lui ai fait place dans mon ouvrage.

4 L'empereur, ayant appris les malheurs survenus à Paul jadis évêque de Constantinople, fit ramener son corps et l'enterra dans l'église bâtie par Macédonius [1], celui qui avait intrigué contre lui [2]. Cet édifice, qui est très vaste et remarquable, porte encore aujourd'hui son nom. Ce qui fait croire à beaucoup, ignorants de la vérité, notamment les femmes et la majorité du peuple, que c'est l'Apôtre Paul qui est là enterré. **5** Vers ce même temps aussi, les restes de Mélèce furent transportés à Antioche et y furent enterrés près de la tombe du martyr Babylas [3]. On dit que sur toute la route, par ordre de l'empereur, le corps fut introduit dans les villes à l'intérieur des murs, contrairement à l'usage des Romains [4], et que, honoré par des chants de psalmodies qui se relayaient de lieu en lieu, il fut transporté jusqu'à Antioche [5].

3. Sur Babylas, évêque d'Antioche, mort probablement pendant la persécution de Dèce (249-251) et enterré à l'extérieur de la ville ainsi que sur le déplacement de ses reliques sous Julien, voir *H.E.* III, 3, 1, *SC* 418, p. 199, note 4. Mélèce fait construire une nouvelle basilique en l'honneur de Babylas : voir *H.E.* V, 19-20 et *DECA*, p. 328, J. M. SAUGET.

4. La tradition faisant du cadavre une source de souillure pour les personnes ou les objets, le sarcophage ne pouvait passer par l'intérieur des villes. Mais un édit de l'empereur Septime Sévère, s'appuyant sur un rescrit de Marc Aurèle, autorisait ce transport à condition qu'il se fît avec l'accord de la curie municipale (*Dig.* 47, 12, 4). La pompe qui accompagne le cortège funèbre de Mélèce consolide indirectement la position de Flavien, en butte à une forte opposition locale.

5. Mélèce est inhumé dans la basilique qu'il avait fait construire pour abriter les restes de Babylas : voir *H.E.* V, 19, 13, *SC* 495, p. 199 avec la note 4.

11

314   **1** Καὶ Μελέτιος μὲν τοιᾶσδε ἠξιώθη ταφῆς. Χειροτονεῖται
δὲ ἀντ' αὐτοῦ Φλαβιανὸς παρὰ τοὺς δοθέντας ὅρκους· ἔτι γὰρ
Παυλῖνος τῷ βίῳ περιῆν. Ἐκ τούτου δὲ μεγίστη πάλιν
ταραχὴ τὴν Ἀντιοχέων ἐκκλησίαν ἐπέλαβε, καὶ πλεῖστοι
5 σφᾶς ἀπέσχισαν τῆς πρὸς Φλαβιανὸν κοινωνίας καὶ ὑπὸ Παυλίνῳ ἰδίᾳ ἐκκλησίαζον. **2** Διεφέροντο δὲ τούτου χάριν πρὸς
ἀλλήλους καὶ αὐτοὶ οἱ ἱερεῖς. Καὶ Αἰγύπτιοι μὲν καὶ Ἀράβιοι
καὶ Κύπριοι ὡς ἐπὶ ἠδικημένῳ Παυλίνῳ ἠγανάκτουν, Σύροι
δὲ καὶ Παλαιστῖνοι καὶ Φοίνικες, Ἀρμενίων τε καὶ Καππαδο-
10 κῶν καὶ Γαλατῶν καὶ τῶν πρὸς τῷ Πόντῳ οἱ πλείους τὰ
Φλαβιανοῦ ἐφρόνουν. **3** Οὐχ ἥκιστα δὲ ἐχαλέπαινον ὁ Ῥωμαίων ἐπίσκοπος καὶ πάντες οἱ πρὸς ἑσπέραν ἱερεῖς, καὶ
Παυλίνῳ μὲν ὡς ἐπισκόπῳ Ἀντιοχείας τὰς συνήθεις ἔγραφον
ἐπιστολάς, ἃς συνοδικὰς καλοῦσι, πρὸς δὲ Φλαβιανὸν σιωπὴν
15 ἦγον, καὶ τοὺς ἀμφὶ Διόδωρον τὸν Ταρσοῦ καὶ Ἀκάκιον τὸν
Βεροίας, τοὺς αὐτὸν χειροτονήσαντας, ἐν αἰτίᾳ ἐποιοῦντο καὶ
ἀκοινωνήτους εἶχον. **4** Ὥστε δὲ τὰ περὶ τούτων διαγνῶναι,

---

1. Les serments qui auraient été prêtés voulaient que le survivant d'entre
les deux rivaux, Mélèce et Paulin, devînt l'évêque légitime d'Antioche :
H.E. VII, 3, 3-4. Mais, confortés par l'appui de la majorité du concile de
Constantinople, les évêques orientaux, d'accord avec le peuple, élisent
Flavien à leur retour à Antioche. Les partisans de Paulin envoient aussitôt
une lettre de protestation aux Occidentaux, mettant en avant le fait que
Flavien avait été ordonné, contrairement aux canons, par deux et non trois
évêques : cf. Cavallera, p. 254.

Chapitre 11

L'ordination de Flavien évêque d'Antioche
et les événements survenus après elle à cause du serment.

1 Mélèce fut donc jugé digne de telles funérailles. A sa
place est ordonné Flavien contrairement aux serments prêtés : car Paulin était encore en vie [1]. De ce fait, l'Église
d'Antioche fut de nouveau en proie à de très grands troubles, bon nombre de gens se séparèrent de la communion de
Flavien et tenaient en privé leurs assemblées de culte sous
Paulin. **2** Par cette cause, les évêques eux-mêmes étaient
aussi en discorde. Ceux d'Égypte, d'Arabie, de Chypre
étaient irrités, en raison de l'injustice subie par Paulin,
ceux de Syrie, de Palestine, de Phénicie et la plupart de ceux
d'Arménie, de Cappadoce, de Galatie et des régions du Pont
favorisaient le parti de Flavien. **3** Ceux qui n'étaient pas les
moins fâchés étaient l'évêque de Rome et tous les évêques
d'Occident, ils écrivaient à Paulin, comme évêque d'Antioche, les lettres habituelles dites synodales [2], gardaient en
revanche le silence envers Flavien, et accusaient et
excluaient de leur communion Diodore de Tarse et Acace
de Béroé qui l'avaient ordonné. **4** Pour prendre une décision sur ce point, eux-mêmes et l'empereur Gratien écri-

2. Ces lettres soutenant la candidature de Paulin proviennent du synode
d'Aquilée (été 381), réunissant trente-deux évêques occidentaux, qui
avaient initialement à régler le cas de deux évêques de l'Illyricum occidental, Palladius et Secundianus, accusés d'arianisme. Le synode fut présidé
par l'évêque Valérien d'Aquilée et animé par Ambroise de Milan :
cf. HEFELE-LECLERCQ, II, 1, p. 49-52. La quatrième lettre du concile adressée aux empereurs Gratien, Valentinien II et Théodose plaidait la cause de
Paulin d'Antioche et de Timothée d'Alexandrie.

1444 ἔγραψαν | αὐτοί τε καὶ Γρατιανὸς ὁ βασιλεύς, συγκαλοῦντες
εἰς τὴν δύσιν τοὺς ἀπὸ τῆς ἀνατολῆς ἐπισκόπους.

12

1 Κατὰ δὲ τοῦτον τὸν χρόνον τῶν ἀπὸ τῆς καθόλου ἐκκλησίας καταλαμβανόντων τοὺς εὐκτηρίους οἴκους πλεῖσται πολ-
λαχῇ τῆς ὑπηκόου ταραχαὶ συνέβησαν τῶν ἀπὸ τῆς Ἀρείου
αἱρέσεως ἀνθισταμένων. Θεοδόσιος δὲ ὁ βασιλεὺς ὀλίγον τῆς
5 προτέρας συνόδου διαλιπὼν χρόνον αὖθις τοὺς προεστῶτας
τῶν ἀκμαζουσῶν τότε αἱρέσεων συνεκάλεσεν, ἢ πεισθησομέ-
νους ἢ πείσοντας περὶ ὧν διεφέροντο. **2** Ὑπέλαβε γὰρ πάντας
ὁμοδόξους ποιήσειν, εἰ κοινὴν αὐτοῖς διάλεξιν προθείη περὶ
τῶν ἀμφιβόλων τοῦ δόγματος. Ἐπεὶ δὲ συνῆλθον (ἔτος δὲ
10 τοῦτο ἦν, ἐν ᾧ Μεροβαύδης τὸ δεύτερον καὶ Σατουρνῖνος
ὑπάτευον, ἡνίκα δὴ συμβασιλεύειν αὐτῷ τὸν υἱὸν Ἀρκάδιον
ἀνηγόρευσε), μετακαλεσάμενος Νεκτάριον ἐκοινώσατο περὶ

---

1. Ambroise, dont Sozomène occulte complètement le rôle décisif dans
l'affaire, s'appuyant sur l'avis des évêques réunis à Aquilée, mais sans l'aval
de Gratien, propose à Théodose la réunion d'un concile oecuménique à
Alexandrie pour consolider l'unité de l'église catholique et, en particulier,
pour mettre fin au profit de Paulin à la partition du siège d'Antioche :
HEFELE-LECLERCQ, II, 1, p. 49-52. L'empereur répond par une fin de non
recevoir reprochant aux Occidentaux leur partialité et leur ambition.
Ambroise revient à la charge, d'accord cette fois avec Gratien, pour soutenir
la légitimité de Paulin face à Flavien ainsi que celle de Maxime le Cynique
face à Nectaire : il invite à cette occasion les Orientaux à venir rencontrer les
évêques d'Occident à Rome : cf. PIETRI, Histoire..., p. 392-39 et N. B. MAC
LYNN, Ambrose of Milan, Berkeley 1994, p. 142-146.
2. Il ne s'agit pas, malgré les apparences, du concile de 381, mais de celui
que réunit Théodose dans sa capitale en 382, au moment même où se tenait
celui de Rome auquel étaient conviés les Orientaux. L'empereur voulait
faire ratifier les décisions prises l'année précédente. Les évêques en tirèrent
argument pour ne pas se rendre à Rome où ils se contentèrent d'envoyer

virent une lettre, convoquant en Occident les évêques
d'Orient [1].

Chapitre 12

Théodose veut unifier toutes les sectes.
Les novatiens Agélius et Sisinius, ce qu'ils introduisent ;
un nouveau synode ayant eu lieu,
l'empereur n'admet que ceux qui professent l'homoousion ;
ceux qui pensent autrement, il les chasse des Églises.

1 En ce temps-là, comme les catholiques occupaient les
maisons de prière, il se produisit de grands troubles en
beaucoup de lieux de l'Empire par la résistance des ariens.
Peu de temps après le concile précédent [2], l'empereur Théodose convoqua de nouveau les chefs des sectes alors floris-
santes, soit pour se laisser convaincre soit pour convaincre
touchant les questions qui les divisaient. **2** Il s'était figuré en
effet qu'il les ramènerait tous à la même opinion s'il leur
offrait une occasion commune de discuter sur les incertitu-
des du dogme. Quand ils se furent rassemblés — c'était
l'année du consulat de Mérobaude pour la seconde fois et de
Saturnin [3], lorsqu'il proclama son fils Arcadius co-empe-
reur [4] —, il manda Nectaire, s'entretint avec lui du concile

trois légats, chargés d'affirmer leur fidélité nicéenne ainsi que la légitimité
de Flavien et de Nectaire (THÉOD., *H.E.* V,9) : cf. PIETRI, *Histoire...*, t. II,
p. 393-394.
    3. Consuls en 383 (SEECK, *Regesten*, p. 260). Mérobaude, maître de
l'infanterie de 375 à 388 (cf. *P.L.R.E.* I, Fl. Merobaudes 2, p. 598-599), fut
consul en 377, puis consul *prior* en 383 avec Fl. Saturninus, et de nouveau
en 388 sous l'usurpation de Maxime. Fl. Saturninus, maître des milices en
382-383, correspondant de Grégoire de Nysse, était un personnage influent
à la cour : cf. *P.L.R.E.* I, Fl. Saturninus 10, p. 807.
    4. Arcadius est proclamé Auguste le 19 janvier 383 à l'Hebdomon :
SEECK, *Regesten*, p. 261.

315 τῆς ἐσομένης συνόδου | καὶ τὸ ποιοῦν τὰς αἱρέσεις ζήτημα εἰς
διάλεξιν ἄγειν ἐκέλευσεν, ὅπως μία τῶν πιστευόντων εἰς
15 Χριστὸν ἐκκλησία γένοιτο καὶ δόγμα, καθ' ὃ δεῖ θρησκεύειν,
σύμφωνον. 3 Καθ' ἑαυτὸν δὲ Νεκτάριος ἐν φροντίσι γενόμενος ὡς ὁμόφρονι περὶ τὴν πίστιν δήλην ἐποίησε τὴν βασιλέως
γνώμην Ἀγελίῳ τῷ προϊσταμένῳ τῆς Ναυατιανῶν ἐκκλησίας. 4 Ὁ δὲ τὴν ἀρετὴν τοῦ βίου διὰ τῶν ἔργων φέρων,
20 κομψότητος δὲ καὶ τερθρείας λόγων ἀτριβής, προεβάλετο ἀντ'
αὐτοῦ τὸ πρακτέον ἰδεῖν διαλεχθῆναί τε, εἰ δεήσειεν, ἄνδρα
τῶν ὑπ' αὐτὸν ἀναγνωστῶν τότε, Σισίννιον ὄνομα, ὃς ὕστερον
ἐπετράπη τὴν αὐτὴν ἐπισκοπήν, ἱκανὸν νοῆσαί τε καὶ φράσαι
καὶ τὰς ἐξηγήσεις τῶν ἱερῶν βίβλων ἀκριβῶς ἐπιστάμενον καὶ
25 πολυμαθῆ τῶν ἱστορημένων ὑπὸ τῶν παρ' Ἕλλησι καὶ τῇ
ἐκκλησίᾳ φιλοσοφησάντων. 5 Ὃς δὴ καὶ τότε δόξας ἄριστα
λέγειν συνεβούλευσεν ἀποφυγεῖν τὰς πρὸς τοὺς ἑτεροδόξους
διαλέξεις ὡς ἔριδος καὶ μάχης αἰτίας, πυνθάνεσθαι δὲ αὐτῶν,
1445 εἰ προσίενται τοὺς πρὸ τῆς | διαιρέσεως τῆς ἐκκλησίας καθη-
30 γητὰς καὶ διδασκάλους τῶν ἱερῶν λόγων γενομένους· 6 « Εἰ
μὲν γὰρ τούτων, ἔφη, τὰς μαρτυρίας ἀποβάλωσιν, ὑπὸ τῶν
οἰκείων ἐξελαθήσονται· εἰ δὲ ἱκανοὺς εἰς ἀπόδειξιν τῶν ἀμφιβόλων ἡγήσονται, προΐσχεσθαι δεῖ τὰς αὐτῶν βίβλους. » Εὖ
γὰρ ᾔδει, ὡς οἱ παλαιοὶ συναΐδιον τῷ πατρὶ τὸν υἱὸν εὑρόντες
35 οὐκ ἐτόλμησαν εἰπεῖν ἔκ τινος ἀρχῆς τὴν γένεσιν αὐτὸν ἔχειν.
7 Ἐπεὶ δὲ τάδε καλῶς ἔχειν καὶ Νεκταρίῳ συνεδόκει, μαθὼν
δὲ καὶ βασιλεὺς ἐπήνεσε τὴν βουλήν, ἀπεπειρᾶτο τῶν ἀπὸ
τῶν ἄλλων αἱρέσεων, ὅπως ἔχουσι γνώμης περὶ τὰς τῶν
παλαιοτέρων ἐξηγήσεις. Τῶν δὲ μάλα θαυμασάντων ἀναφαν-

---

1. L'intervention impériale en matière de dogme ne suscite aucune
remarque de Sozomène. La motivation essentielle de Théodose reste à ses
yeux la recherche de l'unité de l'Église, elle est donc d'inspiration divine :
cf. Van Nuffelen, p. 155.
2. La communauté schismatique des novatiens (H.E. IV, 20, 7 ; VI, 9, 1)
est née à Rome au IIIᵉ s., avec le problème des lapsi, suite à la persécution de
Dèce. Les novatiens, présents en Gaule, en Espagne, à Rome et en Italie du
Nord, en Orient, se refusent à toute réconciliation avec les lapsi. Agélius,
évêque de la communauté de Constantinople, exilé par Valens en 365,
rejoint le camp anti-arien, ce qui vaut aux novatiens d'être épargnés par les

qui allait avoir lieu et lui ordonna de mettre en discussion les questions qui étaient cause des hérésies [1], pour qu'il n'y eût qu'une seule Église des croyants dans le Christ et qu'on s'accordât sur le dogme selon lequel il fallait croire. **3** Ayant réfléchi à part lui, Nectaire fit connaître la pensée de l'empereur à Agélius, le chef de l'Église des novatiens [2], comme partageant ses opinions sur la foi. **4** Agélius prouvait l'excellence de sa vie par ses actes mêmes, mais il était sans expérience des finesses et arguties dans les discussions ; il proposa donc à sa place, pour voir ce qu'il fallait faire et au besoin discuter, l'un des lecteurs alors sous son autorité, nommé Sisinnius, qui, plus tard, reçut le même épiscopat [3], habile à concevoir et à s'exprimer, fort instruit dans l'exégèse des Saints Livres, et très au courant des écrits produits par les philosophes chez les païens et dans l'Église. **5** Celui-ci conseilla — et son conseil parut une fois de plus excellent — d'éviter les discussions avec les hétérodoxes comme étant cause de querelle et de lutte, mais de leur demander s'ils acceptaient ceux qui, avant la division de l'Église, avaient été docteurs et maîtres des Saints Livres. **6** « S'ils rejettent leurs témoignages, dit-il, ils seront chassés par ceux de leur propre camp ; s'ils les regardent comme suffisants pour la démonstration des questions en doute, il leur faut bien donner valeur de référence aux livres de ces Pères. » Il savait bien en effet que les anciens Pères, tout en ayant reconnu le Fils comme co-éternel au Père, n'avaient pas osé dire qu'il tenait sa génération de quelque source. **7** Cet avis parut bon aussi à Nectaire ; l'empereur, l'ayant appris, l'approuva, et il chercha à savoir des tenants des différentes sectes ce qu'ils pensaient des interprétations des anciens Pères. Comme ils les

mesures anti-hérétiques : cf. *H.E.* VI, 9, 2, *SC* 495, p. 288, note 3 et *DECA*, p. 52, M. Simonetti.

3. Socrate, *H.E.* VI, 22 s'étend longuement sur la culture philosophique, l'éloquence et les capacités de raisonnement de ce lecteur, capable d'en imposer même à Eunome. Mais il ne mentionne pas le conseil donné par Sisinnius. Le clergé novatien lui avait préféré Marcien auquel il succéda en 395 : cf. *DECA*, p. 2302-2303, Zincone.

40 δὸν ἐδήλωσεν, εἰ ἐπὶ τοῖς εἰρημένοις αὐτοῖς καταπαύουσι τὰς
ζητήσεις καὶ ἀξιοχρέους ἡγοῦνται μάρτυρας τοῦ δόγματος.
8 Διχονοίας δὲ καὶ περὶ τοῦτο συμβάσης τοῖς προεστῶσι τῶν
αἱρέσεων (οὐ ταὐτὰ γὰρ ἕκαστοι περὶ τὰς τῶν ἀρχαιοτέρων
ἐφρόνουν βίβλους) ἔγνω ὁ βασιλεύς, ὡς διαλέξεσι μόναις
45 οἰκείων λόγων πεποιθότες παραιτοῦνται τὴν πρότασιν, καὶ
τῆς γνώμης αὐτοὺς μεμψάμενος ἐκέλευσεν ἑκάστην αἵρεσιν
γραφὴν αὐτῷ διδόναι τοῦ οἰκείου δόγματος. 9 Ἐπεὶ δὲ ἡ
ἡμέρα παρῆν, καθ' ἣν ὥριστο τοῦτο ποιεῖν, συνῆλθον εἰς τὰ
βασίλεια ὑπὲρ μὲν τῶν ὁμοούσιον τριάδα δοξαζόντων Νεκτά-
316 50 ριος καὶ | Ἀγέλιος, ὑπὲρ δὲ τῆς Ἀρείου αἱρέσεως Δημόφιλος
ὁ ταύτης προεστώς, τῆς δὲ Εὐνομίου αὐτὸς Εὐνόμιος, Ἐλεύ-
σιος δὲ ὁ Κυζίκου ἐπίσκοπος ὑπὲρ τῶν καλουμένων Μακεδονιανῶν. Δεξάμενος δὲ τὴν ἑκάστου γραφὴν μόνην τὴν ὁμοούσιον τριάδα εἰσηγουμένην ἐπήνεσε, τὰς δὲ ἄλλας ὡς ἐναντίας
55 διέρρηξε. 10 Καὶ Ναυατιανοῖς μὲν οὐδὲν ἐντεῦθεν παρὰ γνώμην ἀπέβη· ὁμοίως γὰρ τῇ καθόλου ἐκκλησίᾳ τὰ περὶ θεοῦ
δοξάζουσιν. Οἱ δὲ ἄλλοι πρὸς τοὺς αὐτῶν ἱερέας ἐχαλέπαινον
ὡς ἀμαθῶς σφίσιν ἐναντίους ἐπὶ τοῦ κρατοῦντος γενομένους,
πολλοὶ δὲ καὶ καταγνόντες πρὸς τὴν ἐπαινεθεῖσαν πίστιν
60 μετέθεντο. 11 Ὁ δὲ βασιλεὺς νομοθετῶν ἐκέλευσε τοὺς ἑτεροδόξους μήτε ἐκκλησιάζειν μήτε περὶ πίστεως διδάσκειν μήτε
ἐπισκόπους ἢ ἄλλους χειροτονεῖν, καὶ τοὺς μὲν πόλεων καὶ
ἀγρῶν ἐλαύνεσθαι, τοὺς δὲ ἀτίμους εἶναι καὶ πολιτείας ὁμοίας
μὴ μετέχειν τοῖς ἄλλοις. 12 Καὶ χαλεπὰς τοῖς νόμοις ἐνέ-
65 γραφε τιμωρίας. Ἀλλ' οὐκ ἐπεξῄει· οὐ γὰρ τιμωρεῖσθαι, ἀλλ'

---

1. Sozomène parle successivement d'un édit et de « lois ». De fait, il y eut
deux lois adressées depuis Constantinople au préfet du prétoire d'Orient
Postumianus : la première le 25 juillet 383 (Code Théodosien XVI, 5, 11),
la seconde le 3 décembre 383 (Code Théodosien XVI, 5, 12). La première
énumère neuf hérésies dont les adeptes se voient refuser le droit de réunion
et de culte sous peine de bannissement. La seconde ajoute à la liste les
apollinaristes et précise le détail des pratiques qui leur sont interdites
(assemblées, construction d'églises, ordination de prêtres) ; elle frappe ceux
qui propagent les doctrines des hérétiques. Elle menace également les
fonctionnaires et les premiers décurions des cités qui négligeraient de

admiraient beaucoup, l'empereur alors posa franchement sa question : étaient-ils disposés à faire cesser leurs discussions d'après ce que disaient ces Pères et à les tenir pour témoins qualifiés du dogme ? **8** Or comme, sur ce point aussi, il y eut désaccord entre les chefs des sectes — car ils n'étaient pas tous de même sentiment sur les livres des Anciens —, l'empereur comprit que c'était seulement par confiance en leurs propres thèses qu'ils refusaient sa proposition, et, leur ayant fait reproche de leur jugement, il ordonna que chaque secte lui remît un écrit sur sa manière de croire. **9** Le jour venu où il avait été décidé de le faire, se rassemblèrent au palais, pour les partisans de la Trinité consubstantielle, Nectaire et Agélius, pour la secte arienne Démophile son président, pour celle d'Eunome Eunome lui-même, Éleusios évêque de Cyzique pour les dénommés macédoniens. Après avoir reçu l'écrit de chacun, l'empereur n'approuva que celui qui déclarait la Trinité consubstantielle et il déchira tous les autres comme contraires. **10** Quant aux novatiens, il n'en résulta pour eux rien d'opposé à leur opinion : de fait, sur Dieu elle est pareille à celle de l'Église catholique. Les autres étaient en colère contre leurs évêques comme s'étant stupidement mis en contradiction avec eux-mêmes devant le prince, et beaucoup même les condamnaient et passaient à la foi qui avait été approuvée. **11** L'empereur, par un édit, interdit aux hétérodoxes de tenir des assemblées de culte, de donner un enseignement sur la foi, de consacrer des évêques ou d'autres clercs : les uns seraient chassés des villes et de la campagne, d'autres seraient notés d'infamie et ne jouiraient plus des droits civils comme les autres citoyens. **12** Il avait inscrit dans les lois des peines sévères [1]. Cependant il ne faisait pas de poursuites judiciaires. Car il ne cherchait pas à

mettre en application ces interdits. Cette dernière clause montre que l'empereur savait qu'il était difficile de faire observer strictement une législation sévère dans cette matière, ce qui va dans le sens de la remarque de Sozomène sur les objectifs réels de Théodose. Il s'agit de réunir autour de la divinité plutôt que de punir. De fait, SOCRATE, *H.E.* V, 20, 4 remarque que l'empereur exila seulement Eunome et ne persécuta pas vraiment les autres sectes.

εἰς δέος καθιστᾶν τοὺς ὑπηκόους ἐσπούδαζεν, ὅπως ὁμόφρο-
νες αὐτῷ γένοιντο περὶ τὸ θεῖον· ἐπεὶ καὶ τοὺς ἑκοντὶ μετατι-
θεμένους ἐπῄνει.

13

1448 | **1** Ὑπὸ δὲ τοῦτον τὸν χρόνον ἠσχολημένῳ Γρατιανῷ εἰς
τὸν πρὸς Ἀλαμανοὺς πόλεμον ἐπανέστη Μάξιμος ἐκ τῆς
Βρεττανίας καὶ ὑφ᾽ ἑαυτὸν τὴν Ῥωμαίων ἀρχὴν ποιεῖν ἐσπούδαζεν. Ἐν Ἰταλίᾳ δὲ τότε διέτριβεν Οὐαλεντινιανὸς ἔτι νέος
5   ὤν· ἐπετέτραπτο δὲ τῶν τῇδε πραγμάτων τὴν διοίκησιν
ὕπαρχος ὢν Πρόβος, ὑπατικὸς ἀνήρ· **2** ἡνίκα δὴ Ἰουστίνα ἡ
τοῦ βασιλέως μήτηρ τὰ Ἀρείου φρονοῦσα πράγματα παρεῖ-

1. C'est la première fois que Sozomène, pourtant juriste de profession,
se montre aussi imprécis. Son commentaire comporte peut-être une note
critique sur l'usage discutable que fait l'empereur de « la procédure législa-
tive » puisque cette loi semble faite pour ne pas être appliquée : cf. R. M.
ERRINGTON, « Christian accounts.. », p. 422.

2. Gratien part en juin 383 combattre en Rhétie les Alamans *Lentienses*
qui, profitant de ce que l'empereur était durablement occupé en Illyrie et en
Thrace après le désastre d'Andrinople, multipliaient les incursions en territoire romain. Le retard avec lequel Gratien intervient dans ce secteur occidental a favorisé le ralliement de l'armée des Gaules à l'usurpation de
Maxime : cf. DEMOUGEOT, *La formation de l'Europe...*, t. II 1, p. 122-123.

3. Magnus Maximus (*P.L.R.E.* I, p. 588, Magnus Maximus 39), originaire d'Espagne, faisait sans doute partie de la clientèle de Théodose
l'Ancien sous les ordres duquel il avait combattu en Bretagne et en Afrique.
Il entre en rébellion contre Gratien et se fait proclamer Auguste au printemps 383, alors qu'il se trouve en Bretagne comme *comes Britanniarum*. Il
traverse la Manche au début de l'été et prend facilement le contrôle des
Gaules (l'armée de Trèves se rallie rapidement) ainsi que de l'Espagne.
C'est un chrétien orthodoxe. Au-delà de son ambition personnelle, son
action marque le souci de rétablir la présence impériale protectrice en
Gaule et vise à rendre à l'Empire l'énergie militaire de l'époque valentinienne ; il ne cherche pas pour autant à écarter Théodose du pouvoir : cf.
MATTHEWS, *Western Aristocracies..*, p. 173-182. L'« Empire romain » dési-
gne ici l'Empire d'Occident.

4. Valentinien II, né en 372, a alors douze ans et vit à la cour de Milan.

5. Sextus Claudius Pétronius Probus, personnage considérable, consul
en 371, a soutenu activement la proclamation de Valentinien II comme

punir ses sujets [1], mais à les établir dans la crainte, pour qu'ils fussent d'accord avec lui sur la divinité ; et même ceux qui se convertissaient volontairement obtenaient sa louange.

Chapitre 13

L'usurpateur Maxime ;
l'incident entre l'impératrice Justine et saint Ambroise ;
l'empereur Gratien est tué par traîtrise ;
Valentinien se réfugie avec sa mère
chez Théodose à Thessalonique.

1 Vers ce temps-là, alors que Gratien était occupé à la guerre contre les Alamans [2], Maxime se souleva depuis la Bretagne et il cherchait à mettre l'Empire romain sous son joug [3]. Valentinien, jeune encore, vivait alors en Italie [4]. C'est Probus, consulaire, qui, comme préfet du prétoire, s'était vu confier l'administration des affaires d'Italie [5]. **2** A cette époque, Justine [6], mère de l'empereur, qui était

Auguste en 375. Il est, en 383, préfet d'Italie-Afrique et c'est sa quatrième et dernière préfecture. Chrétien nicéen et protecteur des débuts de la carrière administrative d'Ambroise, sa fidélité à Valentinien II le situe aussi dans l'entourage proche de Justine, pourtant arienne : *P.L.R.E.* I, Probus, p. 737-740.

6. Flavia Justina Augusta est fille d'un gouverneur consulaire du Picenum. Mariée très jeune à Magnence, elle n'en eut pas d'enfant. Valentinien Ier, impressionné par sa beauté, répudie sa première femme Marina Sévéra pour l'épouser en 370. De cette union naissent Valentinien II en 371, puis trois filles dont Galla, future épouse de Théodose. Appartenant à la tendance homéenne, Justine soutient les évêques illyriens contre leurs adversaires nicéens. Elle entre, de ce fait, très tôt en conflit avec Ambroise : elle cherche sans succès à l'empêcher d'ordonner le catholique Anémius évêque de Sirmium en 377-378 : Mac Lynn, *Ambrose* ..., p. 92-98. Les sources nicéennes, largement influencées par les écrits d'Ambroise, donnent de Justine une image systématiquement négative : cf. *PW* X 2, 1919, c. 1337-1339, Justina 15, E. Stein et *P.L.R.E.* I, p. 488-489.

χεν Ἀμβροσίῳ τῷ ἐπισκόπῳ Μεδιολάνου καὶ τὰς ἐκκλησίας
ἐτάραττεν, ἐπιχειροῦσα νεωτερίζειν κατὰ τῶν ἐν Νικαίᾳ
10 δοξάντων καὶ περὶ πολλοῦ ποιουμένη κρατεῖν τὴν πίστιν τῶν
ἐν Ἀριμήνῳ συνεληλυθότων. 3 Ἐπεὶ δὲ τοὐναντίον ἐσπούδαζεν Ἀμβρόσιος, χαλεπήνασα διαβάλλει αὐτὸν πρὸς τὸν υἱὸν
ὡς ὑβρισμένη. Ὑπολαβὼν δὲ Οὐαλεντινιανὸς ἀληθεῖς εἶναι
τὰς διαβολάς, ἅτε δὴ μητρὶ τιμωρῶν πλῆθος στρατιωτῶν
317 15 ἐπιπέμπει τῇ ἐκκλησίᾳ. 4 Οἱ δὲ τῷ ναῷ προσβαλόν|τες βίᾳ
τῶν θυρῶν ἐντὸς ἐγένοντο καὶ τὸν Ἀμβρόσιον εἷλκον αὐθωρὸν
εἰς ὑπερορίαν ἄξοντες. Περιχυθέντες δὲ αὐτῷ τὸ πλῆθος τῆς
ἐκκλησίας ἀντέσχον τοῖς στρατιώταις καὶ πρότερον ἔγνωσαν
ἀποθανεῖν ἢ τὸν ἱερέα ὑπεριδεῖν. 5 Ἐκ τούτου δὲ εἰς μείζονα
20 ὀργὴν Ἰουστίνα ἐξήφθη καὶ νόμῳ κρατῦναι τὴν ἐγχείρησιν
ἐβουλεύετο. Μετακαλεσαμένη τοίνυν Βενίβολον τὸν ἐπὶ τοῖς
γραμματεῦσι τῶν θεσμῶν τότε τεταγμένον ἐκέλευσε τὴν
ταχίστην τιθέναι νόμον ἐπὶ βεβαιώσει τῆς ἀναγνωσθείσης ἐν
Ἀριμήνῳ πίστεως. 6 Ὑποπαραιτούμενον δὲ τὴν πρᾶξιν (ἦν
25 γὰρ τῆς καθόλου ἐκκλησίας) προὐτρέπετο μείζονος τιμῆς
ἐπαγγελίαις δελεάζουσα, ἀλλ' οὐκ ἔπεισεν· περιελὼν δὲ τὴν
ζώνην Βενίβολος πρὸ τῶν ποδῶν τῆς βασιλίδος ἔρριψεν, μήτε

---

1. Le concile de Rimini (cf. *H.E.* IV, 16-19) avait en 359, sous la pression
de Constance II, choisi une formule déclarant le Fils semblable au Père
selon les Écritures et avait exclu le terme d'*ousia*. La formule était assez
générale pour s'accorder avec la doctrine d'Arius et put être interprétée
comme une victoire arienne : cf. HEFELE-LECLERCQ, I 2, p. 934-945 et PIE-
TRI, *Histoire* ..., II, p. 328-330.

2. Sozomène, peu soucieux des détails ou de la chronologie, confond ou
déforme, à partir d'ici, plusieurs épisodes différents. Aucune autre source
ne fait allusion à un outrage subi par l'impératrice : Sozomène semble se
laisser entraîner par l'image d'une Justine digne de Jézabel ou d'Hérodias
qu'a répandue Ambroise (*ep.* 76, 12).

3. Sozomène fait peut-être allusion ici à la première phase (385) du
conflit entre Ambroise et la cour de Valentinien et de Justine. L'évêque est
convoqué au palais pour s'entendre annoncer que Valentinien souhaitait
utiliser pour la cérémonie de Pâques, sous la présidence du clergé homéen,
la basilique Portiana (peut-être l'actuelle San Lorenzo) qui se trouvait hors

arienne, créait des embarras à Ambroise, l'évêque de Milan, et troublait les Églises, car elle tentait d'innover contre les décisions de Nicée et tenait beaucoup à ce que l'emportât la foi des Pères de Rimini [1]. **3** Comme Ambroise travaillait en sens contraire, irritée, elle le calomnie auprès de son fils comme étant outragée [2]. Valentinien crut à la vérité de ces calomnies et, en tant que vengeur de sa mère, il envoie un fort corps de troupes à l'église. **4** Les soldats forcèrent les portes de l'église, y pénétrèrent et sur le champ tiraient Ambroise pour le conduire en exil [3]. Mais la foule de l'église, s'étant répandue autour d'Ambroise, résista aux soldats et décida de mourir plutôt que d'abandonner l'évêque. **5** Justine en fut plus encore enflammée de colère et elle délibérait d'imposer sa volonté par une loi. Elle fit donc venir Bénivolus, alors préposé à la rédaction des lois [4], et lui ordonna de rédiger au plus vite un édit qui ratifiât la foi définie à Rimini. **6** Comme Bénivolus refusait d'exécuter — il appartenait à l'Église catholique —, elle se mit à l'exhorter, cherchant à le séduire par la promesse d'un rang plus élevé, mais ne le persuada pas. Ayant enlevé son baudrier, Bénivolus le jeta

les murs à proximité du complexe palatial impérial, ce qui légitimait son choix. La présence en nombre des partisans d'Ambroise dans la basilique découragea l'empereur d'imposer sa volonté par la force, l'évêque s'engageant à apaiser son peuple. Mais il n'y eut aucune tentative pour s'emparer de la personne d'Ambroise et l'envoyer en exil : cf. Mac Lynn, p. 170-180.

4. A la tête du bureau de la mémoire, *scrinium memoriae*, Bénivolus (cf. *P.L.R.E.* I, p. 161) est chargé de rédiger les *adnotationes* (notes en marge d'une requête acceptée ou refusée) qui servent de base aux rescrits impériaux. Le *magister memoriae* n'a pas à proprement parler la responsabilité de la rédaction des lois ; celle-ci revient au Questeur du Palais : cf. R. Delmaire, *Les institutions* ..., p. 65-73. Dans l'entourage de Valentinien et de Justine, on pensait sans doute que le texte serait facilement admis, d'où le choix d'un rédacteur dont on devait pourtant connaître les options religieuses : cf. Mac Lynn, p. 181. Le baudrier (*cingulum*) que dépose Bénivolus est le signe de son appartenance à la *militia palatina*, le corps des fonctionnaires militarisés.

1449 τῆς οὔσης τιμῆς | μήτε μείζονος μεταποιεῖσθαι φήσας ἐπὶ
μισθῷ ἀσεβείας. **7** Ἐπεὶ οὖν ἐνέστη μήποτε τοῦτο διαπράξα-
30 σθαι, ἕτεροι διηκονήσαντο πρὸς τὴν θέσιν τοῦ τοιούτου νόμου.
Παρεκελεύετο δὲ ἀδεῶς συνιέναι τοὺς ὁμοίως δοξάζοντας
τοῖς ἐν Ἀριμήνῳ καὶ μετὰ ταῦτα ἐν Κωνσταντινουπόλει συν-
εληλυθόσι, τοὺς δὲ ἐμποδὼν γενομένους ἢ ἐναντία τῷ νόμῳ
βασιλέως δεομένους θανάτῳ ζημιοῦσθαι.
35 **8** Ταῦτα σπουδαζούσης τῆς τοῦ βασιλέως μητρὸς καὶ τὸν
νόμον εἰς ἔργον ἄγειν κατεπειγούσης, ἀγγέλλεται δόλῳ Ἀνδραγαθίου, ὃς στρατηγὸς ἦν Μαξίμου, Γρατιανὸν ἀνῃρῆσθαι.
Ἐφ᾿ ἁρμαμάξης γὰρ βασιλικῆς ὀχούμενος ἀπεκρύβη, καὶ ὡς
τοῦ βασιλέως εἴη γαμετὴ τοῖς ἡγουμένοις ἀγγέλλειν ἐκέ-
40 λευεν. **9** Ἀπερισκέπτως δὲ Γρατιανὸς διαβὰς τὸν τῇδε ποταμόν, ὡς ἔναγχος γήμας καὶ νέος ὢν καὶ ἐρωτικῶς περὶ τὴν
γυναῖκα διατεθείς, ὑπὸ προθυμίας τοῦ θεάσασθαι αὐτὴν μηδὲν

---

1. La rédaction de la loi du 23 janvier 386 (*Code Théodosien* XVI, 1, 4)
fut largement inspirée par Auxentius de Durosturum, disciple d'Ulfila,
attiré à Milan par la présence de la communauté homéenne autour de
Justine et par celle des troupes d'origine gothique en stationnement dont la
plupart étaient ariennes. Peu au fait des réalités occidentales, Sozomène ne
le mentionne pas et fait jouer à Justine le rôle essentiel, mais il transcrit
assez fidèlement le texte de la loi ; les opposants encouraient des poursuites
pour lèse-majesté. Le droit de réunion reconnu aux homéens ne constitue
pas une innovation : puisqu'ils ne sont pas classés officiellement parmi les
ariens, ils échappent à la loi de Théodose sur les hérésies (*Code Théodosien*
XVI, 5, 11, 25 juillet 383). La loi du 23 janvier 383 devait être abolie par
Théodose le 14 juin 388 : *Code Théodosien* XVI, 5, 15.
2. Le conflit avec Ambroise atteint alors son sommet mais Sozomène ne
rend pas compte de cette progression. Prenant appui sur la loi, Valentinien
et son entourage réclament, le 27 mars, pour la célébration de la fête de
Pâques de 386 l'usage de la *Basilica Nova*, cathédrale située au centre de
Milan, que l'évêque soutenu par son peuple refuse de « livrer ». Le 29 mars,
une deuxième tentative vise cette fois la basilique *Portiana*. Des troupes
sont envoyées pour en faire le siège, mais se heurtent à la résistance
d'Ambroise qui harangue les fidèles avec lesquels il reste enfermé dans
l'église le 1ᵉʳ avril. La cour finit par renoncer à l'usage de la force et à
l'éventualité de poursuites contre Ambroise dont la personne ne semble pas
avoir été vraiment menacée : pour le détail, cf. J. R. PALANQUE, *Saint
Ambroise et l'Empire Romain*, Paris 1933, p. 160-163 et MAC LYNN, p. 179-

aux pieds de l'impératrice, déclarant qu'il n'assumerait ni sa dignité présente ni aucune dignité supérieure au prix de l'impiété. **7** Comme il répétait avec insistance qu'il ne le ferait jamais, d'autres offrirent leurs services à l'impératrice pour la rédaction d'un tel édit [1]. Celui-ci encourageait à s'assembler librement ceux qui avaient même opinion que les Pères réunis à Rimini puis à Constantinople ; et ceux qui feraient obstacle ou qui adresseraient à l'empereur des suppliques contraires à un tel édit [2], il les punissait de mort.

8 Tandis que la mère de l'empereur travaillait à ces mesures et pressait la mise en vigueur de la loi, on annonce que Gratien a été par ruse assassiné [3] par Andragathios, qui était un général de Maxime [4]. Andragathios en effet s'était fait transporter caché dans un char impérial couvert et il ordonnait aux hommes de tête d'annoncer qu'il était la femme de l'empereur. **9** Inconsidérément, Gratien, comme tout juste marié, jeune encore et fortement épris de sa femme, traversa le fleuve du lieu et, dans son ardeur à la voir,

196. Sozomène semble avoir fondu l'épisode de 385 et celui de 386, en exagérant les violences faites à Ambroise.

3. La chronologie est inexacte : Gratien fut assassiné à Lyon le 25 août 383 (SEECK, *Regesten*, p. 262) et son corps laissé sans sépulture. D'après PIGANIOL, p. 265, Maxime désavoua le meurtre et fit ultérieurement inhumer Gratien à Trèves. Il avait régné seize et non quinze ans (§ 9), après avoir reçu le titre d'Auguste le 24 août 367.

4. A la nouvelle de l'usurpation de Maxime, Gratien avait quitté la Rhétie pour marcher contre les rebelles qu'il rencontre aux environs de Paris. Mais au cours des premiers engagements, une partie de ses troupes, mécontentes de sa politique fiscale, passent à l'ennemi. Gratien s'enfuit alors vers Lyon accompagné de quelques unités fidèles. Andragathios, maître de cavalerie de Maxime, originaire du Pont (cf. *P.L.R.E.* I, Andragathios, p. 62-63), parvient à le rejoindre et à l'isoler de ses gardes par la ruse ; l'anecdote racontée par Sozomène n'est pas à rejeter puisque l'empereur venait de se remarier avec Laeta, après la mort de sa première femme, Constantia, en février 383. Une tradition plus vraisemblable rapporte que l'empereur fut assassiné à l'occasion d'un banquet (cf. AMBR., *in Psalm.* 61, 24-26) : sur cet épisode, cf. ZOS., IV, 35, éd. F. Paschoud, *CUF*, t. II 2, et la note 172, p. 145.

προϊδόμενος εἰς τὰς Ἀνδραγαθίου ἐνέπεσε χεῖρας. Καὶ συλληφθεὶς οὐκ εἰς μακρὰν ἀνηρέθη, ἔτη μὲν ἀμφὶ τὰ εἰκοσιτέσ-
45 σαρα γεγονώς, δέκα δὲ καὶ πέντε βασιλεύσας. Ὡς ἐπιγενομένης δὲ τοσαύτης συμφορᾶς ἐπαύσατο Ἰουστίνα τῆς κατὰ
318 Ἀμβροσίου ὀργῆς. | 10 Ἐν τούτῳ δὲ Μάξιμος πλείστην
ἀγείρας στρατιὰν Βρεττανῶν ἀνδρῶν καὶ τῶν ὁμόρων Γαλατῶν καὶ Κελτῶν καὶ τῶν τῇδε ἐθνῶν ἐπὶ τὴν Ἰταλίαν ᾔει,
50 πρόφασιν μὲν ὡς οὐκ ἀνεξόμενος νεώτερόν τι γενέσθαι περὶ
τὴν πάτριον πίστιν καὶ τὴν ἐκκλησιαστικὴν τάξιν, τὸ δὲ
ἀληθὲς τυράννου δόξης ἑαυτὸν καθαίρων, πρὸς δὲ τὴν βασιλείαν βλέπων καὶ πραγματευόμενος, εἴ πη ἄρα δύναιτο δόξαι
νόμῳ, οὐ βίᾳ, τὴν ἀρχὴν Ῥωμαίων ἑαυτῷ περιποιεῖν.
55 11 Οὐαλεντινιανὸς δὲ ὑπὸ τοῦ καιροῦ βιασθεὶς ἐδέξατο τὰ
σύμβολα τῆς αὐτοῦ βασιλείας. Δείσας δέ, μή τι πάθοι, φεύγων ἐξ Ἰταλίας εἰς Θεσσαλονίκην ἧκεν, σὺν αὐτῷ δὲ καὶ ἡ
μήτηρ καὶ Πρόβος ὁ ὕπαρχος.

1. Justine, en froid avec Ambroise depuis 378, a dû se rapprocher de
l'évêque à la mort de Gratien pour conforter sa position de tutrice de
Valentinien face à Maxime. Elle avait déjà, avant l'affaire des basiliques,
envoyé en 383 Ambroise négocier avec l'usurpateur et lui signifier que le
jeune empereur et sa mère ne pouvaient traverser les Alpes en plein hiver
pour le rejoindre, comme il le demandait ; ce qui donna le temps de fortifier
les passes alpines pour interdire l'Italie à Maxime. La seconde ambassade
d'Ambroise eut lieu dans la deuxième moitié de 386 après le conflit de
Pâques : elle aboutit à la rupture avec l'usurpateur : voir MATTHEWS,
p. 180.
2. Le terme « Celtes » doit désigner ici les populations d'origine germanique par opposition aux Gaulois. Il s'agit d'un usage que l'on trouve aussi
chez Dion Cassius et Flavius Josèphe, qui distinguent Celtes (les Germains)
et Galates (les Gaulois de la rive gauche du Rhin) : cf. F. PASCHOUD, dans
Zos. II, 17, 2-3, CUF, t. I, note 24, p. 204.
3. Maxime s'installe à Trèves. Peut-être apparenté à la famille de l'empereur Théodose, il ne vise pas à écarter ce dernier. Il lui envoie rapidement
une ambassade à Constantinople pour obtenir d'être reconnu et éviter
l'épreuve de force. Il est du parti nicéen : aussi écrit-il en 386 à Valentinien
pour lui reprocher sa politique favorable aux ariens : cf. Collectio Avellana
39 dans PIGANIOL, p. 298 et note 3. De là vient peut-être l'indulgence de
Sozomène à son égard.

ne prit aucune précaution et tomba entre les mains d'Andragathios. On le saisit et peu après il fut assassiné, étant âgé
d'environ vingt-quatre ans et ayant régné quinze ans. A la
suite d'un si grand malheur, Justine mit un terme à sa colère
contre Ambroise [1]. **10** Cependant Maxime, ayant rassemblé
une très forte armée de Bretons ainsi que de Gaulois et
Celtes limitrophes [2] et de peuples de la contrée, allait vers
l'Italie ; il prétextait qu'il ne supporterait pas qu'on révolu-
tionnât la foi traditionnelle et le bon ordre de l'Église, mais
en vérité, il cherchait à écarter de lui-même la réputation
d'usurpateur alors qu'il visait et travaillait à prendre le pouvoir : après tout, peut-être trouverait-il moyen de paraître se
procurer le règne sur les Romains par la loi et non par la
force [3]. **11** Valentinien, contraint par les circonstances,
reconnut les insignes du pouvoir de Maxime [4]. Mais, craignant de subir un malheur, il s'enfuit d'Italie à Thessalonique [5], et avec lui sa mère et le préfet Probus.

4. Théodose, confronté à de graves difficultés en Thrace et occupé à
négocier avec le roi des Perses Shapur III un accord sur la question arménienne, se trouve contraint de reconnaître l'usurpateur et passe avec lui un
foedus à propos duquel les sources sont assez confuses, quant au lieu, à la
date (fin 384 ou 385) et aux modalités : pour un état de la question, voir
F. PASCHOUD, dans Zos. IV, 37, 2-3, t. II 2, *CUF*, p. 423-426, notes 175 et
176. L'accord devait s'accompagner d'un partage des préfectures et,
contrairement à ce que disent Socrate et Sozomène, c'est sans doute Théodose qui reconnut Maxime au nom de Valentinien II. L'historien cherche à
minimiser la responsabilité de Théodose dans cette reconnaissance très
inhabituelle d'un usurpateur par l'empereur légitime.
5. Sozomène bouscule à nouveau la chronologie. La fuite de Valentinien
n'a lieu qu'en 387. Entre 385 et 387, le jeune empereur a nommé à des
postes importants des représentants de l'aristocratie italienne afin de consolider son autorité à Milan autour d'un parti « loyaliste » : MATTHEWS, p. 179-
180. Mais en 387, sans soutien de la part de Théodose toujours confronté à
la question arménienne et préoccupé par les mouvements des Goths au
nord, Valentinien fait appel à Maxime. Ce dernier en profite pour faire
pénétrer son armée en Italie sous prétexte de protéger son collègue et, sans
rencontrer de résistance, s'installe à Aquilée. Dès l'entrée des troupes de
Maxime, Valentinien s'enfuit : Zos. IV, 42, 3-7 et 43, 1-2.

14

1 Ἐν τούτῳ δὲ παρασκευαζομένῳ Θεοδοσίῳ εἰς τὸν πρὸς Μάξιμον πόλεμον γίνεται παῖς Ὀνώριος. Ὡς δὲ αὐτῷ τὰ περὶ τὴν στρατιὰν ηὐτρέπιστο, καταλιπὼν ἐν Κωνσταντινουπόλει βασιλεύοντα Ἀρκάδιον τὸν υἱὸν καταλαμβάνει ἐν Θεσσαλο-
5 νίκῃ Οὐαλεντινιανόν. Καὶ τοὺς μὲν ἀποσταλέντας παρὰ Μαξί-
1452 μου πρέσβεις οὔτε ἀπέπεμπεν εἰς τὸ προφανὲς | οὔτε προσίε-
το, ἀναλαβὼν δὲ τοὺς στρατιώτας ἐπὶ τὴν Ἰταλίαν ἐχώρει.
2 Περὶ δὲ τοῦτον τὸν χρόνον μέλλων τελευτᾶν Ἀγέλιος ὁ ἐν Κωνσταντινουπόλει τῶν Ναυατιανῶν ἐπίσκοπος ἐψηφίσατο
10 ἀντ' αὐτοῦ Σισίννιον πρεσβύτερον τῶν ὑπ' αὐτόν. Μεμφομέ-
νου δὲ τοῦ πλήθους, ὅτι μὴ Μαρκιανὸν ἐπὶ εὐλαβείᾳ ἐπίσημον, ῥᾷον ἔχειν δόξας ἐχειροτόνησε Μαρκιανόν, καὶ τῷ λαῷ ἐν τῇ ἐκκλησίᾳ προσεφώνησε « Μετ' ἐμέ, φησίν, Μαρκιανὸν ἔχετε, μετὰ δὲ τοῦτον Σισίννιον. » **3** Καὶ ὁ μὲν τάδε εἰπὼν οὐκ εἰς

---

1. La naissance date du 9 septembre 384 (SEECK, *Regesten*, p. 265). Peut-être Théodose se préparait-il dès ce moment, malgré la reconnaissance de façade, à un conflit qu'il jugeait inévitable ? C'est ce que Sozomène veut accréditer pour préserver l'image de l'empereur. Pourtant la guerre n'éclate que trois ans plus tard !

2. Théodose tarde à engager la guerre civile du fait de ses difficultés en Orient et de sa tendance naturelle à éviter la guerre ; et ce d'autant plus que Maxime n'avait pas fait preuve d'une très grande agressivité contre Valentinien en Italie. Il cherche à négocier jusqu'au bout sans prendre totalement parti pour Valentinien dès le début. Mais l'entourage du jeune empereur accentue ses pressions et Justine va jusqu'à abjurer pour elle-même et son fils la foi arienne. Finalement, Théodose, après avoir cessé de reconnaître Maxime au début de 388, se met en route vers l'Italie au printemps de 388, au nom de la légitimité valentinienne et de la vengeance de Gratien : cf. PIGANIOL, p. 280.

3. Sur cet évêque novatien, voir *H.E.* VI, 9, 1 *SC* 495, p. 288-289, note 2. Évêque de Constantinople de 345 à 384, il exerçait des responsabilités ecclésiales dès avant la mort de Constantin. Où placer les persécutions qu'il a pu subir des païens ? Celles qui ont été menées sous Julien n'ont guère

Chapitre 14

Naissance d'Honorius ;
Théodose laisse Arcadius à Constantinople
et part pour l'Italie. La succession des novatiens
et des autres patriarches ; l'audace des ariens ;
Théodose supprime l'usurpateur
et célèbre un triomphe magnifique à Rome.

1 A ce moment, alors que Théodose se préparait à la guerre contre Maxime, il lui naît un fils, Honorius [1]. Quand il eut bien tout organisé touchant l'armée, ayant laissé à Constantinople son fils Arcadius en qualité d'empereur, Théodose va voir Valentinien à Thessalonique [2]. Il ne renvoyait pas ouvertement les ambassadeurs de Maxime ni ne leur donnait audience, mais avec ses troupes il marchait vers l'Italie. **2** Vers le même temps, près de mourir, Agélius, l'évêque des novatiens à Constantinople [3], nomma à sa place Sisinnius, l'un de ses prêtres [4]. Comme le peuple lui reprochait de n'avoir pas nommé Marcien [5], remarquable pour sa piété, ayant jugé que ce serait mieux ainsi, il ordonna Marcien, et il dit au peuple à l'église : « Après moi, ayez Marcien, mais après lui Sisinnius. » **3** Ayant ainsi parlé, il mourut peu

---

touché Constantinople. Il faudrait donc peut-être les dater, compte tenu de la grande longévité d'Agélios, des dernières années de Licinius avant sa défaite en 324 ? Socrate, *H.E.* V, 10, n'en parle pas.

4. Cf. *supra* XII, 4 et la note.

5. Voir *H.E.* VI, 9, 3 et la note : ancien fonctionnaire du palais, puis prêtre novatien, renommé pour son éloquence, Marcien fut le maître des filles de Valens, Anastasia et Carosa. Ces relations avec la famille impériale lui ont peut-être permis de faciliter le retour à la liberté de culte pour les membres de sa secte : ce qui lui valait la faveur du « peuple » novatien. Socrate, *H.E.* V, 21, rapporte à son propos la polémique au sujet d'un juif converti auquel Marcien avait conféré la prêtrise.

15 μακρὰν ἐτελεύτησεν, ἐπὶ τεσσαράκοντα ἔτεσι εὐδοκίμως τῆς
οἰκείας αἱρέσεως προστάς· εἰσὶ δὲ οἳ καὶ ὁμολογητὴν ἰσχυρίζονται τοῦτον τὸν ἄνδρα ἐν Ἑλληνικοῖς καιροῖς γενέσθαι.

4 Οὐ πολλῷ δὲ ὕστερον Τιμοθέου καὶ Κυρίλλου τὸν βίον
μεταλλαξάντων διαδέχεται τὸν Ἀλεξανδρέων θρόνον Θεόφι-
20 λος, τὸν δὲ Ἱεροσολύμων Ἰωάννης. Ἐπὶ δὲ τῆς Κωνσταντι-
319 νουπόλεως καὶ Δημόφιλος ὁ τῆς Ἀρείου | αἱρέσεως ἡγούμε-
νος ἐτελεύτησε, Μαρῖνος δέ τις ἐκ Θράκης μετακληθεὶς ἐπιτρέπεται τὴν αὐτοῦ διαδοχήν· ὡς ἐπιτηδειότερος δὲ Δωρόθεος ἐκ τῆς παρὰ Σύροις Ἀντιοχείας ἐλθὼν προΐστατο τῆς
25 αἱρέσεως.

5 Ἐν τούτῳ δὲ Θεοδοσίου εἰς Ἰταλίαν ἀφικομένου φῆμαι
περὶ τοῦ πολέμου πρὸς τὸ ἑκάστῳ δοκοῦν ἐκράτουν, παρὰ δὲ
Ἀρειανοῖς, ὡς πολλῶν ἐν τῇ μάχῃ πεσόντων ὑπὸ τὸν τύραννον ὁ βασιλεὺς ἐγένετο. Καὶ ὡς ἐπὶ γενομένοις ἤδη οἷς ἐλογο-
30 ποίουν ἀνεθάρρησαν, καὶ καταδραμόντες Νεκταρίου τοῦ ἐπισκόπου τὴν οἰκίαν ἐνέπρησαν, χαλεπαίνοντες ὅτι τῶν ἐκκλησιῶν ἐκράτει. 6 Τῷ δὲ βασιλεῖ τὰ περὶ τὸν πόλεμον κατὰ
γνώμην ἀπέβη. Οἱ γὰρ ὑπὸ Μαξίμῳ στρατιῶται ἢ φόβῳ τῆς
ἐπ᾽ αὐτοὺς παρασκευῆς ἢ προδοσίᾳ συλλαβόμενοι τὸν τύραν-
35 νον δέσμιον αὐτῷ προσήγαγον. Ἀνδραγάθιος δὲ ὁ Γρατιανὸν

---

1. Évêque d'Alexandrie de 385 à 412, Théophile y anime la lutte contre
le paganisme (destruction du Sérapéum en 391) et sera le grand adversaire
de Jean Chrysostome : *DECA*, p. 2426-2427, A. DE NICOLA.

2. Ce successeur de Cyrille, de 387 à 417, défend les partisans d'Origène
puis ceux de Pélage : *DECA*, p. 1310, H. CROUZEL.

3. Marinos de Thrace, compatriote de Démophile (sur ce dernier, voir
H.E. VI, 13, 1), fut à l'origine d'un schisme à l'intérieur de la tendance
arienne : *DECA*, p. 1561, M. SIMONETTI.

4. Évêque d'Héraclée de Thrace vers 375, Dorothée fait partie des ariens
modérés. A la mort d'Euzoïus, il est élu évêque de la communauté arienne
d'Antioche. A la suite de la loi anti-arienne de 381, il retourne en Thrace :
DECA, p. 726, M. SIMONETTI.

5. L'attitude des ariens ne peut s'expliquer que par le souhait de voir
disparaître leur persécuteur, Théodose. Il s'agit ici toutefois de la communauté de Constantinople qui réagit en fonction de critères très locaux, comme
en témoigne l'incendie de la maison de Nectaire. La rumeur s'appuyait sans

de temps après, ayant présidé avec renom à sa secte durant quarante ans : il y en a qui soutiennent que cet homme avait été aussi confesseur de la foi au temps des païens.

4 Peu après, par la mort de Timothée et de Cyrille, Théophile succède au siège d'Alexandrie [1], Jean à celui de Jérusalem [2]. A Constantinople, Démophile aussi, le chef des ariens, mourut. Il a pour successeur un certain Marinos qu'on fit venir de Thrace [3]. Mais reconnu plus capable, Dorothée, venu d'Antioche en Syrie, fut mis à la tête de la secte [4].

5 En ce temps-là, Théodose étant arrivé en Italie, des bruits s'accréditaient sur la guerre, correspondant aux désirs de chacun, et, chez les ariens, la rumeur disait qu'il y avait eu beaucoup de morts dans la bataille et que l'empereur était tombé au pouvoir de l'usurpateur. Comme si s'étaient véritablement réalisés déjà les racontars qu'ils faisaient courir, les ariens reprirent courage [5], et, par une soudaine attaque, ils mirent le feu à la maison de l'évêque Nectaire, courroucés de ce qu'il était maître des églises. **6** Pour l'empereur cependant, la guerre s'acheva à son gré. Les troupes de Maxime en effet, soit par crainte des préparatifs faits contre elles soit par trahison, s'emparèrent de l'usurpateur et le lui amenèrent enchaîné [6]. A cette nouvelle, Andragathios, qui avait assassiné Gratien, se jeta tout

doute sur la faible estime qu'inspiraient les qualités militaires de Théodose pourtant victorieux plusieurs fois, depuis ses débuts comme duc de Mésie (Amm. 29, 6, 15). Socrate, *H.E.* V, 13, 4 et Sozomène insistent avec complaisance sur les rumeurs répandues par les ariens afin de faire mieux ressortir la stature de Théodose empereur légitime et orthodoxe.

6. Après avoir forcé le passage à Siscia, remporté une victoire décisive à Poetovio, Théodose met le siège devant Aquilée. Selon Sozomène qui suit Socrate (*H.E.* V, 14), Maxime aurait été livré à ce moment par ses troupes. Mais Socrate est peu fiable puisqu'il situe à Milan un événement qui eut lieu à Aquilée ! L'orateur Pacatus — *Pan.* XII, 42-44 —, contemporain des faits, donne une autre version : Maxime se serait livré lui-même au vainqueur qui, après avoir peut-être un moment penché pour la clémence, le fait exécuter le 28 août 388 (Seeck, *Regesten*, p. 274). Sozomène semble éviter de donner des précisions risquant de nuire à l'image de Théodose et se contente d'écrire que Gratien était vengé.

ἀνελών, ὡς τάδε ἔγνω, σὺν αὐτοῖς ὅπλοις εἰς ποταμὸν παραρ-
ρέοντα ἥλατο καὶ διεφθάρη. 7 Τοῦ δὲ πολέμου τοῦτον διαλυ-
θέντος τὸν τρόπον, ἐπεὶ τὰ εἰκότα Γρατιανῷ τιμωρήσας ἧκεν
εἰς Ῥώμην, καὶ ἐπινίκιον πομπὴν ἅμα Οὐαλεντινιανῷ ἐπετέ-
40 λεσε καὶ τὰ περὶ τῆς ἐν Ἰταλίᾳ ἐκκλησίας εὖ διέθηκε. Συνέβη
γὰρ καὶ Ἰουστίναν ἀποθανεῖν.

15

1 Ἐν δὲ τῷ τότε Παυλίνου ἐν Ἀντιοχείᾳ τελευτήσαντος
διέμειναν οἱ ὑπ᾽ αὐτῷ ἐκκλησιάζοντες ὡς παραβάντα τοὺς ἐπὶ
Μελετίου δοθέντας ὅρκους ἀποστρεφόμενοι Φλαβιανόν, καί-
1453 περ οὐδὲν περὶ τὸ δόγμα | διαφερόμενοι· καθίσταται δὲ αὐτῶν
5 Εὐάγριος ἐπίσκοπος. Τοῦ δὲ βραχύν τινα χρόνον ἐπιβιώσαν-

---

1. Andragathios se trouvait avec la flotte de Maxime en mer d'Ionie mais
il n'avait pas réussi à empêcher Valentinien et sa mère de rejoindre la côte
italienne et de débarquer à Ostie. Selon AMBROISE (ep. 40, 22) et ZOSIME
(IV, 47, 1), il se serait jeté à la mer, et non dans un fleuve comme le dit
Sozomène : sur l'épisode, cf. Zos. IV, 47, 1, t. II 2, éd. F. Paschoud, CUF,
p. 444, note 194.
2. Théodose réside en Occident pendant deux ans (389-390), le plus
souvent à Milan. Mais à la suite de sa victoire sur Maxime, il fait, accompagné de son fils Honorius, son entrée triomphale à Rome le 13 juin 389,
affirmant ainsi son autorité sur l'Empire tout entier. Valentinien ne se
trouve pas à ses côtés, il l'a envoyé en Gaule accompagné d'Arbogast. C'est
pendant son séjour qui dure jusqu'au 1er septembre que Pacatus prononce
son Panégyrique entre juin et septembre 389 : cf. Panégyriques Latins,
t. III, éd. E. Galletier, CUF, 1955, p. 52.
3. Cette affirmation très générale qui semble ignorer l'évêque de Rome
fait la part belle à l'empereur : de fait, si celui-ci a renouvelé les condamna-
tions et les interdits contre les manichéens, ce qui devait satisfaire Sirice, en
revanche le fait de recevoir l'évêque de la communauté novatienne comme
celui d'accepter la proposition d'Ambroise de réunir un synode en Italie
pour régler la question antiochéenne ne pouvaient guère plaire au pontife
romain. Sur ces questions, voir W. ENSSLIN, Die Religionspolitik des Kaisers Theodosius der Grosse, München 1953, p. 64-65 et PIETRI, Roma Christiana..., p. 880-900.

armé dans le fleuve qui coulait tout près et périt [1]. **7** La guerre s'étant ainsi achevée, après que Théodose eut tiré pour Gratien la vengeance qui convenait, il vint à Rome [2], y fit avec Valentinien son entrée triomphale et y mit en bon ordre les affaires de l'Église d'Italie [3]. De fait, il était arrivé aussi que Justine mourut [4].

Chapitre 15

Les antiochiens Flavien et Évagrius ;
les événements survenus à Alexandrie
à l'occasion de la destruction du temple de Dionysos ;
le Sérapeum et la mise à bas d'autres temples des idoles.

1 En ce temps-là, Paulin étant mort à Antioche, ceux qui tenaient leurs assemblées de culte sous sa direction continuèrent d'écarter Flavien comme ayant violé les serments prêtés sous Mélèce [5], bien qu'ils n'eussent aucun différend avec lui sur le dogme. Évagrius est établi comme leur évêque [6]. Celui-ci n'ayant survécu pourtant que peu de temps,

4. Peut-être Justine meurt-elle avant la fin de la guerre (cf. *P.L.R.E.* I, p. 488) ou plus vraisemblablement juste après son retour en Italie avec ses enfants (Zos. IV, 45, 4, t. II 2, éd. F. Paschoud, *CUF*, p. 441 note 191).

5. Paulin meurt vers 388, sans jamais avoir été reconnu comme l'évêque orthodoxe légitime d'Antioche : *DECA*, p. 1954, M. SIMONETTI. Pourtant, selon les serments prêtés (cf. *supra H.E.* VII, 3, 4), à la mort de Mélèce en 381, Paulin qui survivait à ce dernier aurait dû être reconnu comme seul évêque d'Antioche : ce manquement à la parole aurait justifié la mise à l'écart de Flavien.

6. Après une carrière officielle jusqu'en 362, ce notable antiochéen suit Eusèbe de Verceil en Italie où il se fait, à Rome, connaître de Damase. De retour à Antioche vers 373, protecteur du jeune Jérôme, il se rallie à Paulin, seul évêque légitime aux yeux de Rome. Peu avant de mourir, celui-ci l'ordonne comme son successeur, mais sans respecter les canons de Nicée comme le souligne Théodoret (*H.E.* V, 23). A sa mort, vers 393-394, il n'a pas de successeur pour diriger la communauté dissidente : *DECA*, p. 931, J. GRIBOMONT.

τος οὐκέτι ταύτην τὴν διαδοχὴν ἕτερος ἐπλήρωσε, Φλαβιανοῦ
ἀντιπράττοντος· ἰδίᾳ δὲ ἐκκλησίαζον ὅσοι τὴν πρὸς αὐτὸν
παρητοῦντο κοινωνίαν.

2 Ὑπὸ δὲ τοῦτον τὸν χρόνον ὁ Ἀλεξανδρέων ἐπίσκοπος
10 τὸ παρ' αὐτοῖς Διονύσου ἱερὸν εἰς ἐκκλησίαν μετεσκεύαζεν·
320 δῶρον γὰρ εἰλήφει τοῦτο παρὰ | τοῦ βασιλέως αἰτήσας.
Καθαιρουμένων δὲ τῶν ἐνθάδε ξοάνων καὶ τῶν ἀδύτων ἀνα-
καλυπτομένων, ἐπίτηδες ἐνυβρίσαι σπουδάζων τοῖς Ἑλληνικοῖς μυστηρίοις ἐξεπόμπευέ τε ταῦτα, 3 καὶ φαλλοὺς καὶ εἴ τι
15 ἕτερον ἐν τοῖς ἀδύτοις κεκρυμμένον καταγέλαστον ἦν ἢ ἐφαίνετο, δημοσίᾳ ἦγεν εἰς ἐπίδειξιν. Πρὸς δὲ τὸ ἄηθες καὶ τὸ
ἀδόκητον τοῦ συμβάντος καταπλαγέντες οἱ Ἕλληνες ἠρεμεῖν
οὐκ ἠνείχοντο, παρακελευσάμενοι δὲ ἐν ἑαυτοῖς κατέδραμον
τοὺς Χριστιανούς. Καὶ τοὺς μὲν κτείναντες, τοὺς δὲ τραυμα-

---

1. Les sources — RUFIN, *H.E.* XI, 22, la plus ancienne, la plus détaillée
et sans doute la plus fiable ; SOCRATE, *H.E.* V, 16, plus concis et confus ;
Sozomène, qui ne suit pas toujours ce dernier ; THÉOD., *H.E.* V, 22 ;
EUNAPE, *Vitae Soph.* 6, 11, pour le point de vue païen — varient d'autant
plus sur l'origine précise des événements que ceux-ci ont des points communs avec des émeutes du même type à Alexandrie, dues aux provocations
de l'évêque Georges sous le règne de Julien (*H.E.* V,7) : cf. A. BALDINI,
« Problemi delle tradizione sulla destruzione del Serapeo di Alessandria »,
Rivista storica dell' Antichità, 1985, p. 97-152. Le rôle de l'évêque
d'Alexandrie est diversement jugé. Sozomène insiste sur l'initiative provo-
catrice adoptée par Théophile dont il critique plus loin les intrigues contre
Jean Chrysostome ; il se distingue de SOCRATE (*H.E.* V, 16) qui mentionnait
seulement la destruction d'un *mithraeum*. En revanche, selon Rufin soucieux de décharger les chrétiens et leur chef de toute responsabilité, l'évêque ne cherchait pas l'affrontement avec les païens : il n'aurait fait que
revendiquer un bâtiment donné aux ariens homéens par Constance II et
qui, peu entretenu, tombait en ruine : il n'aurait pas réclamé un temple
païen pour le transformer en église. C'est à l'occasion des travaux de réno-
vation que furent découverts les vestiges d'un culte à mystère pratiqué
autrefois en ce lieu : celui de Dionysos paraît plus vraisemblable (cf. l'allusion au phallus) que celui de Mithra, vu la taille assez importante du
bâtiment qualifié par Rufin de *basilica*. Sur l'ensemble de l'épisode, voir

nul autre n'obtint plus la succession, Flavien s'y opposant. Ceux qui refusaient sa communion tenaient leurs assemblées en privé.

2 Vers ce temps-là, l'évêque des Alexandrins cherchait à transformer en église le temple de Dionysos qui était chez eux : il l'avait réclamé en effet et reçu en présent de l'empereur [1]. Comme on enlevait les idoles qui s'y trouvaient et qu'on dévoilait les *adyta*, à dessein, dans son zèle à outrager les mystères païens, il fit faire une procession de ces idoles ; **3** il produisit en public, pour les montrer, les phallus et tout autre objet jusque là caché dans les *adyta*, qui était ou paraissait ridicule [2]. Confondus par l'audace inhabituelle et inattendue de l'acte, les païens [3] n'acceptèrent pas de le subir en paix, mais, s'étant exhortés mutuellement, ils coururent sus aux chrétiens. Ils tuèrent les uns, en blessèrent

---

J. SCHWARTZ, « La fin du Sérapéum d'Alexandrie », dans *Essays and Studies in honor of C. Bradford Welles*, New Haven 1966, p. 97-111 ; F. THELAMON, *Païens et Chrétiens au IVème siècle*, Paris 1981, p. 246-273 ; F. R. TROMBLEY, *Hellenic Religion and Christianization 370-529*, Leiden 1995, t. I, p. 129-145.

2. Pour les païens, le scandale tient au fait que l'on montre de manière profanatrice des objets réservés aux initiés, normalement déposés dans les salles secrètes, les *adyta*. Le processus est le même que celui de l'émeute qui fit suite aux profanations commises par l'évêque Georges (*H.E.* V, 7) : après le don à l'église d'Alexandrie d'un *mithraeum* abandonné, les travaux de réfection ayant mis au jour des objets cultuels destinés aux initiés, les chrétiens, à l'instigation de Georges, avaient promené leurs trouvailles en s'en moquant, ce qui provoqua la colère des païens.

3. Les indices sur la composition sociale de cette foule nous manquent. On y trouvait des maîtres, le philosophe Olympius (cf. *infra*), des professeurs (SOCR., *H.E.* V, 16 précise qu'il a suivi leur enseignement), les grammairiens Helladius, prêtre de Zeus et Ammonius, « prêtre d'un singe » (vraisemblablement le dieu Toth), suivis sans doute par certains de leurs étudiants, mais aussi, peut-être, des habitants de ce quartier pauvre de Rhakotis qu'unissait un fort sentiment d'attachement pour le Sérapéum : cf. CH. HAAS, *Alexandria in Late Antiquity, Topography and Social Conflicts*, London 1997, p. 151-165.

20 τίας ποιήσαντες καταλαμβάνουσι τὸ Σεραπεῖον· ναὸς δὲ ἦν
οὗτος κάλλει καὶ μεγέθει ἐμφανέστατος, ἐπὶ γεωλόφου κείμενος. 4 Ἐντεῦθεν ὡς ἀπ᾽ ἄκρας τινὸς ἐξαπιναίως ἐλθόντες
συνελάβοντο πολλοὺς Χριστιανῶν καὶ βασανίζοντες ἠνάγκαζον θύειν. Παραιτουμένους δὲ τοὺς μὲν ἀνεσκολόπισαν, τῶν
25 δὲ τὰ σκέλη κατέαξαν, ἄλλους δὲ ἄλλως ἀνῄρουν. 5 Ἐπὶ
πολλῷ δὲ χρόνῳ τῆς στάσεως κρατούσης παραγενόμενοι πρὸς
αὐτοὺς οἱ ἄρχοντες νόμων ὑπεμίμνησκον καὶ παύεσθαι πολέμου παρεκελεύοντο καὶ τὸ Σεραπεῖον καταλιμπάνειν. Ἦρχε
δὲ τότε τῶν ἐν Αἰγύπτῳ στρατιωτικῶν ταγμάτων Ῥωμανός,
30 Εὐάγριος δὲ ὕπαρχος τῆς Ἀλεξανδρείας ἡγεῖτο. Ὡς δὲ οὐδὲν
ἤνυον, ἐμήνυσαν βασιλεῖ τὰ γενόμενα. 6 Προθυμοτέρους δὲ
τοὺς ἐν τῷ Σεραπείῳ παρεσκεύαζεν εἶναι τὸ συνειδέναι σφίσιν

1. Ce terme qui souligne la volonté guerrière des païens ne correspond
pas au contenu général du texte : en fait, les émeutiers, inférieurs en
nombre, se réfugient dans le temple de Sérapis. L'historien suit Rufin,
H.E. II, 22 plutôt que Socrate, *H.E.* V, 16 qui décrit des païens cherchant,
après avoir massacré de nombreux chrétiens, à se cacher dans la ville (sans
plus de précision) ou à s'enfuir.
2. Le Sérapéum, dont Ammien (22, 16, 12) évoque encore, vers 390, la
magnificence présente qui n'a pour lui d'égale que celle du Capitole de
Rome, se trouve sur une légère éminence dans le quartier de Rhakotis à
l'ouest sud-ouest de la ville. Construit sous le règne de Ptolémée III Éver-
gète (246-222 av. J.C.), le sanctuaire réunissait des bâtiments divers sur une
très importante surface : cour, temple de Sérapis, temple d'Isis et d'Anubis,
bibliothèque, salle d'incubation, logements des prêtres... La description la
plus détaillée est donnée par Rufin, *H.E.* XI, 23. Le prestige du Sérapéum
était considérable et l'on venait de loin adorer un dieu garant de la santé des
vivants, protecteur des morts et associé à la vertu fertilisatrice des eaux du
Nil.
3. Les récits des combats entre les deux communautés minimisent les
violences chrétiennes : selon Rufin, les partisans de Théophile, bien que
plus nombreux, furent moins violents « en raison de leur religieuse modéra-

d'autres, et ils s'emparent [1] du Sérapéum : c'était un temple tout à fait célèbre par sa beauté et son ampleur, situé sur une colline [2]. **4** De là, descendant soudainement comme d'une acropole, ils saisissaient beaucoup de chrétiens et, les torturant, les forçaient à sacrifier. De ceux qui refusaient, ils empalèrent les uns, brisèrent les membres de certains autres, et en tuaient d'autres d'autre manière [3]. **5** Alors que la guerre civile se prolongeait, les magistrats allèrent trouver les païens, leur rappelèrent les lois, les exhortèrent à cesser la guerre et à quitter le Sérapéum [4]. A la tête des corps de troupes d'Égypte était Romanus [5], Évagrius commandait à Alexandrie comme préfet [6]. Comme ils n'aboutissaient à rien, ils mandèrent la chose à l'empereur. **6** Ce qui rendait les occupants du Sérapéum plus ardents, ce fut d'abord la conscience de ce qu'ils avaient osé faire, et ensuite un certain

tion » (*H.E.* XI, 22). Sozomène parle de guerre civile, mais n'en décrit que les actes commis par les païens représentés comme de nouveaux persécuteurs. Sur le recours, à ce sujet, à des « développements très conventionnels », voir F. THELAMON, p. 251.

4. La passivité relative des autorités surprend. Elle témoigne peut-être du nombre, plus important que ne le disent les sources chrétiennes, des émeutiers retranchés dans le Sérapéum, ainsi que des réticences à lancer une répression qui risquait d'être sanglante et mal vue à la cour impériale où certains hauts fonctionnaires païens comme le préfet du prétoire Tatianus étaient encore influents.

5. Avec le titre de comte d' Égypte, il commande les troupes romaines en Égypte (4 légions et 14 ailes) et relève directement de l'autorité impériale : cf. A. H. M. JONES, *The Later Roman Empire*, t. II, p. 609 et *P.L.R.E.* I, p. 769 Romanus 5.

6. Évagrius est en fonction entre 388 et 392 : cf. *P.L.R.E.* I p. 286, Évagrius 7. Le préfet d'Égypte devient préfet augustal dans la deuxième moitié du ivᵉ s. Il a l'autorité administrative d'un vicaire, mais pas de commandement militaire. Romanus et Évagrius sont les destinataires de la loi adressée d'Aquilée le 16 juin 391 par Théodose (*Code Théodosien* XVI, 10, 11).

ἃ τετολμήκασιν, ἔπειτα δὲ καὶ Ὀλύμπιός τις ἐν φιλοσόφου
σχήματι συνὼν αὐτοῖς καὶ πείθων χρῆναι μὴ ἀμελεῖν τῶν
35 πατρίων, ἀλλ᾽ εἰ δέοι ὑπὲρ αὐτῶν θνήσκειν· καθαιρουμένων δὲ
τῶν ξοάνων ἀθυμοῦντας ὁρῶν συνεβούλευε μὴ ἐξίστασθαι τῆς
θρησκείας, ὕλην φθαρτὴν καὶ ἰνδάλματα λέγων εἶναι τὰ ἀγάλ-
ματα καὶ διὰ τοῦτο ἀφανισμὸν ὑπομένειν, δυνάμεις δέ τινας
ἐνοικῆσαι αὐτοῖς καὶ εἰς οὐρανοὺς ἀποπτῆναι. Καὶ ὁ μὲν
40 τοιαῦτα εἰσηγούμενος καὶ πληθὺν Ἑλλήνων ἔχων περὶ αὐτὸν
1456 ἐν τῷ Σεραπείῳ διέτριβεν. 7 Ὁ | δὲ βασιλεὺς ἀγγελθέντων
τῶν γενομένων τοὺς μὲν ἀναιρεθέντας Χριστιανοὺς ἐμακάρι-
ζεν ὡς μαρτυρίας γερῶν μετασχόντας καὶ ὑπὲρ τοῦ δόγματος
321 προκινδυνεύσαντας, τοὺς δὲ ἀνελόντας | συγγνώμης τυχεῖν
45 προσέταξεν, ὡς ἂν ῥᾷστα εἰς Χριστιανισμὸν μεταβάλοιεν τὴν
εὐεργεσίαν αἰδούμενοι, καθαιρεθῆναι δὲ τοὺς ἐν Ἀλεξανδρείᾳ

1. Ce philosophe païen originaire de Cilicie qui vint à Alexandrie pour
servir, comme prêtre, le culte de Sérapis et qui prédit la destruction pro-
chaine du temple est connu par une notice de la *Souda* O. 218 et par le
patriarche Photius, *Bibl.* 338 b. Il n'est mentionné ni par Socrate ni par
Théodoret : cf. *PW* XVIII 1, 1939, c. 245, Olympios 19 et *P.L.R.E.* I,
p. 647, Olympius 2. Son rôle illustre la place des hommes de culture dans la
résistance du paganisme aux iiiᵉ et ivᵉ s. Pourtant, l'engagement dans une
résistance active au christianisme de la part de philosophes comme les
néo-platoniciens, portés par leur formation et leur orgueil intellectuel à se
désintéresser des affaires du monde, reste assez peu fréquent à Alexandrie,
jusqu'à l'époque d'Hypatie : voir G. Fowden, « The Pagan Holy Man in
Late Antique Society », *J.H.S.* 102, 1982, p. 46-56.
2. Rufin (*H.E.* II, 22) est plus explicite encore : *habitu solo filosofum* :
« Il n'est philosophe que par l'habit. » Il s'agit d'un genre de formule

Olympios [1] qui, sous l'habit de philosophe [2], s'était joint à eux et les persuadait qu'il ne fallait pas négliger les anciennes coutumes, mais, au besoin, mourir pour elles. Comme il les voyait découragés de ce qu'on leur eût enlevé leurs idoles, il leur conseillait de ne pas renoncer à leur religion, alléguant que les statues n'étaient que matière périssable et apparences et pour cela sujettes à l'anéantissement, mais qu'il avait habité en elles de certaines puissances et qu'elles s'étaient envolées au ciel [3]. Ainsi donc il passait son temps au Sérapéum, leur enseignant ce genre de doctrines et ayant autour de lui une foule de païens. 7 Quand l'empereur eut entendu ces nouvelles, d'une part il déclarait bienheureux les chrétiens massacrés parce qu'ils avaient participé au privilège du martyre et exposé leur vie pour le dogme, d'autre part il commanda qu'on pardonnât aux meurtriers, avec la pensée que, par égard pour le bienfait reçu, ils se convertiraient très aisément au christianisme, mais qu'on détruisît les temples d'Alexandrie, comme étant cause de guerre

ironique fréquemment repris à propos de païens. L'expression joue sur le contraste entre la prétention à la philosophie et l'action violente du personnage, entre son comportement et celui des ascètes, les vrais philosophes. Elle implique aussi peut-être que bien des philosophes à Alexandrie n'étaient pas nécessairement en opposition violente avec les chrétiens : sur ce point, voir H. I. MARROU, *Synesius of Cyrene and Alexandrian Neoplatonism*, dans *The Conflict between Paganism and Christianity in the IVth century*, éd. A. Momigliano, Oxford 1963, p. 126-150.

3. Le discours ne se trouve pas chez Rufin. Ces « puissances » sont des démons, auxquels croient également les chrétiens comme AUGUSTIN (*Trin.* II, 1, 5) et, plus précisément, les éons, puissances éternelles émanées de l'Être suprême et par lesquelles s'exerce son pouvoir sur le monde, pour les gnostiques et les néo-platoniciens comme Jamblique.

ναοὺς ὡς αἰτίους στάσεως τῷ δήμῳ. 8 Λέγεται δὲ τῶν περὶ
τούτου γραφέντων παρὰ βασιλέως εἰς τὸ κοινὸν ἀναγνωσθέν-
των μέγα ἀναβοῆσαι τοὺς Χριστιανούς, καθότι εὐθὺς ἐκ
50 προοιμίων ἐν αἰτίᾳ τοὺς Ἑλληνιστὰς ἐποιεῖτο. Ἐντεῦθεν δὲ
εἰς δέος ἐμπεσόντας τοὺς τὸ Σεραπεῖον φυλάττοντας εἰς
φυγὴν τραπῆναι, καταλαβόντας δὲ τὸν τόπον τοὺς Χριστιανοὺς ἐξ ἐκείνου κατασχεῖν. 9 Ὁ δὲ Ὀλύμπιος, ὡς ἐπυθόμην,
οὐ πολλῷ πρότερον ἀωρὶ τῆς νυκτός, μεθ᾽ ἣν ταῦτα ἐπιγενο-
55 μένης ἡμέρας συνέβη, ἐπήκουσέ τινος ἐν τῷ Σεραπείῳ ἀλλη-
λούια ψάλλοντος. Ἐπεὶ δὲ τῶν θυρῶν κεκλεισμένων καὶ ἡσυ-
χίας οὔσης οὐδένα καθεώρα, φωνῆς δὲ μόνης ἤκουε τὸν αὐτὸν
ψαλμὸν μελῳδούσης, ἔγνω τὸ σύμβολον. Καὶ λαθὼν πάντας
ἔξεισι τοῦ Σεραπείου, καὶ πλοίου τυχὼν εἰς Ἰταλίαν ἀνήχθη.
60 10 Φασὶ δὲ τοῦ ναοῦ τούτου τότε καθαιρουμένου τινὰς
τῶν καλουμένων ἱερογλυφικῶν χαρακτήρων σταυροῦ σημείῳ
ἐμφερεῖς ἐγκεχαραγμένους τοῖς λίθοις ἀναφανῆναι· παρ᾽ ἐπιστημόνων δὲ τὰ τοιαῦτα ἑρμηνευθεῖσαν σημᾶναι ταύτην τὴν

---

1. La réaction impériale frappe par sa modération relative ; c'est du
moins l'image que veulent donner Rufin et Sozomène. Théodose, peut-être
encore sensible à l'influence du puissant préfet païen Tatianus (P.L.R.E. I,
p. 876-878, Fl. Eutolmius Tatianus 5), préfet d'Orient de 388 à 392, et
surtout échaudé par le massacre de Thessalonique en 390, cherche à éviter
le bain de sang. La palme du martyre reconnue aux chrétiens mis à mort
permet de ne pas avoir à les venger et le pardon accordé aux émeutiers leur
fournit une porte de sortie : en profitent, par exemple, Ammonius et Helladius cités par SOCRATE, H.E. V, 16, bien que le second se soit vanté d'avoir
tué neuf chrétiens. Dans le rescrit du 16 juin adressé à Romanus et Évagrius (Code Théodosien XVI, 10, 11), en réponse vraisemblablement à une
question sur la conduite à suivre, l'empereur réitère les interdits de l'édit
du 24 février 391 (Code Théodosien XIV, 10, 10) contre les sacrifices, la
vénération des statues, la fréquentation des temples. Mais contrairement à
ce que dit Sozomène (comme Socrate), mal informé ou soucieux de radicali-
ser le prosélytisme chrétien de l'empereur, il n'invite pas à détruire les temples : voir J. SCHWARTZ, « La fin du Sérapéum ... », p. 103-107. Cependant,
pour F. THELAMON, p. 254, suivie par ERRINGTON, « Christian Accounts ... »,
p. 426-428, le rescrit adressé à Romanus et Évagrius est antérieur aux
émeutes et répondait à d'autres questions. Il faudrait donc accepter la
version de Rufin mentionnant en termes assez imprécis un autre rescrit,
dont les codes n'ont pas fourni le texte, qui, lui, invitait à détruire les idoles.

civile pour le peuple [1]. **8** On dit que, quand cet édit impérial eut été lu en public, les chrétiens poussèrent une grande clameur, attendu que, dès le préambule, l'empereur mettait en accusation les païens ; qu'ensuite ceux qui gardaient le Sérapéum, pris de crainte, avaient fui et que les chrétiens, s'étant saisi du lieu, l'avaient occupé depuis ce moment. **9** Olympios, à ce que j'ai appris, un peu auparavant, à une heure avancée de la nuit après laquelle, le jour venu, ces événements eurent lieu, entendit quelqu'un chantant dans le Sérapéum « Alléluia ». Comme, les portes étant fermées et tout étant tranquille, il ne voyait personne et qu'il entendait seulement la voix répétant le même refrain [2], il comprit le signe. Il sortit du Sérapéum à l'insu de tous, et, ayant trouvé un bateau, fit voile vers l'Italie. **10** Quand ce temple fut alors nettoyé [3], il y parut, dit-on, gravés sur les pierres, certains des caractères qu'on nomme hiéroglyphes qui ressemblaient au signe de la Croix. Par des experts en ces matières il fut expliqué que cette inscription signifiait « Vie à venir » [4]. Cela

2. L'anecdote relève du merveilleux à usage apologétique : elle illustre pour l'historien la mise à l'écart des *daimones* par le vrai Dieu.

3. EUNAPE (*Vit. soph.*, 6, 11, 1-7) évoque des démolitions et des pillages commis par les soldats. Dans un premier temps, le temple n'est pas détruit : cf. J. SCHWARTZ, « La fin du Sérapéum... », » p. 107-110, mais « nettoyé », c'est-à-dire dépouillé de ses ornements dont la fameuse statue du dieu Sérapis — en bois et métaux variés, fer, cuivre, plomb, or, argent et peut-être ivoire : cf. CLÉMENT D'ALEXANDRIE, *Protrept.* IV, 48, 5-6 —, attribuée au sculpteur Bryaxis : la tête est abattue à la hache, sans provoquer le tremblement de terre annoncé par les prêtres païens, et le tronc est brûlé publiquement dans l'amphithéâtre (RUFIN, *H.E.* XI, 23). De la statue abattue s'échappa selon THÉOD., *H.E.* V, 22 une armée de rats.

4. Le signe hiéroglyphique en forme de croix ansée, dont l'équivalent grec est *ankhè*, avait pour les Égyptiens le sens de « vie éternelle ». Il est repris à leur compte par les chrétiens. Sozomène, qui suit sur ce point Socrate en le résumant, décrit ici une découverte fortuite, immédiatement interprétée à son avantage par le camp de Théophile. RUFIN (*H.E.* XI, 29) évoque, lui, de manière plus conforme aux méthodes de la christianisation en Égypte (cf. F. THELAMON, p. 267-279), un marquage volontaire des emplacements où se trouvaient des images de Sérapis par ce signe désormais symbole de la victoire du christianisme et de son pouvoir protecteur contre les *daimones*.

γραφὴν ζωὴν ἐπερχομένην· τοῦτο δὲ πρόφασιν Χριστιανισμοῦ
65 πολλοῖς γενέσθαι τῶν Ἑλληνιστῶν, καθότι καὶ γράμματα
ἕτερα τοῦτο τὸ ἱερὸν τέλος ἕξειν ἐδήλου, ἡνίκα οὗτος ὁ χαρα-
1457 κτὴρ φανῇ. Τὸ μὲν δὴ Σεραπεῖον ὧδε ἥλω καὶ μετ' οὐ | πολὺ
εἰς ἐκκλησίαν μετεσκευάσθη Ἀρκαδίου τοῦ βασιλέως ἐπώνυμον.

70 11 Εἰσέτι δὲ κατὰ πόλεις τινὰς προθύμως ὑπερεμάχοντο
τῶν ναῶν οἱ Ἑλληνισταί, παρὰ μὲν Ἀραβίοις Πετραῖοι καὶ
Ἀρεοπολῖται, παρὰ δὲ Παλαιστίνοις Ῥαφεῶται καὶ Γαζαῖοι,
παρὰ δὲ Φοίνιξιν οἱ τὴν Ἡλιούπολιν οἰκοῦντες, 12 Σύρων δὲ
μάλιστα οἱ τοῦ νομοῦ Ἀπαμείας τῆς πρὸς τῷ Ἀξίῳ ποταμῷ·
75 οὓς ἐπυθόμην ἐπὶ φυλακῇ τῶν παρ' αὐτοῖς ναῶν συμμαχίαις
χρήσασθαι πολλάκις Γαλιλαίων ἀνδρῶν καὶ τῶν περὶ τὸν
322 Λίβανον κωμῶν, τὸ | δὲ τελευταῖον ἐπὶ τοσοῦτον προελθεῖν
τόλμης, ὡς καὶ Μάρκελλον τὸν τῇδε ἐπίσκοπον ἀνελεῖν.
13 Λογισάμενος γάρ, ὡς οὐκ ἄλλως αὐτοὺς ῥᾴδιον μεταθεῖναι
80 τῆς προτέρας θρησκείας, τοὺς ἀνὰ τὴν πόλιν καὶ τὰς κώμας
ναοὺς κατεστρέψατο. Πυθόμενος δὲ μέγιστον εἶναι ναὸν ἐν τῷ
Αὐλῶνι (κλίμα δὲ τοῦτο τῆς Ἀπαμέων χώρας) στρατιώτας

1. L'écho de la « chute du Sérapéum », sommet de l'*Histoire* de Rufin,
fut sans doute considérable et provoqua des ralliements au christianisme,
moins par gratitude pour la clémence impériale comme le voudrait Sozomène (Helladius et Ammonius critiquaient encore la destruction de la
statue de Sérapis : cf. Socr., *H.E.* V, 16) que par déception devant l'impuis-
sance du dieu à défendre son sanctuaire.
2. Socrate (*H.E.* V, 17) discute plus longuement la valeur ominale du
signe de la croix ansée. Il refuse d'y voir une véritable prophétie.
3. Sur l'emplacement du Sérapéum furent construits plus tard, sous
Arcadius, un *martyrion* et une basilique consacrés à saint Jean Baptiste :
cf. F. Thelamon, p. 266.
4. Le christianisme ne s'implante que difficilement et tardivement dans
ces cités. A Pétra (Palestine III), c'est autour du culte de Dusares que se
manifeste la résistance païenne. A Aréopolis (Palestine III), le premier
évêque connu ne date que de 449 ; jusque là le siège était vacant ou n'avait
peut-être même pas été créé : cf. F. R. Trombley, t. I, p. 194. Raphia
(Palestine I) reçoit son premier évêque en 431 seulement : *ibid.* On connaît
l'évolution à Gaza, dont Sozomène, originaire de la région, n'ignorait pas les
problèmes, grâce à la *Vie de Porphyre*, évêque de la cité entre 395 et 420,
composée par Marc le Diacre : contre Porphyre, la population païenne,

fut cause pour beaucoup des païens de se convertir au christianisme [1], attendu que d'autres écrits annonçaient que ce
temple aurait sa fin quand ce caractère apparaîtrait [2]. C'est
ainsi donc que fut pris le Sérapéum et peu après il fut changé
en une église portant le nom de l'empereur Arcadius [3].

11 En certaines villes, les païens continuaient encore de se
battre avec ardeur pour leurs temples, chez les Arabes les
Pétréens et les Aréopolites, chez les Palestiniens les Rapheô-
tes et les Gazéens, chez les Phéniciens les habitants d'Héliopolis [4], **12** chez les Syriens les habitants surtout du district
d'Apamée près de l'Axios [5]. J'ai appris que ceux-ci, pour la
garde de leurs temples, appelèrent souvent à l'aide des gens
de Galilée et des habitants des villages du Liban, et qu'ils en
vinrent enfin à une telle audace qu'ils tuèrent Marcellus,
évêque du lieu [6]. **13** Celui-ci en effet, ayant considéré qu'il
n'y avait pas d'autre moyen de convertir aisément les gens de
leur première religion, avait renversé les temples de la ville
et des villages [7]. Il apprit qu'il y avait un très grand temple à
Aulôn [8] — c'est une région du territoire d'Apamée —, il y

soutenue par certains grands propriétaires fonciers, défend ardemment le
culte du Baal local, Zeus Marnas : cf. TROMBLEY, t. II, p. 186-245 ; sur Gaza,
voir maintenant C. SALIOU éd., *Gaza dans l'Antiquité Tardive. Archéologie, Rhétorique, et Histoire*, Actes Coll. intern. Poitiers, 6-7 mai 2004,
Salerno, Helios 2005. A Héliopolis (Baalbek en Phénicie), les grands temples d'Hélios ne sont fermés que tardivement sous Théodose Ier ; il en
subsiste un petit et les païens restent encore influents à la curie jusqu'au
VIe s. : cf. TROMBLEY, t. II, p. 154-155.

    5. Il s'agit d'Apamée sur l'Oronte (PTOL. V, 15, 14 et STRAB. XVI, 7,
52) : *PW* II 2, 1896, c. 2663, BENZINGER.

    6. Marcellus succède à Jean consacré évêque d'Apamée par Mélèce
d'Antioche en 378 : cf. *DHGE* III, 1924, c. 919, art. Apamée, JANIN et
PW XIV 2, 1930, c. 1495, ENSSLIN.

    7. THÉODORET a rapporté (*H.E.* V, 21) la destruction, sous l'impulsion
de l'évêque, du temple de Zeus à Apamée. Son récit fait preuve de réserve et
même d'une certaine hostilité à l'égard des méthodes musclées de Marcellus.

    8. Cette localité de Syrie appartient au nome d'Apamée, au voisinage de
l'Axios ou Oronte (STRAB. XVI, 7, 52).

τινὰς καὶ μονομάχους παραλαβὼν ἐπὶ τοῦτο ἤει. **14** Πλησίον
δὲ γενόμενος ἔξω βελῶν περιέμενεν· ἦν γὰρ ποδαλγὸς καὶ
85 οὔτε μάχεσθαι οὔτε διώκειν ἢ φεύγειν ἠδύνατο. Ἡσχολημέ-
νων δὲ τῶν στρατιωτῶν καὶ μονομάχων περὶ τὸ ἑλεῖν τὸν
ναόν, μαθόντες αὐτόν τινες τῶν Ἑλληνιστῶν μεμονῶσθαι,
καθ᾽ ὃ μέρος ἐλεύθερον ἦν μάχης τὸ χωρίον, ἐξῆλθον· ἐξαπίνης τε ἐπιστάντες συνελάβοντο αὐτὸν καὶ πυρᾷ ἐμβαλόντες
90 ἀνεῖλον. **15** Καὶ πρὸς τὸ παρὸν ἔλαθον. Ἐπεὶ δὲ τῷ χρόνῳ
ἐφωράθησαν, οἱ μὲν Μαρκέλλου παῖδες τιμωρεῖν τῷ πατρὶ
ἐσπούδαζον, ἡ δὲ ἀνὰ τὸ ἔθνος σύνοδος διεκώλυσε, μὴ δίκαιον
νομίσασα τοιαύτης τελευτῆς τιμωρίαν λαμβάνειν, ἐφ᾽ ᾗ προ-
σῆκε χάριν ὁμολογεῖν τὸν ὧδε θανόντα καὶ γένος αὐτοῦ καὶ
95 φίλους, ὡς ὑπὲρ θεοῦ ἀποθανεῖν ἠξιωμένον. Καὶ τὰ μὲν οὕτως
ἔσχεν.

16

1 Ἐν τούτῳ δὲ τὸν ἐπὶ τῶν μετανοούντων τεταγμένον
πρεσβύτερον οὐκέτι συνεχώρησεν εἶναι πρῶτος Νεκτάριος ὁ
τὴν ἐκκλησίαν Κωνσταντινουπόλεως ἐπιτροπεύων· ἐπηκο-
λούθησαν δὲ σχεδὸν οἱ πανταχῇ ἐπίσκοποι. Τοῦτο δὲ τί ποτέ

1. Après son succès à Apamée même, Marcellus étend son action au
territoire de la cité. Ne pouvant faire appel aux troupes impériales, il
recrute une armée de fortune pour venir à bout de la vive résistance païenne
peut-être soutenue par certains grands notables, propriétaires fonciers :
cf. Trombley, t. I, p. 126-127.
2. L'assemblée provinciale, en relation probable avec le gouverneur de
Syrie seconde à Apamée, et sous l'influence des notables locaux dont beaucoup sont encore païens, ne donne pas suite à la plainte des fils de l'évêque.
Originaire de la région de Gaza, Sozomène connaissait les problèmes liés à
la christianisation, il savait que certains des assassins de l'évêque apparte-
naient sans doute à l'entourage de propriétaires fonciers peu différents de
ceux de sa famille, d'où peut-être son indulgence face à l'absence de poursuites décidée par l'assemblée. On le sent très réticent devant les méthodes
de Marcellus : cf. Trombley, t. I, p. 126-128.
3. La discipline pénitentielle permettant la réconciliation pour les fautes
commises après le baptême s'élabore au IIIᵉ s., en Occident, sous des formes

alla avec un groupe de soldats et de gladiateurs. **14** Arrivé près du lieu, il se tenait à l'abri des traits : car il était podagre et ne pouvait ni se battre ni poursuivre ni fuir. Tandis que les soldats et les gladiateurs étaient occupés à prendre le temple [2], quelques-uns des païens, ayant appris que l'évêque était seul du côté où l'on ne se battait pas, firent une sortie : surgissant soudain près de lui, ils le saisirent, le jetèrent sur un bûcher et le firent périr. **15** Pour l'instant, ils ne furent pas pris. Mais quand, avec le temps, ils eurent été convaincus de crime, les enfants de Marcellus cherchaient à venger leur père : le synode provincial pourtant l'empêcha [2], ayant estimé qu'il n'était pas juste de se venger d'une telle fin pour laquelle il convenait que celui qui était mort ainsi, sa famille et ses amis rendissent grâces, puisqu'il avait été jugé digne de mourir pour Dieu. Telle fut cette affaire.

Chapitre 16

De quelle manière et pour quelle raison est supprimé le prêtre préposé aux pénitents dans l'Église ; exposé sur le caractère de la pénitence.

1 En ce temps-là, Nectaire, qui dirigeait l'église de Constantinople, fut le premier à ne plus permettre qu'il y eût un prêtre chargé du soin des pénitents. Les évêques de presque partout suivirent son exemple. Ce qu'est cet office [3], com-

---

qui varient selon les communautés. L'organisation post-nicéenne impose la tutelle de l'évêque sur les différentes étapes, selon un processus non réitérable : cérémonie d'entrée en pénitence en présence des fidèles, séjour plus ou moins long dans l'ordre des pénitents, réadmission dans la communauté avec imposition des mains par l'évêque. En Orient, l'organisation est moins bien connue ; mais il semble d'après SOCRATE, *H.E.* V, 19, suivi ici par Sozomène, qu'un prêtre qu'aucun des deux historiens ne situe dans la hiérarchie ecclésiastique y était spécialement consacré au soin des pénitents jusqu'en 391, afin de rendre les procédures moins lourdes : cf. *DECA*, p. 1984-1986, pénitence, C. VOGEL.

5 ἐστιν ἢ πόθεν ἤρξατο ἢ κατὰ ποίαν αἰτίαν ἐπαύσατο, ἄλλοι
1460 μὲν ἴσως ἄλλως | λέγουσιν· ἐγὼ δὲ ὡς οἶμαι ἀφηγήσομαι.
2 Ἐπεὶ γὰρ τὸ μὴ παντελῶς ἁμαρτεῖν θειοτέρας ἢ κατὰ
ἄνθρωπον ἐδεῖτο φύσεως, μεταμελομένοις δὲ καὶ πολλάκις
ἁμαρτάνουσι συγγνώμην νέμειν ὁ θεὸς παρεκελεύσατο, ἐν δὲ
10 τῷ παραιτεῖσθαι συνομολογεῖν τὴν ἁμαρτίαν χρεών, φορτικὸν
ὡς εἰκὸς τοῖς ἐξ ἀρχῆς ἱερεῦσιν ἔδοξεν ὡς ἐν θεάτρῳ ὑπὸ
μάρτυρι τῷ πλήθει τῆς ἐκκλησίας τὰς ἁμαρτίας ἐξαγγέλλειν·
πρεσβύτερον δὲ τῶν ἄριστα πολιτευομένων ἐχέμυθόν τε καὶ
323 ἔμφρονα ἐπὶ τούτῳ τετάχασιν. | **3** Ὧι δὴ προσιόντες οἱ ἡμαρ-
15 τηκότες τὰ βεβιωμένα ὡμολόγουν· ὁ δὲ πρὸς τὴν ἑκάστου
ἁμαρτίαν ὅ τι χρὴ ποιῆσαι ἢ ἐκτῖσαι ἐπιτίμιον ἐπιτιθεὶς ἀπέ-
λυε παρὰ σφῶν αὐτῶν τὴν δίκην εἰσπραξομένους. **4** Ἀλλὰ
Ναυατιανοῖς μέν, οἷς οὐ λόγος μετανοίας, οὐδὲν τούτου ἐδέη-
σεν· ἐν δὲ ταῖς ἄλλαις αἱρέσεσι εἰσέτι νῦν τοῦτο κρατεῖ,
20 ἐπιμελῶς δὲ καὶ ἐν ταῖς ἀνὰ τὴν δύσιν ἐκκλησίαις φυλάττεται
καὶ μάλιστα ἐν τῇ Ῥωμαίων. **5** Ἐνθάδε γὰρ ἔκδηλός ἐστιν ὁ
τόπος τῶν ἐν μετανοίᾳ ὄντων· ἑστᾶσι δὲ κατηφεῖς καὶ οἱονεὶ
πενθοῦντες, ἤδη δὲ πληρωθείσης τῆς τοῦ θεοῦ λειτουργίας,
μὴ μετασχόντες ὧν θέμις μύσταις, σὺν οἰμωγῇ καὶ ὀδυρμῷ
25 πρηνεῖς ἐπὶ γῆν ῥίπτουσι σφᾶς. **6** Ἀντιπρόσωπος δὲ δεδακρυ-
1461 μένος ὁ ἐπίσκοπος προσδραμὼν ὁμοίως ἐπὶ | τοῦ ἐδάφους
πίπτει· σὺν ὀλολυγῇ δὲ καὶ τὸ πᾶν τῆς ἐκκλησίας πλῆθος
δακρύων ἐμπίμπλαται. Τὸ μετὰ τοῦτο δὲ πρῶτος ὁ ἐπίσκο-

---

1. L'attitude prêtée ici aux évêques est en contradiction avec l'interprétation habituelle : selon la coutume romaine la nécessaire participation des
fidèles vise plus à leur donner un rôle d'intercesseurs qu'à humilier les
pénitents : cf. *infra* § 6.

2. Les novatiens par souci de pureté excluent toute possibilité de rémission pour les fautes graves et n'accordent la pénitence que pour les fautes
vénielles : cf. P. GALTIER, *L'Église et la rémission des péchés aux premiers
siècles*, Paris 1932, p. 273-274.

3. En Occident comme en Orient, les pénitents se tiennent le plus
souvent dans le vestibule à l'entrée de la nef (narthex). Les « pleurants » se
tiennent en dehors de l'église ; les « auditeurs » assistent aux débuts de

ment il a commencé, pourquoi il a pris fin, là-dessus sans doute les opinions diffèrent : mais, quant à moi, je dirai ce que je pense. **2** Comme ne pas pécher du tout exigeait une nature plus divine que n'est celle de l'homme, que Dieu a recommandé d'accorder le pardon aux repentants même s'ils pèchent souvent, que la demande nécessite de confesser son péché, il parut choquant à bon droit aux évêques, dès le début, qu'on fît connaître ses péchés comme en un théâtre sous les yeux de la foule de l'église [1]. Ils établirent donc pour cet office un des prêtres d'excellente conduite, qui fût discret et prudent. **3** Les pécheurs allaient à lui et lui confessaient les actes de leur vie ; il imposait, pour le péché de chacun, une pénitence à accomplir ou à acquitter et renvoyait les pénitents, pour qu'ils s'infligent à eux-mêmes leur punition. **4** Chez les novatiens, qui ne tiennent nul compte de la pénitence [2], il n'y eut aucun besoin de cet usage ; mais il est de rigueur, jusqu'à maintenant encore, dans les autres sectes et il est observé aussi avec soin dans les Églises d'Occident et surtout en celle de Rome. **5** Il y a là, au vu de tout le monde, l'emplacement réservé aux pénitents [3]. Ils s'y tiennent les yeux baissés et comme en deuil, et quand la liturgie divine est achevée sans qu'ils aient pris part à ce qui est permis aux initiés [4], tête basse ils se jettent à terre avec gémissement et lamentation. **6** Puis l'évêque en larmes court leur faire face et il tombe lui aussi sur le sol ; et, avec des gémissements, toute la foule de l'église se répand en larmes. Après cela, l'évêque se relève le premier et il fait se

---

l'office dans le narthex aux côtés des catéchumènes, mais sont renvoyés avec eux après la lecture des Écritures et la prédication ; les « prosternés » reçoivent l'imposition des mains devant l'abside et sortent du sanctuaire avec les auditeurs ; les « participants » assistent à l'ensemble de l'office, mais ne prennent pas part à l'eucharistie : *DECA*, pénitence, p. 1986, C. Vogel.

4. Le pénitent est écarté de la communion pendant toute la durée de la pénitence mais il n'est pas excommunié : *DECA, ibid.*, p. 1985. Le problème est de savoir s'il peut assister à la communion sans y participer, ce que suggère le texte : il s'agit peut-être alors d'une dernière étape de la pénitence.

πος ἐξανίσταται καὶ τοὺς κειμένους ἐξανίστησι, καὶ ᾗ προσῆ-
30 κεν ὑπὲρ ἡμαρτηκότων μεταμελουμένων εὐξάμενος ἀποπέμ-
πει. 7 Ἑκοντὶ δὲ ταλαιπωρούμενος ἕκαστος ἢ νηστείαις ἢ
ἀλουσίαις ἢ ἐδεσμάτων ἀποχῇ ἢ ἑτέροις οἷς προστέτακται
περιμένει τὸν χρόνον, εἰς ὅσον αὐτῷ τέταχεν ὁ ἐπίσκοπος· τῇ
δὲ προθεσμίᾳ, ὥσπερ τι ὄφλημα διαλύσας τῇ τιμωρίᾳ, τὴν
35 ἁμαρτίαν ἀνίεται καὶ μετὰ τοῦ λαοῦ ἐκκλησιάζει. Τάδε μὲν
ἀρχῆθεν οἱ Ῥωμαίων ἱερεῖς ἄχρι καὶ εἰς ἡμᾶς φυλάττουσιν.
8 Ἐν δὲ τῇ Κωνσταντινουπόλεως ἐκκλησίᾳ ὁ ἐπὶ τῶν μετανοούντων τεταγμένος πρεσβύτερος ἐπολιτεύετο, εἰσότε δὴ
γυνή τις τῶν εὐπατριδῶν ἐπὶ ἁμαρτίαις αἷς προσήγγειλε προ-
40 σταχθεῖσα παρὰ τούτου τοῦ πρεσβυτέρου νηστεύειν καὶ τὸν
θεὸν ἱκετεύειν, τούτου χάριν ἐν τῇ ἐκκλησίᾳ διατρίβουσα,
ἐκπεπορνεῦσθαι παρὰ ἀνδρὸς διακόνου κατεμήνυσεν. 9 Ἐφ᾽
ᾧ τὸ πλῆθος μαθὸν ἐχαλέπαινεν ὡς τῆς ἐκκλησίας ὑβρισμέ-
324 νης. Μεγίστη δὲ διαβολὴ τοὺς | ἱερωμένους εἶχεν. Ἀπορῶν δὲ
45 ὅ τι χρήσαιτο τῷ συμβεβηκότι Νεκτάριος ἀφείλετο τῆς διακονίας τὸν ἡταιρηκότα. Συμβουλευσάντων δέ τινων συγχωρεῖν ἕκαστον, ὡς ἂν ἑαυτῷ συνειδείη καὶ θαρρεῖν δύναιτο,
κοινωνεῖν τῶν μυστηρίων, ἔπαυσε τὸν ἐπὶ τῆς μετανοίας
πρεσβύτερον. 10 Καὶ ἐξ ἐκείνου τοῦτο κρατοῦν διέμεινεν, ἤδη
50 τῆς ἀρχαιότητος, οἶμαι, καὶ τῆς κατ᾽ αὐτὴν σεμνότητος καὶ
ἀκριβείας εἰς ἀδιάφορον καὶ ἠμελημένον ἦθος κατὰ μικρὸν
διολισθαίνειν ἀρξαμένης· ἐπεὶ πρότερον, ὡς ἡγοῦμαι, μείω τὰ
ἁμαρτήματα ἦν, ὑπό τε αἰδοῦς τῶν ἐξαγγελλόντων τὰς σφῶν
αὐτῶν πλημμελείας καὶ ὑπὸ ἀκριβείας τῶν ἐπὶ τούτῳ τεταγ-

1. Alors qu'en Orient — à Constantinople du moins car il semble qu'un « diacre » pénitencier subsiste en Syrie — le prêtre pénitencier et le rite de la pénitence publique disparaissent avec Nectaire, en Occident, à Rome, s'il n'y a pas de prêtre pénitencier, les exercices pénitentiels publics survivent mais sont déterminés dans leur durée comme dans leurs modalités par l'évêque : DACL XIV 1, 1939, pénitence, c. 209-210, H. LECLERCQ.
2. C'est à l'occasion de sa fréquentation assidue de l'église que la dame est violée par un diacre. SOCRATE, H.E. V, 19 relate la même anecdote qu'il dit tenir d'Eudémon, prêtre originaire d'Alexandrie, le même qui conseilla

relever les autres ; et il prononce de la manière qui convient une prière pour des pécheurs qui se repentent et il les renvoie. **7** Chacun demeure se mortifiant volontairement ou par des jeûnes ou par des refus d'ablutions, des abstinences de certains mets ou par d'autres pénitences à lui fixées et cela pendant tout le temps qu'a déterminé pour lui l'évêque ; l'échéance venue, comme s'il s'était acquitté d'une dette par le châtiment, il lui est fait remise de son péché et il participe à l'assemblée de culte avec le peuple fidèle. Voilà la coutume que les évêques de Rome observent dès l'origine et jusqu'à nous [1]. **8** Dans l'église de Constantinople, le prêtre chargé du soin des pénitents fut en exercice jusqu'au jour où une dame de la noblesse reçut l'ordre de ce prêtre, pour les péchés qu'elle lui avait fait connaître, de jeûner et de supplier Dieu : comme pour cela elle passait son temps à l'église, elle dévoila qu'elle avait été violée par un diacre. **9** Le peuple l'apprit et en fut indigné, disant que c'était un outrage pour l'Église. On portait une très grave accusation contre les clercs. Ne sachant que faire dans ces circonstances, Nectaire priva l'impudique du diaconat [2]. Et comme certains lui avaient conseillé de permettre à chacun, selon sa propre conscience et la confiance qu'il pouvait avoir en lui, de communier aux mystères, il supprima le prêtre chargé de la pénitence. **10** Depuis ce temps cette règle demeura en vigueur, parce que déjà, je pense, l'ancienne coutume et ce qu'elle comportait de gravité et de scrupule avait commencé de glisser peu à peu à un état d'indifférence et de négligence : car auparavant, à mon avis, les fautes étaient moins graves, d'une part à cause de la honte qu'éprouvaient ceux qui confessaient leurs manquements, d'autre part à cause de

---

à Nectaire de supprimer le « pénitencier » et de laisser chacun s'approcher de la communion selon sa conscience. Cette suppression correspond à une évolution vers la simplification et l'allègement, en Orient comme en Occident, de la pénitence, devenue une procédure trop lourde dans des communautés de plus en plus nombreuses.

55 μένων κριτῶν. 11 Ἐκ ταύτης δὲ τῆς αἰτίας συμβάλλω καὶ
Θεοδόσιον τὸν βασιλέα προνοούμενον τῆς τῶν ἐκκλησιῶν
εὐκλείας τε καὶ σεμνότητος νομοθετῆσαι τὰς γυναῖκας, εἰ μὴ
παῖδας ἔχοιεν καὶ ὑπὲρ ἑξήκοντα ἔτη γένοιντο, διακονίαν θεοῦ
1464 μὴ ἐπιτρέπεσθαι κατὰ τὸ τοῦ ἀποστόλου | πρόσταγμα [a], τὰς
60 δὲ κειρομένας τὰς κεφαλὰς ἀπελαύνεσθαι τῶν ἐκκλησιῶν,
τοὺς δὲ ταύτας προσιεμένους ἐπισκόπους ἀφαιρεῖσθαι τῆς
ἐπισκοπῆς.

17

1 Ἀλλὰ τάδε μέν, ᾗ ἂν ἑκάστῳ δοκῇ, ταύτῃ σκοπείτω. Ὁ
δὲ βασιλεὺς ὑπερορίαν φυγὴν Εὐνομίου τότε κατεδίκασεν.
Ἔτι γὰρ ἐν Κωνσταντινουπόλει ἐν προαστείοις διατρίβων ἢ ἐν
οἰκίαις καθ' ἑαυτὸν ἐκκλησίαζε καὶ τοὺς λόγους, οὓς συν-
5 έγραψεν, ἐπεδείκνυτο, καὶ πολλοὺς ἔπειθεν ὁμοίως φρονεῖν,
ὡς ἐν ὀλίγῳ πολυάνθρωπον γενέσθαι λαὸν τῆς ἐπωνύμου
αὐτῷ αἱρέσεως. Ἀλλ' ὁ μὲν οὐ πολλῷ ὕστερον τῆς φυγῆς

a. Cf. 1 Tm 5, 9-10

1. Socrate ne fait pas allusion à cette loi — Code Théodosien XVI, 2, 27,
21 juin 390 — adressée au préfet du prétoire Tatien, que Sozomène résume
ici de manière rapide mais exacte, bien qu'elle n'ait pas de rapport immédiat avec la pénitence mais seulement avec le diaconat. Il la mentionne pour
montrer le caractère justifié de la réaction de Théodose contre le déclin des
exigences morales signalé au § 10 : cf. R. M. ERRINGTON, « Christian
accounts... », p. 428-429. Il s'agit de limiter l'accès des femmes au service
du culte comme le faisait Paul dans l'Épître 1 Tm. Il a paru nécessaire de
lutter contre la présence de femmes trop jeunes par crainte du relâchement
des mœurs, et de choisir des mères, afin d'éviter les pressions des clercs
pour obtenir l'héritage. Les diaconesses mentionnées ici sont assimilées aux
veuves : cf. A. G. MARTIMORT, Les diaconesses, essai historique, Rome
1982, p. 104. La deuxième partie de la loi concerne la chevelure qu'il ne faut
pas couper car elle a été donnée par Dieu pour rappeler à la femme sa
dépendance (canon 17 du concile de Gangres vers 340) ; de fait l'Église
lutte contre certaines sectes comme celle des disciples d'Eustathe de

la sévérité des juges affectés à la pénitence. **11** C'est pour cette raison, je suppose, que l'empereur Théodose aussi, veillant au bon renom et à la dignité des églises, édicta en loi [1] que les femmes, à moins d'avoir des enfants et d'avoir dépassé soixante ans, selon le commandement de l'Apôtre[a], n'exerceraient pas le diaconat de Dieu, que celles qui se faisaient tondre les cheveux seraient chassées des églises et que les évêques qui les accueilleraient seraient déposés de l'épiscopat.

Chapitre 17

Théodose le Grand envoie Eunome en exil ;
Théophronios son successeur ; Eutychios, Dorothée
et leurs sectes ; ceux qu'on appelle les psathyriens ;
la secte des ariens est divisée en plusieurs factions ;
les habitants de Constantinople sont davantage unis
entre eux.

1 Mais que chacun examine ce problème en la manière qu'il croit juste. L'empereur, lui, condamna alors Eunome à l'exil [2]. Il vivait encore à Constantinople, tenait des assemblées de culte à part dans les faubourgs ou des maisons, donnait en conférences les ouvrages qu'il avait composés et en persuadait beaucoup d'avoir même opinion que lui, en sorte qu'en peu de temps les fidèles de la secte qui porte son nom étaient devenus très nombreux. Mais il mourut pour-

Sébaste (c. 300-c. 380) qui, dans leur surenchère ascétique, incitaient les femmes à s'habiller en homme et à se couper les cheveux.

2. Suite à la présentation de sa profession de foi, Eunome est condamné par Théodose à l'exil en 383, en Mésie, à Halmyris sur le Danube. Devant l'avance des Goths, il est ensuite transféré à Césarée de Cappadoce, puis enfin autorisé à se retirer sur ses terres où il meurt aux alentours de 393 (PHILOST., *H.E.* XI, 5) : *DTC* V 2, 1913, c. 1504, H. LE BACHELET.

τελευτήσας ἔτυχε τῆς ἐν πατρίδι ταφῆς· κώμη δὲ αὕτη Καπ-
325 παδοκῶν (Δάκορα ἦν δ᾽ ὀνομαζομένη) νομοῦ | τῆς πρὸς
10 τῷ Ἀργαίῳ Καισαρείας. 2 Θεοφρόνιος δέ, ὃς ὑπ᾽ αὐτῷ διδασκάλῳ τοὺς ὁμοίους ἐπαιδεύθη λόγους, Καππαδόκης δὲ καὶ
οὗτος, συνίστατο τοῖς αὐτοῦ δόγμασι. Μετρίως δὲ διὰ τῶν
Ἀριστοτέλους μαθημάτων ἐλθὼν ἐπιτηδείαν πρὸς εἴδησιν
τῶν παρ᾽ αὐτοῖς συλλογισμῶν εἰσαγωγὴν κατέλιπεν, ἣν Περὶ
15 γυμνασίας νοῦ ἐπέγραψεν. 3 Εἰς ἀτόπους δὲ διαλέξεις ἐκπε-
σών, ὡς ἐπυθόμην, οὐκ ἠξίωσεν ἐπὶ τῶν αὐτῶν μένειν τῷ
διδασκάλῳ λόγων. Πολυπραγμονῶν δὲ καὶ ἐκ τῶν κειμένων
ἐν ταῖς ἱεραῖς γραφαῖς ὀνομάτων κατεσκεύαζεν, ὡς τὸ θεῖον
προγινῶσκον τὸ μὴ ὄν, γινῶσκον δὲ τὸ ὂν καὶ τοῦ γεγονότος
20 μεμνημένον, οὐκ ἀεὶ ὡσαύτως ἔχοι πρός τε τὸ μέλλον καὶ
παρὸν καὶ παρῳχηκὸς μεταβάλλον τὴν γνῶσιν. Ἐκ τοιούτων
δὲ δογμάτων οὐδὲ τοῖς Εὐνομίου φορητὸς εἶναι δόξας, ἐκβλη-
θεὶς τῆς αὐτῶν ἐκκλησίας τοὺς ἀπ᾽ αὐτοῦ καλουμένους Θεο-
1465 φρονιανοὺς ἐποίησεν. 4 Οὐκ εἰς μακρὰν δὲ καὶ Εὐτύχιός τις |
25 ἐν Κωνσταντινουπόλει τὰ Εὐνομίου φρονῶν ἐπώνυμον αὐτῷ
κατέλιπεν αἵρεσιν. Ζητουμένου γὰρ εἰ τὴν ἐσχάτην ὥραν
γινώσκει ὁ υἱός, καὶ εἰς ἀναίρεσιν τούτου τῶν εἰρημένων ἐν
τοῖς εὐαγγελίοις, ὅτι μόνος ὁ πατὴρ οἶδεν, ἀντικεῖσθαι δοκούν-
των, ἰσχυρίζετο μηδὲ ταύτης τῆς γνώσεως ἄμοιρον εἶναι τὸν

---

1. Vers 395, le corps d'Eunome est enterré dans son village d'origine,
Dakora, sur le territoire de Césarée de Cappadoce ; l'endroit est peut-être
identifiable avec Sadakora mentionné par STRABON XIV, 663 : cf. *PW* IV,
1901, c. 2017, art. Dakora, RUGE.
  2. Cf. *H.E.* VI, 26, 4. Originaire de Cappadoce, c'est un élève d'Aèce. Il
participe au synode de 360 à Constantinople : cf. *PW* 2 V 2, 1934, c. 2172,
ENSSLIN. Ce dialecticien, compatriote d'Eunome, illustre la tendance des
néo-ariens à une lecture littérale des Écritures : cf. T. A. KOPECEK,
A History of Neo-Arianism, Philadelphie 1979, p. 540.
  3. Sans doute, le commentaire de cet eunomien portait-il sur la totalité — ou plutôt sur une partie, les syllogismes — du corpus logique
d'Aristote que la tradition nous a transmis sous le nom d'Organon et qui
comprend six traités : les Catégories, De l'interprétation, Premiers Analytiques, Second Analytiques, Topiques, Réfutations sophistiques : cf. *Dic-*

tant peu de temps après être parti en exil et obtint d'être enterré en sa patrie. C'est un village de Cappadoce — Dakora en était le nom —, dans le nome de Césarée proche de l'Argée [1]. **2** Théophronios qui, avec Eunome pour maître, avait été instruit dans les mêmes matières, Cappadocien lui aussi, s'était associé à ses opinions [2]. Comme il avait assez bien parcouru tous les enseignements d'Aristote, il laissa une introduction commode pour la compréhension des syllogismes aristotéliciens qu'il intitula *Sur l'exercice de l'intellect* [3]. **3** Puis, à ce que j'ai appris, il tomba en des doctrines étranges et ne jugea pas bon de s'en tenir aux principes de son maître. Se livrant à des recherches indiscrètes à partir même des termes qui se trouvent dans les Saintes Écritures, il cherchait à prouver que, comme Dieu prévoit ce qui n'est pas, connaît ce qui est, se rappelle ce qui a été, il ne reste pas identiquement le même puisqu'il change de connaissance eu égard à l'avenir et au présent et au passé. En raison de telles opinions, il ne parut plus supportable même aux eunomiens, fut chassé de leur église et donna naissance à ceux qu'on appelle les théophroniens. **4** Peu de temps après, un certain Eutychios, qui à Constantinople partageait les sentiments d'Eunome, laissa lui aussi une secte dénommée d'après lui [4]. Alors qu'il cherchait si le Fils connaît le Dernier Jour et que, détruisant cette hypothèse, semblait s'y opposer ce qui est dit dans les Évangiles, à savoir que seul le Père le connaît, il soutenait que le Fils n'est pas privé non plus de cette connaissance, puisqu'il a tout reçu du Père

---

tionnaire des Philosophes Anciens, dir. R. Goulet, t. I, 1994, p. 482-528. Sur la tendance logicienne de la théologie d'Eunome, voir *H.E.* VI, 26, 3 et *SC* 495, p. 374-375 note 3.

4. Cf. *H.E.* VI, 26, 4. Ce laïc s'appuie sur Mt 11, 27, Jn 3, 35 et 5, 22 pour affirmer que le Père n'a privé le Fils d'aucune connaissance. Le schisme qui en résulte parmi les héritiers d'Eunome, après la mort de ce dernier, se produit donc sur une question d'exégèse et non, comme on le dit souvent à propos des néo-ariens, sur des oppositions de logique dialectique : cf. T. A. KOPECEK, *A History...*, p. 541.

30 υἱόν, ὡς ἀνενδεῶς λαβόντα πάντα παρὰ τοῦ πατρός. 5 Μὴ προσιεμένων δὲ τὸν λόγον τῶν τότε προεστώτων τῆς αἱρέσεως, ἑαυτὸν χωρίσας τῆς κοινωνίας ἀφίκετο πρὸς Εὐνόμιον ἐν τῇ ὑπερορίᾳ ὄντα. Καταλαβόντων δὲ ἤδη διακόνων καὶ ἑτέρων, οἳ ἐκ τῆς Κωνσταντινουπόλεως ἀπεστάλησαν διαβα-

35 λεῖν τε αὐτὸν καὶ εἰ δεήσοι διαλεξόμενοι, μαθὼν Εὐνόμιος, ἐφ᾽ ᾧ παρεγένοντο, τοὺς Εὐτυχίου λόγους ἐπήνεσε. 6 Καὶ συνηύξατο αὐτῷ, καίπερ οὐ θεμιτὸν ἐν αὐτοῖς συνεύχεσθαι τοῖς ἀλλαχόσε δίχα γραμμάτων ἀφικνουμένοις, ἃ πρὸς σφᾶς αὐτοὺς ὁμοδόξους δηλοῖ διὰ σημείων ἐγγραφομένων ταῖς ἐπι-

40 στολαῖς, ἀγνώστων τοῖς ἄλλοις. 7 Οὐκ εἰς μακρὰν δὲ ταύτης τῆς ζητήσεως Εὐνομίου τελευτήσαντος οὐ προσίετο τὸν Εὐτύχιον ὁ προεστὼς ἐν Κωνσταντινουπόλει τῆς αἱρέσεως, ὑπὸ ζηλοτυπίας ἀπεχθανόμενος, ὅτι μηδὲ κληρικοῦ ὄντος

326 ἐναντίος εἶναι σπουδάζων τοῖς αὐτοῦ | λόγοις οὐχ οἷός τε ἦν

45 διαλύειν τὸ πρόβλημα. Ἐντεῦθέν τε μετὰ τῶν ὁμοίως αὐτῷ φρονούντων εἰς ἰδίαν αἵρεσιν ἐχωρίσθη Εὐτύχιος. 8 Τῆς μέντοι περὶ τὴν θείαν βάπτισιν διαφορᾶς αὐτόν τε καὶ Θεοφρόνιον ὁ πολὺς λόγος ἐπαιτιᾶται. Τάδε ἐξ ὧν ἐπυθόμην ἔγραψα πρὸς σύντομον εἴδησιν τῶν αἰτιῶν ἀφ᾽ ὧν Εὐνομιανοὶ

50 διῃρέθησαν. Ἐπεξελθεῖν δὲ πάντας τοὺς διὰ τοῦτο κινηθέντας λόγους μακρὸν ἂν εἴη κἀμοὶ δὲ οὐ ῥᾴδιον, ἐπεὶ μηδὲ ἐμπείρως ἔχω τῶν τοιούτων διαλέξεων.

9 Περὶ δὲ τοῦτον τὸν χρόνον καὶ τοῖς ἐν Κωνσταντινουπόλει Ἀρειανοῖς ἀνεφύη ζήτησις, εἰ πρὶν εἶναι τὸν υἱόν, ὡς ἐξ

55 οὐκ ὄντων παρ᾽ αὐτοῖς ὁμολογούμενον, δύναιτο καλεῖσθαι πατὴρ ὁ θεός. Καὶ Δωρόθεος μέν, ὃς ἀντὶ Μαρίνου μετακλη-

---

1. Pour Eutychios, le Fils pouvait connaître l'heure du Jugement dernier, malgré Mc 13, 32 et Mt 24, 36. Sur ce point, Eutychios entre en contradiction avec l'idée de l'infériorité du Christ et pourtant Eunome lui donne raison ! : cf. DTC V 2, 1913, Eunomicœutychiens, c. 1514, G. Bareille. Sozomène est ici plus explicite que Socrate, H.E. V, 24 qui juge inutile de mentionner les thèses d'Eutychios.

2. Cf. H.E. VI, 26, 4. Théophronios et Eutychios avaient innové par rapport à Eunome en supprimant l'énumération des trois personnes dans la formule du baptême et en se contentant d'une seule immersion : cf. DTC V 2, ibid.

sans aucun manque. **5** Comme ceux qui étaient alors chefs
de la secte n'acceptaient pas cette doctrine, il se sépara de
leur communion et alla chez Eunome qui se trouvait en exil.
Des diacres déjà l'avaient précédé ainsi que d'autres indivi-
dus qui avaient été envoyés de Constantinople pour l'accuser
et, au besoin, disputer avec lui : quand Eunome eut appris
pourquoi ils étaient venus, il approuva les thèses d'Eutychios. **6** Il s'associa à sa prière, bien qu'il ne soit pas permis
chez eux de prier avec ceux qui arrivent d'autres lieux sans
les lettres de recommandation qui les révèlent entre eux
comme de même opinion par certains signes inscrits dans
les lettres, inconnus des autres. **7** Peu après cette recherche,
Eunome étant mort, le chef de la secte à Constantinople
n'accueillit pas Eutychios : il était empli de haine par jalousie, du fait que, cherchant à s'opposer aux arguments
d'Eutychios [1], qui n'était même pas un clerc, il n'était pas
capable de résoudre le problème. Dès lors, Eutychios se
sépara avec ceux de son opinion pour fonder une secte spé-
ciale. **8** Néanmoins le bruit courant les accuse, lui et
Théophronios, du différend relatif au divin baptême [2]. Voilà
ce que j'ai écrit, d'après ce que j'ai appris, pour qu'on sache
en bref les causes des divisions entre les eunomiens. Parcourir en détail toutes les discussions soulevées pour ce motif
serait tâche trop longue et pour moi difficile, car je n'ai
aucune expérience en ces sortes de disputes.

9 Vers ce temps-là, chez les ariens aussi de Constantinople, surgit un débat : est-ce que, avant que ne fût le Fils
— dès lors que chez eux on convient qu'il est tiré du
néant —, Dieu pouvait être nommé Père ? Dorothée [3], qui

3. Cf. *supra* note à XIII, 11. Élu évêque d'Antioche après avoir été
évêque d'Héraclée, Dorothée est appelé à Constantinople par les ariens de
la capitale. Il quitte celle-ci à la suite des mesures de Théodose fermant les
églises des adversaires de Nicée. Il y revient en 386 à la demande des ariens
locaux pour remplacer Marinos et se maintient à la tête des « dorothéens »
jusqu'au début du ve s. : cf. *DHGE* XIV, c. 685, R. AUBERT.

θεὶς ἐκ τῆς Ἀντιοχείας προΐστατο ταύτης τῆς αἱρέσεως, ὡς πρός τι τοῦ ὀνόματος ὄντος, πρὶν τὸν υἱὸν ὑποστῆναι μὴ καλεῖσθαι πατέρα τὸν θεὸν ἀπεφήνατο. **10** Μαρῖνος δὲ τοὐναν-
60 τίον ἰσχυρίζετο καὶ μὴ ὑφεστῶτος τοῦ υἱοῦ τὸν πατέρα ἀεὶ εἶναι πατέρα ἐδόξαζεν, ἢ οὕτως ἔχων γνώμης ἢ καθὸ Δωρο-
1468 θέῳ | διάφορος ἦν προκριθέντι προεστάναι τῆς αὐτῶν ἐκκλη-σίας. Ἐκ ταύτης δὲ τῆς αἰτίας εἰς ἑκάτερον διεκρίθη τὸ πλῆθος. **11** Δωροθέου δὲ σὺν τοῖς αὐτῷ πειθομένοις ἐφ᾽ ὧν
65 κατεῖχεν εὐκτηρίων οἴκων μείναντος, ἑτέρους οἰκοδομήσαν-τες οἱ ἀμφὶ Μαρῖνον ἰδίᾳ ἐκκλησίαζον. Ἐπωνομάζοντο δὲ Ψαθυριανοὶ ἤτοι τῶν Γότθων, τὸ μὲν ὅτι Θεόκτιστός τις ψαθυροπώλης (ποπάνου δὲ τοῦτο εἶδος) προθύμως ταύτῃ τῇ δόξῃ συνίστατο, Γότθων δέ, καθότι καὶ Σελινᾶς ὁ τούτων
70 ἐπίσκοπος ὁμοίως ἐδόξαζεν, ἐπακολουθήσαντες δὲ τούτῳ σχεδὸν πάντες οἱ βάρβαροι σὺν αὐτοῖς ἐκκλησίαζον. **12** Πει-θήνιοι γὰρ ἐς τὰ μάλιστα τῷ Σελινᾷ ἐτύγχανον, ὑπογραφεῖ τε γενομένῳ καὶ διαδόχῳ Οὐλφίλα τοῦ παρ᾽ αὐτοῖς ἐπισκοπήσαν-τος καὶ ἐπὶ ἐκκλησίας ἱκανῷ διδάσκειν, οὐ μόνον κατὰ τὴν
75 πάτριον αὐτῶν φωνήν, ἀλλὰ γὰρ καὶ τὴν Ἑλλήνων. **13** Οὐ πολλῷ δὲ ὕστερον διαφορᾶς περὶ προεδρίας γενομένης Μαρίνῳ πρὸς Ἀγάπιον, ὃν ἐπίσκοπον τῶν ἐν Ἐφέσῳ ὁμοδό-ξων ἐχειροτόνησεν, διακριθέντες ἀλλήλων μονονουχὶ πρὸς σφᾶς ἐπολέμουν, ἐπαμυνόντων Ἀγαπίῳ τῶν Γότθων. Ἐκ

1. Pour Eunome et les néo-ariens, les essences de la Trinité sont « abso-lument simples », leur nom leur appartient par nature. Tous les termes utilisés à propos de l'une d'entre elles doivent avoir une signification stric-tement identique au risque de ne plus désigner une essence simple : cf. KOPECEK, p. 457. Dès lors, ils ne peuvent accepter d'utiliser le nom « Père » avant que n'existe le Fils, celui-ci n'étant pas co-éternel au Père.

2. L'adjectif *psathyros* signifie « friable, cassant, qui part en miettes », d'où les termes tardifs de *psathyrion* (gâteau friable) ou *psathyropolès* (vendeur de ce gâteau) pour désigner certains ariens chez SOCRATE, *H.E.* V, 23 ou THÉODORET, *haer.* 4, 4 : cf. LAMPE, *A patristic Greek Lexicon*, p. 1539. La référence à la profession de simple marchand de galettes va de pair avec une accusation souvent lancée contre les néo-ariens, celle d'être issus des classes inférieures : cf. KOPECEK, p. 483. Elle a la même tonalité polémique que la qualification globale de « Goths » appliquée aux partisans de Marinos.

avait été appelé d'Antioche pour présider à cette secte à la place de Marinos, déclarait que, le nom de Père comportant relation à quelque chose, Dieu ne pouvait être nommé Père avant que n'existât le Fils. **10** Marinos soutenait le contraire et estimait que, même le Fils n'existant pas, le Père était toujours Père [1], soit que ce fût là réellement son opinion, soit parce qu'il était en opposition avec Dorothée qui lui avait été préféré pour la présidence de leur église. C'est pour ce motif que le peuple était divisé en deux clans. **11** Comme Dorothée était demeuré avec ses partisans dans les maisons de prière qu'il détenait, Marinos et les siens en bâtirent d'autres et se réunissaient pour le culte séparément. Ils étaient surnommés psathyriens ou « des Goths », le premier nom parce qu'un certain Théoktistos, marchand de psathyres [2] — c'est une sorte de gâteau — s'était associé avec ferveur à cette opinion, « des Goths » parce que Sélinas, évêque des Goths, partageait leur opinion, et que, à la suite de leur évêque, presque tous les barbares tenaient assemblée avec eux. **12** Ils étaient en effet extrêmement dociles à Sélinas, qui avait été secrétaire de leur ancien évêque Ulfilas et lui avait succédé [3], et qui était capable d'enseigner à l'église, non seulement dans leur langue ancestrale, mais aussi en grec. **13** Un peu plus tard, il surgit un différend sur la préséance entre Marinos et Agapios [4], qu'il avait ordonné évêque des gens de leur opinion à Éphèse ; ils se divisèrent en deux camps et en vinrent presque aux mains, les Goths prenant la défense d'Agapios. On dit que pour ce motif

---

3. Il s'agit du secrétaire d'Ulfila qui avait rejoint les rangs des homéens au concile de Constantinople en 360 ; il lui succède à sa mort, en 382 ou 383. Il était fils d'un père goth et d'une mère phrygienne (Socr., *H.E.* V, 23), d'où sa connaissance des deux langues. Sur Sélinas, voir E. A. Thompson, *The Visigoths in the time of Ulfila*, Oxford 1966, p. 75 et 137.

4. Évêque eunomien d'Éphèse. Socrate, *H.E.* V, 23 explique le différend par un désaccord portant sur les motifs intéressés du soutien apporté par les Goths à Agapios, soutien peu apprécié par plusieurs prêtres.

80 ταύτης δὲ τῆς αἰτίας λέγεται πολλοὺς τῶν ἐνθάδε κληρικῶν
μεμφομένους τὴν τῶν ἡγουμένων φιλοτιμίαν τῇ καθόλου
327 ἐκκλησίᾳ κοινωνῆσαι. 14 Ὧδε | μὲν Ἀρειανοὶ τὴν ἀρχὴν ἐχω-
ρίσθησαν, καὶ εἰσέτι νῦν ἐν αἷς εἰσι πόλεσι ἰδίᾳ ἐκκλησιάζου-
σιν· τοὺς δὲ ἐν Κωνσταντινουπόλει ἐπὶ τριάκοντα καὶ πέντε
85 ἔτεσι διενεχθέντας πρὸς σφᾶς εἰς ὁμόνοιαν ὕστερον συνῆψεν
ὁμόδοξος αὐτοῖς ὢν Πλίνθας, ἀνὴρ ὑπατικός, ἵππου τε καὶ
πεζῆς στρατιᾶς ἡγεμών, δυνατώτατος τότε τῶν ἐν τοῖς βασιλείοις γεγονώς. Καὶ εἰς ταὐτὸν συνελθόντες ἐψηφίσαντο
μήποτε ταύτην τὴν ζήτησιν εἰς διάλεξιν ἄγειν. Καὶ τὰ μὲν
90 ὕστερον ὧδε ἀπέβη.

18

1 Ἐπὶ δὲ τῆς παρούσης ἡγεμονίας καὶ Ναυατιανοὶ πρὸς
σφᾶς διενεχθέντες περὶ τῆς πασχαλίας ἑορτῆς ἑτέραν αἵρεσιν
1469 τῶν καλουμένων Σαββατιανῶν συν|εστήσαντο. Σαββάτιος
γάρ τις πρεσβύτερος ὑπὸ Μαρκιανοῦ χειροτονηθεὶς ἅμα Θεο-
5 κτίστῳ καὶ Μακαρίῳ συμπρεσβυτέροις ἑπόμενος τοῖς ἐν
Παζουκώμῃ συνεληλυθόσιν ἐπὶ τῆς Οὐάλεντος βασιλείας
ἠξίου ἅμα τοῖς Ἰουδαίοις τὴν τοῦ πάσχα ἑορτὴν ἐπιτελεῖν.

1. Sa victoire contre des rebelles en Palestine vaut à ce comte militaire
d'origine gothique le consulat en 419 et le titre de *magister militum praesentalis*, commandement qu'il assure de manière peut-être continue de 419
à 438. Il joue un rôle important dans les négociations avec Attila en 434-
435 : *P.L.R.E.* II, p. 892-893, Flavius Plinta. Sozomène calculant à partir de
390 environ, la durée écoulée de trente-cinq ans nous amène à 425, sous le
règne de Théodose II.
2. D'après Socrate, *H.E.* V, 21, il s'agit d'un juif converti à la religion
chrétienne, mais qui restait malgré tout attaché à l'observance de la loi

beaucoup de ces clercs, blâmant l'esprit de rivalité de leurs chefs, passèrent à l'Église catholique. **14** C'est ainsi donc que les ariens se séparèrent au début, et aujourd'hui encore, dans les villes où il y en a, ils tiennent leurs assemblées à part. Ceux de Constantinople furent divisés entre eux durant trente-cinq ans ; puis ils furent ramenés plus tard à la concorde par un de ceux qui partageaient leur opinion, Plinthas, consulaire, maître de la cavalerie et de l'infanterie, qui était alors devenu très puissant au palais [1]. Et, s'étant réunis, ils décidèrent de ne plus jamais mettre en discussion ce problème. Voilà comment aboutit plus tard cette affaire.

Chapitre 18

Les novatiens fondent une autre secte, celle des sabbatiens ;
le synode de Sangaros ;
récit assez développé sur la Pâque.

1 Sous le présent règne, les novatiens aussi se divisèrent entre eux au sujet de la fête pascale et ils fondèrent une autre secte, celle de ceux qu'on appelle sabbatiens. Un certain prêtre Sabbatios [2] en effet, qui avait été ordonné par Marcien [3], en même temps que ses collègues en prêtrise Théoctistos et Macaire [4], se mit à la suite de ceux qui s'étaient réunis à Pazoukômé [5] sous le règne de Valens et réclamait qu'on célébrât la fête de la Pâque en même temps que les

juive et qui ambitionnait la dignité épiscopale. Son nom serait plutôt un surnom qui lui aurait été donné plus tard : cf. H. J. Vogt, Coetus Sanctorum, *Der Kirchenbegriff des Novatian und die Geschichte seiner Sonderkirche*, Bonn 1968, p. 245, note 30.

3. Voir *supra* VII, 14, 2 et note *ad loc.*
4. Cf. Socr., *H.E.* V, 21.
5. Petite cité de Phrygie (aujourd'hui Sakkari), à la source du Sangarios : cf. *supra H.E.* VI, 24, 7 et la note 1, p. 364.

2 Ἀποστὰς δὲ τῆς ἐκκλησίας τὰ μὲν πρῶτα πῇ μὲν ἀσκήσεως
ἕνεκεν (ἄριστα γὰρ ἐβίου), πῇ δέ τινας ὑπονοεῖν ἀναξίους
10 κοινωνίας μυστηρίων ἐσκήπτετο· ὡς δὲ ἐγεγόνει δῆλος νεω-
τερίζων, ἐμέμφετο μὲν Μαρκιανὸς τὴν ἐπ᾿ αὐτῷ χειροτονίαν·
ἄμεινόν τε ἦν ἐπὶ ἀκάνθας ἐπιτεθεικέναι τὰς χεῖρας ἢ ἐπ᾿
αὐτόν, πολλάκις, φασίν, ἀνεβόα. 3 Διατεμνομένην δὲ αὐτῷ
τὴν ἐκκλησίαν εἰς ἕτερον πλῆθος ὁρῶν συνεκάλεσεν ὁμοδό-
15 ξους ἐπισκόπους εἰς Σάγγαρον (χωρίον δὲ τοῦτο Βιθυνίας οὐκ
ἀπὸ πολλοῦ Ἑλενοπόλεως ἐπὶ τῆς θαλάσσης κείμενον)· ἔνθα
δὴ συνελθόντες μετεκαλέσαντο Σαββάτιον. 4 Ἐπεὶ δὲ τῆς
λύπης τὴν αἰτίαν ἀπαιτηθεὶς λέγειν ἐπῃτιᾶτο τῆς ἑορτῆς τὸ
διάφορον, ὑπονοήσαντες ἔρωτι προεδρίας ταῦτα αὐτὸν σκή-
20 πτεσθαι ὅρκον ἀπήτησαν ὡς ἐπισκοπὴν οὐκ ἂν ἕλοιτό ποτε.
Τοῦ δὲ τάδε ἐνωμότως ὁμολογήσαντος λογισάμενοι μὴ
ἀξιόχρεων εἶναι ταύτην τὴν αἰτίαν εἰς χωρισμὸν κοινωνίας,
ἅπαντας μὲν ὁμονοεῖν καὶ ἅμα ἐκκλησιάζειν ἐψηφίσαντο,
ἕκαστον δὲ ᾗ ἂν αὐτῷ δοκῇ ταύτην τὴν ἑορτὴν ἐπιτελεῖν. Καὶ
25 κανόνα περὶ τούτου ἔθεντο, ὃν ἀδιάφορον ἐπωνόμασαν. Καὶ
τὰ μὲν ὧδε ἔδοξε τοῖς ἐν Σαγγάρῳ συνελθοῦσιν. 5 Ἐξ ἐκείνου
328 δὲ Σαββάτιος | τοῖς Ἰουδαίοις ἑπόμενος, εἰ μὴ κατὰ ταὐτὸν
ξυνηνέχθη πάντας ἄγειν τὴν ἑορτήν, φθάνων ὡς ἔθος ἐνή-
στευε καὶ καθ᾿ ἑαυτὸν διὰ τῶν νενομισμένων ἐπετέλει τὸ
30 πάσχα. Τῷ δὲ σαββάτῳ ἀφ᾿ ἑσπέρας ἐπὶ τὸν δέοντα καιρὸν ἐν

---

1. Pour fixer la date de la célébration pascale, les chrétiens se sont
appuyés à l'origine sur le comput juif qui plaçait la fête de Pâques le 14
nizan (premier mois de l'année lunaire). Dès le IIᵉ s., ils ont cherché à se
distinguer de plus en plus de la tradition juive, tout particulièrement en
Occident. Lors du concile de Nicée, sous l'impulsion de Constantin, il fut
décidé d'unifier le calendrier sur le modèle des dates en usage à Rome et à
Alexandrie, églises qui avaient abandonné le comput juif : Pâques devait
donc être célébrée le dimanche suivant la pleine lune après l'équinoxe de
printemps. A cause de modes de calcul différents entre Rome et Alexandrie, l'unification ne fut pas réalisée tout de suite. De plus, certaines sectes
hérétiques se montrèrent soucieuses au contraire de suivre encore le comput juif, même si ce dernier avait été modifié au IIIᵉ s. Sur ces questions,
voir L. Duchesne, « La question de la Pâque au concile de Nicée », Rev.
Quest. Hist. 28, 1880, p. 5-42 ; DACL XIII 1938, c. 1524-1546, Pâques,

juifs [1]. **2** S'étant séparé de l'Église, tout d'abord il invoqua pour prétexte d'une part la vie d'ascèse — car il vivait très saintement —, et d'autre part le fait qu'il soupçonnait que certains n'étaient pas dignes de communier aux mystères. Mais quand ses innovations furent devenues bien visibles, Marcien se reprocha de l'avoir ordonné : il proclamait souvent, dit-on, qu'il eût mieux fait d'imposer les mains sur des épines que sur lui. **3** Puis, voyant que son Église était coupée en deux et qu'il se formait un autre groupe, il convoqua des évêques de son opinion à Sangaros [2] : c'est un bourg de Bithynie non loin d'Hélénopolis, situé au bord de la mer. S'étant rassemblés là, les évêques firent comparaître Sabbatios. **4** Quand on lui eut demandé de dire la cause de son mécontentement et qu'il allégua le désaccord sur la fête, les évêques soupçonnèrent qu'il donnait ce prétexte par désir de la préséance et ils réclamèrent de lui le serment qu'il ne prendrait jamais d'évêché. Lorsqu'il en eut convenu par ce serment, les évêques considérèrent que cette cause n'était pas un motif suffisant pour une rupture de la communion et ils décidèrent, d'une part, que tous fussent en accord et tinssent les assemblées de culte ensemble, d'autre part que chacun célébrerait la fête comme bon lui semblait. Et ils établirent sur ce point un canon qu'ils appelèrent « sans différence ». Telle fut la décision des évêques rassemblés à Sangaros. **5** Depuis ce moment, à moins qu'il n'arrivât de célébrer tous la fête le même jour, Sabbatios, à la suite des juifs, devançait les autres pour le jeûne selon l'usage et, dans l'observance des lois établies, célébrait la Pâque à part. Le samedi, depuis le soir jusqu'à l'heure fixée, il passait son

H. Leclercq ; V. Grumel, « Le problème de la date pascale aux iiie et ive s. » *REB* 18, 1960, p. 162-178.

2. Cité de Bithynie proche d'Hélénopolis, mentionnée aussi par Socrate, *H.E.* V, 21 sous le nom d'Angaros ; peut-être identifiable avec l'actuelle Engure : cf. *PW* I 2, Reihe 2, 1920, c. 2271, Ruge.

ἀγρυπνίᾳ καὶ ταῖς προσηκούσαις εὐχαῖς διαγενόμενος τῇ ἑξῆς
ἡμέρᾳ κοινῇ πᾶσιν ἐκκλησίαζεν καὶ τῶν μυστηρίων μετεῖχεν.
6 Καὶ τὰ μὲν πρῶτα τὸ πλῆθος ἐλάνθανεν· ὡς δὲ τῷ χρόνῳ
ἐντεῦθεν ἐπίσημος ἐγένετο, πολλοὺς τοὺς ζηλοῦντας ἔσχεν,
35 καὶ μάλιστα Φρύγας καὶ Γαλάτας, οἷς πάτριον ὧδε ταύτην
τὴν ἑορτὴν ἐπιτελεῖν. Ὕστερον δὲ εἰς τὸ προφανὲς ἀποστὰς
τῶν αὐτῷ πειθομένων τὴν ἐπισκοπὴν ἀνεδέξατο, ὡς ἐν καιρῷ
λελέξεται. 7 Ἐμοὶ δὲ θαυμάζειν ἔπεισι τοῦδε τοῦ ἀνδρὸς καὶ
τῶν ἑπομένων αὐτῷ, ὅτι τάδε ἐνεωτέρισαν, Ἑβραίων τῶν
40 πάλαι, ὡς ἱστορεῖ Εὐσέβιος ὑπὸ μάρτυσι Φίλωνί τε καὶ Ἰω-
σήπῳ καὶ Ἀριστοβούλῳ καὶ ἑτέροις πλείστοις, μετὰ ἐαρινὴν
ἰσημερίαν τὰ διαβατήρια θυόντων, ἡλίου τὸ πρῶτον δωδεκα-
τημόριον τμῆμα ὁδεύοντος, ὃ κριὸν Ἕλληνες καλοῦσιν, ἐν
διαμέτρῳ δὲ τῆς σελήνης τεσσαρεσκαιδεκαταίας τὴν πορείαν
45 ποιουμένης. 8 Ἐπεὶ καὶ αὐτοὶ οἱ Ναυατιανοὶ οἷς ἀκριβείας
μέλει ἰσχυρίζονται, ὡς οὔτε αὐτοῖς οὔτε τῷ ἀρχηγῷ τῆς
αἱρέσεως τοῦτο πρότερον ἦν ἔθος, ἀλλ' ὑπὸ τῶν ἐν Παζουκώμῃ συνεληλυθότων ἐνεωτερίσθη· εἰσέτι τε νῦν τοὺς ἐν τῇ
1472 πρεσβυτέρᾳ Ῥώμῃ ὁμοδόξους αὐτοῖς σὺν τοῖς ἄλλοις Ῥω-
50 μαίοις ἑορτάζειν, οὓς οὔποτε ἄλλως ἑορτάσαι ὁ παρελθὼν
χρόνος ἤλεγξε, Πέτρου καὶ Παύλου τῶν ἀποστόλων τῇ παρα-
δόσει χρωμένους. 9 Προσέτι δὲ καὶ Σαμαρεῖται, οἱ τοῦ

---

1. Sans tenir compte des décisions de Nicée, les novatiens qui suivent
Sabbatios célèbrent donc Pâques le dimanche qui suit le 14 nizan, ainsi que
le faisaient les églises asiates aux premiers siècles.

2. Si Sozomène parle d'innovation, c'est que le comput juif ayant subi
des modifications au IIIᵉ s., il ne tient plus compte de la nécessité de faire
succéder Pâques à l'équinoxe, si bien qu'au IVᵉ s. la date de la fête juive peut
tomber plusieurs jours *avant* l'équinoxe : cf. V. GRUMEL, *ibid.*, p. 177.

3. Cf. SOCR., *H.E.* V, 22. EUSÈBE, *H.E.* VII, 32, 16-19 cite en effet à
propos de la fête de Pâques les règles d'Anatole de Laodicée (vers 270-280)
où sont rappelées les opinions de PHILON, *Quaestiones et solutiones in
Exodum* I,1, de FLAVIUS JOSÈPHE, *Antiquités juives*, III, 10, 5 et d'Aristobule, juif d'Alexandrie et philosophe aristotélicien pratiquant l'exégèse
allégorique au IIᵉ s. av. J.C., selon lesquels le sacrifice de la Pâque devait se
placer après l'équinoxe de printemps.

temps dans les veilles et les prières appropriées et, le lendemain, en commun avec tous il tenait l'assemblée de culte et
partageait les saints mystères [1]. **6** Au début, la chose
échappa à la foule. Mais comme, avec le temps, il était
devenu pour cela un homme en vue, il eut beaucoup de
zélateurs, surtout parmi les Phrygiens et les Galates, chez
qui il est traditionnel de célébrer ainsi cette fête. Plus tard,
ayant fait ouvertement défection, il assuma l'épiscopat de
ceux qui croyaient en lui, comme il sera dit le moment venu.
7 Quant à moi, il m'arrive de m'étonner que cet homme et
ses sectateurs aient fait cette innovation [2], alors que les
anciens Hébreux, comme l'écrit Eusèbe [3], sur le témoignage
de Philon, de Josèphe, d'Aristobule et de beaucoup
d'autres, célébraient le sacrifice pascal après l'équinoxe de
printemps, quand le soleil entre dans le premier signe zodia-
cal que les Grecs nomment le Bélier et que la lune à l'oppo-
site accomplit sa course au quatorzième jour. **8** Du reste,
ceux des novatiens eux-mêmes qui se soucient d'exactitude
affirment que la date juive ne fut auparavant de coutume ni
pour eux ni pour le fondateur de la secte, mais que ce fut une
innovation des évêques réunis à Pazoukômè, et que, maintenant encore, ceux qui partagent leur opinion dans la vieille
Rome célèbrent la fête à la même date que les autres
Romains : or tout le temps passé montre que les Romains ne
l'ont jamais célébrée autrement, suivant en cela la tradition
des Apôtres Pierre et Paul [4]. **9** Outre cela, les Samaritains

---

4. Le texte semble à première vue impliquer des références aux paroles
de Pierre et de Paul. Mais lesquelles ? Il faut plutôt interpréter la mention
de Pierre et de Paul comme une allusion à l'ancienneté apostolique de
l'église romaine, ancienneté qui légitime sa pratique de fixer la date de
Pâques au premier dimanche après le 14 nizan. En faisant cesser le jeûne
avant le dimanche, cette pratique met l'accent sur la résurrection du Christ
plutôt que sur sa passion. Mais malheureusement on connaît mal la manière
dont Pâques était célébrée à Rome avant 135 : cf. Pietri, *Histoire...*, t. I,
p. 445-449.

Μωσέως νόμου τὰ μάλιστα ζηλωταὶ τυγχάνουσι, πρὶν τὸν
νέον τελεσφορεῖσθαι καρπὸν οὐκ ἀνέχονται ταύτην ἐπιτελεῖν
55 τὴν ἑορτήν· νέων γάρ, φασίν, αὐτὴν ἑορτὴν ὁ νόμος καλεῖ·
μήπω τε τούτων φανέντων ἑορτάζειν οὐ θέμις, ὡς ἐξ ἀνάγκης
φθάνειν τὴν ἐν τῷ ἦρι ἰσημερίαν. 10 Τοὺς μὲν Ἰουδαίους περὶ
τοῦτο μιμουμένους θαυμαστὸν ὅτι μὴ τὴν παρ᾽ αὐτοῖς ἀρχαιό-
τητα μᾶλλον ἐπήνεσαν. Ὡς ἔοικε δέ, πλὴν τούτων καὶ τῶν ἐπὶ
329 60 τῆς Ἀσίας καλουμένων Τεσσαρεσκαιδεκατιτῶν, | ὁμοίως
Ῥωμαίοις καὶ Αἰγυπτίοις καὶ οἱ ἀπὸ τῶν ἄλλων αἱρέσεων
ταύτην τὴν ἑορτὴν ἄγουσιν· ἀλλ᾽ οἱ μὲν ἐν αὐτῇ τῇ τεσσαρεσ-
καιδεκαταίᾳ σὺν τοῖς Ἰουδαίοις ἑορτάζουσι, ὅθεν ὧδε ὀνο-
μάζονται. 11 Οἱ δὲ Ναυατιανοὶ τὴν ἀναστάσιμον ἡμέραν
65 ἐπιτηροῦσιν· Ἰουδαίοις δὲ καὶ οὗτοι ἕπονται, καὶ εἰς ταὐτὸν
τοῖς Τεσσαρεσκαιδεκατίταις καταστρέφουσιν· πλὴν εἰ μὴ
τύχῃ τῇ τεσσαρεσκαιδεκάτῃ τῆς σελήνης ἡ πρώτη τοῦ σαββάτου ἡμέρα συμπεσοῦσα, κατόπιν γίνονται τῶν Ἰουδαίων,
ὅσαις ἂν ἡμέραις συμβαίη τὴν ἐχομένην κυριακὴν ὑστερίζειν
70 τῆς τεσσαρεσκαιδεκαταίας τῆς σελήνης. 12 Μοντανισταὶ δέ, οὓς Πεπουζίτας καὶ Φρύγας ὀνομάζουσι, ξένην τινὰ μέθοδον εἰσάγοντες κατὰ ταύτην τὸ πάσχα
ἄγουσι. Τοῖς μὲν γὰρ ἐπὶ τούτῳ τὸν τῆς σελήνης δρόμον
πολυπραγμονοῦσι καταμέμφονται, φασὶ δὲ χρῆναι μόνοις τοῖς
75 ἡλιακοῖς ἕπεσθαι κύκλοις τοὺς ὀρθῶς ταῦτα κανονίζοντας·
καὶ μῆνα μὲν ἕκαστον εἶναι ἡμερῶν τριάκοντα ὁρίζουσιν,

---

1. Les Samaritains se veulent les héritiers légitimes d'Israël et ne reconnaissent comme texte sacré que le *Pentateuque* ; ils ignorent les commentaires rabbiniques : cf. *DEJ*, Samaritains, p. 1015-1016. Ils constituent
donc pour Sozomène les purs représentants de la tradition juive la plus
ancienne.
2. L'usage quartodéciman, longtemps dominant parmi les églises asiates, voulait que la fête de Pâques fût célébrée le 14 nizan, quel que fût le
jour de la semaine. Les adeptes de cette date s'appuyaient sur une tradition
très ancienne fondée sur le témoignage de Philippe, un des douze apôtres et
de Jean l'évangéliste (Jn 18, 28 ; 19, 14), mettant ainsi l'accent davantage
sur la passion du Christ que sur sa résurrection : on ignore la façon dont
celle-ci était célébrée : Pietri, *Histoire...*, I, p. 445.

aussi, qui observent le plus scrupuleusement la loi de Moïse [1], n'acceptent pas de célébrer cette fête avant que les nouveaux fruits de la terre ne soient venus à maturité : la Loi en effet, disent-ils, appelle cette fête « Fête des Prémices » ; tant que ces fruits ne se sont pas montrés, il n'est pas permis de célébrer la fête, en sorte que nécessairement l'équinoxe de printemps précède. **10** Puisque les sectateurs de Sabbatios imitent les juifs sur ce point, il est étonnant qu'ils n'aient pas adopté plutôt ce qui était chez eux la coutume antique. D'autre part, à ce qu'il semble, sauf eux et ceux qu'on appelle en Asie quartodécimans [2], toutes les autres sectes célébrent la fête comme les Romains et les Égyptiens. Mais les quartodécimans célèbrent la fête avec les juifs le 14 nisan, d'où vient leur nom. **11** Quant aux novatiens, ils attendent le jour de la Résurrection [3], mais suivent eux aussi les juifs et se retrouvent au même point que les quartodécimans, sauf que, s'il arrive par hasard que le premier jour du sabbat ne tombe pas le quatorzième jour de la lune, ils se placent après les juifs, d'autant de jours, le cas échéant, que le dimanche suivant vient après le 14 de la lune.

12 Les montanistes, que l'on nomme pépouzites et phrygiens [4], introduisent une méthode étrangère et c'est selon elle qu'ils célèbrent la Pâque. Ils blâment ceux qui, sur ce point, se préoccupent à l'excès du cours de la lune et ils disent que ceux qui règlent correctement ces choses doivent s'en tenir uniquement aux révolutions du soleil. Ils établis-

---

3. Les novatiens eux attendent le dimanche suivant le quatorzième jour de la lune.

4. Cette secte tient son nom du prêtre Montan (*H.E.* II, 18, 3 *SC* 306, p. 304, note 1), originaire de Phrygie, né vers 155-160, qui prophétisait la fin des temps et appelait à s'y préparer par le jeûne et l'abstinence. Il annonçait que la parousie aurait lieu à Pépouza, petit village phrygien non localisé. Bien qu'il ait été excommunié à la fin du IIe s., sa doctrine s'est répandue avec succès en Asie mineure, Thrace, Syrie, Afrique : cf. PIETRI, *Histoire...*, I, p. 522-527. Le calendrier des montanistes est uniquement solaire, alors que celui des juifs est luni-solaire.

ἄρχεσθαι δὲ τὸν πρῶτον ἀπὸ τῆς ἐαρινῆς ἰσημερίας, ἢ ῥηθείη
ἂν κατὰ Ῥωμαίους πρὸ ἐννέα καλανδῶν Ἀπριλλίων, ἐπειδή,
φησί, τότε οἱ δύο φωστῆρες ἐγένοντο, οἷς οἱ καιροὶ καὶ οἱ
80 ἐνιαυτοὶ δηλοῦνται. **13** Καὶ τοῦτο δείκνυσθαι τῷ τὴν σελήνην
διὰ ὀκταετηρίδος τῷ ἡλίῳ συνιέναι καὶ ἀμφοῖν κατὰ ταὐτὸν
νουμηνίαν συμβαίνει, καθότι ἡ ὀκταετηρὶς τοῦ σεληνιακοῦ
δρόμου πληροῦται ἐννέα καὶ ἐνενήκοντα μησίν, ἡμέραις δὲ
δισχιλίαις ἐνακοσίαις εἰκοσιδύο, ἐν αἷς ὁ ἥλιος τοὺς ὀκτὼ
85 δρόμους ἀνύει, λογιζομένων ἑκάστῳ ἔτει τριακοσίων ἑξήκοντα <πέντε> ἡμερῶν καὶ προσέτι τετάρτου ἡμέρας μιᾶς.
1473 **14** Ἀπὸ γοῦν τῆς πρὸ ἐννέα καλανδῶν Ἀπριλλίων, | ὡς ἀρχῆς
οὔσης κτίσεως ἡλίου καὶ πρώτου μηνός, ἀναλογίζονται τὴν
εἰρημένην ταῖς ἱεραῖς γραφαῖς τεσσαρεσκαιδεκαταίαν, καὶ
90 ταύτην εἶναι λέγουσι τὴν πρὸ ὀκτὼ εἰδῶν Ἀπριλλίων, καθ' ἣν
ἀεὶ τὸ πάσχα ἄγουσιν, εἰ συμβαίη καὶ τὴν ἀναστάσιμον αὐτῇ
330 συνδραμεῖν ἡμέραν· <εἰ δὲ | μή,> ἐπὶ τῇ ἐχομένῃ κυριακῇ
ἑορτάζουσι. Γέγραπται γάρ, φασίν, ἀπὸ τεσσαρεσκαιδεκάτης
μέχρις εἰκοστῆς πρώτης.

19

1 Αἵδε μὲν περὶ ταύτης τῆς ἑορτῆς αἱ διαφοραί. Σοφώτατα
δέ πως οἶμαι καταλῦσαι τὴν συμβᾶσαν πάλαι περὶ ταύτης
φιλονικίαν τοὺς ἀμφὶ Βίκτορα τὸν τότε τῆς Ῥώμης ἐπίσκο-

---

1. Le quatorzième jour est mentionné dans Ex 12, 18.
2. Le calcul des montanistes s'écarte et de celui des juifs et de celui de
l'Église. Ils choisissent le 14 non du premier mois de la lune mais du
septième mois du calendrier asiate et fixent la date de Pâques au dimanche
qui suit.

sent pour chaque mois une durée de trente jours et que le premier mois commence à l'équinoxe du printemps, qui, selon les Romains, serait fixée au neuvième jour avant les calendes d'avril, puisque, dit-il, c'est alors qu'ont été créés les deux luminaires, par lesquels sont indiquées saisons et années. **13** Et cela est prouvé par le fait que la lune rencontre le soleil au bout d'une période de huit ans et qu'il y a alors, pour tous deux, coïncidence du premier jour du mois. En effet, les huit ans de la course lunaire s'accomplissent en quatre vingt-dix-neuf mois, soit deux mille neuf-cent-vingt-deux jours : or durant ce temps le soleil accomplit ses huit révolutions, en comptant pour chaque année trois cent soixante-cinq jours et en plus le quart d'un jour. **14** Quoi qu'il en soit, c'est à partir du neuvième jour avant les calendes d'avril, comme étant le début de la création du soleil et du premier mois, que les montanistes comptent le quatorzième jour dont il est fait mention dans les saintes Écritures [1] ; ils disent que ce jour là est le huitième des ides d'avril et c'est selon ce jour qu'ils célèbrent toujours la Pâque, s'il arrive que ce jour coïncide avec le jour de la Résurrection ; sinon, ils célèbrent la fête le dimanche suivant. Il a été écrit en effet, disent-ils, « depuis le quatorzième jour jusqu'au vingt-et-unième » [2].

Chapitre 19

Catalogue digne d'intérêt que fait l'auteur des coutumes dans les différentes nations et Églises.

1 Telles sont les différences relatives à cette fête. Mais, à mon avis, la dispute qui a surgi autrefois à son sujet a été très sagement résolue par Victor, alors évêque de Rome, et par

πον καὶ Πολύκαρπον τὸν Σμυρναῖον. Ἐπεὶ γὰρ οἱ πρὸς δύσιν
5 ἱερεῖς οὐκ ᾤοντο δεῖν Παύλου καὶ Πέτρου τὴν παράδοσιν
1476 ἀτιμάζειν, οἱ δὲ ἐκ τῆς Ἀσίας Ἰωάννῃ τῷ εὐαγγελιστῇ |
ἀκολουθεῖν ἰσχυρίζοντο, τοῦτο κοινῇ δόξαν, ἕκαστοι ὡς εἰώ-
θεσαν ἑορτάζοντες τῆς πρὸς σφᾶς κοινωνίας οὐκ ἐχωρίσθησαν. Εὔηθες γὰρ καὶ μάλα δικαίως ὑπέλαβον ἐθῶν ἕνεκα
10 ἀλλήλων χωρίζεσθαι περὶ τὰ καίρια τῆς θρησκείας συμφω-
νοῦντες. 2 Οὐ γὰρ δὴ τὰς αὐτὰς παραδόσεις περὶ πάντα
ὁμοίας, κἂν ὁμόδοξοι εἶεν, ἐν πάσαις ταῖς ἐκκλησίαις εὑρεῖν
ἔστι. Ἀμέλει Σκύθαι πολλαὶ πόλεις ὄντες ἕνα πάντες ἐπίσκοπον ἔχουσιν· ἐν ἄλλοις δὲ ἔθνεσιν ἔστιν ὅπῃ καὶ ἐν κώμαις
15 ἐπίσκοποι ἱερῶνται, ὡς παρὰ Ἀραβίοις καὶ Κυπρίοις ἔγνων
καὶ παρὰ τοῖς ἐν Φρυγίαις Ναυατιανοῖς καὶ Μοντανισταῖς.
3 Διάκονοι δὲ παρὰ μὲν Ῥωμαίοις εἰσέτι νῦν οὐ πλείους εἰσὶν
ἑπτὰ καθ' ὁμοιότητα τῶν ὑπὸ τῶν ἀποστόλων χειροτονηθέν-
των, ὧν ἦν Στέφανος ὁ πρῶτος μαρτυρήσας· παρὰ δὲ τοῖς
20 ἄλλοις ἀδιάφορος ὁ τούτων ἀριθμός. 4 Πάλιν αὖ ἑκάστου
ἔτους ἅπαξ ἐν Ῥώμῃ τὸ ἀλληλούϊα ψάλλουσι κατὰ τὴν πρώ-

---

1. Sozomène télescope ici deux épisodes de la controverse pascale du
IIᵉ siècle : a) le débat entre Polycarpe de Smyrne et le pape Anicet en 154 lors
duquel les deux évêques ne parvinrent pas à surmonter l'opposition entre la
tradition des églises asiates et celle de Rome, mais sauvegardèrent la paix
entre eux ; b) la reprise de ce débat à la fin du siècle, qui oppose cette fois le
pape Victor et les églises asiates représentées par Polycrate d'Éphèse. Ce
débat fut plus violent que ne le laisse supposer l'historien puisque Victor
menaçait d'excommunier les chrétientés d'Asie ; il fallut la persuasion d'Iré-
née pour lui faire abandonner cette intention et pour que la tension s'apaise,
dans des conditions mal connues : cf. PIETRI, Histoire..., t. I, p. 504-507.
2. La référence à Jean s'ajoutant à celle de Philippe fait partie des
arguments fondant la légitimité de la coutume sur son ancienneté : cf.
EUSÈBE, H.E. V, 23.
3. L'évêque de Tomi est l'évêque des Scythes qui habitent les provinces
de Scythie I et II, l'actuelle Dobroudja : cf. H.E. VI, 21, 3 et notes 2 et 3,
SC 495, p. 342-343.
4. Par fidélité à une tradition fondée sur l'exemple apostolique auquel
est due l'institution des sept (Ac 6, 2-6 ; EUSÈBE, H.E. V, 43,7), Rome sous
le pape Corneille et beaucoup d'autres églises nomment sept diacres. Le
quinzième canon du concile de Néocésarée, en 314, interdit même d'en dési-

Polycarpe de Smyrne [1]. Alors que les évêques d'Occident pensaient qu'il ne fallait pas abroger la tradition de Paul et Pierre et que ceux d'Asie soutenaient qu'ils suivaient Jean l'Évangéliste [2], il fut décidé en commun que chaque Église célébrerait la fête à son habitude et il n'y eut pas de division dans la communion qu'ils avaient entre eux. De façon très juste en effet, ils jugèrent absurde de se diviser à cause de certaines habitudes, alors qu'ils étaient d'accord sur les points principaux de la religion. **2** Au reste, il est facile de constater que les mêmes traditions ne sont pas en tout semblables dans toutes les Églises, même si l'on est d'accord sur la foi. Par exemple, les Scythes, bien qu'ils représentent beaucoup de villes, n'ont pourtant pour eux tous qu'un seul évêque [3] ; dans d'autres provinces, c'est parfois jusque dans des villages que des évêques exercent le culte, comme chez les Arabes et à Chypre, ainsi que je l'ai appris, et chez les novatiens et montanistes de Phrygie. **3** A Rome, jusqu'à aujourd'hui, il n'y a pas plus de sept diacres [4], à la ressemblance des diacres ordonnés par les Apôtres, dont fut Étienne le premier martyr [5] ; chez les autres, le nombre des diacres est indifférent. **4** Et encore, à Rome, chaque année, on ne chante l'Alléluia qu'une seule fois [6], au premier jour

gner davantage. Toutefois, à Alexandrie, Arius cite neuf diacres, et en 451, l'église d'Édesse en a 39 : cf. *DACL* IV 1, 1920, p. 738-742, H. LECLERCQ.

5. Étienne apparaît en Ac VI, 6. Il fait partie du groupe, marginal par rapport à la communauté réunie autour des Douze, composé de juifs de langue grecque. Il tient le premier rôle parmi les sept personnes désignées par la communauté pour veiller aux distributions destinées aux veuves. Il prêche également et, à cette occasion, entre en conflit avec les autorités sacerdotales en s'attaquant à la place prise par le Temple dans le culte juif. Arrêté, il est soit exécuté après un rapide jugement, soit lynché, vers 35 ap. J.C. : cf. PIETRI, *Histoire...*, I, p. 69.

6. Ce chant, emprunté par les chrétiens aux juifs, qui signifie « louez le Seigneur », peut être exécuté par un soliste ou repris en acclamation par la foule entière. Il s'agit d'un chant de fête réservé à la célébration de Pâques puis étendu à tout le temps pascal. A Rome, il se chante avant la lecture de l'Évangile : cf. *DACL* I a, 1905, c. 1226-1229, *alleluia*, chant, P. WAGNER, et c. 1231-1236, *alleluia*, acclamation liturgique, F. CABROL.

τὴν ἡμέραν τῆς πασχαλίας ἑορτῆς, ὡς πολλοῖς Ῥωμαίων
ὅρκον εἶναι τοῦτον ἀξιωθῆναι τὸν ὕμνον ἀκοῦσαί τε καὶ
ψᾶλαι. 5 Οὔτε δὲ ὁ ἐπίσκοπος οὔτε ἄλλος τις ἐνθάδε ἐπ'
25 ἐκκλησίας διδάσκει, παρὰ δὲ Ἀλεξανδρεῦσι μόνος ὁ τῆς
πόλεως ἐπίσκοπος. Φασὶ δὲ τοῦτο οὐ πρότερον εἰωθὸς ἐπιγε-
1477 νέσθαι ἀφ' οὗ Ἄρειος | πρεσβύτερος ὢν περὶ τοῦ δόγματος
διαλεγόμενος ἐνεωτέρισε. 6 Ξένον δὲ κἀκεῖνο παρὰ Ἀλεξανδρεῦσι τούτοις· ἀναγινωσκομένων γὰρ τῶν εὐαγγελίων οὐκ
30 ἐπανίσταται ὁ ἐπίσκοπος· ὃ παρ' ἄλλοις οὔτε ἔγνων οὔτε
331 ἀκήκοα. | Ταύτην δὲ τὴν ἱερὰν ἀναγινώσκει βίβλον ἐνθάδε
μόνος ὁ ἀρχιδιάκονος, παρὰ δὲ ἄλλοις διάκονοι, ἐν πολλαῖς δὲ
ἐκκλησίαις οἱ ἱερεῖς μόνοι, ἐν δὲ ἐπισήμοις ἡμέραις ἐπίσκοποι, ὡς ἐν Κωνσταντινουπόλει κατὰ τὴν πρώτην ἡμέραν τῆς
35 ἀναστασίμου ἑορτῆς.
7 Καὶ τὴν πρὸ ταύτης δὲ καλουμένην τεσσαρακοστήν, ἐν ᾗ
νηστεύει τὸ πλῆθος, οἱ μὲν εἰς ἓξ ἑβδομάδας ἡμερῶν λογίζο-

1. L'Évangile recommande de ne pas jurer, de peur de commettre le
péché de parjure : Mt 5, 33 et Jc 5, 12. Pourtant l'apôtre Paul jure par la
gloire de Jésus, 1 Co 1, 15. Selon AUGUSTIN (serm. 180), on peut jurer par la
vérité mais mieux vaut ne pas jurer du tout. Il s'agit ici, semble-t-il, d'un
formule christianisée de serment, devenue usuelle.
2. Dès l'époque apostolique, la prédication joue un rôle très important,
mais avec la hiérarchisation de l'Église et les problèmes liés à la défense de
l'orthodoxie, apparaît une tendance à limiter le droit de prêcher. A Alexandrie, la prédication d'Arius devenant dangereuse pour l'orthodoxie, l'évêque se réserve le droit à la parole. Il semble que ce soit aussi le cas souvent
en Occident, ce dont JÉRÔME, ep. 52,7 se plaint ; toutefois, en Afrique,
Augustin, lui, incite l'évêque de Carthage à faire prêcher ses prêtres.
A Rome, où l'homélie tombe assez vite en désuétude, on ne connaît pas
d'homélies pontificales au Vᵉ s. à part celles de Léon ; les homélies connues
sont courtes et réservées à des circonstances exceptionnelles. Les prêtres
n'ont pas le droit de prêcher et l'évêque n'apprécie guère que d'autres
évêques prêchent. Cela ne suffit peut-être pas à donner raison à Sozomène
sur l'absence de toute prédication de l'évêque à Rome, ce qui constituerait
une exception particulièrement remarquable : cf. L. DUCHESNE, Les origines du culte chrétien, Paris 1920³, p. 171, ainsi que M. RIGHETTI, Storia
liturgica, Milano 1949, t. III, p. 216-218.
3. En général, au ivᵉ s., le prédicateur se tient assis et le public debout :
cf. RIGHETTI, p. 239. Mais, pour la lecture de l'Évangile, il doit, à en croire
Sozomène, se lever, sauf à Alexandrie.

de la fête pascale, en sorte que pour beaucoup des Romains la formule de serment est celle-ci [1] : qu'il leur soit permis d'entendre et de chanter ce cri de louange. **5** Ni l'évêque ni aucun autre ne prêche à Rome à l'église, à Alexandrie en revanche l'évêque de la ville prêche, lui seul. Cette coutume, qui n'existait pas antérieurement, fut introduite, dit-on, du jour où Arius, qui était prêtre, se mit à innover en discutant sur le dogme [2]. **6** Et voici encore une chose étrange chez ces Alexandrins : l'évêque ne se lève pas durant la lecture de l'Évangile [3] ; je n'ai vu cela ni ne l'ai entendu dire nulle part ailleurs. D'autre part, ce saint livre n'est lu à Alexandrie que par l'archidiacre [4], ailleurs il l'est par des diacres, en beaucoup d'églises par les prêtres seulement, aux jours de grande fête par l'évêque, comme à Constantinople le premier jour de la fête de la Résurrection.

7 Le temps qui la précède, — on l'appelle Quadragésime [5] —, durant lequel le peuple jeûne, les uns le

---

4. A l'origine, un des diacres bénéficie d'une confiance particulière de l'évêque. Au IVe s. apparaît le terme d'archidiacre désignant le plus ancien des diacres qui bénéficie, à ce titre, de privilèges. Comme les diacres, il lit l'Évangile et l'épître du haut de l'ambon. Il semble avoir un rôle plus important en Occident : cf. *DACL* I b 1907, p. 2733-2736, archidiacre, H. Leclercq.

5. Il n'y a pas mention de quadraginte avant le IVe s., dans le cinquième canon de Nicée. Aux deux premiers siècles, le jeûne pré-pascal durait un ou deux jours (le vendredi et le samedi saints) ; au IIIe s., l'habitude est prise de jeûner environ une semaine. Au IVe s., la durée varie suivant les régions et selon que l'on inclut ou non la semaine sainte dans le total. Mais progressivement s'affirment deux formes principales de pratique. A Antioche et dans les autres Églises (dans les régions voisines et à Constantinople) régies par ses usages, on décompte 40 jours en six semaines, auxquels on ajoute la semaine sainte : comme les samedis et dimanches sont exclus du jeûne sauf le samedi saint, le total de jours jeûnés est en fait de 36 jours. A Rome et dans les Églises occidentales, à Alexandrie et Jérusalem, le carême dure six semaines, la semaine sainte comprise : seul le dimanche étant exclu du jeûne, celui-ci dure également au total 36 jours : cf. L. Duchesne, *Les origines ...*, p. 241-247 ainsi que *DACL* II 2, 1910, c. 2139-2147, carême, E. Vacandard.

νται, ὡς οἱ Ἰλλυριοὶ καὶ οἱ πρὸς δύσιν, Λιβύη τε πᾶσα καὶ
Αἴγυπτος σὺν τοῖς Παλαιστίνοις, οἱ δὲ ἑπτά, ὡς ἐν Κωνσταν-
40 τινουπόλει καὶ τοῖς πέριξ ἔθνεσι μέχρι Φοινίκων, ἄλλοι δὲ
τρεῖς σποράδην ἐν ταῖς ἓξ ἢ ἑπτὰ νηστεύουσιν, οἱ δὲ ἅμα τρεῖς
πρὸ τῆς ἑορτῆς συνάπτουσιν, οἱ δὲ δύο, ὡς οἱ τὰ Μοντανοῦ
φρονοῦντες. 8 Οὐ μὴν ἀλλὰ καὶ τοῦ ἐκκλησιάζειν οὐχ ὁ αὐτὸς
παρὰ πᾶσι καιρὸς ἢ τρόπος. Ἀμέλει οἱ μὲν καὶ τῷ σαββάτῳ
45 ὁμοίως τῇ μιᾷ σαββάτου ἐκκλησιάζουσιν, ὡς ἐν Κωνσταντινουπόλει καὶ σχεδὸν πανταχῇ, ἐν Ῥώμῃ δὲ καὶ Ἀλεξανδρείᾳ
οὐκέτι· παρὰ δὲ Αἰγυπτίοις ἐν πολλαῖς πόλεσι καὶ κώμαις
παρὰ τὸ κοινῇ πᾶσι νενομισμένον πρὸς ἑσπέραν τῷ σαββάτῳ
συνιόντες, ἠριστηκότες ἤδη, μυστηρίων μετέχουσι. 9 Καὶ
50 εὐχαῖς δὲ καὶ ψαλμῳδίαις ταῖς αὐταῖς ἢ ἀναγνώσμασι κατὰ
τὸν αὐτὸν καιρὸν οὐ πάντας εὑρεῖν ἔστι κεχρημένους. Οὕτω
γοῦν τὴν καλουμένην Ἀποκάλυψιν Πέτρου, ὡς νόθον παντελῶς πρὸς τῶν ἀρχαίων δοκιμασθεῖσαν, ἔν τισιν ἐκκλησίαις
τῆς Παλαιστίνης εἰσέτι νῦν ἅπαξ ἑκάστου ἔτους ἀναγινωσκο-
55 μένην ἔγνων ἐν τῇ ἡμέρᾳ τῆς παρασκευῆς, ἣν εὐλαβῶς ἅπας ὁ
λαὸς νηστεύει ἐπὶ ἀναμνήσει τοῦ σωτηρίου πάθους. 10 Τὴν δὲ
νῦν ὡς Ἀποκάλυψιν Παύλου τοῦ ἀποστόλου φερομένην, ἣν

---

1. Les montanistes, dès le III⁰ s., dans leur surenchère ascétique, pratiquent un jeûne pré-pascal de deux semaines (samedi et dimanche exclus),
nettement plus long que celui des autres communautés. Mais au siècle
suivant, leur règle n'ayant pas évolué, ils sont dépassés par les orthodoxes :
cf. L. Duchesne, *ibid.*, p. 241.
2. Les églises d'Orient que Sozomène assimile à la grande majorité (cf.
Socr., *H.E.* V, 22) continuent aux IV⁰ et V⁰ s. à marquer le sabbat d'un signe
distinctif. La lecture des Évangiles ou la célébration eucharistique y sont
parfois autorisées ou tolérées : Socrate, *H.E.* V, 22 cite à ce propos l'exemple de Chypre et celui de Césarée de Cappadoce, mais ne mentionne pas
Constantinople. A Rome, dans les Églises d'Occident ou à Alexandrie,
existe une plus forte volonté d'effacer les survivances de la tradition juive et
de mettre en valeur le dimanche, marque de la nouvelle alliance ; l'eucharistie ne peut y être célébrée le samedi : cf. Pietri, « Le temps de la semaine à
Rome et dans l'Italie », dans *Le temps chrétien de la fin de l'Antiquité au
Moyen Âge*, coll. CNRS, Paris 1984, p. 71.

comptent de six semaines, comme les Illyriens et les Occidentaux, toute la Libye et l'Égypte avec les Palestiniens,
d'autres de sept semaines, comme à Constantinople et dans
les régions avoisinantes jusqu'à la Phénicie, d'autres jeûnent
par intervalles trois semaines dans les six ou sept semaines,
d'autres enchaînent trois semaines de jeûne avant la fête,
d'autres deux semaines, comme ceux qui pensent comme
Montan [1]. **8** Plus, le temps même ou le mode de l'assemblée
de culte n'est pas identique en tous lieux. Par exemple,
certains célèbrent le culte le samedi aussi bien que le premier jour après le sabbat [2], comme à Constantinople et presque partout, mais il n'en est plus de même à Rome et à
Alexandrie : en Égypte, dans beaucoup de villes et de villages, contrairement à l'usage commun à tous, les gens se
rassemblent le samedi soir et participent aux mystères après
un repas. **9** On peut constater aussi que tous ne se servent
pas des mêmes prières, psalmodies ou lectures au même
moment. Il est sûr en tout cas que ce qu'on appelle *Apocalypse de Pierre* qui a été absolument condamnée comme
apocryphe par les Anciens [3], est encore lue aujourd'hui,
comme je l'ai appris, en certaines églises de Palestine une
fois chaque année au jour de la Préparation, jour où tout le
peuple fidèle jeûne pieusement en souvenir de la Passion du
Sauveur. **10** D'autre part, un très grand nombre de moines
font grand cas du livre qui circule aujourd'hui sous le nom
d'*Apocalypse de l'Apôtre Paul*, qu'aucun des Anciens n'a

---

3. Ce texte, très proche des apocalypses juives, rédigé en grec en Palestine à l'époque de la révolte de Bar Kokheba, se présente comme une
révélation faite à Pierre et aux disciples concernant la fin des temps. Il est
populaire aux IIe et IIIe s. où certains le citent encore comme faisant partie
des Écritures : cf. F. Bovon, P. Geoltrain éd., *Les écrits apocryphes
chrétiens* I, Paris 1997, p. 747-749.

οὐδεὶς ἀρχαίων οἶδε, πλεῖστοι μοναχῶν ἐπαινοῦσιν. Ἐπὶ ταύ-
1480 της | δὲ τῆς βασιλείας ἰσχυρίζονταί τινες ταύτην ηὑρῆσθαι
60 τὴν βίβλον. Λέγουσι γὰρ ἐκ θείας ἐπιφανείας ἐν Ταρσῷ τῆς
Κιλικίας κατὰ τὴν οἰκίαν Παύλου μαρμαρίνην λάρνακα ὑπὸ
γῆν εὑρεθῆναι καὶ ἐν αὐτῇ τὴν βίβλον εἶναι. **11** Ἐρομένῳ δέ
μοι περὶ τούτου ψεῦδος ἔφησεν εἶναι Κίλιξ πρεσβύτερος τῆς
65 ἐν Ταρσῷ ἐκκλησίας· γεγονέναι μὲν γὰρ πολλῶν ἐτῶν καὶ ἡ
πολιὰ τὸν ἄνδρα ἐδείκνυ· ἔλεγε δὲ μηδὲν τοιοῦτον ἐπίστασθαι
332 παρ᾿ αὐτοῖς συμβάν, θαυμάζειν τε εἰ μὴ τάδε | πρὸς αἱρετικῶν
ἀναπέπλασται. Ἀλλὰ περὶ μὲν τούτου τάδε. **12** Πολλὰ δ᾿ ἂν
εὕροι τις ἔθη κατὰ πόλεις καὶ κώμας, ἅπερ αἰδοῖ τῶν ἐξ ἀρχῆς
παραδεδωκότων ἢ τῶν τούτους διαδεξαμένων οὐχ ὅσιον οὐδὲ
70 ἀνεκτὸν ἡγοῦνται παραβαίνειν οἱ τούτοις ἐντραφέντες. Ταὐτὸν δὲ τοῦτο πεπονθέναι νομιστέον τοὺς ἀνθρώπους καὶ περὶ
ταύτην τὴν ἑορτήν, ἧς ἕνεκεν εἰς τοὺς περὶ τούτων ἐξηνέχθην
λόγους.

20

1 Διασπωμένων δὲ ὡς εἴρηται τῶν ἀπὸ τῶν ἄλλων αἱρέσεων ἔτι μᾶλλον ἐπεδίδου ἡ καθόλου ἐκκλησία, προστιθεμέ-
νων αὐτῇ πλείστων ἔκ τε τῆς τῶν ἑτεροδόξων πρὸς σφᾶς
διχονοίας καὶ μάλιστα ἐκ τοῦ Ἑλληνικοῦ πλήθους. Ἐπεὶ γὰρ
5 εἶδεν ὁ βασιλεὺς τὴν συνήθειαν τοῦ παρελθόντος χρόνου ἔτι

---

1. La prétendue révélation faite à l'apôtre, lors d'une expérience
d'extase, concerne cette fois le destin individuel des âmes après la mort.
D'où la rapidité et l'ampleur de sa diffusion à partir de sa composition au
milieu du IIIe s. Son succès se maintient au Moyen Âge. Le texte, apocryphe,
fut, semble-t-il, dans un premier temps, assez bien accueilli par l'Église :
cf. F. BOVON, P. GEOLTRAIN, *ibid.*, p. 779.
2. Sozomène manque ici de rigueur, sans doute par souci de conforter
l'image d'un empereur luttant avec force et constance contre le paganisme.
En effet, il n'y a pas de trace dans les Codes d'interdits concernant la

connue [1]. Certains affirment que ce livre a été découvert sous ce règne-ci. Ils disent en effet qu'à la suite d'une vision divine, à Tarse de Cilicie, dans la maison de Paul, on trouva sous le sol un coffre de marbre et que le livre était dedans. **11** Comme je le questionnais à ce sujet, un Cilicien, prêtre de l'église de Tarse, me dit que c'était un mensonge. C'était un homme d'âge, des cheveux blancs le montraient. Il disait ne pas savoir qu'il fût arrivé chez eux rien de pareil et il se demandait si cela n'avait pas été fabriqué par des hérétiques. Mais en voilà assez là-dessus. **12** On pourrait trouver encore, dans les villes et les villages, bien des coutumes, que, par respect pour ceux qui les ont d'abord établies ou pour ceux qui leur ont succédé, ceux qui en ont été nourris ne jugent ni pieux ni tolérable d'enfreindre. Il faut bien croire que les gens ont fait de même touchant aussi cette fête, à cause de laquelle je me suis laissé aller à ces propos sur ces questions.

Chapitre 20

*Le progrès de notre doctrine et la destruction complète
des temples des idoles ;
l'inondation du Nil qui se produit alors.*

1 Tandis qu'étaient ainsi déchirées les sectes, comme il a été dit, l'Église catholique progressait, elle, plus encore, car beaucoup s'y adjoignaient d'une part de chez des hétérodoxes à cause de leurs désaccords, mais surtout de la foule des païens [2]. En effet, l'empereur avait vu que l'habitude

fréquentation des temples au début du règne de Théodose ; toutefois, une loi de 382 (*Code Théodosien* XVI, 10,8) ordonne que soit maintenu ouvert le temple d'Édesse comme si beaucoup d'autres avaient été fermés peut-être sur l'initiative des autorités locales. En matière de destruction, nous ne connaissons que l'exemple du Sérapéum ! Cf. R.M. ERRINGTON, « Christian accounts ... », p. 429-430.

πρὸς τὸ πατρῷον σέβας καὶ τοὺς θρησκευομένους παρ' αὐτῶν
τόπους ἔλκουσαν τὸ ὑπήκοον, ἀρξάμενος βασιλεύειν ἐκώλυσε
τούτων ἐπιβαίνειν· τελευτῶν δὲ καὶ πολλοὺς καθεῖλεν. 2 Οἱ δὲ
ἀπορίᾳ εὐκτηρίων οἴκων τῷ χρόνῳ προσειθίσθησαν ταῖς
10   ἐκκλησίαις φοιτᾶν· οὐδὲ γὰρ οὐδὲ λάθρα θύειν Ἑλληνικῶς
ἀκίνδυνον ἦν, ἀλλ' ἐν ἀφαιρέσει κεφαλῆς καὶ οὐσίας νόμος
ἔκειτο κατὰ τῶν ταῦτα τολμώντων τὴν τιμωρίαν κυρῶν.
Τηνικαῦτα δέ φασι τὸν Αἰγύπτου ποταμὸν κατόπιν τοῦ καιροῦ γενέσθαι περὶ τὴν πρώτην ἀνάβασιν τῶν ὑδάτων· οἱ δὲ
1481   15   Αἰγύπτιοι ἐχαλέπαινον ὅτι μὴ συγχω|ροῖντο κατὰ τὸν πά-
τριον νόμον τῷ ποταμῷ θύειν. 3 Ὑπονοήσας δὲ ὁ τοῦ ἔθνους
ἡγούμενος εἰς στάσιν αὐτοὺς παρασκευάζεσθαι τάδε ἐμήνυσεν. Μαθὼν δὲ ὁ βασιλεὺς ἄμεινον ἔφη πρὸς τὸ θεῖον διαμεῖναι πιστὸν ἢ τὰ Νείλου νάματα καὶ τὴν ἐντεῦθεν εὐετηρίαν
20   προτιμῆσαι τῆς εὐσεβείας· « Μηδέποτε γὰρ ῥεύσοιεν ἐκεῖνος ὁ
ποταμός, εἴπερ ἀληθῶς οἷός τέ ἐστι γοητείαις ὑπάγεσθαι καὶ
θυσίαις χαίρειν καὶ αἱμάτων ῥύσει μιαίνειν τὰς ἐκ τοῦ θείου
παραδείσου ἐπιρροάς.» 4 Οὐκ εἰς μακρὰν δὲ ὁ Νεῖλος πολὺς
ἐκχυθεὶς καὶ τοῖς ὑψηλοτέροις ἐπαφῆκε τὰ ῥεύματα. Ἐπεὶ δὲ
25   πρὸς τὸ τελειότατον καὶ σπανίως πληρούμενον μέτρον ἔφθα-

---

1. L'interdiction portée contre le sacrifice (sanglant) apparaît dans une
loi du 21 décembre 381 (*Code Théodosien* XVI, 10, 7) qui ne concerne que
les formes de consultation sur l'avenir, depuis longtemps objet de contrôle
par l'État. Elle est reprise et, semble-t-il, élargie à d'autres cas en 385 (*Code
Théodosien* XVI, 10, 9) ; mais il faut attendre les grands édits de 391 (*Code
Théodosien* XVI, 10, 10 et 11) et 392 (XVI, 10, 12) pour lui voir reconnaître
une portée générale. Ces textes n'évoquent pas la peine de mort, sauf
peut-être de manière implicite (XVI, 10, 12 — 8 novembre 392) quand la
pratique du sacrifice est assimilée à la lèse-majesté parce qu'il y a consultation sur l'avenir ; ils mentionnent parfois amende ou confiscation. Sozomène, qui devait connaître ces lois, en donne ici un aperçu inhabituelle-
ment imprécis.

2. L'anecdote est peut-être empruntée à Rufin, *H.E.* XI, 30, qui la
mettait en relation avec la destruction du Sérapéum et ne mentionnait pas
de retard de crue. Selon Rufin, on craignait en Égypte que, dans sa colère, le
dieu ne refusât la crue habituelle. Mais Dieu veilla à ce qu'elle fût encore

acquise par la longue durée du temps entraînait encore les
sujets au culte traditionnel et aux lieux qu'ils vénéraient, et,
dès le début de son règne, il avait interdit d'y pénétrer : à la
fin, il en détruisit même beaucoup. **2** Ainsi donc, privés de
leurs maisons de prières, les païens s'accoutumèrent avec le
temps à fréquenter les églises. Il n'était d'ailleurs même pas
sans danger de sacrifier à la mode païenne, fût-ce en
cachette, mais c'était au péril de la tête et de la confiscation
des biens : une loi avait été édictée qui établissait le châtiment contre ceux qui osaient le faire [1]. A ce moment-là,
dit-on, le fleuve d'Égypte fut en retard pour la première crue
des eaux. Les Égyptiens étaient fâchés qu'il ne leur fût pas
permis de sacrifier au fleuve selon la coutume ancestrale [2].
3 Les soupçonnant de se préparer à la révolte, le préfet
d'Égypte fit part de la chose. En l'apprenant, l'empereur dit
qu'il valait mieux rester fidèle à Dieu que de mettre les flots
du Nil et la fécondité qui en résulte au-dessus de la piété [3] :
« Que jamais ne coule ce fleuve, s'il est vraiment capable de
se laisser séduire par des enchantements, de prendre plaisir
aux sacrifices, de souiller par des effusions de sang les eaux
qui émanent du divin paradis. » **4** Peu de temps après, le Nil
déborda en abondance et lança ses flots même contre des
lieux plus élevés. Quand il fut arrivé à son niveau le plus
haut, niveau rarement atteint, et que cependant les eaux ne

plus haute que d'habitude et la coudée-étalon, instrument de mesure de la
hauteur des crues, revint à l'Église du vrai Dieu conçu comme le Seigneur
des eaux. Sozomène reprend l'anecdote sans mentionner la statue ni même
le nom de Sérapis, assimilé au Nil source de la crue divine ; en revanche, il
met au premier plan la piété de Théodose qui se montre capable de mettre
la fidélité à Dieu au dessus de tout et provoque par cet acte de foi une crue
gigantesque. Sur la crue du Nil, voir *H.E.* V. 3, 3, *SC* 495, p. 102-103 note 3.

    3. Sozomène accorde un rôle central à l'empereur qui a su ne pas suc-
comber à la tentation de laisser les Égyptiens accomplir leurs rites habituels
pour provoquer la crue. L'abondance de ces hautes eaux marque chez Rufin
la victoire du Dieu des chrétiens sur Sérapis ; chez l'historien grec, elle
illustre surtout l'inanité des rituels païens. Sur l'épisode, cf. THELAMON,
p. 273-279.

σεν, οὐδὲν δὲ ἧττον ἐκορυφοῦτο τὸ ὕδωρ, εἰς ἐναντίον φόβον
333 περιέστησαν οἱ | Αἰγύπτιοι· καὶ δέος ἦν μὴ καὶ τὴν Ἀλεξάν-
δρου πόλιν καὶ Λιβύης μέρος [οὖσαν] κατακλύσῃ· **5** ἡνίκα δὴ
λέγεται τοὺς Ἑλληνιστὰς Ἀλεξανδρέων ἀγανακτοῦντας πρὸς
30 τὸ συμβὰν παρὰ γνώμην ἐπιτωθάσαι καὶ ἐν τοῖς θεάτροις
ἀναβοῆσαι, ὡς οἷα γέρων καὶ λῆρος ἐξούρησεν ὁ ποταμός. Ἐκ
τούτου δὲ πλεῖστοι Αἰγυπτίων τῆς πατρῴας δεισιδαιμονίας
κατέγνωσαν καὶ εἰς Χριστιανισμὸν μετεβάλοντο. Καὶ τὰ μὲν
ὡς ἐπυθόμην.

21

1 Ὑπὸ δὲ τοῦτον τὸν χρόνον διεκομίσθη εἰς Κωνσταντινούπολιν ἡ Ἰωάννου τοῦ βαπτιστοῦ κεφαλή, ἣν Ἡρωδιὰς ᾐτή-
σατο παρὰ Ἡρώδου τοῦ τετράρχου. Λέγεται δὲ εὑρεθῆναι
παρὰ ἀνδράσι μοναχοῖς τῆς Μακεδονίου αἱρέσεως, οἳ τὰ μὲν
5 πρῶτα ἐν Ἱεροσολύμοις διέτριβον, ὕστερον δὲ εἰς Κιλικίαν
μετῳκίσθησαν. **2** Ἐπὶ δὲ τῆς πρὸ ταύτης ἡγεμονίας Μαρδονίου μηνύσαντος, ὃς τῆς βασιλικῆς οἰκίας μείζων ἦν εὐνοῦχος,
προσέταξεν Οὐάλης εἰς Κωνσταντινούπολιν αὐτὴν κομισθῆ-

---

1. Sur le récit de la décapitation de Jean Baptiste à la demande d'Hérodiade, voir Mt 14, 3-12 ; Mc 6, 17-29 ; Lc 3, 19-20 et 9, 9. Jean Baptiste avait
condamné la conduite de cette dernière qui avait quitté son mari pour
épouser son beau-frère. Hérode Antipas, un des trois fils d'Hérode le
Grand, à la succession duquel Auguste a présidé, ne porte, comme prince
client de Rome, que le titre de tétrarque et non celui de roi.
2. En ce qui concerne le corps de Jean Baptiste, Jérôme dans sa traduction de *l'Onomasticon* d'Eusèbe, RUFIN, *H.E.* XI, 28, THÉODORET,
H.E. III, 3,7 signalent la présence de reliques à Sébaste. Elles auraient été
profanées sous Julien ; le tombeau, peut-être désormais vide, faisait encore
l'objet de pèlerinages au VIIIe s. En ce qui concerne le « chef » du saint,
Sozomène nous donne ici la plus ancienne version concernant la translation
de la relique : celle qui avait cours à Constantinople. Selon la légende, la tête
aurait été enterrée à part, près du palais d'Hérodiade, afin de rendre impossible la reconstitution du corps. C'est là que l'auraient trouvée les moines
mentionnés par Sozomène. Sur les macédoniens, voir *supra* VII, 2, 2 et note

se gonflaient pas moins, les Égyptiens en vinrent à la crainte contraire : ils redoutaient que le fleuve ne submergeât la ville d'Alexandrie et une partie de la Libye. **5** On dit qu'alors les païens d'Alexandrie, irrités de ce qui leur arrivait contre toute attente, se moquaient et s'exclamaient dans les théâtres que le Nil « avait pissé comme un vieux radoteur ». Depuis ce moment, de très nombreux Égyptiens condamnèrent la superstition ancestrale et se tournèrent vers le christianisme. Voilà l'événement, comme je l'ai appris.

Chapitre 21

La découverte de la précieuse tête du Précurseur ;
ce qui advint grâce à elle.

1 Vers ce temps-là fut transportée à Constantinople la tête de Jean Baptiste, qu'Hérodiade avait réclamée à Hérode le tétrarque [1]. On dit qu'elle fut découverte par des moines de la secte macédonienne, qui vivaient d'abord à Jérusalem, puis passèrent en Cilicie [2]. **2** Sous le règne précédent, comme l'eunuque Mardonius, qui était le grand chambellan du palais impérial, l'avait informé [3], Valens avait ordonné qu'on l'apportât à Constantinople. Les hommes envoyés

ad loc. Au VIe s., Denys le Petit transmet une tradition légèrement différente, celle qui était propre à l'église d'Émèse : découverte par des moines sur les lieux de l'ancien palais d'Hérode, la relique serait passée de mains en mains pour finalement aboutir au monastère du Spélaion, près d'Émèse. C'est là qu'elle aurait été redécouverte par l'évêque de la ville vers 453. Mais elle n'aurait pas quitté Émèse par la suite : cf. *DACL* VII 2, 1927, c. 2167-2169, Jean Baptiste, H. Leclercq.

3. Sous Valens, Mardonius est primicier de la chambre impériale, c'est-à-dire responsable du corps des cubiculaires ; il devient préposé à la chambre sacrée, doté de l'autorité sur l'ensemble du *cubiculum*, sous Arcadius en 388 : cf. *P.L.R.E.* I, p. 558, Mardonius.

ναι. Καὶ οἱ μὲν ἐπὶ τοῦτο ἀποσταλέντες ἐπιθέντες ὀχήματι
δημοσίῳ | ἦγον· ὡς δὲ εἰς τὸ Παντείχιον ἧκον (χωρίον δὲ
τοῦτο Χαλκηδόνος), οὐκέτι προσωτέρω βαδίζειν ἠνείχοντο αἱ
τὸ ὄχημα καθέλκουσαι ἡμίονοι, καὶ ταῦτα τῶν ἱπποκόμων
ἐπαπειλούντων καὶ τοῦ ἡνιόχου χαλεπῶς τῇ μάστιγι κεντοῦν-
τος. 3 Ὡς δὲ οὐδὲν ἤνυον (ἐδόκει δὲ πᾶσι καὶ αὐτῷ τῷ
βασιλεῖ παράδοξον εἶναι καὶ θεῖον τὸ πρᾶγμα), ἀπέθεντο
ταύτην τὴν ἱερὰν κεφαλὴν ἐν τῇ Κοσιλάου κώμῃ· ἔτυχε γὰρ
ἐκ γειτόνων οὖσα καὶ Μαρδονίου τούτου κτῆμα. 4 Περὶ δὲ
τοῦτον τὸν χρόνον ἢ τοῦ θεοῦ ἢ αὐτοῦ τοῦ προφήτου κινοῦντος
ἧκεν εἰς τήνδε τὴν κώμην Θεοδόσιος ὁ βασιλεύς, βουλομένῳ
τε τοῦ βαπτιστοῦ τὸ λείψανον λαβεῖν μόνην φασὶν ἀντειπεῖν
Ματρώναν, ἢ παρθένος μὲν ἦν ἱερά, εἵπετο δὲ αὐτῷ διάκονος
καὶ φύλαξ· ἀνθισταμένην δὲ παντὶ σθένει βιάσασθαι οὐχ ἡγήσατο δεῖν, ἀντιβολῶν δὲ ἐδεῖτο συγχωρεῖν. 5 Ἐπεὶ δὲ μόλις
εἶξεν ἀνήνυτον εἶναι νομίσασα τῷ κρατοῦντι τὴν ἐπιχείρησιν
κατὰ τὸ συμβὰν ἐπὶ τῶν Οὐάλεντος | χρόνων, περιλαβὼν τῇ
ἁλουργίδι τὴν θήκην ἐν ᾗ ἔκειτο ἔχων ἐπανῆλθε, καὶ πρὸ τοῦ
ἄστεως Κωνσταντινουπόλεως ἔθετο ἐν τῷ καλουμένῳ Ἑβδόμῳ, μέγιστον καὶ περικαλλέστατον τῷ θεῷ ἐνθάδε ναὸν ἐγεί-

1. Panteichion se trouve à quinze milles de Chalcédoine, sur la route
menant à Nicomédie : cf. *PW* XVIII 3, 1949, c. 779, F. K. DÖRNER.
2. Actuel Cosla (E. RAZY, *Saint Jean Baptiste, sa vie, son culte, sa
légende*, Paris 1880, p. 220). La position de pouvoir que tenaient les eunuques de la chambre du fait de leur proximité avec le prince offrait de
multiples occasions de s'enrichir. Le fait qu'un village entier dépende d'un
même propriétaire n'a, dans ces régions, rien d'étonnant : cf. M. SARTRE,
L'Asie Mineure et l'Anatolie d'Alexandre à Dioclétien, Paris 1995, p. 286-
287.
3. Ce nom apparaît dans la version d'Émèse (cf. note à 21, 1 *supra*), mais
d'une manière un peu différente. Selon Denys le Petit, repris par SIMON
MÉTAPHRASTE dans sa *Vie de Sainte Matrona de Perge* (Pamphylie) —
PG XVI, c. 933 —, la sainte, installée à Émèse et devenue abbesse du
monastère construit sur le terrain où fut redécouverte la tête de Jean
Baptiste, accomplissait des miracles avec un onguent que produisait le
« chef » ; ces événements se passaient sous Léon le Grand : cf. *DACL* VII 2,

dans ce dessein la mirent sur une voiture de la poste publique et ils la conduisaient ; mais lorsqu'ils furent arrivés à Panteichion [1] — c'est un fort de Chalcédoine —, les mules qui tiraient la voiture refusèrent d'aller plus loin, et ce malgré les menaces des muletiers et les violents coups de fouet du cocher. **3** Comme ils n'aboutissaient à rien — la chose paraissait à tous et à l'empereur même avoir un caractère miraculeux et divin —, ils déposèrent cette sainte tête à Kosilaoukômé [2]. C'était un village voisin et qui appartenait à ce Mardonius. **4** Vers ce temps-là, à l'instigation de Dieu ou du prophète même, l'empereur Théodose vint à ce village. Comme il voulait enlever la relique du Baptiste, seule, dit-on, lui résista Matrona [3], qui était une vierge sacrée et qui était attachée à la relique comme servante et gardienne. Comme elle résistait de toutes ses forces, l'empereur jugea bon de ne pas user de violence, mais en suppliant il lui demandait de céder. **5** Quand enfin elle eut accepté avec peine, dans la pensée que la tentative du prince était vaine, étant donné ce qui s'était passé du temps de Valens, l'empereur enveloppa de sa pourpre le coffret où était la tête [4] et, le tenant ainsi, il s'en retourna avec lui et il le déposa devant la ville de Constantinople en ce qu'on nomme l'Hebdomon [5], en un lieu où il éleva à Dieu un temple très grand et très

1927, c. 2162170, Jean Baptiste, H. Leclercq. La présence du nom Matrona pourrait indiquer que Sozomène connaissait aussi la tradition d'Émèse, tout en préservant la primauté de celle de Constantinople.

4. L'anecdote met en valeur l'opposition entre le comportement autoritaire de l'empereur arien Valens qui échoue dans son entreprise et doit abandonner la relique en chemin et celui de Théodose qui sait supplier et parvient à ses fins. En enveloppant le coffret avec sa pourpre, l'empereur accentue son lien avec le saint protecteur : cf. H. Leppin, *Theodosius...*, p. 180.

5. A sept bornes de la muraille s'étend un espace semblable à celui du Champ de Mars à Rome. Théodose y fait construire une église pour accueillir la relique qui est déposée le 12 des calendes de mars 392. C'est un sanctuaire de forme ronde surmonté d'une coupole, entouré de portiques : cf. R. Janin, *Géographie ecclésiastique*, t. III, Paris 1953, p. 426-429.

ρας. Πολλὰ δὲ πολλάκις λιπαρήσας Ματρώναν καὶ κεχαρι-
30 σμένα ὑποσχόμενος οὐκ ἔπεισε μεταθέσθαι τῆς δόξης· ἦν γὰρ
τῆς Μακεδονίου αἱρέσεως. 6 Καίτοι γε Βικέντιος πρεσβύτερος, ὁμόδοξος ὢν αὐτῇ καὶ τὴν σορὸν τοῦ προφήτου ἐπίσης
θεραπεύων καὶ περὶ ταύτην ἱερώμενος, ἠκολούθησεν αὐτίκα
καὶ τοῖς ἀπὸ τῆς καθόλου ἐκκλησίας ἐκοινώνησεν, ἀπώμοτον
35 μέν, ὡς λέγουσιν οἱ τὰ Μακεδονίου φρονοῦντες, ποιησάμενος
μήποτε μεταθήσεσθαι τῆς αὐτῶν δόξης, τὸ δὲ τελευταῖον εἰς
τὸ προφανὲς ὁρίσας, ὡς εἰ ἔλοιτο ὁ βαπτιστὴς ἀκολουθῆσαι
τῷ βασιλεῖ, καὶ αὐτὸν κοινωνήσειν αὐτῷ μηδὲν διαφερόμενον.
7 Ἐγένετο δὲ οὗτος Πέρσης τὸ γένος, ἐπὶ δὲ τῆς Κωνσταν-
40 τίου βασιλείας διωγμοῦ καταλαβόντος τοὺς ἐν Περσίδι Χριστιανοὺς φεύγων ἅμα Ἀδδᾷ τῷ αὐτοῦ ἀνεψιῷ εἰς Ῥωμαίους
ἦλθεν. 8 Ἀλλ' ὁ μὲν κλήρῳ ἐγκατελέγη καὶ εἰς πρεσβυτέρου
προῆλθεν ἀξίαν· Ἀδδᾶς δὲ γήμας μέγιστα τὴν ἐκκλησίαν
ὠφέλησε παῖδα καταλιπὼν Αὐξέντιον, ἄνδρα περὶ τὸ θεῖον
45 πιστότατον καὶ περὶ φίλους σπουδαῖον, ἐμμελῆ δὲ τὸν βίον
καὶ φιλόλογον καὶ πολυμαθῆ τῶν Ἑλλησι καὶ τοῖς ἐκκλησιαστικοῖς συγγραφεῦσιν ἱστορημένων, μέτριον δὲ τὸ ἦθος καὶ
βασιλεῖ καὶ τοῖς ἀμφ' αὐτὸν ἐπιτήδειον καὶ λαμπρᾶς ἐπειλημ-
μένον στρατείας. Ἀλλὰ τοῦδε μὲν πολύς ἐστι λόγος παρά τε
50 εὐδοκιμωτάτοις μοναχοῖς καὶ σπουδαίοις ἀνδράσι, οἵπερ
αὐτοῦ ἐπειράθησαν. 9 Ἡ δὲ Ματρώνα μέχρι τελευτῆς ἐν τῇ
1485 Κοσιλάου κώμῃ | διέτριβε· διεβίω δὲ ἱεροπρεπῶς μάλα καὶ
σωφρόνως ἱερῶν παρθένων ἡγουμένη· ὧν εἰσέτι νῦν πολλὰς
περιεῖναι ἐπυθόμην, τῆς ὑπὸ Ματρώναν παιδεύσεως ἄξιον
55 φερούσας ἦθος.

---

1. Les coffrets à reliques avaient leur place dans les autels ou dans des
niches murales pour les cassettes : DACL XIV 2, c. 2323-2338, coffret
reliquaire, H. LECLERCQ. La présence de la relique sous l'autel renforce la
sainteté de la célébration de la messe.

2. Il s'agit sans doute de la campagne de persécution lancée contre les
chrétiens par les autorités perses, dans la deuxième moitié du règne de
Sapor II ; elle s'explique par les relations très tendues avec l'Empire romain
qui font considérer les chrétiens perses comme des traîtres potentiels accu-

magnifique. Quoiqu'il eût souvent fait bien des supplications à Matrona et qu'il lui eût promis des faveurs, il ne put la convaincre de changer d'opinion : elle était de la secte macédonienne. **6** Toutefois, le prêtre Vincent, qui partageait son opinion, qui était chargé également de veiller sur la châsse du prophète et célébrait la messe sur cette châsse [1], la suivit sur le champ et il entra en communion avec les catholiques ; bien qu'il eût fait serment, à ce que disent les partisans de Macédonius, de n'abandonner jamais leur doctrine, à la fin il prit ouvertement cette décision que, si le Baptiste choisissait de suivre l'empereur, il entrerait lui aussi dans sa communion sans plus aucun différend. **7** Il était né perse, et lorsque la persécution sévit contre les chrétiens de Perse sous le règne de Constance [2], il fuit avec son cousin Addâs et alla chez les Romains. **8** Il fut inscrit dans le clergé et arriva au rang de prêtre. Addâs, lui, se maria, rendit de très grands services à l'Église et laissa un fils, Auxence. Celui-ci fut très fidèle à la divinité, zélé envers ses amis, bien réglé dans sa vie, ami des lettres, instruit des ouvrages tant des païens que des écrivains ecclésiastiques, modeste de caractère, familier de l'empereur et de son entourage et exerçant une brillante fonction. Sa réputation est grande chez les moines les plus en renom et les hommes vertueux qui ont eu affaire à lui. **9** Quant à Matrona, elle demeura jusqu'à sa mort à Kosilaoukômé. Elle y vécut très saintement et dirigea sagement un couvent de vierges consacrées : à ce que j'ai appris, beaucoup d'entre elles vivent aujourd'hui encore, avec un comportement digne de l'éducation reçue sous la conduite de Matrona.

---

sés de pactiser avec l'ennemi, ainsi que par l'influence du clergé des mages. Cette persécution qui se développe à partir de 340 correspond au règne collégial puis personnel de Constance II ; elle ne cesse qu'en 383. Sozomène l'avait rapportée (II, 14, 5) en mentionnant le chiffre sans doute exagéré de 16000 morts et en la situant de manière erronée sous le règne de Constantin : cf. PIETRI, *Histoire...*, II, p. 940.

22

1 Καὶ ὁ μὲν Θεοδόσιος ἐν εἰρήνῃ τὴν πρὸς ἔω ἀρχομένην
ἰθύνων ἐν τούτοις ἐσπούδαζεν καὶ ἐπιμελῶς μάλα τὸ θεῖον
ἐθεράπευεν. Ἐν τούτῳ δὲ ἀγγέλλεται Οὐαλεντινιανὸς ὁ βασι-
335 λεὺς ἀγχόνῃ ἀπολωλέναι. **2** Ἐλέγετο δὲ | ταύτην αὐτῷ κατ-
5 τῦσαι τὴν τελευτὴν διὰ τῶν θαλαμηπόλων εὐνούχων ἄλλους
τέ τινας τῶν ἀμφὶ τὰ βασίλεια καὶ Ἀρουαγάστην τὸν ἐπὶ τῶν
αὐτοῦ στρατευμάτων τεταγμένον, καθότι πατρῴζοντα τὸν
νέον εὗρον περὶ τὴν ἀρχὴν καὶ πρὸς πολλὰ τῶν ἐκείνοις δοκούν-
των χαλεπαίνοντα. Οἱ δὲ αὐτὸν ἡγοῦνται αὐτόχειρα ἑαυτοῦ
10 γενέσθαι, ὡς ἐπιχειροῦντά τισιν οὐ δέον ἐν τῷ ζέοντι τῆς
ἡλικίας καὶ κωλυόμενον καὶ τούτου χάριν οὐ καταξιώσαντα
ζῆν, ὅτι βασιλεύων μὴ συγχωροῖτο ποιεῖν ἃ βούλεται. **3** Φασί
γε μὴν τοῦτο τὸ μειράκιον εὐγενείᾳ σώματος καὶ βασιλικῶν
τρόπων ἀρετῇ ὑπερφυῶς δόξαι τῆς ἡγεμονίας ἄξιον καὶ οἷος
15 μεγαλοψυχίᾳ καὶ δικαιοσύνῃ ὑπερβαλέσθαι τὸν αὐτοῦ πατέ-

1. Alors que Théodose est de retour à Constantinople depuis l'été
391, Valentinien II est découvert mort, pendu, dans son palais à Vienne, le
15 mai 392 : SEECK, Regesten, p. 280.
2. Une partie de la tradition rejette la thèse du suicide et évoque un
complot aboutissant au meurtre, éventuellement déguisé en suicide :
OROS., hist. VII, 35, 10 ; SOCR., H.E. V, 25, 4 ; ZOS. IV, 53.
3. Selon cette thèse, le complot associait Arbogast et des eunuques de la
chambre, personnel souvent mis en cause par les historiens tardifs dans le
cas d'événements inexpliqués. Arbogast, comte militaire d'origine franque,
païen, avait joué aux côtés de Théodose un rôle décisif dans la chute de
Maxime. Placé auprès de Valentinien II que l'empereur avait décidé de
tenir à l'écart en l'envoyant en Gaule, il prend, à la mort de Bauto, le titre de
maître des milices, sans l'aval de Valentinien II. Ce dernier ayant même
tenté de le démettre, il refuse de se soumettre et c'est le jeune prince qui
doit céder : cf. P.L.R.E. I, p. 95-96, Arbogast. On remarquera toutefois que
Sozomène, à la différence de SOCRATE, H.E. V, 25, ne l'accuse pas ici de

Chapitre 22

La mort par pendaison de l'empereur Valentinien le jeune
à Rome ; l'usurpation d'Eugène ;
la prophétie de Jean, moine de Thébaïde.

1 Théodose donc, dirigeant en paix la partie orientale, s'occupait avec zèle de ces questions et mettait tous ses soins à servir la divinité. A ce moment, on annonce que l'empereur Valentinien est mort pendu [1]. **2** On disait que ceux qui avaient tramé cette mort par le moyen des eunuques de la chambre [2] étaient des gens qui servaient au palais et entre autres Arbogast, le général en chef de ses armées [3] : ils avaient trouvé en effet que le jeune homme voulait comme son père être maître du pouvoir et qu'il s'irritait de beaucoup de leurs décisions. D'autres pensent qu'il se tua de sa propre main parce que, dans le bouillonnement de la jeunesse, il se lançait dans des entreprises illicites, qu'on l'en avait empêché et que, pour cette raison, il n'avait plus jugé bon de vivre puisque, bien qu'il fût empereur, on ne lui permettait pas d'agir selon sa volonté [4]. **3** On dit au surplus que, par la beauté du corps et la qualité royale de son caractère, ce jeune homme semblait tout à fait digne de régner et capable de dépasser son père en magnanimité et en justice,

---

viser le pouvoir ni d'être en relation avec Eugène. De fait, il a cherché, semble-t-il, un accord avec Théodose pour le remplacement de Valentinien, avant de se tourner au bout de trois mois vers Eugène : ce délai ne plaide pas pour la thèse de l'assassinat suite à un complot : cf. B. Croke, « Arbogast and the death of Valentinian II », *Historia* 25, 1976, p. 235-244.

4. La thèse du suicide se trouve aussi dans les *Chron. min.* I, 463-522. Les sources les plus contemporaines restent dans l'ambiguïté : Ambroise, *obit. Valent.*, éd. O. Faller, 1955, *CSEL* 73, p. 329-367, évoque la soudaineté de cette mort plus que ses circonstances concrètes, Rufin, *H.E.* II, 31 et Augustin, *ciu.* V, 26 reconnaissent ne rien pouvoir expliquer.

ρα, εἰ παρῆλθεν εἰς ἄνδρας. 4 Καὶ ὁ μὲν τοιοῦτος ὢν ὧδε
τέθνηκεν· Εὐγένιος δέ τις οὐχ ὑγιῶς διακείμενος περὶ τὸ
δόγμα τῶν Χριστιανῶν ἐπεισπηδᾷ τῇ ἀρχῇ καὶ τὰ σύμβολα
τῆς βασιλείας ἀμφιέννυται· ᾤετο δὲ τοῦ ἐπιχειρήματος ἀσφα-
20 λῶς κρατήσειν ὑπαγόμενος λόγοις ἀνθρώπων εἰδέναι τὸ μέλλον ὑπισχνουμένων σφαγίοις τισὶ καὶ ἡπατοσκοπίαις καὶ
καταλήψει ἀστέρων. 5 Ἐσπούδαζον δὲ περὶ ταῦτα ἄλλοι τε
τῶν ἐν τέλει Ῥωμαίων καὶ Φλαβιανὸς ὁ τότε ὕπαρχος, ἀνὴρ
ἐλλόγιμος καὶ περὶ τὰ πολιτικὰ ἐχέφρων εἶναι δοκῶν, προσέτι
25 δὲ καὶ τὰ μέλλοντα ἀκριβοῦν νομιζόμενος ἐπιστήμῃ παντοδα-
πῆς μαντείας. Ταύτῃ γὰρ μάλιστα τὸν Εὐγένιον ἔπεισεν εἰς
1488 πόλεμον παρασκευάσασθαι, μοιρίδιον εἶναι αὐτῷ τὴν | βασι-
λείαν ἰσχυριζόμενος καὶ νίκην ἐπὶ τῇ μάχῃ ξυμβήσεσθαι καὶ
μεταβολὴν τῆς τῶν Χριστιανῶν θρησκείας. 6 Καὶ Εὐγένιος

1. Le thème assez conventionnel de ce bref éloge funèbre peut être mis
en parallèle avec le *De obitu Valentiniani*. Mais l'émouvante déploration
par l'évêque de Milan de la mort prématurée d'un être plein de jeunesse, de
beauté et de vertu en présence des sœurs du défunt ne peut pas être
considérée pour autant comme une source de Sozomène.
2. Professeur de rhétorique installé à Rome, Eugène est présenté par le
maître des milices franc Richomer à son neveu Arbogast ; il devient chef
d'un des bureaux de la chancellerie de Valentinien II. Chrétien tiède, il
entretient de bonnes relations avec Symmaque comme avec Ambroise. Le
terme « bondit » semble très exagéré, d'autant plus qu'une usurpation par
un civil est un fait d'exception. Le choix d'Arbogast, qui désespérait d'un
accord avec Théodose et entretenait de bonnes relations avec des milieux
variés, a dû se porter sur Eugène parce que celui-ci pouvait servir de caution
culturelle à un général franc, aux yeux de l'aristocratie italienne ; mais
Sozomène ne se prononce pas sur ce point. Il est proclamé empereur le 22
août 392 à Lyon (SEECK, *Regesten*, p. 280). Voir *RAC* VI, 1964, c. 860-877,
J. STRAUB, ainsi que J. MATTHEWS, *Western Aristocracies...*, p. 238-243.
3. Comme les autres historiens de l'Église, Sozomène insiste sur
l'influence des tenants de cultes traditionnels qu'il réduit aux manifestations extérieures les plus suspectes et présente l'usurpation d'Eugène sous
les traits d'une guerre de religion. Pourtant Eugène, chrétien, reconnu
comme Auguste par Ambroise, a commencé par refuser deux fois de suite
de recevoir une ambassade de sénateurs païens de Rome qui réclamaient le
rétablissement de leurs cultes. C'est surtout lors de la troisième ambassade,
vers la fin de 392, que l'impossibilité d'obtenir une reconnaissance de la

s'il parvenait à l'âge d'homme [1]. **4** Bref, malgré ce qu'il était, il mourut ainsi. Un certain Eugène, qui n'était pas sincèrement attaché à la doctrine chrétienne, bondit sur le pouvoir et revêt les insignes impériaux [2]. Il espérait réussir en sécurité dans sa tentative, entraîné par les paroles des gens qui se faisaient fort de connaître l'avenir au moyen de certains sacrifices, d'examens d'entrailles et d'observation des astres [3]. **5** S'occupaient avec zèle de ces pratiques plusieurs dignitaires romains et entre autres Flavianus, alors préfet, homme cultivé, réputé sage en matière politique et tenu, outre cela, pour connaître très exactement l'avenir grâce à sa science en toute espèce de mantique [4]. C'est par là surtout qu'il persuada Eugène de se préparer à la guerre, affirmant que l'Empire lui était assuré par le destin, qu'il serait vainqueur en la bataille et que la religion chrétienne serait renversée [5]. **6** Eugène, trompé par ces espérances, rassembla

part de Théodose l'incite à accepter partiellement leur requête en rendant les biens confisqués non pas aux temples, mais aux sénateurs païens : cf. J. SZIDAT, « Die Usurpation des Eugenius », *Historia* 28, 1979, p. 487-508.

4. Nicomaque Flavien, païen, de naissance sénatoriale, a été nommé préfet du prétoire d'Italie-Illyricum par Théodose en 390 et conserve son poste sous Eugène qui, par ailleurs, nomme son fils préfet de la Ville. Historien auteur d'Annales, il est lié à Symmaque et apparaît dans les *Saturnales* de Macrobe. Il a cherché à faire revivre les fêtes traditionnelles en particulier celles de Cybèle et d'Attis, mais le réduire à un rôle de spécialiste de la mantique, comme le fait également RUFIN (*H.E.* II, 33) relève de la polémique : *P.L.R.E.* I, p. 345-347, Virius Nicomachus Flavianus 15. Toutefois on peut s'étonner de la modération de Sozomène malgré le rôle très actif de Nicomaque Flavien pendant la phase finale de l'usurpation d'Eugène : elle se fait l'écho de celle de Théodose qui aurait déploré le suicide du préfet : cf. J. WYTZES, *Der Letzte Kampf des Heidentums in Rom*, Leiden 1997, p. 175-176.

5. L'historiographie chrétienne accorde une grande importance à Nicomaque Flavien afin de souligner le caractère païen de la politique d'Eugène ; Arbogast et lui auraient promis, en quittant Milan pour le front, qu'à leur retour ils changeraient l'église en écurie et enrôleraient les prêtres (PAULIN, *Vita Ambrosii*, 26). En fait, Eugène n'a pas abandonné sa religion, ni cherché à réduire les droits des chrétiens et sa politique visait bien plutôt à rétablir un régime de véritable tolérance religieuse : cf. J. SZIDAT, *ibid.*, p. 498-503.

30 μὲν ταύταις ταῖς ἐλπίσι βουκολούμενος πλείστην ἤγειρε
στρατιὰν καὶ τὰς πρὸς τῇ Ἰταλίᾳ πύλας, ἃς Ἰουλίας Ἄλπεις
Ῥωμαῖοι καλοῦσι, προκαταλαβὼν ἐφρούρει, ὡς ἐν στενῷ μίαν
πάροδον ἐχούσας, ἑκατέρωθεν περιπεφραγμένας ἀπορρῶξι
336 καὶ ὑψηλοτάτοις ὄρεσι. | 7 Θεοδόσιος δὲ διανοούμενος, πῇ
35 ἄρα τὴν ἀπόβασιν ἕξει ὁ πρὸς αὐτὸν πόλεμος καὶ πότερον ἐπ'
αὐτὸν χωρεῖν δεῖ ἢ ἐπιόντα περιμένειν, ἔγνωκε περὶ τούτου
συμβούλῳ χρήσασθαι Ἰωάννῃ τῷ ἐν Θηβαΐδι μοναχῷ, ὃν ἐν
τοῖς πρόσθεν εἴρηται ἐπιφανέστατον τηνικάδε γενέσθαι ἐπὶ
προγνώσει τῶν ἐσομένων· καὶ Εὐτρόπιον, ὃς πιστὸς ἦν αὐτῷ
40 τῶν ἐν τοῖς βασιλείοις εὐνούχων, πέπομφεν εἰς Αἴγυπτον, εἰ
μὲν δυνατόν, ἄξοντα αὐτόν, εἰ δὲ παραιτήσαιτο, τὸ πρακτέον
μαθεῖν. 8 Καὶ ὁ μὲν ὡς Ἰωάννην παραγενόμενος οὐκ ἔπεισε
πρὸς τὸν βασιλέα ἐλθεῖν, ἐπανελθὼν δὲ ἤγγειλεν εἰπεῖν αὐτόν,
ὡς νικήσει τὸν πόλεμον καθελών τε τὸν τύραννον μετὰ τὴν
45 νίκην ἐν Ἰταλίᾳ μεταλλάξει τὸν βίον. Ἀμφότερα δὲ ἀληθῆ τὸ
τέλος ἔδειξεν.

23

1 Ἐν τούτῳ δὲ διὰ τὴν χρείαν τοῦ πολέμου ἔδοξε τοῖς
ἄρχουσι, οἷς τούτου μέλει, πλέον τι τῶν εἰωθότων φόρων

1. Arbogast et Eugène choisissent la défensive : barrer le passage des
Alpes Juliennes (elles constituent l'extrémité sud-orientale de l'arc alpin
entre la Save au nord-nord est et l'Adriatique au sud et tiennent leur nom de
Jules César à cause de la route qu'il y fit construire) et en particulier la route
d'Emona (Ljubliana actuelle). Pour les détails sur la bataille et les itinéraires, cf. l'appendice c dans Zos., éd. F. Paschoud, *CUF*, t. II 2, p. 474-500.
L'auteur y analyse la version païenne — outre le poète Claudien, Zos. IV,
58 et JEAN D'ANTIOCHE, fr. 187, qui dépendent d'Eunape — et la version
chrétienne — RUFIN, *H.E.* II, 33 ; OROS., *hist.* VII, 35, 13-19 ; SOCR.,
H.E. V, 25 ; THÉOD., *H.E.* V, 24, 3-17 ; PHILOST., *H.E.* XI, 2 ; AUG., *ciu.* 5,
26.
2. Sur Jean de Lycopolis, voir *H.E.* VI, 28, 1, *SC* 495, p. 386, note 1.
L'allusion à cette consultation qui vise à opposer l'efficacité de la prophétie
chrétienne à la fausseté de la mantique païenne se trouve aussi dans RUFIN,
H.E. XI, 32 et PALLADIUS, *Hist. Laus.* 35, 2.

une très forte armée et, s'étant emparé à l'avance des portes
de l'Italie, que les Romains appellent Alpes Juliennes, il y
montait la garde : elles n'ont qu'une seule ouverture en un
étroit passage car elles sont entourées des deux côtés par des
montagnes escarpées et très élevées [1]. **7** De son côté Théodose, soucieux de savoir comment finirait la guerre suscitée
contre lui et s'il fallait aller de l'avant contre Eugène ou
attendre son attaque, décida de prendre sur cela conseil de
Jean, le moine de Thébaïde dont il a été dit plus haut qu'il
était alors devenu très illustre pour son don de connaître
l'avenir [2]. Il envoya donc en Égypte Eutrope, l'un des eunuques du palais qui lui était très fidèle [3], pour amener Jean, si
c'était possible, s'il refusait, pour apprendre que faire. **8** Une
fois arrivé auprès de Jean, Eutrope ne put le persuader de
venir chez l'empereur, mais à son retour il lui fit savoir que
Jean lui avait dit qu'il vaincrait au combat, qu'il tuerait
l'usurpateur, mais qu'après la victoire, il mourrait en Italie.
Les deux étaient vrais, l'événement le montra.

Chapitre 23

*La perception des impôts ;
la destruction des statues impériales à Antioche ;
l'ambassade de l'évêque Flavien.*

1 En ce temps-là, à cause des besoins de la guerre, il parut
bon aux préposés à ces questions d'imposer les contribua-

---

3. D'origine orientale, cet esclave qui a connu plusieurs propriétaires
privés dont le maître de l'infanterie Arinthée, est affranchi et intégré au
personnel de la chambre impériale sous Théodose. La mission qui lui est
confiée ici atteste la confiance dont il jouit auprès de l'empereur. Allié à
Stilichon, il participe à l'élimination du préfet Rufin, au tout début du
règne d'Arcadius (nov. 395). Dès lors, en qualité de préposé à la chambre
impériale, il joue à la cour un rôle décisif jusqu'à son élimination par
Gainas en 399 : cf. *infra H.E.* VIII, 2, 19 et notes *ad loc.* ainsi que
P.L.R.E. II, p. 440-444, Eutropius 1.

εἰσπράξασθαι τοὺς ὑποτελεῖς. Ἐπὶ τούτῳ δὲ στασιάσας ὁ ἐν
Συρίᾳ τῶν Ἀντιοχέων δῆμος τοὺς βασιλέως ἀνδριάντας
5 καθεῖλε καὶ τῆς αὐτοῦ γαμετῆς, καὶ σχοίνῳ προσάψας εἷλκεν,
1489 | οἷα εἰκὸς ὑπὸ χαλεπαίνοντος τοῦ πλήθους, ὑβριστικὰς ἀφιεὶς
φωνάς. 2 Ἐπεὶ δὲ πολλοὺς Ἀντιοχέων διαφθεῖραι διενοεῖτο,
καὶ πρὸς μόνην τὴν φήμην κατεπλάγη τὸ πλῆθος καὶ παυσά-
μενοι μαίνεσθαι μετεμέλοντο· καὶ ὡς ἐπὶ παροῦσι τοῖς ἀγγελ-
10 λομένοις κακοῖς ἔστενόν τε καὶ ἐδάκρυον καὶ τὸν θεὸν ἱκέτευον καταπαῦσαι τοῦ κρατοῦντος τὴν ὀργήν, μελῳδίαις τισὶν
ὀλοφυρτικαῖς πρὸς τὰς λιτὰς κεχρημένοι· 3 ἡνίκα δὴ καὶ
Φλαβιανὸς ὁ τῆς Ἀντιοχέων ἐπίσκοπος πρεσβευόμενος ὑπὲρ
τῶν πολιτῶν, ἔτι τοῦ βασιλέως χαλεπαίνοντος, πέπεικε τοὺς
15 παρὰ τὴν βασιλικὴν τράπεζαν ᾄδειν εἰωθότας νέους τὰς ἐν
ταῖς λιταῖς τῶν Ἀντιοχέων ψαλμῳδίας εἰπεῖν· ἐφ' ᾧ λέγεται

---

1. En fait, l'émeute d'Antioche a lieu à la fin de janvier 387 (SEECK,
Regesten, p. 273). Elle a pour point de départ une imposition extraordinaire destinée probablement à faire face aux dépenses des *decennalia* de
388 et non, comme le dit Sozomène, aux frais de la guerre contre Eugène
(394). Erreur d'un historien manquant souvent de rigueur en matière de
chronologie ? Confusion avec la guerre contre Maxime en 388 ? Ou volonté
de préserver l'image de Théodose en donnant une justification légitime, la
guerre contre les païens, à ses exigences fiscales ?

2. On possède sur ces événements que Socrate n'évoque pas, les témoignages de deux contemporains, LIBANIUS (*or.* 19, 20, 21, 22, 24) et JEAN
CHRYSOSTOME (*Hom.* I-XXI, *PG* 49, 15-222). Les premières plaintes sont
venues des notables municipaux sur lesquels pesaient le poids de l'impôt et
la responsabilité de sa perception. C'est dans un deuxième temps, les
autorités impériales ayant fait la sourde oreille, que le peuple se joint au
mouvement, entraîné peut-être par les « claques » du théâtre : le fait de
s'attaquer aux statues impériales transforme une simple émeute en un
crime de lèse-majesté. Sur le détail de l' « affaire des statues », cf. P. PETIT,
Libanius et la vie municipale à Antioche au IVᵉ s. apr. J. C., Paris 1955,
p. 238-245.

3. La peur de la répression pousse de nombreux Antiochiens de tous
milieux à fuir la ville d'autant que les autorités locales ont, avant toute
décision impériale, commencé à multiplier les exécutions, ce dont Sozomène ne dit rien. De plus, la population craint les résultats de l'enquête
ouverte par deux envoyés de Théodose, le maître des offices Caesarius et le

bles au delà des impôts habituels [1]. A cette occasion, le peuple d'Antioche de Syrie s'étant révolté renversa les statues de l'empereur et de son épouse, et, les ayant attachées à une corde, les traîna, poussant en même temps des cris injurieux, ce qui est naturel de la part d'une foule en colère [2]. 2 Comme l'empereur songeait à faire périr beaucoup des Antiochiens [3], à ce seul bruit le peuple était dans l'accablement, et les gens, mettant un terme à leur folie, se repentaient. Comme si déjà étaient présents les malheurs annoncés, ils gémissaient, pleuraient, suppliaient Dieu de faire cesser la colère du prince, se répandaient en chants lugubres pour leurs prières. 3 C'est en ce temps-là que Flavien, évêque d'Antioche [4], étant allé en ambassade pour la défense de ses concitoyens alors que Théodose était encore en colère, persuada les jeunes gens habitués à chanter à la table impériale [5] de reproduire les psalmodies dont usaient les Antiochiens dans leurs prières [6]. Sur quoi, dit-on, le

maître de milices Ellebichus, porteurs d'une lettre de l'empereur condamnant Antioche à perdre son statut de métropole au profit de Laodicée : cf. P. Petit, *ibid.*, p. 241-244.

4. Sur Flavien évêque d'Antioche, cf. *supra* VII, 3, 4 et la note *ad loc.* Sozomène, habituellement si enclin à souligner l'action des moines, ne dit rien du rôle qu'a joué l'ermite Macédonius, intervenant auprès des commissaires impériaux pour les inciter à la clémence (Théod., *H.E.* V, 20).

5. Les chrétiens se sont élevés très vite contre la présence de musiciens instrumentistes lors des banquets ; ils voyaient dans cette pratique ancienne un plaisir corrupteur. Ils n'excluaient pas pour autant toute forme de musique au cours des repas. Clément d'Alexandrie, *Le pédagogue* II, 4, 44, invite à y chanter des psaumes et Jean Chrysostome, *Exp. in Psalm.* 41, *PG* 55, c. 155, considère que chanter les psaumes, c'est inviter le Christ à sa table. Sur l'attitude des chrétiens à l'égard de la musique, voir J. Quasten, *Musik und Gesang in den Kulten der heidnischen Antike und christlichen Frühzeit*, Münster 1930, p. 173-179.

6. C'est en Orient que naît la psalmodie en chœur avec chants de groupes alternés. D'Antioche, la psalmodie chorale a gagné le reste de la Syrie, Constantinople et de là Milan et l'Occident. D'une modulation très simple, à la limite de la récitation chantée, on passe à une véritable mélodie composée avec soin : cf. *DACL* III, 1914, c. 272-274, chant romain et grégorien, H. Leclercq.

φιλανθρωπίᾳ διαχεθέντα τὸν βασιλέα κρατηθῆναι τῷ ἐλέῳ
337 καὶ αὐτίκα τὴν ὀργὴν | ἐκβαλεῖν καὶ σπείσασθαι πρὸς τὴν
πόλιν, δάκρυσι βρέξαντα τὴν φιάλην ἣν ἔτυχε κατέχων.
20 4 Φασὶ δὲ τῆς φθασάσης νυκτός, μεθ' ἣν εὐθὺς ἐπιγενομένης
ἡμέρας ἡ στάσις ἐγένετο, φάσμα γυναικὸς θεαθῆναι μεγέθει
ἐξαίσιον καὶ θέᾳ φοβερόν, μετάρσιόν τε διατρέχον ἀνὰ τὰς
ἀγυιὰς τῆς πόλεως τὸν ἀέρα μαστίζειν ὑπὸ μάστιγι δυσήχῳ,
οἵαις εἰς θυμὸν προκαλοῦνται τοὺς θῆρας οἱ περὶ τὰ τοιαῦτα
25 θέατρα πονοῦντες. 5 Οὕτω τις ἀλαστόρων δαιμόνων ἐπιβουλῇ
τὴν στάσιν ἐκίνησεν· ἐπηκολούθησε δ' ἂν καὶ φόνος πολύς, εἰ
μὴ τὴν ὀργὴν κατέπαυσεν ὁ βασιλεὺς τὴν ἱερατικὴν ὑπὸ εὐσεβείας ἱκεσίαν αἰδεσθείς.

24

1 Ἐπεὶ δὲ τὰ πρὸς τὸν πόλεμον αὐτῷ παρεσκεύαστο,
ἀναγορεύει βασιλέα καὶ Ὀνώριον τὸν νεώτερον υἱόν· Ἀρκάδιον γὰρ ἤδη χειροτονήσας ἦν. Ἄμφω δὲ ἐν Κωνσταντινουπόλει καταλιπὼν σπουδῇ σὺν ταῖς ἀπὸ τῆς ἕω στρατιαῖς ἐπὶ τὴν
5 πρὸς δύσιν ἀρχομένην ἠπείγετο. Συνείπετο δὲ αὐτῷ καὶ πλῆθος συμμάχων τῶν παρὰ τὸν Ἴστρον βαρβάρων. 2 Λέγεται δὲ
τότε τῆς Κωνσταντινουπόλεως ἐκδημῶν, πρὸς τῷ ἑβδόμῳ
μιλίῳ γενόμενος, προσεύξασθαι τῷ θεῷ ἐν τῇ ἐνθάδε ἐκκλησίᾳ, ἣν ἐπὶ τιμῇ Ἰωάννου τοῦ βαπτιστοῦ ἐδείματο, αἰτῆσαί τε
1492 10 αἰσίαν αὐτῷ καὶ τῇ στρατιᾷ | καὶ Ῥωμαίοις ἅπασι γενέσθαι

---

1. L'apparition de ce fantôme terrifiant, semblable à une Érinye, est à
rapprocher de l'allusion faite, du côté païen, par LIBANIUS à l'action de
démons inspirant les profanateurs des statues impériales : « La preuve que
de tels outrages furent commis sous l'impulsion de quelque mauvais démon
doit être trouvée dans le fait que tout fut accompli si facilement » (or. XIX,
29, éd. A. F. Norman).
2. Théodose proclame Auguste son second fils Honorius, âgé de neuf
ans, le 23 janvier 393 (SEECK, Regesten, p. 281).

cœur de Théodose fondit de clémence, il fut vaincu par la pitié, aussitôt il laissa là sa colère et se réconcilia avec la ville, et il remplit même de ses larmes une coupe qu'il tenait à la main. **4** On dit aussi que la nuit précédente — après laquelle, dès le jour suivant, eut lieu la sédition —, on vit le fantôme d'une femme d'une taille immense et d'aspect terrible, qui courait en l'air au-dessus des rues de la ville ; elle fouettait l'air d'un fouet au bruit sinistre, tels ceux dont usent, pour exciter les fauves à la fureur, ceux qui les exercent pour ces sortes de spectacles. C'est ainsi qu'un des démons vengeurs suscita par machination la révolte [1]. Il en eût résulté un grand massacre si l'empereur n'avait fait cesser sa colère par respect pour la supplication que la piété avait inspirée à l'évêque.

Chapitre 24

La victoire de l'empereur Théodose sur Eugène.

1 Quand Théodose eut tout préparé pour la guerre, il proclame Auguste aussi son second fils Honorius [2] : il avait déjà promu Arcadius. Il les laissa tous deux à Constantinople et marcha en hâte avec les troupes d'Orient vers la partie occidentale. Il était suivi d'une masse d'alliés, les barbares riverains du Danube [3]. **2** On dit qu'alors, au sortir de Constantinople, parvenu au septième mille, il pria Dieu dans l'église du lieu qu'il avait bâtie en l'honneur de Jean Baptiste [4], demandant que le résultat de la guerre lui fût favo-

---

3. L'armée de Théodose comporte un important contingent de Goths commandés par Gainas (et peut-être également Alaric) auxquels s'ajoutent des Alains et des Huns, mais aussi un contingent oriental (Arméniens, Arabes, Mèdes) ainsi que des troupes romaines commandées par Stilichon. Ses effectifs ont été estimés, de manière très hypothétique, à 100 000 hommes par O. SEECK-G. VEITH, « Die Schlacht am Frigidus », *Klio* 13, 1913, p. 463.

4. Sur cette église, voir *supra* VII, 21, 5 et note *ad loc.*

τὴν ἔκβασιν τοῦ πολέμου, καὶ σύμμαχον αὐτὸν ἐπικαλέσασθαι
τὸν βαπτιστήν. Ταῦτα δὲ προσευξάμενος εἰς Ἰταλίαν ἀφίκετο. 3 Καὶ προσβαλὼν ταῖς Ἄλπεσιν εἷλε τὰς πρώτας φυλα-
κάς. Παραμείψας δὲ τῆς παρόδου τὸ ἄκρον, ὡς πρὸς τῇ
15 καθόδῳ ἐγένετο, εἶδε τὸ πεδίον πλῆρες ἱππέων καὶ πεζῶν,
οὐκ ἄπωθεν δὲ κατὰ νώτου πολλοὺς τῶν πολεμίων ἐν τῇ
κορυφῇ τοῦ ὄρους τέως ἠρεμοῦντας. 4 Ἐπεὶ δὲ οἱ πρῶτοι
παρελθόντες συνεμίσγοντο τοῖς ἐν τῷ πεδίῳ, μάχη καρτερὰ
καὶ ἀμφήριστος ἐκινήθη ἔτι παριούσης τῆς στρατιᾶς· λογισά-
20 μενος δέ, ὅσον ἧκεν εἰς ἀνθρώπων δύναμιν καὶ βουλήν, μὴ
δυνατὸν σώζεσθαι, ἐπιτιθεμένων τῶν ἀπὸ νώτου τὴν ἀκρώ-
ρειαν καταλαβόντων, πρηνὴς ἐπὶ τοῦ ἐδάφους πεσὼν ηὔχετο
δακρύων. Καὶ ὁ θεὸς αὐτίκα ἐπήκουσεν, ὡς τὸ ἀποβὰν ἔδειξεν. 5 Πέμψαντες γάρ τινας συμμάχους σφᾶς ἔσεσθαι προσ-
338 25 ήγγειλαν οἱ ἡγεμόνες τῶν περικαθημένων | τὴν ἄκραν, εἰ
μέλλοιεν ἐν τιμῇ παρ᾽ αὐτῷ εἶναι. Ἐπεὶ δὲ χάρτην καὶ μέλαν
ἐπιζητήσας οὐχ εὗρε, δέλτον λαβών, ἣν ἔτυχέ τις τῶν παρε-
στώτων ἔχων, ἐνέγραψεν αὐτοῖς ἐπισήμου καὶ ἁρμοδίας
στρατείας τάξιν, ἣν ἕξουσι παρ᾽ αὐτῷ τὴν ὑπόσχεσιν πλη-
30 ροῦντες. Καὶ οἱ μὲν ἐπὶ τούτοις τῷ βασιλεῖ προσεχώρησαν.
6 Μήπω δὲ θατέρου μέρους κλίναντος, ἀλλ᾽ ἔτι τῆς ἐν τῷ
πεδίῳ μάχης ἑκατέρωθεν ἰσαζούσης, ἀντιπρόσωπον τοῖς ἐναντίοις ἐμβαλὼν ἄνεμος ἐξαίσιος καὶ οἷον οὔπω πρότερον ἱστο-

---

1. Théodose vient d'Émona, l'actuelle Ljubljana, et se dirige vers Aquilée en passant par le col du Poirier à 870 m. d'altitude. Le site de la bataille
(Frigidus) est donné par Claud., *III cons. Hon.* 99 et Socr., *H.E.* V, 25 : il
est localisable sur la route d'Aquilée à Émona, à 36 milles d'Aquilée.
2. Descendant le versant occidental, Théodose découvre d'abord
l'armée d'Arbogast et d'Eugène qui, moins nombreuse que la sienne,
l'attend dans la plaine, puis, sur ses arrières, les troupes commandées par le
comte Arbitio, allié de l'usurpateur, qui sortent de la zone où elles étaient
dissimulées pour bloquer maintenant la retraite de l'empereur.
3. Le premier jour de la bataille, 5 septembre 394, fut plus défavorable
que ne le dit Sozomène à l'armée de Théodose qui perdit plusieurs milliers
de Goths, et dont la retraite paraissait coupée.

rable, à lui, à l'armée et à tous les Romains, et qu'il invoqua l'alliance du Baptiste. Après cette prière, il partit vers l'Italie. **3** Une fois arrivé aux Alpes, il s'empara des premiers postes de garde. Mais tandis qu'ayant franchi les hauts de la passe [1], il en était venu à la descente, il vit la plaine couverte d'infanterie et de cavalerie et non loin, dans son dos, un grand nombre d'ennemis qui, pour l'instant, l'attendaient dans le calme à la cime du mont [2]. **4** Quand ses premières troupes s'avancèrent et en vinrent aux mains avec ceux de la plaine, il s'engagea une bataille violente et indécise tandis que l'armée ennemie continuait de progresser [3]. Ayant considéré que, sous le rapport des forces et du jugement humains, il ne pouvait être sauvé, puisqu'il était attaqué par ceux qui avaient occupé le sommet dans son dos, Théodose se jeta à terre et pria en larmes. Et Dieu l'exauça sur le champ, comme l'événement le montra. **5** Les chefs de ceux qui occupaient le haut de la passe lui envoyèrent des messagers et lui firent savoir qu'ils seraient ses alliés s'ils devaient être en honneur auprès de lui. Comme il cherchait du papier et de l'encre et n'en trouvait pas, il prit les tablettes qu'un des assistants se trouvait avoir et il inscrivit qu'ils auraient auprès de lui un grade militaire brillant et proportionné, s'ils remplissaient la promesse. A ces conditions, ils passèrent du côté de l'empereur [4]. **6** Cependant, alors qu'aucun des deux camps n'avait encore flanché, mais que la bataille dans la plaine ne penchait ni d'un côté ni de l'autre, il s'éleva, face à l'ennemi, un vent extrêmement violent et tel

---

4. Le contingent commandé par Arbitio se rallie à la cause de Théodose pour des raisons que nous ignorons : espoir de promotion d'après Sozomène ? Ignorance du résultat de la bataille dans la plaine et appartenance d'Arbitio au camp chrétien selon Seeck et Veith ? Dès lors, Théodose pouvait envisager de faire retraite comme on le lui conseillait, mais il décide au contraire de poursuivre le combat, confiant dans l'efficacité de ses prières (Rufin, *H.E.* II, 33)

ρήσαμεν διέλυσε τὰς τῶν πολεμίων τάξεις, βέλη δὲ καὶ ἀκόν-
35 τια κατὰ τῶν Ῥωμαίων πεμπόμενα ὡς ἀντιτύποις προσβάλ-
λοντα εἰς τὰ τῶν ἀκοντιζόντων περιέστρεφε σώματα, καὶ τὰς
ἀσπίδας ἐξαρπάζων τῶν χειρῶν σὺν φορυτῷ καὶ κονιορτῷ
κατ' αὐτῶν ἐκύλιε. 7 Γυμνωθέντες δὲ τῶν ὅπλων οἱ μὲν
πλείους αὐτίκα διεφθάρησαν, οἱ δὲ πρὸς ὀλίγον φυγῇ διασω-
40 θέντες μετ' οὐ πολὺ ἥλωσαν. Εὐγένιος δὲ προσδραμὼν τοῖς
ποσὶ τοῦ βασιλέως ἐδεῖτο σώζεσθαι· ἐν ᾧ δὲ ἱκέτευε, πρός του
τῶν στρατιωτῶν τὴν κεφαλὴν ἀπετμήθη. Ἀρβογάστης δὲ
φεύγων μετὰ τὴν μάχην αὐτόχειρ ἑαυτοῦ γέγονε. 8 Λέγεται
δέ, καθ' ὃν καιρὸν οὗτος ὁ πόλεμος συνεκροτεῖτο, ὡς ἐν τῷ
45 νεῷ τοῦ θεοῦ τῷ ὄντι ἐν τῷ Ἑβδόμῳ, οὗ προσηύξατο ὁ
βασιλεὺς ἐξιών, δαιμονῶν τις ἀναρπασθεὶς μετάρσιος τὸν
βαπτιστὴν Ἰωάννην ἐλοιδορεῖτο καὶ ὡς τῆς κεφαλῆς ἀποτμη-
θέντα ὠνείδιζε καὶ ἀνεβόα· « Σύ με νικᾷς καὶ τῇ ἐμῇ στρατιᾷ
ἐπιβουλεύεις.» 9 Οἱ δὲ περιτυχόντες, ὡς εἰκός, πολλῆς οὔσης
50 περὶ τοῦ πολέμου σπουδῆς νεώτερόν τι ἀκούειν καὶ λέγειν,
καταπλαγέντες ἀνεγράψαντο τὴν ἡμέραν, καθ' ἣν γενέσθαι τὰ
περὶ τὸν πόλεμον οὐκ εἰς μακρὰν ἔγνωσαν παρὰ τῶν κοινωνη-
σάντων τῇ μάχῃ. Καὶ τὰ μὲν ὧδε γενέσθαι λόγος.

---

1. Il s'agit du deuxième jour de combat. Ce vent du N. E, subit et
violent, est bien connu dans la région : c'est le Bora, qui peut souffler à
100 km/heure. Gênant considérablement les soldats d'Arbogast, il paraît
au contraire un miracle divin en faveur de leurs adversaires : cf. Aug.,
ciu. 5, 26. Il n'est pas mentionné dans la version païenne de la bataille :
Zosime IV, 58, 3 évoque le premier jour une éclipse de soleil — impossible à
cette date et en cette région — pour expliquer la défaite des soldats
d'Eugène épuisés après un long combat nocturne : cf. éd. F. Paschoud,
CUF, II, 2, p. 476.

que nous n'en avons pas encore observé auparavant [1]. Il rompit les lignes de l'ennemi ; les traits et javelots lancés contre les Romains rebondissaient comme sur des obstacles solides et revenaient frapper les corps des archers ; le vent arrachait les boucliers des mains et les faisait rouler contre les soldats avec des débris et de la poussière. **7** Dépouillés de leurs armes, la plupart périrent aussitôt. D'autres qui, par la fuite, avaient eu la vie sauve pour peu de temps, furent pris peu après. Eugène courut aux pieds du prince et demanda le salut, mais alors qu'il suppliait encore, un soldat lui trancha la tête [2]. Arbogast, dans sa fuite, après la bataille se tua [3]. **8** On raconte que, à l'heure où les deux armées se heurtaient, dans le temple de Dieu sis à l'Hebdomon où l'empereur avait prié à son départ, un démoniaque transporté en l'air avait injurié Jean Baptiste, s'était moqué de sa tête coupée et avait crié : « C'est toi qui me vaincs, qui conspires contre mon armée » [4]. **9** Les gens qui se trouvaient là étant, comme de juste, en grand désir de nouvelles au sujet de la guerre et d'en parler, stupéfaits ils mirent par écrit le jour : c'était précisément celui où eut lieu le combat, ainsi qu'ils l'apprirent, peu de temps après, de ceux qui avaient pris part à la bataille. Voilà comment, dit-on, eut lieu l'affaire.

---

2. Sozomène à l'instar de Socrate (*H.E.* V, 25) présente Théodose comme tenté par la clémence comme il l'avait été pour Maxime, mais devancé par les soldats.

3. Arbogast se tue deux jours plus tard, le 8 septembre 394 : Socr., *H.E.* V, 25.

4. L'anecdote met en évidence l'échec des forces païennes assimilées au démoniaque. On remarque en revanche que Sozomène, tout comme Socrate, ne dit rien de la statue de Jupiter aux foudres d'or dressée sur le site à l'instigation de Nicomaque Flavien, ni de l'image d'Hercule portée par les troupes d'Eugène : cf. Aug., *ciu.* 5, 26, 1.

25

1493 | **1** Μετὰ δὲ τὴν Εὐγενίου καθαίρεσιν ἀφικόμενος εἰς
Μεδιόλανον ὁ βασιλεὺς ἧκεν εἰς τὴν ἐκκλησίαν εὐξόμενος. Ὡς
δὲ πρὸς ταῖς θύραις ἐγένετο, ὑπήντετο Ἀμβρόσιος ὁ τῆς
πόλεως ἐπίσκοπος, καὶ λαβόμενος τῆς ἁλουργίδος ἐπὶ τοῦ
5 πλήθους. **2** « Ἐπίσχες, ἔφη· ἀνδρὶ γὰρ ὑπὸ ἁμαρτίας βεβήλῳ
καὶ τὰς χεῖρας ἡμαγμένας οὐκ ἐν δίκῃ ἔχοντι οὐ θεμιτὸν πρὸ
339 μετανοίας | τοῦ ἱεροῦ ἐπιβαίνειν οὐδοῦ ἢ μυστηρίων θείων
κοινωνεῖν. » Ὁ δὲ βασιλεὺς θαυμάσας τὸν ἱερέα τῆς παρρησίας, σύννους γεγονὼς ὑπέστρεφεν ὑπὸ μετανοίας κεντούμε-
10 νος. **3** Ἦν δὲ τῆς ἁμαρτίας πρόφασις τοιάδε· Βουθερίχου τοῦ
ἡγουμένου τότε τῶν παρ᾿ Ἰλλυριοῖς στρατιωτῶν ἡνίοχος τὸν
οἰνοχόον αἰσχρῶς ἰδὼν ἐπείρασε, καὶ συλληφθεὶς ἐν φρουρᾷ
ἦν. Ἐπισήμου δὲ ἱπποδρομίας ἐπιτελεῖσθαι μελλούσης ὡς
ἀναγκαῖον εἰς τὴν ἀγωνίαν ὁ Θεσσαλονικέων δῆμος ἐξῄτει
15 ἀφίεσθαι· ὡς δὲ οὐδὲν ἤνυεν, εἰς χαλεπὴν κατέστη στάσιν καὶ
τελευταῖον τὸν Βουθερίχαν ἀνεῖλε. **4** Καὶ ἐπεὶ τάδε ἐμηνύθη,

---

1. Sozomène bouleverse à nouveau la chronologie en plaçant en 394 le
récit de la pénitence de Théodose qui a suivi en fait le massacre de Thessalonique en 390. Il a pu toutefois être amené à cette confusion par le fait
qu'Ambroise avait, en 394, refusé à l'empereur l'accès aux sacrements,
parce qu'il avait laissé mettre à mort Eugène (AMBR., De obitu Theod. 34).
Il reste cependant une des principales sources sur l'affaire de Thessalonique que n'évoquent ni Socrate ni Zosime.
    2. Cette scène particulièrement théâtrale relève de l'invention des histo-
riens tardifs de l'Église. Lorsque Théodose revient à Milan après la répression contre la population de Thessalonique, Ambroise a volontairement
quitté la ville. Sur le détail de cet épisode très mal connu du fait des
interprétations divergentes de l'historiographie ecclésiastique, voir PALAN-
QUE, p. 536-539 et MAC LYNN, p. 315-330.
    3. Ce maître de la milice d'origine probablement germanique
(P.L.R.E. I, p. 166) commande des contingents stationnés d'habitude sur le
moyen Danube et qui, à Thessalonique, se trouvent loin de leurs bases :
cf. MAC LYNN, p. 317.

Chapitre 25

*Le franc-parler de saint Ambroise
à l'égard de l'empereur Théodose ;
le massacre des habitants de Thessalonique ;
récit des autres belles actions de ce saint.*

1 Après la suppression d'Eugène, l'empereur, arrivé à Milan, vint à l'église pour y prier [1]. Comme il était arrivé aux portes, Ambroise, évêque de la ville, vint à sa rencontre et, ayant saisi la pourpre devant le peuple : **2** « Arrête ! dit-il. A un homme rendu impur par son péché, dont les mains sont souillées d'un sang injustement versé, il n'est pas permis, avant repentance, de franchir le seuil sacré et de communier aux divins mystères » [2]. L'empereur admira le franc-parler de l'évêque, il rentra en lui-même et se retira, pénétré de repentance. **3** La cause de ce péché était la suivante. Un cocher de cirque ayant vu l'échanson de Buthérich, maître de milice en Illyricum [3], avait tenté honteusement de le séduire et, arrêté, il était en prison [4]. Comme une importante course de chevaux devait avoir lieu, le peuple de Thessalonique avait réclamé que ce cocher fût relâché comme étant indispensable pour la compétition. N'ayant rien obtenu, il était entré en une terrible révolte et finalement avait tué Buthérich [5]. **4** Quand ce fut annoncé à l'empereur,

---

4. La répression a lieu au printemps 390 et correspond peut-être à la promulgation d'une nouvelle loi visant les pratiques homosexuelles (*Coll. leg. mosaic. et rom.* 5, 3 et *Code Théodosien*, IX, 7, 6) et condamnant au bûcher les sodomites que Buthérich aurait voulu faire appliquer dans le cas du cocher : cf. Piganiol, p. 283.

5. La colère du peuple s'explique par la grande popularité des cochers mais aussi par son hostilité à l'égard des militaires : Thessalonique n'est pas habituée à jouer le rôle de ville de garnison et la présence de nombreux barbares dans l'armée n'arrange rien : cf. Mac Lynn, p. 317.

εἰς ἄμετρον ὀργὴν ἐμπεσὼν ὁ βασιλεὺς ῥητὸν τῶν προστυγ-
χανόντων ἀριθμὸν ἀναιρεθῆναι προσέταξεν. Ἐντεῦθεν δὲ
πολλῶν ἀδίκων ἐνεπλήσθη φόνων ἡ πόλις· ξένοι τε γὰρ
20 αὐτίκα προσπλεύσαντες καὶ ἐξ ὁδοῦ ἀφικόμενοι ἀδοκήτως
ἥλωσαν· 5 καὶ πάθη ἐλεεινὰ συνέβη, ἐν οἷς καὶ τόδε· ἔμπορος
ἀντὶ δύο παίδων αὐτοῦ συλληφθέντων προσαγαγὼν ἑαυτὸν
ἀποθανεῖν ἐδεῖτο, τοὺς δὲ σῴζεσθαι· καὶ μισθὸν τούτου χρυ-
σίον ὅσον εἶχε προΐσχετο τοῖς στρατιώταις. Οἱ δὲ τὸν ἄνθρω-
25 πον τῆς συμφορᾶς ἐλεήσαντες ἀντὶ ἑνὸς οὗ ἂν ἕληται τῶν
υἱέων τὴν ἱκεσίαν προσίεντο· τοὺς δὲ δύο ἀφιέναι ὡς ἐπιλεί-
ποντος τοῦ ἀριθμοῦ οὐκ ἀκίνδυνον σφίσιν ἔφασαν. 6 Εἰς
ἀμφοτέρους δὲ βλέπων ὁ πατήρ, ὀλοφυρόμενός τε καὶ κλαίων,
οὐδετέρου τὴν αἵρεσιν ὑπέστη, ἀλλ᾽ ἀπορῶν εἰσότε τεθνήκα-
30 σιν διετέλεσεν ἑκατέρου τῷ φίλτρῳ ἐπίσης νικώμενος. Καὶ
1496 | οἰκέτην δὲ ἀγαθὸν ἐπυθόμην τότε ἀντὶ δεσπότου ἀγομένου
πρὸς τὴν σφαγὴν ἀναιρεθῆναι προθύμως. 7 Τοιούτων δὲ καὶ
ἑτέρων ὡς εἰκὸς συγκυρησάντων κακῶν ἐπαιτιώμενος Ἀμβρόσιος τὸν βασιλέα τῆς ἐκκλησίας εἶρξε καὶ ἀκοινώνητον
35 ἐποίησε. Δημοσίᾳ δὲ καὶ αὐτὸς τὴν ἁμαρτίαν ἐπὶ τῆς ἐκκλησίας ὡμολόγησεν καὶ πάντα τὸν ὁρισθέντα αὐτῷ χρόνον εἰς
μετάνοιαν, οἷά γε πενθῶν, βασιλικῷ κόσμῳ οὐκ ἐχρήσατο·

1. La formule de Sozomène suggère l'existence d'une liste, peut-être
celle des membres de la faction sous les couleurs de laquelle courait le
cocher emprisonné : cf. Mac Lynn, p. 320.

2. La rigueur exceptionnelle (7000 morts d'après Théod., H.E. V, 17) de
la répression ne tient pas seulement au caractère emporté de Théodose,
mais aussi à la gravité de l'atteinte à l'autorité impériale que constitue le
meurtre d'un maître de la milice. Sur des précédents, cf. Mac Lynn, p. 317.
De fait, Paulin, vita Ambr. 24, évoque une délibération secrète du consis-
toire qui aurait précédé l'ordre du massacre, preuve que l'empereur
n'aurait pas simplement cédé à un coup de colère.

3. Le caractère très chaotique de ce massacre, qui contraste avec la
maîtrise qui préside aux enquêtes à Antioche lors de la révolte des statues,
peut faire penser que la situation a échappé au contrôle des autorités militaires qui ont largement outrepassé les ordres : cf. Mac Lynn, p. 319-323.

4. Le résumé de Sozomène, à la recherche d'effets dramatiques, ne tient
pas compte de l'habileté d'Ambroise qui, loin d'apostropher publiquement
l'empereur à la porte de son église (Théod., H.E. V, 18), lui envoie une
lettre confidentielle (ep. LI) où il l'excommunie secrètement et l'exhorte à

il fut pris d'une colère sans mesure et prescrivit qu'un nom-bre fixe de gens [1] pris au hasard fût exterminé [2]. Depuis ce moment, la ville fut remplie de massacres iniques : des étrangers qui venaient à peine de débarquer ou d'arriver par la route furent saisis à l'improviste. 5 Il arriva alors des malheurs pitoyables, parmi lesquels celui-ci. Un marchand dont les deux fils avaient été pris se présenta, supplia qu'on le fît mourir à leur place et qu'ils fussent sauvés ; il offrait pour cela aux soldats tout l'or qu'il avait. Les soldats eurent pitié de son infortune et accueillirent sa supplique pour un seul des garçons qu'il choisirait ; relâcher les deux eût été périlleux pour eux, disaient-il, parce que le nombre n'y serait pas. 6 Le père les regardait tous deux et, gémissant et pleurant, ne put supporter d'en choisir aucun, mais il resta là, incapable, jusqu'à ce qu'ils fussent morts, vaincu par l'amour qu'il portait également à chacun. Et j'ai appris qu'alors aussi un bon esclave, son maître étant conduit à l'exécution, s'était avec empressement offert à la mort [3]. 7 De ces malheurs et de bien d'autres qui, comme il est vraisemblable, se produisirent alors, Ambroise rendit l'empereur responsable, il lui interdit l'entrée de l'église et le priva de la communion [4]. L'empereur lui-même avoua sa faute en public devant l'église [5] et, durant tout le temps qui lui avait été prescrit pour sa pénitence, il s'abstint de la pompe impériale, plongé qu'il était dans le chagrin [6]. Et par

la pénitence sur le ton d'un directeur de conscience qui cherche à éviter d'humilier.

5. Le texte, de même que Rufin, *H.E.* XI, 18 et Paulin, *vita Ambr.* 24, donne l'impression fausse que Théodose a tout de suite cédé mais on ignore les modalités et la durée de sa résistance : Palanque, p. 237-240.

6. L'empereur finit par céder en octobre ou novembre 390 : il ne peut durablement se laisser écarter de la basilique. Il entre dans l'ordre des pénitents, ce qui implique reconnaissance publique de la faute, abandon du vêtement et des ornements impériaux, manifestation ostensible de douleur et de repentir, selon des modalités qui ont pu peut-être faire l'objet de négociation avec l'évêque. On ignore la durée exacte de la pénitence : Théodose a pu être réintégré à Noël 390 (Palanque, p. 248) ou en avril 391 (Mac Lynn, p. 328).

340 καὶ νόμῳ προσέταξε | τοὺς διακονουμένους τοῖς βασιλέως
προστάγμασιν εἰς τριακοστὴν ἡμέραν ἀναβάλλεσθαι τὴν
40 τιμωρίαν τῶν ἐπὶ θανάτῳ καταδεδικασμένων, ὥστε καὶ τὸν
ἐν μέσῳ χρόνον μαλάσσειν τὴν τοῦ βασιλέως ὀργὴν καὶ τοῦ
θυμοῦ παρακμάζοντος ἐλέῳ καὶ μεταμελείᾳ γενέσθαι χώραν.
8 Ἀμβροσίῳ δὲ τούτῳ πολλὰ μὲν καὶ ἄλλα κατώρθωται
ἄξια ἱερωσύνης, ἃ μόνοις ἐπιχωρίοις κατὰ τὸ εἰκὸς ἔγνωσται.
45 Τῶν δ' αὖ ἐπισημοτάτων αὐτοῦ ἔργων καὶ τοῦτο ἐπυθόμην.
9 Ἔθος ἦν τοὺς βασιλέας ἐν τῷ ἱερατείῳ ἐκκλησιάζειν κατ'
ἐξοχὴν τῶν ὁρίων τοῦ λαοῦ κεχωρισμένους· κολακείας δὲ ἢ
ἀταξίας εἶναι τοῦτο συνιδὼν τόπον εἶναι βασιλέως ἐν ἐκκλησίαις τέταχε τὸν πρὸ τῶν δρυφάκτων τοῦ ἱερατείου, ὥστε τοῦ
50 μὲν λαοῦ τὸν κρατοῦντα τὴν προεδρίαν ἔχειν, αὐτοῦ δὲ τοὺς
ἱερέας προκαθῆσθαι. Ταύτην δὲ τὴν ἀρίστην παράδοσιν
ἐπῄνεσε Θεοδόσιος ὁ βασιλεὺς καὶ οἱ μετὰ ταῦτα ἐκράτυναν,
καὶ ἐξ ἐκείνου νυνὶ φυλαττομένην ὁρῶμεν. **10** Τούτου δὲ τοῦ
ἀνδρὸς καὶ τόδε τὸ ἔργον ἀξιομνημόνευτον περιλαβεῖν τῇ
55 γραφῇ ἀναγκαῖον εἶναί μοι δοκεῖ. Ἕλλην τις τῶν ἐν τέλει τὸν
Γρατιανὸν ἐλοιδόρει καὶ τοῦ πατρὸς ἀνάξιον ἀπεκάλει, καὶ
γραφὴν ἐπὶ τούτοις ὑπομείνας κατεδικάσθη ἀποθανεῖν. Ἀγο-
μένου δὲ αὐτοῦ ἐπὶ τιμωρίᾳ ἧκεν Ἀμβρόσιος εἰς τὰ βασίλεια

---

1. Cette loi — *Code Théodosien* IX, 40, 13 — date du mois d'août 390,
elle visait avant tout à surseoir à l'exécution, mais cet objectif immédiat
était mêlé à des considérations d'ordre général : cf. PALANQUE, p. 230. Elle
parvint trop tard aux autorités militaires de Thessalonique. Malgré le
contexte dans lequel la mentionne l'historien, elle n'a pas de rapport avec la
pénitence. Mais dans l'esprit de Sozomène, elle a une portée suffisamment
générale pour concerner la suite du règne et la marquer d'un esprit de
moindre violence.
2. Au IVe s. en Orient, l'empereur pouvait peut-être assister au déroulement de la liturgie à l' « intérieur du sanctuaire », c'est-à-dire dans l'espace
entourant l'autel, ce qui faisait du prince presque l'équivalent du prêtre,
d'où l'idée de « flatterie » prêtée à Ambroise ; quant au terme de « désordre », il s'explique par la distinction insuffisante entre les fonctions sacerdo-

une loi il ordonna que les fonctionnaires chargés d'exécuter les ordres de l'empereur remissent au trentième jour le châtiment des condamnés à mort, pour que, durant cet intervalle, la colère du prince s'adoucît et que, sa fureur déclinant, il y eût place pour la pitié et le repentir [1].

8 Cet Ambroise accomplit encore beaucoup d'autres exploits dignes du sacerdoce, mais comme de juste, ils ne sont connus que des gens de la région. Néanmoins, de ses actes les plus remarquables, j'ai appris aussi celui-ci. **9** Il était d'usage pour les empereurs d'assister à l'assemblée à l'intérieur du sanctuaire, séparés, pour raison de supériorité, des places des fidèles. Estimant qu'il y avait là une marque de flatterie ou de désordre, Ambroise assigna comme place à l'empereur dans les églises celle qui est devant les chancels du sanctuaire, en sorte que le prince eût sans doute préséance sur le peuple fidèle, mais que les prêtres eussent préséance sur lui [2]. L'empereur Théodose approuva cette règle excellente, ses successeurs la confirmèrent, et depuis ce temps nous voyons qu'elle est aujourd'hui observée. **10** Et voici encore un trait mémorable de cet homme qu'il me paraît nécessaire d'insérer dans mon ouvrage. Un certain dignitaire païen avait injurié Gratien et l'avait déclaré indigne de son père. Poursuivi pour cela en justice, il fut condamné à mort. Alors qu'on le conduisait au supplice, Ambroise alla au palais en vue de demander sa

---

tale et impériale. Il n'en va pas de même en Occident. Selon THÉODORET, *H.E.* V, 18, Ambroise aurait empêché Théodose d'entrer dans le chœur au moment de la communion et lui aurait imposé de se tenir simplement au premier rang des laïcs et non au milieu des prêtres. Cette injonction correspond sans doute aux pratiques occidentales et ne semble pas nécessairement une nouveauté introduite par l'évêque : en excluant l'empereur de la zone de l'autel, elle marque beaucoup plus fortement la distinction entre les deux fonctions. Sur la question, voir PALANQUE, p. 178 et DAGRON, *Empereur et prêtre*, Paris 1996, p. 127-128.

ὑπὲρ αὐτοῦ δεησόμενος. **11** Ὑπὸ σπουδῆς δὲ τῶν αὐτῷ
ἐπιβου|λευόντων ἀσχολουμένου Γρατιανοῦ περὶ θέαν κυνη-
γίων, οἵας ἐπιτελεῖν εἰώθασιν οἱ βασιλεῖς τερπωλῆς ἰδίας
χάριν οὐ δημοσίας, μηδενός τε τῶν ἐπὶ ταῖς βασιλικαῖς πύλαις
τεταγμένων μηνύοντος ὡς οὐ καιροῦ ὄντος, ὑπεχώρησεν.
12 Ἐλθὼν δὲ ἐπὶ τὴν πύλην ᾗ τοὺς θῆρας εἰσῆγον ἔλαθεν, καὶ
συνεισελθὼν τοῖς κυνηγοῖς οὐ πρότερον καθυφῆκεν οὐδὲ Γρατιανοῦ καὶ τῶν ἀμφ᾽ αὐτὸν ἀντιβολούντων εἶξεν, εἰ μὴ παραυ-
τίκα σωτήριον ψῆφον τοῦ βασιλέως ἐξέσπασε τὸν ἐπὶ θανάτῳ
ἀγόμενον ἐλευθεροῦσαν. **13** Οὐ μὴν ἀλλὰ καὶ περὶ τὴν φυλακὴν τῶν νόμων τῆς ἐκκλησίας καὶ τὴν ἀγωγὴν τῶν ὑπ᾽ αὐτὸν
κληρικῶν σπουδαῖος εἰσάγαν ἐγένετο. Ἐκ πολλῶν δὲ τῶν
αὐτῷ κατωρθωμένων τάδε μοι εἰρήσθω εἰς ἀπόδειξιν ἧς εἶχε
διὰ θεὸν πρὸς τοὺς κρατοῦντας παρρησίας.

26

| 1 Κατὰ τοῦτον δὲ πολλοὶ πολλαχῇ τῆς οἰκουμένης ἐν
ἐπισκόποις διέπρεπον, ὡς Δονᾶτος ὁ Εὐροίας τῆς Ἠπείρου·
ᾧ δὴ πολλὰ τεθαυματουργῆσθαι μαρτυροῦσιν οἱ ἐπιχώριοι,
μέγιστα δὲ τὰ περὶ τὴν ἀναίρεσιν τοῦ δράκοντος, ὃς περὶ τὰς
καλουμένας Χαμαιγεφύρας παρὰ τὴν λεωφόρον ἐφώλευε καὶ
πρόβατα καὶ αἶγας, ἵππους τε καὶ βόας καὶ ἀνθρώπους ἐξήρ-
παζεν. **2** Οὐ γὰρ ξίφος ἢ δόρυ φέρων οὐδὲ ἄλλο τι βέλος ἔχων
ἐπὶ τουτὶ τὸ θηρίον ἦλθεν· ἀλλ᾽ ὡς ᾔσθετο καὶ τὴν κεφαλὴν ὡς

---

1. Cet épisode correspond sans doute à la fin du règne de Gratien marquée par un durcissement de la politique anti-païenne. C'est la seule source
évoquant Gratien et Ambroise ensemble : MAC LYNN, p. 78-79. L'anecdote
illustre le rôle d'intermédiaire joué par Ambroise entre l'aristocratie italienne où il a ses entrées, y compris chez les païens, et la cour impériale ; elle
montre aussi les résistances que peut rencontrer un évêque, même prestigieux, quand il faut approcher l'empereur. L'importance que lui donne
l'auteur vise peut-être à atténuer l'image d'un Ambroise inspirateur d'une
persécution menée contre les païens : cf. PALANQUE, p. 114.

grâce. **11** Comme, par le zèle de gens qui lui voulaient du mal, Gratien était alors occupé à un spectacle de chasses, telles que les empereurs ont coutume de s'en donner pour leur seul plaisir, non pour celui de la foule, et qu'aucun des portiers du palais ne l'annonçait, sous prétexte que ce n'était pas le moment, l'évêque se retira. **12** Il alla sans se faire voir à la porte par où l'on introduisait les fauves, entra dans l'enclos avec les chasseurs et ne flancha pas, ne céda pas aux supplications de Gratien et de son entourage avant d'avoir arraché au prince la décision de grâce immédiate qui libérait celui qu'on menait à la mort [1]. **13** Au surplus, Ambroise fut extrêmement zélé aussi pour l'observance des lois de l'Église et pour la conduite des clercs sous sa dépendance. Mais parmi ses nombreuses belles actions, qu'il me suffise d'avoir indiqué celle-ci, pour montrer le franc-parler qu'il eut par l'aide de Dieu à l'égard des princes.

Chapitre 26

Saint Donat, évêque d'Euroia ;
Théotime, évêque des Scythes.

1 En ce temps-là, beaucoup brillèrent parmi les évêques en beaucoup de lieux de la terre habitée, ainsi Donat, évêque d'Euroia en Épire [2]. Il accomplit beaucoup de miracles, au témoignage des gens du pays, mais le principal concerne la destruction du dragon qui avait sa tanière au lieu-dit Chamaïgephyrae près de la grande route et qui ravissait moutons, chèvres, chevaux, bœufs et hommes. **2** Sans glaive, sans lance, sans nulle autre arme, Donat marcha contre la bête.

---

2. Évêque réputé thaumaturge, mort après 388, devenu patron de la Vieille Épire : *DHGE* XIV, c. 650-651, R. Aubert. Euroea, évêché de la province de Vieille Épire, dépend de Nicopolis. L'emplacement exact de la ville ancienne n'est pas déterminé de façon sûre : *DHGE* XV, c. 1424-1425, R. Janin.

ἐφορμῆσον ἐξανέστησεν, ἀντιπρόσωπον αὐτῷ εἰς σταυροῦ
10 σύμβολον τὸν ἀέρα τῷ δακτύλῳ κατεσήμανε καὶ ἐπέπτυσε.
1500 3 | Τὸ δὲ τὸν σίελον εἰς τὸ στόμα δεξάμενον αὐτίκα κατέπεσε·
καὶ νεκρὸν κείμενον οὐ μεῖον τῶν παρ᾽ Ἰνδοῖς ἱστορουμένων
ἑρπετῶν διεφάνη τὸ μέγεθος· ἀμέλει τοι, ὡς ἐπυθόμην, ὑπὸ
ζεύγεσιν ὀκτὼ εἰς τὸ πλησίον πεδίον ἐξελκύσαντες αὐτὸ οἱ
15 ἐπιχώριοι κατέκαυσαν, ὅπως μὴ διασαπεὶς τὸν ἀέρα λυμήνη-
ται καὶ λοιμώδη ποιήσῃ. 4 Δονάτῳ δὲ τούτῳ τάφος ἐστὶν
ἐπίσημος εὐκτήριος οἶκος ἀπ᾽ αὐτοῦ τὴν ἐπωνυμίαν ἔχων,
παρὰ τοῦτον δὲ πηγὴ ὑδάτων πολλῶν, ἣν οὐ πρότερον οὖσαν
εὐξαμένου αὐτοῦ τὸ θεῖον ἀνέδωκεν· ἦν μὲν γὰρ οὗτος ὁ
20 χῶρος παντελῶς ἄνυδρος. 5 Ἐξ ὁδοιπορίας δέ ποτε ἐνθάδε
παραγενόμενος λέγεται τῶν ἀμφ᾽ αὐτὸν ἀπορίᾳ ὕδατος ταλαι-
πωρουμένων τῇ χειρὶ τὴν γῆν λαχήνας εὔξασθαι· ἅμα δὲ τῇ
εὐχῇ ἄφθονον ἀναβλύσαι ὕδωρ καὶ ἐξ ἐκείνου μὴ διαλιπεῖν.
Ἀλλὰ τῶνδε μὲν μάρτυρες οἱ τὴν Ἰσωρίαν οἰκοῦντες κώμην
25 Εὐροίας καθ᾽ ἣν τάδε συνέβη.
6 Ἐν τούτῳ δὲ Τόμεως καὶ τῆς ἄλλης Σκυθίας τὴν ἐκκλησίαν ἐπετρόπευε Θεότιμος Σκύθης, ἀνὴρ ἐν φιλοσοφίᾳ δια-
τραφείς· ὃν ἀγάμενοι τῆς ἀρετῆς οἱ παρὰ τὸν Ἴστρον Οὗννοι
βάρβαροι θεὸν Ῥωμαίων ὠνόμαζον· καὶ γὰρ δὴ καὶ θείων ἐπ᾽
30 αὐτῷ πραγμάτων ἐπειράθησαν. 7 Λέγεται γοῦν ὡς ὁδεύοντί
ποτε παρὰ τὴν ἐνθάδε βαρβάρων γῆν ὑπήντοντο ἐναντίαν τὴν
αὐτὴν ὁδὸν ἐπὶ Τόμιν ἐλαύνοντες· ὀλοφυρομένων δὲ τῶν ἀμφ᾽
342 αὐτὸν ὡς αὐτίκα | ἀπολουμένων ἀποβὰς τοῦ ἵππου ηὔξατο· οἱ

---

1. Le miracle bien localisé à Chamaïgephyrae suit un modèle hagiogra-
phique très récurrent. Sur les légendes concernant les saints tueurs de
dragon, cf. *Dictionnaire des miracles et de l'extraordinaire chrétiens*, Paris
2002, p. 709-710 art. Sauroctones, CL. LECOUTEUX et *RAC* IV, c. 226-250,
art. Drache, KLAUSER.
2. Sur l'Inde terre des plantes et animaux géants, PLINE, *nat.* VII, 21.

Quand le dragon s'en aperçut et qu'il dressa la tête pour l'attaquer, Donat, face à lui, traça dans l'air avec le doigt le signe de la croix et lui cracha dessus [1]. 3 Le monstre reçut la salive dans la gueule et aussitôt s'effondra. Gisant mort, il ne parut pas moindre quant à la taille que les serpents qu'on observe dans l'Inde [2]. En tout cas, comme je l'ai appris, il fallut huit paires de bœufs pour le tirer jusqu'à la plaine voisine : les gens du pays le brûlèrent, pour que, tombé en pourriture, il ne corrompît pas l'air et ne le rendît pas pestilentiel. 4 Le tombeau de ce Donat est une célèbre maison de prière qui porte son nom ; il y a tout auprès une source abondante, que Dieu fit jaillir à sa prière alors qu'elle n'existait pas auparavant : ce lieu en effet était absolument sans eau. 5 On raconte qu'un jour où il était arrivé là de voyage et que ses compagnons souffraient du manque d'eau, il avait creusé le sol de la main et prié ; dans le temps même de sa prière, l'eau jaillit à grands flots et, depuis ce temps, elle ne manqua pas. De cela portent témoignage les habitants d'Isôria, village d'Euroia, où cela se passa.

6 En ce même temps, l'église de Tomi et du reste de la Scythie était dirigée par le scythe Théotime, un homme qui avait été nourri dans la vie d'ascèse [3]. En admiration devant sa vertu, les barbares huns riverains du Danube le nommaient le « dieu des Romains ». Et, de fait, ils avaient fait l'expérience de ses actions divines. 7 On raconte en tout cas qu'un jour qu'il marchait le long du pays des barbares de ce lieu, vinrent à sa rencontre des Huns qui suivaient la même route en sens opposé vers Tomi. Comme ses compagnons se lamentaient à la pensée qu'ils allaient mourir aussitôt, il descendit de cheval et pria. Alors les barbares, sans l'avoir

---

3. Formé d'abord à la philosophie païenne (Socr., *H.E.* VI, 12), il se convertit et est ordonné vers 392 évêque de Tomi (actuelle Constantza) sur la côte de la mer Noire. Ami de Jérôme et de Jean Chrysostome, il a pris position contre la condamnation d'Origène (Socr., *H.E.* VI, 12). Il est encore en vie en 402 : *DECA*, p. 2431, G. Ladocsi.

δὲ βάρβαροι μήτε αὐτὸν μήτε τοὺς ἑπομένους ἢ τοὺς ἵππους
35 ὧν ἀπέβησαν θεασάμενοι παρέδραμον. 8 Ἐπεὶ δὲ πολλάκις
ἐπιόντες ἐκακούργουν τοὺς Σκύθας, φύσει θηριώδεις ὄντας
εἰς ἡμερότητα μετέβαλλεν ἑστιῶν τε καὶ δώροις φιλοφρονού-
μενος. Ἐντεῦθεν δὲ βάρβαρος ἀνὴρ ὑπολαβὼν εὔπορον εἶναι
ἐπεβούλευσεν αὐτὸν ἑλεῖν· καὶ βρόχον παρασκευάσας, ἀσπίδι
40 ἐπερειδόμενος, ὥσπερ εἰώθει τοῖς πολεμίοις διαλεγόμενος,
ἀνασχὼν τὴν δεξιὰν ἀκοντίζειν ἐπ᾽ αὐτὸν τὸ σχοινίον ἔμελλεν
ὡς πρὸς ἑαυτὸν καὶ τοὺς ὁμοφύλους ἑλκύσων. Ἅμα δὲ τῇ
ἐπιχειρήσει ἀνατεταμένη ἡ χεὶρ πρὸς τὸν ἀέρα δέδετο, καὶ οὐ
πρότερον ὁ βάρβαρος τῶν ἀοράτων ἠφείθη δεσμῶν, εἰ μὴ τῶν
45 ἄλλων ἀντιβολούντων ὑπὲρ αὐτοῦ τὸν θεὸν ἱκέτευσε Θεότιμος. 9 Φασὶ δὲ κομήτην αὐτὸν διαμεῖναι καθ᾽ ὃ σχῆμα φιλοσοφεῖν ἀρξάμενος ἐπετήδευσε, λιτὸν δὲ τὴν δίαιταν, τροφῆς
δὲ οὐ τὸν αὐτόν, ἀλλ᾽ ἐν τῷ πεινῆν ἢ διψῆν τὸν καιρὸν ὁρίσαι·
φιλοσόφου γὰρ ἦν, οἶμαι, καὶ τούτοις πρὸς χρείαν, οὐ διὰ
50 ῥᾳστώνην εἴκειν.

27

1501 | 1 Περὶ δὲ τοῦτον τὸν χρόνον καὶ Ἐπιφάνιος τὴν Κυπρίων
ἐπεσκόπει μητρόπολιν. Ὃν οὐ μόνον τὰ περὶ τὴν πολιτείαν
ἐπίσημον ἐπ᾽ ἀρεταῖς ἀπέδειξεν, ἀλλὰ καὶ ὅσα παράδοξα
ζῶντος αὐτοῦ καὶ μετὰ τελευτὴν τιμῶν τὸν ἄνδρα ὁ θεὸς
5 ἐπετέλεσεν. Ἀποθανόντι γάρ, ὃ μὴ περιόντι ὑπῆρξε, λόγος
ἐπὶ τῷ τάφῳ αὐτοῦ εἰσέτι νῦν δαίμονας ἀπελαύνεσθαι καὶ
ἰάσεις τινὰς γίνεσθαι· ἐν ᾧ δὲ ζῶν ἐτύγχανε, πολλὰ θαυμάσια
αὐτῷ ἀνατιθέασι. 2 Τῶν γε μὴν εἰς ἡμᾶς ἐλθόντων ἐκεῖνο·

---

1. Sans faire de véritable prosélytisme, il a néanmoins œuvré, par des
miracles, des dons et par un comportement exemplaire de sage, à la diffusion du christianisme dans ces régions ainsi que l'indique J. ZEILLER, *Les
origines chrétiennes...*, p. 547-549.
2. Cf. *supra* H.E. VI, 32, 1. Évêque de Salamine de Chypre, il s'est fait
connaître par sa compétence doctrinale, sa piété, l'intensité de son activité
pastorale. Il meurt en mai 402 : *DECA*, p. 841-842, C. RIGGI.

vu ni lui-même ni ses compagnons ni les chevaux dont ils
étaient descendus, passèrent leur chemin. **8** Les Huns faisaient souvent des incursions contre les Scythes et les mal-
traitaient. Bien qu'ils fussent naturellement féroces, il les
civilisa, leur offrant des repas et leur faisant des cadeaux [1].
Un barbare alors supposa qu'il était riche et il machina de le
capturer. Il prépara un nœud coulant et, appuyé sur son
bouclier comme il en avait l'habitude quand il causait avec
les Scythes, ayant levé le bras droit, il se disposait à lancer
contre lui le nœud coulant de manière à l'attirer à lui et aux
gens de sa race. Mais à peine l'eut-il entrepris que sa main
tendue en l'air resta liée, et le barbare ne fut pas délivré de
ces liens invisibles avant que, à la supplication des autres,
Théotime eût prié Dieu pour lui. **9** On dit qu'il porta toujours les cheveux longs, selon le mode adopté quand il commença sa vie d'ascèse, qu'il était sobre de régime et qu'il ne
fixait pas à la même heure le moment de la nourriture, mais
seulement quand il avait faim ou soif. Il était en effet d'un
ascète, à mon avis, de céder à ces besoins pour la nécessité,
non pour l'agrément.

Chapitre 27

Saint Épiphane, évêque de Chypre ;
récit particulier le concernant.

1 Vers ce même temps aussi, Épiphane était évêque de la
métropole de Chypre [2]. Il ne se montra pas seulement illustre par son genre de vie à cause de ses vertus, mais aussi par
tous les miracles que, de son vivant et après sa mort, Dieu
accomplit pour l'honorer. Car, après sa mort, chose qui ne
s'était pas produite de son vivant, aujourd'hui encore, dit-
on, sur sa tombe des démons sont chassés et certaines guéri-
sons se produisent. Cependant, tant qu'il vécut, on lui rapporte beaucoup de miracles. **2** Voici l'un de ceux qui sont

μεταδοτικὸς ὢν περὶ δεομένους ἢ ναυαγίοις ἢ ἄλλως δυστυ-
10 χήσαντας, ἐπειδὴ πάλαι τὴν οὐσίαν ἀνάλωσε, εἰς δέον ἐσπάθα
τοῖς τῆς ἐκκλησίας χρήμασιν· πλεῖστα δὲ ἦν· πάντοθεν γὰρ
πολλοὶ τὸν πλοῦτον εὐσεβῶς ἀναλίσκειν προθέμενοι καὶ
ζῶντες τῇ ὑπ᾽ αὐτὸν ἐκκλησίᾳ παρεῖχον καὶ τελευτῶντες
κατελίμπανον· ἐθάρρουν γὰρ ὡς οἰκονομικὸς καὶ θεοφιλὴς ὢν
15 κατὰ γνώμην αὐτοῖς ἀναλώσει τὰ δῶρα. 3 Φασὶ γοῦν ποτε
ὀλίγων ἔτι λειπομένων χρημάτων χαλεπῆναι τῆς ἐκκλησίας
τὸν οἰκονόμον καὶ ὡς δαπανηρὸν αὐτὸν μέμψασθαι· τὸν δὲ
343 μηδ᾽ οὕτως καθυφεῖναι περὶ | τοὺς ἐνδεεῖς φιλοτιμούμενον.
Ἐπεὶ δὲ πάντα ἀνάλωτο, ἐπιστάς τις τῷ δωματίῳ οὗ διῆγεν ὁ
20 οἰκονόμος βαλάντιον πολλῶν χρυσῶν νομισμάτων ἔδωκεν.
Ὡς δὲ οὔτε ὁ δοὺς ἢ ὁ πεπομφὼς δῆλος ἦν, ἐδόκει δὲ παράδοξον εἰκότως ἐπὶ δόσει τοσούτων χρημάτων ἄνθρωπον ἄγνω-
στον ἑαυτὸν παρέχειν, τότε δὴ πάντες θεῖον εἶναι τὸ πρᾶγμα
συνέβαλον. 4 Ἀλλ᾽ οἷον ἕτερον περὶ αὐτοῦ λέγεται καὶ ἀφηγή-
25 σασθαι βούλομαι, πυνθάνομαι τεθαυματουργῆσθαι Γρηγορίῳ
τῷ θεσπεσίῳ, ὃς πάλαι τὴν Νεοκαισαρείας ἐπετρόπευσε, καὶ
μάλα πείθομαι· ἀλλ᾽ οὐ παρὰ τοῦτο ἀπιστητέον ὅμοιον καὶ
Ἐπιφανίῳ εἰργάσθαι, ἐπεὶ οὐδὲ μόνος Πέτρος ὁ ἀπόστολος
ἤγειρε νεκρόν, ἀλλὰ καὶ Ἰωάννης ὁ εὐαγγελιστὴς ἐν Ἐφέσῳ
30 καὶ αἱ Φιλίππου θυγατέρες ἐν Ἱεραπόλει, καὶ τὰ αὐτὰ πολλάκις ἐξειργασμένους εὑρεῖν ἔστιν πολλοὺς τῶν πάλαι καὶ νῦν

---

1. Disciple d'Origène, nommé évêque de Néocésarée du Pont vers 240 :
cf. Eusèbe, *H.E.* VI, 30 ; VII, 14 et 28. On ne connaît son action que par des
vies légendaires exaltant les nombreux miracles qui lui ont valu le titre de
thaumaturge : *DHGE* XXII, c. 39-42, P. Nautin.
2. Cf. Ac 9, 32-35, résurrection par Pierre d'une femme, Tabitha, morte
à Joppé.
3. Si la tradition ecclésiastique s'accorde à reconnaître la présence de
Jean à Éphèse à la fin de sa vie, son action dans cette ville n'est connue que
par des sources peu fiables. Selon les *Actes de Jean* 46-47 (apocryphes), il
aurait ressuscité dans cette ville un prêtre d'Artémis.
4. Il s'agit des filles du diacre Philippe (Ac 21,8) et non de l'apôtre du
même nom vivant à Césarée de Palestine ; elles sont douées du charisme
prophétique. Sozomène déforme quelque peu sa source, Eusèbe, *H.E.* III,

parvenus à notre connaissance. Comme il était très généreux
envers les indigents ou ceux qui avaient subi des naufrages
ou d'autres malheurs, après qu'il eut depuis longtemps
dépensé sa fortune, il épuisa pour de bonnes raisons les
biens de l'église. Ils étaient considérables. Car beaucoup de
gens de toute part, désireux de dépenser pieusement leur
fortune, ou bien de leur vivant la remettaient à son église ou
bien la lui laissaient à leur mort : ils étaient sûrs en effet
qu'en bon économe et cher à Dieu, il dépenserait leurs dons
selon leurs vœux. **3** On raconte donc qu'un jour, comme il
ne restait plus que très peu d'argent, l'économe de l'église se
fâcha et le blâma d'être prodigue : lui pourtant, même ainsi,
ne renonça pas à ses largesses envers les indigents. Quand
tout eut été dépensé, quelqu'un se présenta à la chambre où
se tenait l'économe et lui remit une bourse de beaucoup de
pièces d'or. Comme ni le porteur ni celui qui l'avait envoyé
ne se faisaient connaître et qu'il semblait à bon droit extraordinaire que, pour le don d'une si grande somme, le dona-
teur voulût demeurer inconnu, tous alors conclurent qu'il
s'agissait d'un acte miraculeux. **4** D'autre part, sur une autre
chose qu'on dit à son sujet et que je veux raconter,
j'apprends que le même miracle a été accompli par le merveilleux Grégoire, qui avait la charge de Néocésarée [1], et je le
crois volontiers. Mais ce n'est pas une raison pour douter
qu'Épiphane aussi ait accompli une chose pareille : aussi
bien l'Apôtre Pierre ne fut pas le seul à ressusciter un
mort [2], Jean l'Évangéliste fit de même à Éphèse [3], et les filles
de Philippe à Hiérapolis [4], et l'on pourrait en trouver bien
d'autres parmi les hommes chers à Dieu d'autrefois et de
maintenant qui ont accompli souvent les mêmes miracles.

39, 9 : selon ce dernier, l'évêque de Hiérapolis (Phrygie), Papias, avait
appris des filles de Philippe une histoire merveilleuse, celle de la résurrection d'un mort, mais le texte n'attribue pas explicitement le miracle aux
prophétesses.

θεοφιλῶν ἀνθρώπων. **5** Ἔστι δὲ τοιόνδε ὃ μέλλω λέγειν.
Ἐπιτηρήσαντες δύο τινὲς πτωχοὶ ἀπιόντα που τὸν Ἐπιφάνιον, πλέον τι κομίσασθαι πραγματευόμενοι, ὁ μὲν ἐφαπλώ-
35 σας ἑαυτὸν τῷ ἐδάφει ἔκειτο δῆθεν νεκρός, ὁ δὲ παρεστὼς
ἔκλαιεν, οἷά γε ὁμοῦ συνήθους θάνατον ὀδυρόμενος καὶ ὅτι
μηδὲ θάπτειν αὐτὸν δύναιτο τὴν πενίαν καταμεμφόμενος. **6** Ὁ
δὲ Ἐπιφάνιος ἐν ἀναπαύσει εἶναι τὸν κείμενον ηὔξατο, καὶ τὰ
πρὸς τὴν κηδείαν ἐπιτήδεια δεδωκώς « Ἐπιμελοῦ, φησὶ τῷ
40 δακρύοντι, τῆς ταφῆς, καὶ παύου κλαίων, ὦ τέκνον· οὐ γὰρ
1504 ἀναστήσεται νῦν· τὸ δὲ ἐπὶ τῷ | συμβεβηκότι ἀπαραίτητον καὶ
παντελῶς ἀποκείμενον δεῖ φέρειν γενναίως.» **7** Καὶ ὁ μὲν
τοιάδε εἰπὼν παρῆλθεν. Ὡς δὲ οὐδεὶς ἐφαίνετο, τῷ ποδὶ κινή-
σας τὸν κείμενον ὁ ἑστώς, ἅμα τε ἐπαινῶν ὡς μάλα σοφῶς
45 τεθνάναι ἐμιμήσατο, « Ἔγειρε σαυτόν, ἔφη, καὶ τὴν ἡμέραν
ἐκ τῶν σῶν πόνων ἐν τρυφῇ διάξωμεν.» Ἐπεὶ δὲ ὁμοίως
ἔκειτο καὶ οὐδὲν μᾶλλον οὔτε βοῶντος ἤκουεν οὔτε παντὶ
σθένει κινοῦντος ἠσθάνετο, δρομαῖος καταλαβὼν τὸν ἱερέα
τὴν σφῶν τέχνην κατεμήνυεν, κλάων τε καὶ τὰς τρίχας τίλ-
344 50 λων ἐδεῖτο τὸν ἑταῖρον ἐξανίστασθαι. | Ὁ δὲ Ἐπιφάνιος μὴ
χαλεπῶς φέρειν τὸ συμβὰν παραινέσας ἀπέπεμψε τὸν ἄνθρω-
πον· οὐ γὰρ ἀνέλυσε τὸ γεγονὸς ὁ θεός, πάντως, οἶμαι, τοὺς
ἀνθρώπους πιστούμενος ὡς αὐτὸν τὸν πάντα εἰδότα καὶ
ἀκούοντα καὶ ἐφορῶντα ἐξαπατῶσιν οἱ τοιούτους σφᾶς περὶ
55 τοὺς αὐτοῦ θεράποντας παρέχοντες.

5 Voici donc ce que je veux conter. Deux mendiants, ayant guetté la sortie d'Épiphane, imaginèrent de lui soutirer davantage. L'un se coucha de son long sur le sol et il gisait vraiment comme un cadavre, l'autre se tenait à côté en larmes, comme à la fois se lamentant sur la mort de son compagnon et maudissant sa pauvreté de ce qu'il ne pût même pas l'enterrer. **6** Épiphane pria pour le repos de l'âme du mort et donna au mendiant le nécessaire pour les funérailles. « Prends soin de sa sépulture, dit-il à l'homme en larmes, et cesse de pleurer, mon fils. Il ne ressuscitera pas à cette heure. Ce qui, comme le montre l'événement, est inévitable et, de toute façon, nous est réservé, il faut le supporter vaillamment. » **7** Sur ces paroles, il s'en alla. Comme personne ne se montrait, le mendiant debout se mit à heurter du pied celui qui était couché, en le félicitant d'avoir si bien fait le mort : « Lève-toi, dit-il, et passons le jour dans les délices grâce à tes peines. » Mais comme il restait pourtant pareillement couché, que, malgré les cris de l'autre, il n'entendait rien et que, l'autre essayant à toute force de le faire bouger, il ne sentait rien, le mendiant courut en hâte retrouver l'évêque. Il lui avoua leur stratagème, et, pleurant et s'arrachant les cheveux, il le suppliait de ressusciter son camarade. **8** Mais Épiphane exhorta l'homme à ne pas prendre mal l'événement et le congédia. Dieu n'avait pas défait ce qui avait eu lieu, pour bien persuader les hommes, à mon sens, que ceux qui se conduisent ainsi avec ses serviteurs cherchent à le tromper, lui, qui pourtant sait tout, entend tout et voit tout.

28

1 Ἀλλὰ τὰ μὲν ὧδε ἐπυθόμην. Ἐξ ἐκείνου δὲ καὶ Ἀκάκιος ἐν ἐπισκόποις διέπρεπεν, ἤδη πρότερον τὴν ἐν Βεροίᾳ τῆς Συρίας ἐπισκοπὴν ἐπιτραπείς. Τούτου δὲ εἰκὸς μὲν καὶ ἄλλα φέρεσθαι γραφῆς ἄξια, καθὸ τὸν βίον ἐκ νέου μοναχικῶς 5 ἀσκηθεὶς ἀκριβῶς ἐπολιτεύσατο. 2 Τεκμήριον δὲ μεγίστης ἔδωκεν ἀρετῆς παρὰ πάντα τὸν χρόνον τὸ ἐπισκοπικὸν καταγώγιον ἠνεῳγμένον ἔχων, ὡς καὶ τροφῆς ὥρᾳ καὶ ὕπνου ἀδεῶς οἷς ἐδόκει ξένοις τε καὶ ἀστοῖς αὐτὸν ὁρᾶν. 3 Ἄγαμαι δὲ τοῦτο μάλιστα· ἢ γὰρ οὕτως ἐβίω ὡς ἀεὶ πεποιθέναι, ἢ 10 πρὸς τὸ ἕτοιμον εἰς κακίαν τῆς φύσεως παρασκευαζόμενος τουτὶ ἐπενόησεν, ὥστε ἀεὶ φωραθήσεσθαι προσδοκῶν ὑπὸ τῶν ἐξαπίνης εἰσιόντων ἐν τῇ συνεχεῖ φυλακῇ μὴ διαμαρτάνειν ὧν δεῖ, ἀλλ' ἐν σπουδαίοις εἶναι πράγμασιν.

4 Ἐν δὲ τῷ τότε ἐπισήμῳ ἤστην καὶ Ζήνων καὶ Αἴας 15 ἀδελφοί· οἳ δὴ τὸ πρὶν ἐφιλοσόφουν οὐκ ἐν μοναγρίαις, ἀλλ' ἐν Γάζῃ πρὸς θάλασσαν, ὅπερ καὶ Μαϊουμᾶν ὀνομάζουσιν. Ἄμφω δὲ πιστοτάτω περὶ τὸ δόγμα ἐγενέσθην καὶ θεὸν ὡμολόγησαν ἀνδρείως, ὡς καὶ πολλάκις πρὸς τῶν Ἑλληνιστῶν χαλεπῶς αἰκισθῆναι. 5 Λέγεται δὲ Αἴαντα μὲν γῆμαι εὐειδε- 20 στάτην γυναῖκα, τρίτον δὲ μόνον αὐτῇ συνελθεῖν ἐν παντὶ τῷ 1505 χρόνῳ καὶ τρεῖς παῖδας ποιῆσαι, τὸ | μετὰ ταῦτα δὲ συνουσίας

---

1. Cf. supra VII, 7, 4, et note ad loc. Après des débuts consacrés à la vie monastique, il est ordonné évêque de Béroé (Alep actuelle) en 378 par Mélèce. Le fait d'avoir à son tour ordonné Flavien évêque d'Antioche après le concile de Constantinople lui vaudra l'excommunication de Damase. Il joue encore un rôle important dans les affaires ecclésiastiques d'Antioche et meurt peu après 433 : DECA, t. I, p. 13, M. SIMONETTI.

Chapitre 28

Acace de Béroé ; Zénon, Ajax,
hommes remarquables renommés pour leur vertu.

1 Voilà ce que j'ai appris là-dessus. Dès ce temps-là, Acace aussi brillait parmi les évêques [1] ; il avait reçu auparavant déjà le siège épiscopal de Béroé de Syrie. Certes, il serait à propos de rapporter de lui bien des traits mémorables, puisque, dès sa jeunesse, il vécut très strictement dans l'ascèse monastique. **2** Mais il a donné un témoignage de très grande vertu. Il tenait tout le temps ouverte la porte de l'évêché, en sorte que, même à l'heure du repos ou du sommeil, quiconque le voulait, étranger ou citadin, pût le voir librement. **3** J'admire ce trait surtout. Car ou bien il vécut ainsi parce qu'il avait toujours confiance en lui, ou bien il conçut la chose pour s'armer contre l'inclination naturelle au mal, en sorte que, comme il risquait sans cesse d'être pris sur le fait par ceux qui le visitaient à l'improviste, il se tînt continuellement en garde pour ne pas manquer à ses devoirs, mais être appliqué à de bonnes œuvres.

4 En ce temps là se faisaient remarquer aussi Zénon et Aias [2], deux frères. Ils commencèrent par mener la vie d'ascèse, non pas dans des déserts, mais à Gaza, au bord de la mer, au lieu qu'on nomme précisément Maïoumas. Tous deux furent très fermes dans la foi et confessèrent Dieu avec courage, au point d'être souvent maltraités par les païens. **5** Aias, dit-on, épousa une femme très belle, n'eut que trois fois commerce avec elle durant tout son mariage, et procréa trois fils. Plus tard, en ce qui regarde les rapports de ce

---

2. Ce moine devenu évêque vit dans un faubourg de Gaza, Maïoumas, aujourd'hui El Mina : *DHGE* I, 1914 c. 1275, E. Montmasson. Lui et son frère Zénon sont peut-être apparentés au Zénon qui subit le martyre sous Julien à Gaza : cf. *supra H.E.* V, 9, 1.

ἕνεκα τοιᾶσδε τῇ γαμετῇ ἀποταξάμενον μοναχικῶς πεπολι-
τεῦσθαι· καὶ τῶν υἱέων δύο μὲν ἐπὶ τὰ θεῖα καὶ τὴν ἀγαμίαν
παιδαγωγῆσαι, τὸν ἄλλον δὲ ἐπὶ γάμον. Ἐπιεικῶς δὲ καὶ
25 μάλα εὐδοκίμως τὴν τοῦ Βιτουλίου ἐκκλησίαν ἐπετρόπευσε.
6 Ζήνων δὲ ἔτι νέος ὢν γάμῳ καὶ βίῳ ἀπαγορεύσας ἐπιμελέ-
στατος ἐγένετο περὶ τὴν διακονίαν τοῦ θεοῦ. Φασὶ γοῦν
αὐτόν, μᾶλλον δὲ καὶ ἡμεῖς τεθεάμεθα ἐπισκοποῦντα τὴν ἐν
345 τῷ Μαϊουμᾶ | ἐκκλησίαν, ἤδη γηραλέον καὶ ἀμφὶ τὰ ἑκατὸν
30 ἔτη ὄντα, μηδεπώποτε ἑωθινῶν ἢ ἑσπερινῶν ὕμνων ἢ ἄλλης
λειτουργίας θεοῦ κατόπιν γενόμενον, εἰ μή γε νόσος αὐτὸν
ἐπέσχεν. 7 Ἐν φιλοσοφίᾳ δὲ μοναχικῇ τὸν βίον ἄγων λινῆν
ἐσθῆτα ὕφαινεν ἐπὶ μονήρους ἱστοῦ, ἐντεῦθέν τε τὰ ἐπιτήδεια
εἶχε καὶ ἄλλοις ἐχορήγει, καὶ οὐ διέλιπεν ἄχρι τελευτῆς τὸ
35 αὐτὸ διέπων ἔργον, καίπερ ἀρχαιότητι τῶν ἀνὰ τὸ ἔθνος
ἱερέων πρωτεύων καὶ λαῷ καὶ χρήμασι μεγίστης ἐκκλησίας
προεστώς. 8 Ἀλλὰ τῶνδε μὲν εἰς ἀπόδειξιν τῶν τότε ἱερωμέ-
νων ἐπεμνήσθην, πάντας δὲ διεξελθεῖν ἔργον, ἐπεὶ οἱ πλείους
ἀγαθοὶ ἐγένοντο, καὶ τὸ θεῖον ἐμαρτύρει τοῖς αὐτῶν βίοις
40 ἐπικαλουμένων ἑτοίμως ἐπακοῦον καὶ πλεῖστα θαυματουρ-
γοῦν.

29

1 Ὑπὸ δὲ τοιούτων ἀγομένη ἡ πανταχῇ ἐκκλησία πρὸς
ὁμόνοιαν καὶ ἀρετὴν τοὺς λαοὺς καὶ τοὺς κλήρους ἀνῆγεν. Οὐ
μόνον δὲ ταῦτα τὴν θρησκείαν ἐσέμνυνεν, ἀλλὰ γὰρ καὶ Ἀμ-

---

1. S'agit-il d'une déformation, par hellénisation, de Betelia, aujourd'hui
Bet-Lahia : *DHGE* VIII, 1935 c. 1247-1248, G. Levenq ? Sur cette patrie de
la famille de Sozomène, cf. *H.E.* V, 15, 14, *SC* 495, p. 166 note 2. Déformation surprenante puisque Sozomène est originaire de la localité ! On croira
donc plutôt à un problème de tradition manuscrite (la *PG* 67 c. 1505 donne,
après H. Valois, Βοτωλίου, l'éd. Bidez-Hansen, p. 344, Βιτουλίου avec, dans

genre, il se sépara de sa femme et vécut en moine. De ses fils, il en éduqua deux pour le service divin et le célibat, l'autre pour le mariage. Il gouverna avec compétence et grand renom l'église de Bitoulion [1]. **6** Zénon, dès sa jeunesse, renonça au mariage et à la vie du siècle pour se dévouer avec grande ferveur au service de Dieu. En tout cas, on dit ou plutôt nous l'avons vu nous-même quand il était évêque de l'église de Maïoumas, que très vieux déjà, âgé d'environ cent ans, il ne délaissa jamais les offices du matin et du soir ou le reste de l'office divin, à moins qu'il ne fût malade. **7** Menant sa vie dans l'ascèse monastique, il tissait sur un seul métier de la toile de lin, il tirait de là ses ressources et de quoi donner à d'autres, et il ne cessa pas jusqu'à sa mort d'accomplir cet ouvrage, bien qu'il eût par l'ancienneté préséance sur tous les évêques de la province et qu'il présidât à une église très considérable par le nombre de fidèles et les richesses. **8** J'ai fait mention de ces évêques-là pour montrer ce que furent les évêques d'alors. Les décrire tous serait une affaire, car ils furent pour la plupart hommes de mérite, et la divinité portait témoignage de leur vie, en exauçant promptement leurs prières et en faisant beaucoup de miracles.

Chapitre 29

*Découverte des reliques des prophètes Habacuc et Michée ;
mort de l'empereur Théodose le Grand.*

1 Conduite par de tels hommes, l'Église, en tout lieu, portait les fidèles et les clercs à la concorde et à la vertu. Ce n'est pas cela seulement qui honorait la religion, il y eut

---

l'apparat, Βιτωλίου, leçon de *b*). Mais selon G. C. HANSEN dans son éd., *Sozomenos, Historia ecclesiastica. Kirchengeschichte* III, Turnhout 2004 (*Fontes christiani* Bd 73), p. 943, note 880, Bitulion est une localité de Palestine à la frontière de l'Égypte près de Rhinocorura (monastère et église cités en *H.E.* VI, 31, 6 et 11).

βακούμ, μετ' οὐ πολὺ δὲ τούτου καὶ Μιχαίας, πρῶτοι προφη-
5 τῶν περὶ τοῦτον τὸν χρόνον ἀναφανέντες. 2 Ἀμφοῖν δὲ τὰ
σώματα, ὡς ἐπυθόμην, κατὰ θείαν ὀνείρατος ὄψιν ἀνεδείχθη
Ζεβέννῳ τῷ τότε ἐπιτροπεύοντι τὴν Ἐλευθεροπόλεως ἐκκλησίαν. Καὶ γὰρ δὴ καὶ τοῦ νομοῦ ταύτης ἤστην Κελὰ ἡ πρὶν
Κεϊλὰ ὀνομαζομένη κώμη, καθ' ἣν ὁ Ἀμβακοὺμ ηὑρέθη, καὶ
1508 10 Βηραθσάτια χωρίον ἀμφὶ δέκα στάδια τῆς πόλεως | διεστώς·
περὶ τοῦτο δὲ ὁ Μιχαίου τάφος ἦν, ὃ μνῆμα πιστὸν ἀγνοοῦν-
τες ὅ τι λέγουσιν οἱ ἐπιχώριοι ἐκάλουν, Νεφσαμεεμανᾶ τῇ
πατρίῳ φωνῇ ὀνομάζοντες. 3 Ἱκανὰ μὲν οὖν καὶ τάδε πρὸς
εὔκλειαν τοῦ Χριστιανῶν δόγματος ἐπὶ τῆς παρούσης βασι-
15 λείας συνεκύρησε.

Μετὰ δὲ τὴν κατὰ Εὐγενίου νίκην ἔτι ἐν Μεδιολάνῳ διάγων
346 Θεοδόσιος ὁ | βασιλεὺς ἀρρώστως διετέθη, ἐννοηθείς τε, ὡς
οἶμαι, τὴν Ἰωάννου τοῦ μοναχοῦ προφητείαν ὑφωρᾶτο τελευ-
τήν. 4 Ἐν τάχει τε τὸν υἱὸν Ὀνώριον ἐκ τῆς Κωνσταντινου-
20 πόλεως μετεκαλέσατο καὶ παραγενόμενον ἰδὼν ἔδοξε ῥᾶον
ἔχειν, ὡς καὶ ἐπὶ θέαν ἱπποδρομίας σὺν αὐτῷ προελθεῖν. Ἐξαπίνης δὲ μετὰ τὸ ἄριστον κακῶς διατεθεὶς ἐκέλευσε τῷ παιδὶ
τὴν θέαν ἐπιτελέσαι, τῆς δὲ ἐχομένης νυκτὸς τὸν βίον μετήλλαξεν Ὀλυβρίου καὶ Προβίνου τῶν ἀδελφῶν ὑπατευόντων.

1. En fait Habacuc, que l'on situe chronologiquement dans la deuxième
moitié du VIIe s. av. J.C. (DEJ, p. 451), et Michée qui prophétise, lui, dans la
deuxième moitié du VIIIe s. av. J.C. (DEJ, p. 739), ne sont pas « les premiers » des prophètes. Michée a été précédé par Élie, Élisée, Amos, Osée ;
ils font tous les deux partie des prophètes mineurs.

2. Le nom d'Éleuthéropolis a été donné par Septime Sévère à la cité de
Bethograba. Cet évêché de la province de Palestine première dépend de
Césarée : DHGE XV 1963, c. 154-155, R. Janin.

3. Selon Eusèbe, Onomasticon, 246, 68, on montrait la tombe d'Habacuc à Gabthea ou à Keila, deux localités au sud-ouest de Jérusalem.

4. Ces deux noms d'origine araméenne sont correctement transcrits en
grec par Sozomène, le premier a le sens de « puits de fondation », le deuxième
celui de « tombeau fidèle ». Nous remercions vivement Ursula Schattner-
Rieser d'avoir bien voulu nous éclairer sur ces deux points. Ces exemples
témoignent de la part de l'historien d'une certaine familiarité avec les
langues sémitiques et confèrent à son histoire une ouverture plus originale.

5. Le moine Jean avait annoncé la victoire de Théodose, mais aussi sa
mort après cette victoire : cf. supra VII, 12, 8.

encore la découverte en ce temps-là d'Habacuc et, peu après, de Michée, qui furent les premiers des prophètes [1]. **2** Leurs corps à tous deux, comme je l'ai appris, furent divinement montrés au cours d'une vision de songe à Zébennos, qui avait alors la charge de l'église d'Éleuthéropolis [2]. C'est en effet du nome de cette église que dépendaient le village de Kéla, antérieurement nommé Keïla [3], où fut trouvé Habacuc, et Bèrathsatia, lieu distant d'environ dix stades de la ville : près de là était la tombe de Michée que, sans savoir ce qu'ils disent, les indigènes appelaient « tombeau fidèle », en le nommant en leur langue ancestrale Nephsaméémana [4]. **3** Ces découvertes aussi, sous le présent règne, contribuèrent grandement à la gloire de la doctrine chrétienne.

Après la victoire sur Eugène, alors que l'empereur Théodose était encore à Milan, il tomba malade, et s'étant rappelé, je suppose, la prophétie du moine Jean [5], il se dit qu'il allait mourir [6]. **4** Il fit venir en hâte de Constantinople son fils Honorius [7]. Celui-ci arriva, Théodose le vit et il lui sembla qu'il allait mieux, si bien qu'il se rendit avec son fils à un spectacle de l'hippodrome [8]. Mais soudain, après le premier repas, il se sentit mal, et il ordonna à son fils de présider à la fin du spectacle. Il mourut la nuit suivante sous le consulat des frères Olybrius et Probinus [9].

6. Théodose meurt des suites d'une hydropisie due selon PHILOSTORGE, *H.E.* XI, 2, à son intempérance. Mais selon le patriarche Photius, son abréviateur, Philostorge fait ici une remarque digne d'un « impie ».

7. Théodose, se sachant malade, avait au cours de l'hiver 394 fait venir à Milan le jeune Honorius, âgé de dix ans, pour régler les problèmes de la succession. Il l'avait désigné comme Auguste en janvier 393, après la mort de Valentinien II, en le destinant à régner sur l'Occident. Au moment de partir en campagne contre Eugène, il l'avait laissé avec Arcadius à Constantinople.

8. Les courses sont données soit en l'honneur de la victoire sur Eugène (SOCR., *H.E.* V, 26), mais il y a alors un décalage de date important, soit pour la célébration des anniversaires d'avènement de Théodose et d'Arcadius (19 janv.) ainsi que d'Honorius (23 janv.) : MAC LYNN, p. 356 note 223.

9. Théodose meurt à Milan, le 17 janvier : SEECK, *Regesten*, p. 284. Olybrius et Probinus sont consuls en 395. Les deux hommes sont frères et appartiennent à la puissante famille des Anicii : cf. *P.L.R.E.* I, Anicius Hermogenianus Olybrius 2, p. 639 et Anicius Probinus 1, p. 734.

Α'. Περὶ τῶν διαδόχων τοῦ Μεγάλου Θεοδοσίου· καὶ ὡς ἀνηρέθη Ῥουφῖνος ὁ ὕπαρχος· καὶ περὶ τῶν ἀρχιερέων τῶν μεγάλων πόλεων καὶ τῆς διαφορᾶς τῶν αἱρετικῶν, καὶ περὶ Σισινίου τοῦ Ναυατιανῶν ἐπισκόπου διήγησις.

5   Β'. Περὶ ἀγωγῆς καὶ διαίτης καὶ πολιτείας καὶ σοφίας καὶ εἰς τὸν θρόνον παρόδου τοῦ μεγάλου Ἰωάννου τοῦ Χρυσοστόμου· καὶ ὡς ἐμποδὼν αὐτῷ καθίσταται Θεόφιλος ὁ Ἀλεξανδρείας.

Γ'. Ὡς ἐπελθὼν Ἰωάννης ἐπὶ τὴν ἐπισκοπὴν σφοδρότερον ἥπτετο τῶν πραγμάτων καὶ τὰς ἁπανταχοῦ Ἐκκλησίας ἐπη-
10   νώρθου· καὶ ὡς τὸ κατὰ τὸν Φλαβιανὸν πταῖσμα διαπρεσβευ-σάμενος εἰς Ῥώμην διέλυσε.

Δ'. Τὰ κατὰ τὸν βάρβαρον Γότθον Γαϊνᾶν καὶ τῶν ὑπ᾽ αὐτοῦ πραχθέντων δεινῶν.

Ε'. Ὡς ὑπηγάγετο ὁ Ἰωάννης ταῖς διδασκαλίαις τὰ πλήθη· καὶ
15   περὶ τῆς γυναικὸς Μακεδονιανῆς δι᾽ ἣν ὁ ἄρτος εἰς λίθον μετεβλήθη.

ς'. Περὶ τῶν ἐν Ἀσίᾳ καὶ Φρυγίᾳ πραχθέντων τῷ Ἰωάννῃ καὶ περὶ Ἡρακλείδου τοῦ Ἐφέσου καὶ τοῦ Νικομηδείας Γέροντος.

20   Ζ'. Περὶ Εὐτροπίου τοῦ ἀρχιευνούχου καὶ περὶ τοῦ νόμου ὃν ἔθετο· καὶ ὡς ἀποσπασθεὶς τῆς ἐκκλησίας ἐφονεύθη. Καὶ περὶ τοῦ πρὸς Ἰωάννην γογγυσμοῦ.

Η'. Περὶ τῶν ἀντιφώνων ᾠδῶν πρὸς Ἀρειανοὺς Ἰωάννου. Καὶ ὡς [διὰ] τῆς διδασκαλίας Ἰωάννου τὰ τῶν ὀρθοδόξων μᾶλλον
25   ἐπεδίδου· ἤσχαλλον δὲ οἱ πλουτοῦντες.

Θ'. Περὶ Σεραπίωνος τοῦ ἀρχιδιακόνου καὶ τῆς ἁγίας Ὀλυμπιά-δος· καὶ ὥς τινες ὑβριστικῶς τῶν λογάδων κατὰ τοῦ Ἰωάννου ἐφέροντο, σκαιὸν καὶ θυμώδη ἀποκαλοῦντες.

65 ΚΒ'. Ὡς ἐξηλάθη τοῦ θρόνου ἀδίκως ὁ Ἰωάννης καὶ περὶ τοῦ
γενομένου θορύβου· καὶ περὶ τοῦ πεμφθέντος τῇ ἐκκλησίᾳ
θεηλάτου πυρὸς καὶ περὶ τῆς εἰς Κουκουσὸν αὐτοῦ ἐξορίας.

ΚΓ'. Περὶ Ἀρσακίου τοῦ μετὰ Ἰωάννην προχειρισθέντος καὶ ὅσα
κακὰ τοῖς προσκειμένοις Ἰωάννῃ εἰργάσατο. Καὶ περὶ τῆς
70 ὁσίας Νικαρέτης.

ΚΔ'. Περὶ Εὐτροπίου τοῦ ἀναγνώστου καὶ τῆς μακαρίας Ὀλυμπιάδος καὶ περὶ τοῦ πρεσβυτέρου Τιγρίου, οἷα διὰ τὸν ἐπίσκοπον Ἰωάννην ἔπαθον, καὶ περὶ πατριαρχῶν.

ΚΕ'. Ὅτι τῆς Ἐκκλησίας κακῶς ἐχούσης καὶ τὰ κοσμικὰ κακῶς
75 διέκειντο πράγματα. Καὶ τὰ κατὰ Στελίχωνα τὸν Ὀνωρίου
στρατηγόν.

Κϛ'. Ἐπιστολαὶ δύο Ἰνοκεντίου πάπα Ῥώμης πρὸς τὸν Χρυσό-
στομον Ἰωάννην καὶ πρὸς τὸν κλῆρον Κωνσταντινουπόλεως
ὑπὲρ Ἰωάννου.

80 ΚΖ'. Περὶ τῶν γενομένων διὰ Ἰωάννην δεινῶν καὶ περὶ τῆς τελευτῆς Εὐδοξίας τῆς βασιλίδος καὶ Ἀρσακίου· ἔτι δὲ καὶ περὶ
Ἀττικοῦ τοῦ πατριάρχου ὅθεν καὶ οἷος τὸν τρόπον ἦν.

ΚΗ'. Ὡς διὰ σπουδῆς ἦν Ἰνοκεντίῳ τῷ Ῥώμης διὰ συνόδου τὸν
Ἰωάννην ἐπαγαγεῖν· καὶ περὶ τῶν πεμφθέντων παρ' αὐτοῦ
85 ἐπὶ ἐξετάσει· καὶ περὶ τῆς τελευτῆς τοῦ Χρυσοστόμου Ἰωάννου.

ΕΡΜΕΙΟΥ ΣΩΖΟΜΕΝΟΥ

ΕΚΚΛΗΣΙΑΣΤΙΚΗΣ ΙΣΤΟΡΙΑΣ

ΤΟΜΟΣ ΟΓΔΟΟΣ

1

[PG 67
col. 1509
Bidez 347]
1509

1 Ὧδε μὲν ἐς τὰ μάλιστα τὴν ἐκκλησίαν αὐξήσας ἐτελεύτησε Θεοδόσιος ἀμφὶ τὰ ἑξήκοντα ἔτη γεγο|νώς, ἐκ τούτων δὲ δέκα καὶ ἐξ ἐβασίλευσε. Καὶ διαδόχους κατέλιπε τῆς ἀρχῆς Ἀρκάδιον μὲν τὸν πρεσβύτερον τῶν υἱέων τῶν πρὸς ἕω 5 ἐθνῶν, Ὀνώριον δὲ τῶν πρὸς ἑσπέραν· ἄμφω δὲ ὁμόφρονες τῷ πατρὶ περὶ τὴν θρησκείαν ἐγενέσθην. Ἡγεῖτο δὲ τότε τῆς Ῥωμαίων ἐκκλησίας μετὰ Δάμασον Σιρίκιος, τῆς δὲ ἐν Κωνσταντινουπόλει Νεκτάριος, Θεόφιλος δὲ τῆς ἐν Ἀλεξανδρείᾳ καὶ Φλαβιανὸς τῆς Ἀντιοχέων καὶ Ἰωάννης <τῆσ> Ἱεροσο- 10 λύμων. **2** Ἐν τούτῳ δὲ Οὗννοι βάρβαροι Ἀρμενίας καὶ τῆς

---

1. Théodose est né vraisemblablement en janvier 347 : A. Lippold, *Theodosius und seine Zeit*, Stuttgart 1968, p. 9. Il a régné seize ans, de janvier 379 à janvier 395. Mais il avait à sa mort près de quarante huit et non soixante ans.

2. Arcadius, né en 377, a dix huit ans, et Honorius, né en 384, en a onze. Tous deux furent catholiques orthodoxes.

D'HERMIAS SOZOMÈNE

Histoire ecclésiastique

Livre VIII

Chapitre 1

Les successeurs de Théodose le Grand ;
le préfet Rufin est assassiné ;
les évêques des grandes cités et le différend
entre les hérétiques, Sisinnius évêque des novatiens, récit.

1 C'est ainsi que mourut Théodose, après avoir fait s'accroître l'Église au plus haut point. Il était âgé environ de soixante ans et, de ce nombre, il en passa seize dans le règne [1]. Il laissa comme successeurs de son pouvoir Arcadius, l'aîné de ses fils, pour les provinces orientales, Honorius pour celles d'Occident [2]. Tous deux furent du même sentiment que leur père à l'égard de la religion. Était alors chef de l'Église de Rome Sirice qui avait succédé à Damase, de celle de Constantinople Nectaire, Théophile de celle d'Alexandrie, Flavien de celle d'Antioche et Jean de celle de Jérusalem [3]. **2** A ce moment, les barbares huns firent des

---

3. Sirice est évêque de Rome de 384 à 399 ; Nectaire, évêque de Constantinople de 381 à 397, cf. *H.E.* VII, 8,1, note *ad loc.* ; Flavien, évêque d'Antioche de 381 à 404, cf. *H.E.* VII, 3,4, note *ad loc.* ; Jean, évêque de Jérusalem de 386 à 417, cf. *H.E.* VII, 14,4, note *ad loc.*

πρὸς ἕω ἀρχομένης μέρη τινὰ κατέδραμον. Ἐλέγετο δὲ ὡς
λάθρα τούτους ἐπηγάγετο ἐπὶ ταραχῇ τῆς βασιλείας Ῥουφῖνος ὁ τῆς ἀνατολῆς ὕπαρχος, ὕποπτος ὢν καὶ ἄλλως ὡς
τυραννεῖν βούλεται. 3 Ἀλλ᾽ ὁ μὲν ἐπὶ τοιαύτῃ αἰτίᾳ οὐκ εἰς
15　μακρὰν ἀνῃρέθη. Ἅμα γὰρ ἐκ τῆς κατὰ Εὐγενίου μάχης ἐπανῆλθεν ἡ στρατιὰ καὶ ὁ βασιλεύς, ὡς ἔθος, πρὸ τῆς Κωνσταντινουπόλεως ὑπήντετο, μηδὲν μελλήσαντες οἱ στρατιῶται
τὸν Ῥουφῖνον ἀπέκτειναν. 4 Ἐγίνετο δὲ καὶ ταῦτα πρόφασις
ἔτι μᾶλλον ἐπιδιδόναι τὴν θρησκείαν. Οἵ τε γὰρ κρατοῦντες
20　ὑπὸ εὐσεβείας ἡγοῦντο τῷ οἰκείῳ πατρὶ τὰς κατὰ τῶν τυράννων κατωρθῶσθαι νίκας καὶ Ῥουφῖνον ἐπίβουλον ὄντα τῆς
αὐτῶν ἀρχῆς ἐκποδὼν οὕτως ἀκονιτὶ γεγενῆσθαι, 5 καὶ διὰ
τοῦτο τὰ δεδογμένα τοῖς πρὶν βασιλεῦσιν ὑπὲρ τῶν ἐκκλησιῶν
προθυμότερον βέβαια ἐφύλαττον καὶ δωρεὰς ἰδίας προσετίθε-
25　σαν· οἵ τε ὑπήκοοι πρὸς τούτους βλέποντες Ἕλληνες μὲν
348　ῥᾳδίως εἰς Χριστιανισμὸν μετέβαλλον, αἱρετικοὶ δὲ | τῇ καθό-
λου ἐκκλησίᾳ προσεχώρουν, 6 οἱ δὲ ἀπὸ τῆς Ἀρείου καὶ
Εὐνομίου αἱρέσεως, καὶ ὅτι πρὸς σφᾶς αὐτοὺς ἐδιχονόουν διὰ
τὰς πρόσθεν εἰρημένας αἰτίας, ἑκάστοτε ἐμειοῦντο. Πολλοὶ

---

1. Les Huns de Pontide profitent à partir de 395 de la situation politique
et militaire à l'intérieur de l'Empire pour attaquer les frontières vulnéra-
bles, dans la région danubienne fragilisée depuis la révolte des fédérés
wisigoths de 392 et le départ de contingents pour l'expédition contre
Eugène ainsi que sur les confins arméno-cappadociens moins surveillés
depuis la crise de l'Empire perse : voir DEMOUGEOT, La formation de
l'Europe..., t. II 1, p. 386-390.
2. Flavius Rufinus (cf. P.L.R.E. I, p. 778-791, Flavius Rufinus 18), originaire de Gaule, maître des offices de Théodose, est nommé par lui préfet du
prétoire d'Orient en 392 : il devient de ce fait la principale autorité en
Orient après l'empereur. Auprès d'Arcadius, c'est lui désormais, à la mort
de Théodose, qui gouverne la pars orientalis. Il a sans doute préféré négocier avec les Huns plutôt que de les affronter militairement, d'où l'accusation lancée contre lui d'avoir favorisé leur entrée dans l'Empire. Plusieurs
raisons expliquent son impopularité et les rumeurs sur ses ambitions : son
origine occidentale, sa richesse, sa prétention à vouloir faire épouser sa fille

incursions à travers certaines parties de l'Arménie et de l'Empire d'Orient [1]. Rufin, le préfet du prétoire d'Orient [2], les avait, disait-on, fait venir en secret pour jeter le trouble dans l'Empire : on le soupçonnait du reste de vouloir usurper le pouvoir. **3** Mais il fut tué peu après pour la raison que voici. En effet, quand l'armée revint de la bataille contre Eugène et que l'empereur, comme il est d'usage, alla à sa rencontre devant Constantinople, sans hésitation les soldats tuèrent Rufin [3]. **4** Cela aussi fut cause d'un accroissement encore plus considérable pour la religion. Les empereurs pensaient en effet que c'est à cause de la piété que leur père avait remporté les victoires contre les usurpateurs et que Rufin, qui avait conspiré contre leur pouvoir, avait cessé ainsi de les embarrasser sans effort de leur part. **5** Et pour cette raison ils confirmaient avec plus d'ardeur les décisions prises pour les Églises par leurs prédécesseurs et ils y ajoutaient d'autres faveurs personnelles ; les sujets, se réglant sur eux, s'ils étaient païens se convertissaient facilement au christianisme, s'ils étaient hérétiques rejoignaient l'Église catholique. **6** Quant aux ariens et aux eunomiens, comme, pour les raisons que j'ai dites plus haut, ils étaient entre eux en désaccord, ils diminuaient de jour en jour [4]. Beaucoup,

par Arcadius, l'hostilité de l'eunuque Eutrope ainsi que celle des militaires dont il avait éliminé certains chefs populaires dans l'armée et à l'égard desquels il pouvait se montrer très méprisant : voir LIEBESCHUETZ, *Barbarians...*, Oxford 1990, p. 91-92.

3. Il est tué par des soldats le 20 nov. 395 (SOCR., *H.E.* VI, 1, 5) à l'Hebdomon, alors qu'il était venu accueillir les troupes commandées par Gainas, de retour d'Occident. On trouve un récit épique de sa mort dans CLAUD., *In Rufinum*, II, 335-420.

4. Dans son souci de valoriser l'action de la dynastie théodosienne, Sozomène sous-estime la résistance arienne après le concile de Constantinople. En fait, en Orient, de petits groupes subsistent malgré leurs divisions jusqu'au milieu du ve s. et, en Occident, l'arianisme reprend vigueur avec la présence des Goths convertis par Ulfila et s'accompagne d'une floraison de littérature arienne de tendance radicale : cf. *DECA* p. 244 M. SIMONETTI.

30 γὰρ ἐκ τῆς πρὸς ἀλλήλους ἐναντιότητος οὐκ ὀρθῶς αὐτοὺς
    περὶ θεοῦ δοξάζειν ἐνόμιζον καὶ πρὸς τοὺς ὁμοδόξους τοῖς
    κρατοῦσιν μετετίθεντο. 7 Τοὺς δὲ ἐν Κωνσταντινουπόλει τὰ
    Μακεδονίου φρονοῦντας ἔβλαπτε κατ᾽ ἐκεῖνο καιροῦ τὸ μὴ
    ἔχειν ἐπίσκοπον. Ἀφ᾽ οὗ γὰρ ἐπὶ τῆς Κωνσταντίου βασιλείας
35 παρὰ Εὐδοξίου καὶ τῶν ἀμφ᾽ αὐτὸν τὰς ἐκκλησίας ἀφῃρέθη-
1512 σαν, ὑπὸ μόνοις πρεσβυτέροις | μέχρι τῆς ἐχομένης βασιλείας
    διεγένοντο. 8 Ναυατιανοὶ δέ, εἰ καί τινας τούτων ἐτάραττεν ἡ
    περὶ τοῦ πάσχα ζήτησις ἣν Σαββάτιος ἐνεωτέρισεν, ἀλλ᾽ οὖν
    οἱ πλείους ἐπὶ τῆς αὐτῶν ἐκκλησίας ἠρέμουν. Οὔτε γὰρ τοῖς
40 αὐτοῖς ἐπιτιμίοις ἢ νόμοις ὁμοίως ταῖς ἄλλαις αἱρέσεσιν ἔνο-
    χοι ἦσαν ὡς ὁμοούσιον τριάδα δοξάζοντες. Καὶ τότε βεβαιό-
    τερον τῇ ἀρετῇ τῶν ἡγουμένων συνίσταντο πρὸς ὁμόνοιαν.
    9 Μετὰ γὰρ τὴν Ἀγελίου προστασίαν τῆς Μαρκιανοῦ ἀνδρὸς
    ἀγαθοῦ τετυχήκασι. Καὶ τούτου δὲ ἔναγχος κατὰ τὸν παρ-
45 όντα χρόνον τελευτήσαντος διεδέξατο τὴν αὐτοῦ ἐπισκοπὴν
    Σισίννιος, ἀνὴρ ἐλλόγιμος ὅτι μάλιστα καὶ φιλοσόφων δογμά-
    των καὶ τῶν ἱερῶν βίβλων ἐπιστήμων καὶ πρὸς διαλέξεις
    ἕτοιμος, ὡς καὶ Εὐνόμιον ἐπὶ ταύταις εὐδοκιμοῦντα καὶ τοῦτο
    ἔργον ποιούμενον πολλάκις παραιτήσασθαι τοὺς πρὸς αὐτὸν
50 διαλόγους. 10 Ἐγένετο δὲ σώφρων τὸν βίον, ὡς κρείττων
    εἶναι διαβολῆς, περὶ δὲ τὴν δίαιταν ἁβρὸς καὶ ποικίλος, ὡς
    τοὺς ἀγνοοῦντας ἀπιστεῖν, εἰ σωφρονεῖν δύναιτο τοσοῦτον
    τρυφῶν. Τὸ δὲ ἦθος ἦν χαρίεις καὶ ἡδὺς ἐν ταῖς συνουσίαις,

---

1. Macédonius est déposé lors du concile de Constantinople le 31 décembre 359. Après sa mise à l'écart, ses partisans, privés d'évêques, « incarnent
une forme d'orthodoxie propre à la région de Constantinople » : cf.
DAGRON, Naissance..., p. 439.
2. Évêque de Germanicie en Syrie, il avait accédé en 357 au siège
d'Antioche où il se fit connaître comme protecteur d'Aèce et d'Eunome.
Après des relations difficiles avec Constance II à cause de son arianisme
radical, il choisit une voie plus modérée et le concile de Constantinople de
360 le désigne pour succéder à Macédonius écarté du siège de la capitale par
l'empereur. Il s'y maintient jusqu'à sa mort en 370 : DECA, p. 903-904,
M. SIMONETTI ainsi que DAGRON, Naissance..., p. 444-446.

en raison de leurs oppositions mutuelles, estimaient que leur théologie n'était pas orthodoxe, et ils passaient aux rangs de ceux qui avaient même opinion que les princes. **7** Ce qui nuisait en ce temps aux macédoniens de Constantinople, c'était de ne pas avoir d'évêque [1]. En effet, depuis que, sous le règne de Constance, ils avaient été privés de leurs églises par Eudoxe [2] et ses partisans, ils ne dépendirent, jusque dans la suite de l'Empire, que de prêtres. **8** Quant aux novatiens [3], bien qu'il y eût eu quelque dissension chez eux du fait des innovations de Sabbatios dans la question pascale [4], néanmoins la plupart d'entre eux jouissaient en paix de leur Église. De fait, ils n'étaient pas passibles des mêmes peines ou mesures légales que les autres hérétiques puisqu'ils admettaient la Trinité consubstantielle. Et en ce temps-là, ils étaient plus solidement portés à la concorde par l'excellence de leurs chefs. **9** Après le gouvernement d'Agélius [5] en effet, ils avaient obtenu celui de Marcien, homme de mérite. Puis celui-ci, mort récemment sous le présent règne, eut pour successeur dans l'épiscopat Sisinnius [6], homme extrêmement cultivé, savant dans les doctrines des philosophes et les saintes Écritures et si habile dans la dialectique qu'Eunome même, bien que renommé sur ce point et qui faisait de cela sa pratique, refusa souvent de discuter avec lui. **10** Il fut de vie chaste, et ainsi au-dessus de toute accusation, mais délicat et aimant la variété dans son régime, si bien que ceux qui ne le connaissaient pas doutaient qu'il pût pratiquer la tempérance en de telles délices. Quant au caractère, il était gracieux et plaisant dans la conversation, en

---

3. Sur cette secte rigoriste née au milieu du IIIe s. à Rome, en réaction contre l'indulgence excessive à l'égard des *lapsi*, voir *supra H.E.* I, 14, 9, *SC* 306, p. 180 note 3. Sur leur position à propos de la date de Pâques, voir *H.E.* VII, 18, 11 et notes *ad loc.*

4. Sur ce novatien dissident, cf. *H.E.* VII, 18, 5 et note *ad loc.*

5. Cf. *H.E.* VI, 9, *SC* 495, p. 288 note 3 ainsi que VII, 12, 3 avec note *ad loc.*

6. Cf. VII, 12, 4 et note *ad loc.*

καὶ διὰ ταῦτα καὶ τοῖς ἐπισκόποις τῆς καθόλου ἐκκλησίας καὶ
55 τοῖς ἐν ἀρχαῖς καὶ λόγῳ καταθύμιος ἦν. 11 Σκώπτειν δὲ σὺν
χάριτι καὶ σκωμμάτων ἀνέχεσθαι καὶ ἑκάτερον ἀπεχθείας
ἐκτὸς ὑπομένειν κομψῶς τε σὺν τάχει πρὸς τὰς ἐρωτήσεις
ἀπαντᾶν εὖ μάλα ἐπιτηδείως εἶχεν. Ἐρωτηθεὶς οὖν ὅτου
349 ἕνεκα δεύτερον | λούοιτο τῆς ἡμέρας ἐπίσκοπος ὤν « Ὅτι μὴ
60 τρίτον, ἔφη, φθάνω.» 12 Ἐπεὶ δὲ λευκῇ ἐσθῆτι διετέλει
χρώμενος, ἐπέσκωψέ τις αὐτῷ τῶν ἀπὸ τῆς καθόλου ἐκκλη-
σίας· ὁ δὲ πρὸς αὐτόν « Οὐκοῦν εἰπέ, ποῦ εἴρηται ἐσθῆτα
μέλαιναν χρῆναι ἀμφιέννυσθαι »· τοῦ δὲ ἀπορήσαντος ὑπολαβὼν ἔφη· « Σὺ μὲν οὐκ ἂν τοῦτο ἐπιδεῖξαι δυνήσῃ· ἐμοὶ δὲ καὶ
65 Σολομῶν ὁ σοφώτατος ‘Ἔστωσάν σου τὰ ἱμάτια ἀεὶ
λευκά ᵃ ’ παραινεῖ λέγων, καὶ αὐτὸς ὁ Χριστὸς λευχείμων ἐν
τοῖς εὐαγγελίοις φαινόμενος Μωσῆν τε καὶ Ἠλίαν τοιούτους
τοῖς ἀποστόλοις ἐπιδεικνύς.» 13 Οὐ μὴν ἀλλὰ κἀκεῖνο τῶν
εἰρημένων Σισιννίῳ χάριεν οἶμαι. Ἐνεδήμει μὲν γὰρ τῇ Κων-
70 σταντινουπόλει Λεόντιος ὁ παρὰ Γαλάταις Ἀγκύρας ἐπίσκο-
πος· ἐκκλησίας δὲ τῶν ἐκεῖσε Ναυατιανῶν ἀφῃρημένης ἧκε
πρὸς αὐτὸν ἀπολαβεῖν ταύτην δεόμενος. 14 Ἐπεὶ δὲ οὐκ
ἀπεδίδου, ἐλοιδόρει δὲ τοὺς Ναυατιανοὺς ὡς οὐκ ἀξίους
ἐκκλησιάζειν, μετάνοιαν καὶ τὴν ἐκ θεοῦ φιλανθρωπίαν ἀναι-
75 ρεῖν αὐτοὺς λέγων, « Ἀλλὰ μήν, ἔφη Σισίννιος, οὐδεὶς οὕτως
ὡς ἐγὼ μετανοεῖ.» Ἐρομένου δὲ Λεοντίου τίνα τρόπον « Ὅτι
σε τεθέαμαι» ἀπεκρίνατο. 15 Καὶ ἕτερα δὲ πολλὰ αὐτοῦ
εὐστόχως εἰρημένα ἀπομνημονεύουσιν, οὐκ ἀκόμψους τε πολ-
1513 λοὺς αὐτοῦ λόγους φέρεσθαί φασιν· ἐπῃνεῖτο δὲ | μᾶλλον

---

a. Qo 9, 8.

---

1. La référence n'est pas strictement exacte : Lc 9, 29, fait apparaître
Moïse et Élie à côté de Jésus vêtu de blanc, mais le texte ne mentionne pas la
couleur de leur vêtement, ils apparaissent « en gloire ». Il en va de même
dans Mc 9, 3 et dans Mt 17, 2. Dans ces trois passages, le blanc éblouissant
du vêtement de Jésus est présenté comme un aspect de sa transfiguration.
2. Léontios, moine (H.E. VI, 34, 9) arrivé à Constantinople en 403,
prend possession d'une église appartenant aux novatiens. Il fait partie des

sorte qu'il se faisait aimer des évêques de l'Église catholique, des autorités et des gens cultivés. **11** Se moquer avec grâce, accepter la plaisanterie, faire l'un et l'autre sans méchanceté, répondre avec esprit et du tac au tac quand on l'interrogeait, il était tout à fait bien doué pour cela. Comme on lui avait demandé pourquoi, bien qu'il fût évêque, il allait aux bains deux fois par jour, « Parce que, dit-il, je n'y vais pas une troisième fois. » **12** Comme il se revêtait constamment de blanc, quelqu'un de l'Église catholique l'en railla. Il lui répondit : « Dis-moi donc, où est-il dit qu'il faille se vêtir de noir ? » L'autre restant coi, il reprit : « Tu ne saurais me le montrer. Mais moi, le très sage Salomon me donne ce conseil ' Qu'en tout le temps tes vêtements soient blancs[a] ', et le Christ lui-même, dans l'Évangile, apparaît vêtu de blanc et il montre aux apôtres Moïse et Élie vêtus de même » [1]. **13** Au surplus, voici encore un des mots de Sisinnius que je trouve plaisant. Léontios, évêque d'Ancyre en Galatie, était venu à Constantinople [2]. Or, à Ancyre, l'église des novatiens leur avait été enlevée, et Sisinnius vint le trouver, lui demandant de récupérer cette église. **14** Comme il refusait et injuriait les novatiens comme indignes de tenir assemblée, alléguant qu'ils supprimaient le repentir et la clémence de Dieu, « Mais, dit Sisinnius, nul ne fait autant pénitence que moi. » Léontios lui demandant de quelle façon, « Parce que je te vois », répondit-il. **15** On rapporte de lui bien d'autres traits d'esprit et l'on dit qu'il circule de lui de nombreux sermons qui ne manquent pas d'élégance ; mais il était plus

adversaires de Jean Chrysostome : cf. *PW* Suppl. VIII, 1956, c. 945, Leontius 45, W. ENSSLIN. Les deux anecdotes concernant Sisinnius se trouvent dans SOCR., *H.E.* VI, 22, 5. 11. Elles sont propres à justifier l'expression de « trilogie novatienne » employée par W. TELFER, « Paul of Constantinople », *Harvard Theological Review* 43, 1950, p. 42-43, à propos de Socrate, Sozomène et de leur source commune, et reprise par DAGRON, *Naissance..*, p. 431, note 1. Malgré ses éloges sur la qualité des chefs novatiens (§ 8), Sozomène ne montre pas cependant le même degré de sympathie pour les novatiens que Socrate : il peut faire preuve à leur égard d'une certaine réserve (VII, 18, 1). Sur cette question, voir VAN NUFFELEN, p. 79-82.

80 λέγων, ὡς ἄριστα ὑποκρινόμενος φωνῇ τε καὶ βλέμματι καὶ
χαριεστάτῳ προσώπῳ τὸν ἀκροατὴν ἑλεῖν ἱκανός. Ἀλλ' οἷος
μὲν ἦν οὗτος ὁ ἀνήρ, τάδε εἰρήσθω εἰς ἀπόδειξιν ἧς ἔλαχε
φύσεως ἀγωγῆς τε καὶ βίου.

2

1 Περὶ δὲ τοῦτον τὸν χρόνον Νεκταρίου τελευτήσαντος καὶ
βουλῆς οὔσης, τίνα δέοι χειροτονεῖν, ἄλλοι μὲν ἄλλους ἐψηφί-
ζοντο καὶ οὐ ταὐτὰ πᾶσιν ἐδόκει, καὶ ὁ χρόνος ἐτρίβετο.
350 2 Ἦν δέ τις ἐν Ἀντιοχείᾳ τῇ παρ' Ὀρόντῃ | πρεσβύτερος
5 ὄνομα Ἰωάννης, γένος τῶν εὐπατριδῶν, ἀγαθὸς τὸν βίον,
λέγειν τε καὶ πείθειν δεινὸς καὶ τοὺς κατ' αὐτὸν ὑπερβάλλων
ῥήτορας, ὡς καὶ Λιβάνιος ὁ Σύρος σοφιστὴς ἐμαρτύρησεν·
ἡνίκα γὰρ ἔμελλε τελευτᾶν, πυνθανομένων τῶν ἐπιτηδείων,
τίς ἀντ' αὐτοῦ ἔσται, λέγεται εἰπεῖν Ἰωάννην, εἰ μὴ Χριστια-
10 νοὶ τοῦτον ἐσύλησαν. 3 Πλείστους δὲ τῶν αὐτοῦ ἀκουόντων
ἐπ' ἐκκλησίας εἰς ἀρετὴν ὠφέλησε καὶ ὁμόφρονας αὐτῷ περὶ
τὸ θεῖον ἐποίησε. Θείως γὰρ πολιτευόμενος τὸν ἐκ τῆς οἰκείας

---

1. L'évêque de Constantinople meurt le 27 sept. 397 : cf. *DECA*,
p. 1715, D. Stiernon. Palladios, *Dialogue sur la vie de Jean Chrysostome* V, 44-51, éd. A. M. Malingrey, *SC* 341, 1988, p. 112-113, évoque
l'agitation autour de la succession de Nectaire : des clercs intriguent auprès
du pouvoir, le peuple présente des requêtes à l'empereur. Théophile
d'Alexandrie, désireux de renforcer sa position par rapport au siège de
Constantinople en y plaçant un protégé, soutient la candidature du prêtre
égyptien Isidore (§ 16), comme Pierre II l'avait fait auparavant pour celle de
Maxime le cynique. Mais à la cour on s'inquiète de ces visées et Eutrope fait
pression sur Arcadius pour choisir un autre candidat, Jean Chrysostome.
2. Jean Chrysostome est né en 349 à Antioche. Son père occupait un
poste important dans l'*officium* du comte d'Orient. Sa mère était chrétienne. Il a reçu une formation classique traditionnelle qui l'a amené à
suivre l'enseignement de Libanius. Il est baptisé en 368 et fait d'abord
fonction de lecteur. Formé à l'exégèse biblique par Diodore de Tarse, il
s'adonne dans son sillage à la vie monastique à partir de 372. De retour à la
vie citadine en 378, il accède au rang de diacre en 381. Il est ordonné prêtre
par l'évêque Flavien en 386 et se fait connaître comme prédicateur par sa

loué encore quand il prêchait, car il savait ravir l'auditeur en jouant excellemment de sa voix, de son regard, d'un visage tout aimable. Mais sur ce que fut cet évêque, que cela suffise pour montrer quels furent ses dons naturels, son comportement et sa vie.

Chapitre 2

L'éducation, le genre de vie, la conduite, la sagesse et l'accession au trône épiscopal du grand Jean Chrysostome ; Théophile d'Alexandrie se dresse contre lui.

1 Vers ce temps-là, Nectaire étant mort [1], comme on délibérait sur celui qu'il fallait élire, les uns votaient pour l'un, les autres pour un autre, tous ne s'entendaient pas et le temps passait. **2** Il y avait à Antioche sur l'Oronte un prêtre du nom de Jean, de noble famille, vertueux de vie, habile à parler et à persuader et l'emportant à ce point sur les orateurs de son temps [2] que même le sophiste de Syrie Libanius en témoigna [3] : on dit en effet que, sur le point de mourir, comme ses familiers lui demandaient qui le remplacerait, il répondit : « Jean, si les chrétiens ne l'avaient pas volé. » **3** De ceux qui l'entendaient à l'église, il en poussa beaucoup, pour leur bien, à la vertu, et il les amena à partager ses sentiments sur le divin. Menant en effet divinement sa vie, il imprimait

maîtrise de la rhétorique et la force d'un message à dominante morale et sociale. Sur sa vie, voir P. C. Baur, *Johannes Chrysostomus und seine Zeit*, München, 2 vol., 1930 ; J. N. D. Kelly, *Golden Mouth. The Story of John Chrysostom, Ascetic, Preacher, Bishop*, London 1995, ainsi que R. Brändle, *Jean Chrysostome (349-407)*, trad. fr. Ch. Chauvin, Paris 2003.

3. Le plus célèbre des professeurs de rhétorique de l'Orient dont Jean suit l'enseignement de 363 à 367. Le mot que Sozomène est le seul à rapporter semble légendaire. Jean fait toutefois allusion à lui sans le nommer dans son traité *A une jeune veuve*, 2, 96 (éd. B. Grillet, *SC* 138, 1968, p. 121).

ἀρετῆς ἐνετίθει ζῆλον τοῖς ἀκροαταῖς· καὶ ἐπιστοῦτο ῥαδίως,
ὡς οὐ τέχνῃ τινὶ καὶ δυνάμει λόγου βιάζεται παραπλήσια
15 δοξάζειν αὐτῷ, ἀλλ' ὡς ἔχει ἀληθείας εἰλικρινῶς τὰς ἱερὰς
ἐξηγεῖτο βίβλους. 4 Λόγος γὰρ ὑπὸ τῶν ἔργων κοσμούμενος
πίστεως ἄξιος εἰκότως φαίνεται, ἄνευ δὲ τούτων εἴρωνα καὶ
τῶν οἰκείων λόγων κατήγορον ἀποφαίνει τὸν λέγοντα, κἂν
σπουδάζῃ διδάσκων. Τῷ δὲ κατ' ἀμφότερα εὐδοκιμεῖν προ-
20 σῆν· ἀγωγῇ μὲν γὰρ βίου σώφρονι καὶ πολιτείᾳ ἀκριβεῖ ἐχρῆτο, φράσει δὲ λόγου σαφεῖ μετὰ λαμπρότητος· 5 φύσεώς τε
γὰρ εὖ ἔσχε, διδασκάλους δὲ τῆς μὲν περὶ τοὺς ῥήτορας
ἀσκήσεως Λιβάνιον, Ἀνδραγάθιον δὲ τῶν περὶ φιλοσοφίας
1516 λόγων. Προσδοκηθεὶς δὲ δίκας ἀγορεύσειν | καὶ τοῦτον μετιέ-
25 ναι τὸν βίον, ἐγνώκει τὰς ἱερὰς ἀσκεῖσθαι βίβλους καὶ κατὰ
θεσμὸν τῆς ἐκκλησίας φιλοσοφεῖν. 6 Ταύτης δὲ τῆς φιλοσοφίας διδασκάλους ἔσχε τοὺς τότε προεστῶτας τῶν τῇδε περι-
φανῶν ἀσκητηρίων, Καρτέριόν τε καὶ Διόδωρον τὸν ἡγησά-
μενον τῆς ἐν Ταρσῷ ἐκκλησίας· ὃν ἐπυθόμην ἰδίων συγγραμ-
30 μάτων πολλὰς καταλιπεῖν βίβλους, περὶ δὲ τὸ ῥητὸν τῶν
ἱερῶν λόγων τὰς ἐξηγήσεις ποιήσασθαι, τὰς θεωρίας ἀποφεύγοντα. 7 Οὐ μόνος δὲ παρὰ τούτους ἐφοίτα, ἔπεισε δὲ τῆς
αὐτῆς γνώμης εἶναι ἑταίρους αὐτῷ γενομένους ἐκ τῆς Λιβα-
351 νίου διατριβῆς Θεόδωρόν τε καὶ Μάξιμον· | ὧν ὁ μὲν ὕστερον

1. C'est là un aspect spécifique de l'école antiochéenne, attachée au sens littéral et historique du texte biblique plus qu'à son interprétation symbolique ou allégorique telle que la pratiquaient les Alexandrins : sur cette école, cf. PIETRI, *Histoire...*, II, p. 908-909, ainsi que J. N. GUINOT, *L'exégèse de Théodoret de Cyr*, Paris, Beauchesne 1995 (Théologie historique 100).

2. Ce philosophe d'Antioche n'est pas connu par ailleurs : *PW* I 2, 1894, c. 2132, O. SEECK.

3. Cartérius n'est pas connu par ailleurs : cf. A.-J. FESTUGIÈRE, *Antioche païenne et chrétienne*, Paris 1969, p. 181, note 4. Diodore de Tarse, né à Antioche, après avoir étudié la philosophie à Athènes et la théologie à Antioche, s'oriente très vite vers la vie ascétique. Il est ordonné prêtre par Mélèce vers 361-365 et reçoit de lui l'évêché de Tarse en 378. Il est présent au concile de Constantinople en 381 et meurt avant 394 : cf. *DHGE*, 1960, c. 496-504, L. ABRAMOWSKI. Son œuvre importante fait de lui le premier représentant de l'école d'exégèse antiochéenne. Il avait regroupé autour de lui un certain nombre de jeunes gens de bonne famille pour un temps de formation intellectuelle et d'initiation à la vie ascétique, sans imposer de

dans l'âme de ses auditeurs la ferveur que lui insufflait sa
vertu. Et il se faisait aisément croire, dès lors qu'il ne forçait
pas les gens à penser comme lui par artifice ou puissance,
mais qu'il expliquait purement les saints Livres dans la
vérité de leur texte [1]. **4** Car, quand la parole est soutenue de
l'ornement des œuvres, elle paraît à bon droit digne de foi ;
sans les œuvres, elle fait paraître l'orateur comme un simulateur et un homme qui condamne ses propres dires, même
s'il met beaucoup de zèle à enseigner. Mais il appartenait à
Jean de s'illustrer dans les deux : car d'une part sa façon de
vivre était sage et sa conduite rigoureuse, d'autre part son
éloquence était claire et brillante. **5** Il fut en effet bien doué
et il eut pour maîtres, dans l'exercice de la rhétorique Libanius, dans les études philosophiques Andragathius [2]. Alors
qu'on s'attendait à ce qu'il fût avocat et qu'il persistât dans
cette voie, il décida d'étudier la sainte Écriture et de mener
la vie d'ascèse selon les règles de l'Église. **6** Dans cette vie
d'ascèse, il eut pour maîtres ceux qui dirigeaient alors les
illustres confréries d'ascètes à Antioche, Cartérius et Diodore [3], qui fut plus tard à la tête de l'église de Tarse : celui-ci,
à ce que j'ai appris, laissa beaucoup de volumes de ses écrits
et il fit l'exégèse des saintes paroles d'après la lettre en
fuyant la spéculation. **7** Jean n'était pas le seul à suivre ces
maîtres, il persuada de l'imiter des compagnons qu'il avait
eus à l'école de Libanius, Théodore et Maxime [4] : de ces

réunion dans un monastère proprement dit : sur l'*asceterion* de Diodore,
cf. A.-J. Festugière, *ibid.*, p. 181-192.

4. Théodore, né vers 350, âgé de moins de vingt ans lorsqu'il rejoint Jean
Chrysostome — cf. A.-J. Festugière, *ibid.* p. 185 —, est ordonné prêtre en
383 et devient évêque de Mopsueste en Cilicie en 392. Représentant émi-
nent de l'école exégétique d'Antioche, il fut considéré comme un précurseur du nestorianisme et son œuvre fut condamnée au concile de Constantinople en 553 : cf. *DECA*, p. 2407-2410, M. Simonetti. Maxime, ancien
étudiant de Libanius, devient évêque de Séleucie d'Isaurie ; il est peut-être
identique au jeune juriste chrétien correspondant de Basile (*ep.* 277) : cf.
PW Suppl. V, 1931, c. 673, W. Ensslin.

35 ἐπίσκοπος ἐγένετο Σελευκείας τῆς Ἰσαύρων, Μόμψου δὲ
ἑστίας τῆς Κιλίκων Θεόδωρος, ἀνὴρ καὶ τῶν ἱερῶν βίβλων
καὶ τῆς ἄλλης παιδείας ῥητόρων τε καὶ φιλοσόφων ἱκανῶς
ἐπιστήμων. 8 Ἀλλ᾽ οὗτος μέν, ἡνίκα τὴν ἀρχὴν ἐνέτυχε τοῖς
θείοις νόμοις καὶ ἱεροῖς ἀνδράσιν ὡμίλησεν, ἐπήνεσε ταύτην
40 τὴν ἀγωγὴν καὶ κατέγνω τῶν ἀστικῶν· οὐ διήρκεσε δὲ τὴν
αὐτὴν προθυμίαν ἔχων, μεταμεληθεὶς δὲ πρὸς τὸν πρότερον
βίον εἵλκετο. 9 Οἷα δὲ εἰκὸς ἐναντίοις λογισμοῖς κοσμήσας τὸ
σπουδαζόμενον ἐκ παλαιῶν ὑποδειγμάτων (ἦν γὰρ πολυΐ-
στωρ) εἰς τὴν πόλιν ἐπανῆλθεν, ἄμεινον, ὡς ἐνόμισε, τοῦτο
45 κρίνας οὗπερ ἐπεθύμει τυχεῖν. Μαθὼν δὲ Ἰωάννης ἐν πράγμασιν αὐτὸν εἶναι καὶ περὶ γάμον σπουδάζειν, θειοτέραν ἢ
κατὰ νοῦν ἀνθρώπου φράσει καὶ νοήμασι συντάξας ἐπιστολὴν
διεπέμψατο πρὸς αὐτόν. 10 Ὁ δὲ ταύτῃ ἐντυχὼν μετεμελήθη·
αὖθίς τε τὴν οὐσίαν καταλιπὼν ἀπειπών τε τῷ γάμῳ ταῖς
50 Ἰωάννου συμβουλαῖς ἐσῴζετο καὶ πρὸς τὸν φιλόσοφον
ἐπανήει βίον· ὥστε μοι δοκεῖ κἀκ τούτου ῥᾴδιον εἶναι συμβα-
λεῖν ὡς δεινή τις ἐπήνθει πειθὼ τοῖς Ἰωάννου λόγοις. Ἐκράτει γὰρ ταύτῃ καὶ τῶν ὁμοίως λέγειν καὶ πείθειν δυναμένων.
11 Ἐντεῦθεν δὲ καὶ τὸ πλῆθος ᾔρει καὶ μάλιστα καθὸ πολὺς
55 ἦν καὶ ἐπ᾽ ἐκκλησίας φανερῶς διελέγχων τοὺς ἁμαρτάνοντας
καὶ πρὸς τοὺς ἀδικοῦντας, ὡς αὐτὸς ἠδικημένος, σὺν παρρη-
1517 σίᾳ ἀγανακτῶν. Τοῦτο δὲ τοῖς μὲν πολλοῖς εἰκότως χά|ριεν
ἐτύγχανεν, λυπηρὸν δὲ τοῖς πλουσίοις καὶ δυναμένοις, παρ᾽
οἷς τὰ πολλὰ τῶν ἁμαρτημάτων ἐστίν.
60 12 Ἐπίσημος οὖν τοῖς μὲν εἰδόσι τῇ πείρᾳ, τοῖς δὲ
ἀγνοοῦσι τῇ φήμῃ ἔκ τε τῶν ἔργων καὶ τῶν λόγων γενόμενος
ἀνὰ πᾶσαν τὴν Ῥωμαίων ὑπήκοον, ἔδοξε Κωνσταντινουπόλεως ἐπιτήδειος εἶναι τῆς ἐκκλησίας ἐπισκοπεῖν. 13 Ψηφισαμένων δὲ τοῦτο τοῦ λαοῦ καὶ τοῦ κλήρου καὶ ὁ βασιλεὺς

---

1. Il s'agit en fait d'une lettre, accompagnée d'un traité, faite de *topoi*
traditionnels (A.-J. FESTUGIÈRE, *ibid.*, p. 184), l'*Ad Theodorum*, éd.
J. DUMORTIER, *SC* 117, 1966. Jean reproche à son correspondant d'avoir
rompu le pacte le liant au Christ et d'avoir abandonné la *militia Christi* ; il
ne s'agit pas de contester le mariage, en soi légitime et honorable, mais la
rupture de l'union avec le Christ.

deux, l'un fut plus tard évêque de Séleucie d'Isaurie, Théodore fut évêque de Mopsueste en Cilicie ; c'était un homme très versé dans les saints Livres et d'autre part dans la littérature profane, tant des orateurs que des philosophes. **8** Ce Théodore, quand il commença à s'initier aux prescriptions divines et à avoir commerce avec de saints hommes, adopta leur façon de vivre et condamna les plaisirs de la ville ; mais il ne persévéra pas dans sa ferveur, et, se repentant, fut entraîné de nouveau vers sa première vie. **9** Il confirmait, comme il est naturel, ce qui était l'objet de son zèle par des arguments contraires, qu'il empruntait aux exemples d'autrefois — car il était très érudit — et ainsi revint à la ville, ayant jugé meilleur, à ce qu'il lui sembla, d'atteindre l'objet de son désir. Quand Jean eut appris qu'il était mêlé aux affaires du monde et songeait à se marier, il composa une lettre qui dépasse, en beauté de style et de pensée, tout ce qu'un homme est capable d'imaginer et la lui adressa [1]. **10** A cette lecture, Théodore se repentit. Il abandonna de nouveau sa fortune, renonça au mariage, fut sauvé par les conseils de Jean et retourna à la vie d'ascèse. Autant qu'il me semble, on peut en conclure aisément de quel éclat brillait la force de persuasion des discours de Jean. C'est par ce don qu'il l'emportait sur ceux qui étaient également capables de parler et de persuader. **11** C'est par là qu'il soulevait la foule et surtout parce que souvent, même à l'église, il rabrouait ouvertement les pécheurs et s'irritait librement contre ceux qui avaient commis une injustice, comme s'il l'avait lui-même subie. Cela plaisait, comme de juste, à la masse, mais fâchait les riches et les puissants, qui sont ceux qui le plus souvent commettent des fautes.

12 Étant donc devenu illustre dans tout l'Empire romain, auprès de ceux qui le connaissaient, par l'expérience, et auprès de ceux qui ne le connaissaient pas, par la renommée de sa conduite et de son éloquence, il parut propre à gouverner l'Église de Constantinople. **13** Fidèles et clercs l'ayant décidé, l'empereur aussi fut d'accord et envoya des émissai-

65 συνῄνει καὶ τοὺς ἄξοντας αὐτὸν πέπομφε. Συνεκάλει δὲ καὶ
352 σύνοδον, καὶ τούτῳ σεμνο|τέραν τὴν χειροτονίαν δεικνύς.
14 Οὐκ εἰς μακρὰν δὲ τὰ βασιλέως γράμματα δεξάμενος
Ἀστέριος ὁ τῆς ἕω ἡγούμενος ἐδήλωσεν Ἰωάννῃ παραγενέ-
σθαι πρὸς αὐτόν, ὡς περί του δεησόμενος· ἐλθόντα δὲ αὐτίκα
70 εἰς ὄχημα σὺν αὐτῷ ἀνεβίβασε καὶ σπουδῇ ἐλάσας ἧκεν εἰς
Πάγρας, σταθμὸν οὕτω καλούμενον. 15 Ἐνταῦθα δὲ παραδοὺς αὐτὸν τοῖς ἐκ βασιλέως ἀποσταλεῖσιν ἀνέστρεψεν.
Ἔδοξε δὲ τὰ περὶ τούτου καλῶς διῳκηκέναι, πρὶν Ἀντιοχέας
μαθεῖν, χαλεπούς τε περὶ στάσεις καὶ δήλους ὄντας ὡς οὔποτε
75 ἂν ἑκόντες Ἰωάννου ἀπηλλάγησαν, πρὶν παθεῖν τι ἢ δρᾶσαι.
16 Ὡς δὲ εἰς Κωνσταντινούπολιν ἀφίκετο καὶ οἱ κληθέντες
ἱερεῖς συνεληλύθεσαν, ἐμποδὼν ἐγίνετο τῇ χειροτονίᾳ Θεόφιλος, Ἰσιδώρῳ σπουδάζων· ὃς πρεσβύτερος ἦν τότε τῶν ὑπ᾽
αὐτόν, ἐπίτροπος δὲ τῶν ἐν Ἀλεξανδρείᾳ ξένων καὶ πτωχῶν,
80 ἐκ νέου δὲ ἀνὰ τὴν Σκῆτιν ἄριστα ἐφιλοσόφησεν, ὡς παρ᾽
ἀνδρῶν αὐτῷ συγγενομένων ἐπυθόμην. 17 Οἱ δέ φασι Θεοφίλῳ τοῦτον γενέσθαι φίλον ὡς κοινωνὸν καὶ συνίστορα πράγ-
ματος ἐπικινδύνου γενόμενον. Λέγουσι γὰρ ὡς, ἡνίκα ὁ πρὸς
Μάξιμον συνίστατο πόλεμος, δῶρα δοὺς αὐτῷ Θεόφιλος καὶ
85 γράμματα πρὸς τὸν βασιλέα καὶ τὸν τύραννον ἐνετείλατο
καταλαβεῖν τὴν Ῥώμην καὶ περιμεῖναι τῆς μάχης τὴν ἀπόβα-

---

1. Cette ordination suppose, plutôt qu'un « vote », l'accord entre clercs
et laïcs auquel s'ajoute celui de l'empereur, le tout confirmé par un synode :
cf. DAGRON, Naissance..., p. 464. D'après SOCRATE, H.E. VI, 2, 10, la
candidature de Jean Chrysostome était soutenue par « ceux du palais », en
l'occurrence très probablement le puissant chambellan Eutrope qui avait,
sans doute, entendu parler du jeune prêtre par Caesarius lors de la mission
de ce dernier à Antioche, après les émeutes de 387.
    2. Astérius est comte d'Orient en 397-398 : P.L.R.E. II, p. 1942. A ce
titre, il réside à Antioche et possède des pouvoirs civils et militaires qui le
placent au dessus des autres vicaires.
    3. Cette place militaire (actuelle Baghras), au nord nord-est d'Antioche,
contrôle la passe d'Alexandrie sur l'Issos vers Antioche ; elle constitue le
premier relais à 25 km d'Antioche : PW XVIII 2, 1942, c. 2315, E. DIEHL.
    4. La convocation de Jean constitue presque un enlèvement. L'évêque
d'Antioche Flavien était au courant, mais Jean avait été laissé dans l'igno-

res pour l'amener. L'empereur convoqua également un synode, donnant, par cela aussi, plus de lustre à l'ordination [1]. **14** Quand, peu après, le comte d'Orient Astérius [2] eut reçu la lettre impériale, il fit savoir à Jean de venir chez lui, sous prétexte qu'il avait une chose à lui demander. Jean venu, il le fit monter aussitôt en voiture avec lui et partit en hâte pour Pagraï, station de poste ainsi nommée [3]. **15** Là, il le remit aux envoyés de l'empereur, puis s'en retourna [4]. Il lui sembla avoir ainsi bien réglé la chose avant que les Antiochiens ne l'apprennent : car c'est un peuple fâcheusement porté aux séditions et il était évident qu'ils ne se seraient jamais de plein gré séparés de Jean, avant d'avoir subi ou commis une violence. **16** Quand Jean fut arrivé à Constantinople et que les évêques invités s'y furent réunis, Théophile se mit à s'opposer à l'ordination, car il favorisait Isidore. Celui-ci était alors un prêtre de son obédience, chargé des étrangers et mendiants d'Alexandrie ; dès sa jeunesse, il avait mené excellemment la vie d'ascèse à Scété, comme je l'ai appris des gens qui l'ont connu [5]. **17** D'autres disent qu'Isidore était devenu cher à Théophile, parce qu'il avait été son associé et son complice dans une affaire qui n'allait pas sans risque. De fait, dit-on, quand la guerre s'engagea contre Maxime [6], Théophile lui remit présents et lettres pour l'empereur et pour l'usurpateur, lui commanda de gagner Rome, d'y attendre l'issue de la bataille et de donner

rance (cf. R. BRÄNDLE, p. 79). Il est remis à deux palatins, un eunuque du palais et un membre de l'*officium* du maître des offices. Le voyage jusqu'à Constantinople devait durer quinze jours environ : cf. KELLY, p. 104.

5. Isidore est alors très âgé. Ascète du désert de Nitrie, il avait été ordonné prêtre par Athanase en 341 ; il était connu pour sa culture et ses vertus louées par Palladios dans l'*Histoire Lausiaque*. Un moment brouillé avec Flavien d'Antioche, il se réconcilie avec lui après une mission à Rome : cf. *infra* VIII, 12, 2. Il finit sa vie en conflit avec Théophile et meurt vers 404 : *DHGE* XXVI, 1997, c. 187-188, R. AUBERT.

6. L'envoi d'une ambassade auprès de l'usurpateur — cf. *infra* VIII, 12, 2 — comme de l'empereur pouvait se justifier par les prises de position de Maxime, très favorables à l'orthodoxie.

σιν καὶ τῷ νικήσαντι διδόναι μετὰ τῶν γραμμάτων τὰ δῶρα.
18 Τὸν δὲ τάδε ποιήσαντα μὴ διαλαθεῖν, δείσαντά τε φυγάδα
εἰς Ἀλεξάνδρειαν ἐπανελθεῖν· ἐξ ἐκείνου δὲ Θεόφιλον τῶν
90 αὐτῷ πιστοτάτων τὸν ἄνδρα ποιησάμενον εἰς καιρὸν νομίσαι
τῶν ὑπὲρ αὐτοῦ κινδύνων ἀποτῖσαι τὴν ἀμοιβήν, εἰ τῆς Κωνσταντινουπόλεως ἐπίσκοπον αὐτὸν καταστήσειεν. **19** Ἀλλ'
εἴτε ἐντεῦθεν εἴτε ὡς ἄνδρα ἀγαθὸν χειροτονεῖν τοῦτον ἐβούλετο Θεόφιλος, τελευτῶν συνήνεσε τοῖς ἐπὶ Ἰωάννῃ δεδογμέ-
1520 95 νοις, ἀτεχνῶς ταύτῃ τῇ | χειροτονίᾳ σπουδάζοντα δείσας
Εὐτρόπιον τὸν τότε προεστῶτα τοῦ βασιλέως οἴκου· ὅν φασιν
ἄντικρυς αὐτῷ ἀπειλῆσαι ἢ ταὐτὰ τοῖς ἄλλοις ἱερεῦσιν ἐπιψηφίσασθαι ἢ τοῖς ἐγκαλεῖν βουλομένοις ἀπολογήσασθαι. Ἔτυχον γὰρ αὐτὸν πολλοὶ τότε παρὰ τῇ συνόδῳ γραψάμενοι.

3

1 Ὁ δὲ Ἰωάννης ἐπὶ τῆς ἐπισκοπῆς γενόμενος πρότερον
διορθοῦσθαι τοὺς βίους τῶν ὑπ' αὐτὸν κληρικῶν ἐσπούδαζεν,
353 προόδους τε αὐτῶν καὶ | δίαιταν καὶ τὴν ἄλλην ἀγωγὴν πολυ-
πραγμονῶν ἤλεγχέ τε καὶ ἐπέστρεφε, τοὺς δὲ καὶ τῆς ἐκκλη-
5 σίας ἐξώθει· ἐλεγκτικὸς γὰρ ὢν φύσει καὶ κατὰ τῶν ἀδικούν-
των ἐν δίκῃ ἀγανακτῶν ἔτι μᾶλλον ἐν τῇ ἐπισκοπῇ ἐπέδωκε

---

1. Socrate, *H.E.* VI, 2, 6 évoque lui aussi la possibilité d'une compro-
mission de Théophile et d'Isidore avec l'usurpateur Maxime ; mais il ne
propose aucune autre motivation plus honorable pour le choix du vieux
prêtre par l'évêque d'Alexandrie, à la différence de Sozomène qui évoque
aussi les qualités humaines d'Isidore.
2. Cf. *H.E.* VII, 22, 7 et note *ad loc.* D'origine orientale, vendu comme
esclave et mutilé très jeune, Eutrope sert, dès le règne de Théodose, au
palais où il a fait très tôt la connaissance d'Arcadius. De par son poste de
préposé à la chambre impériale, il joue un rôle central grâce à sa proximité

présents et lettres au vainqueur. **18** Ce faisant, Isidore avait été découvert et, de crainte, il était revenu en fuite à Alexandrie. Depuis ce moment, Théophile avait fait de lui un de ses hommes de confiance entre tous, et il avait jugé opportun de le récompenser des risques qu'il avait courus pour lui, en l'établissant évêque de Constantinople. **19** Que ce soit pour cela ou parce qu'il était homme de bien que Théophile eût voulu l'ordonner [1], à la fin il consentit à la décision prise sur Jean, parce qu'il craignait Eutrope, alors grand chambellan [2] qui favorisait extrêmement cette ordination. Car Eutrope, dit-on, lui avait déclaré ouvertement avec menaces ou de s'associer au vote des autres évêques ou de se défendre contre ceux qui voulaient l'accuser : beaucoup en effet avaient porté plainte contre lui devant le synode.

Chapitre 3

Jean, parvenu à l'épiscopat, s'attaque plus rigoureusement
aux affaires et redresse les églises en tout lieu ;
il envoie à Rome une ambassade
et fait excuser l'erreur de Flavien.

1 Une fois entré en charge de l'épiscopat, Jean s'efforça d'abord de corriger la vie des clercs de son obédience, il s'inquiétait de leurs sorties, de leur genre de vie, du reste de leur comportement, il les réprouvait et les ramenait à l'ordre, et il en est même qu'il chassa de l'Église. Car, étant par nature prompt au blâme, justement irrité contre les coupables, il s'abandonna plus encore à ces impulsions une

---

avec l'empereur. Il intervient aussi dans les affaires ecclésiastiques. Par le choix d'une personnalité orthodoxe prestigieuse à la tête de l'Église de Constantinople, Eutrope cherche à renforcer l'image de la dynastie théodosienne comme gardienne de la foi de Nicée.

τούτοις τοῖς παθήμασιν. 2 Ἡ γὰρ φύσις ἐξουσίας ἐπιλαβο-
μένη ῥᾳδίως πρὸς ἔλεγχον ἐξῆγε τὴν γλῶσσαν καὶ τὴν ὀργὴν
ἑτοιμότερον κατὰ τῶν ἁμαρτανόντων ἐκίνει. Οὐ μόνην δὲ τὴν
10 ἀμφ' αὑτὸν ἐκκλησίαν, ἀλλ' ὡς ἀγαθὸς καὶ μεγαλόφρων καὶ
τὰ πανταχῇ ἐπανορθοῦν ἐσπούδαζεν. 3 Αὐτίκα γοῦν ἐπὶ τὴν
ἐπισκοπὴν παρελθών, ἔτι τῶν ἀνὰ τὴν Αἴγυπτον καὶ δύσιν
ἱερέων πρὸς τοὺς ἐν τῇ ἕῳ διὰ Παυλῖνον διαφερομένων καὶ
κοινῆς τινος ἀμιξίας διὰ τοῦτο τὰς ἀνὰ πᾶν τὸ ὑπήκοον
15 ἐκκλησίας κατεχούσης, ἐδεήθη Θεοφίλου συμπρᾶξαι αὐτῷ
καὶ καταλλάξαι Φλαβιανῷ τὸν Ῥωμαίων ἐπίσκοπον· ὧδε δὲ
δόξαν αἱροῦνται ἐπὶ τοῦτο Ἀκάκιος ὁ Βεροίας ἐπίσκοπος καὶ
Ἰσίδωρος, δι' ὃν Θεόφιλος ἐναντίος ἐγένετο τῇ αὐτοῦ χειροτονίᾳ. 4 Καὶ παραγενόμενοι εἰς Ῥώμην, ἐπειδὴ κατὰ γνώμην
20 αὐτοῖς ἡ πρεσβεία ἀπέβη, κατέπλευσαν εἰς Αἴγυπτον· ἐντεῦθέν τε εἰς Συρίαν ἧκεν Ἀκάκιος, Αἰγυπτίων καὶ τῶν πρὸς
δύσιν ἱερέων εἰρηναῖα γράμματα τοῖς ἀμφὶ Φλαβιανὸν φέρων.
Καὶ αἱ μὲν ἐκκλησίαι ὀψέ ποτε ὧδε ταύτης τῆς διχονοίας
ἀπαλλαγεῖσαι τὴν πρὸς ἀλλήλας κοινωνίαν ἀπέλαβον. 5 Τὸ δὲ
1521 25 πλῆθος τῶν ἐν Ἀντιοχείᾳ καλουμένων | Εὐσταθιανῶν ἄχρι

1. Dès son intronisation, Jean Chrysostome part en guerre contre le
train de vie trop luxueux des prêtres et en particulier contre leur goût des
repas collectifs : en réaction, lors du synode du Chêne, il lui sera reproché
de ne jamais convier quiconque à sa table. Sur son effort pour affirmer son
autorité sur le clergé, lui imposer une discipline économique, financière,
morale, voir Pietri, Histoire..., II, p. 486-487 et Kelly, p. 118-125. Les
réserves de Sozomène devant cet excès de rigueur s'expliquent peut-être par
l'attitude autoritaire de Jean à l'égard des moines qui tendaient à prendre
trop de libertés dans la capitale, mais pour lesquels l'historien manifeste
une constante admiration. Socrate, H.E. VI, 4, qui a fréquenté des adversaires de Jean (cf. Van Nuffelen, p. 84) exprime un point de vue encore
plus critique sur cette violence disciplinaire.
2. Cf. H.E. VII, 3,1, note ad loc.
3. Il s'agit du problème que pose l'élection à Antioche de Flavien, qui
n'a jamais été reconnue par Rome, le pape continuant de soutenir la légitimité de Paulin. Jean se soucie d'autant plus de résoudre le problème que
Flavien est l'évêque auprès duquel il avait auparavant servi comme diacre
puis comme prêtre.

fois devenu évêque [1]. **2** Comme son inclination naturelle en effet avait pris grande liberté de parole, elle poussait facilement sa langue au reproche et suscitait plus promptement ses élans de colère contre les pécheurs. Ce n'est pas d'ailleurs seulement sa propre Église, mais aussi les affaires en tout lieu qu'il cherchait à corriger en homme vertueux et de grande élévation de pensée. **3** Il est en tout cas sûr qu'à peine arrivé à l'épiscopat, comme les Églises d'Égypte et d'Occident étaient encore en dissentiment avec celle d'Orient à cause de Paulin [2] et qu'il y avait à cause de cela dissension publique dans les Églises de tout l'Empire, il demanda à Théophile de collaborer avec lui pour la réconciliation de Flavien avec l'évêque de Rome [3]. L'accord obtenu, on choisit pour cela Acace évêque de Beroé et Isidore, ce même Isidore à cause duquel Théophile s'était opposé à l'élection de Jean. **4** Arrivés à Rome, quand l'ambassade eut réussi à leur gré, ils refirent voile pour l'Égypte. Puis Acace [4] se rendit en Syrie, portant à Flavien des lettres de paix des Égyptiens et des évêques d'Occident. Ainsi les Églises furent enfin débarrassées de la discorde et recouvrèrent entre elles la communion [5]. **5** Le groupe de ceux que l'on nommait à Antioche eustathiens [6] continua quelque

4. Cf. *H.E.* VII, 11, 3, note *ad loc.* Ce choix peut paraître curieux puisque Rome reprochait à Acace d'avoir participé à l'intronisation illégitime de Flavien. Mais la présence d'Isidore à ses côtés montrait qu'Alexandrie cautionnait l'ambassade.

5. Cette mission aboutit à un rapprochement entre Rome et Flavien. Le pape Sirice accepta de partager la communion avec le nouvel évêque de Constantinople et de reconnaître Flavien à condition que la communauté des Pauliniens, désormais privée de chef après la mort d'Évagrius, soit accueillie dans la grande église d'Antioche. Sur cette ambassade, cf. PIETRI, *Roma Christiana*, II, p. 1282-1288.

6. Communauté d'orthodoxes tenants du dogme de Nicée, restés fidèles à Eustathe d'Antioche après son exil de 330, qui ne s'étaient pas ralliés à Mélèce : cf. *H.E.* III, 20, 4 et IV, 28, 4.

τινὸς διέμεινεν ἐφ᾽ ἑαυτὸ συναγόμενον καὶ ἐπισκόπου ἐκτός.
Ὀλίγον γὰρ χρόνον ἐπιβιώσας, ὡς ἔγνωμεν, ἐτελεύτησεν
Εὐάγριος ὁ Παυλῖνον διαδεξάμενος· κατὰ τοῦτο γάρ, οἶμαι,
καὶ εὐμαρεῖς ἐγένοντο τοῖς ἐπισκόποις αἱ διαλλαγαί, μηδενὸς
30 ἐναντίου ὄντος· ὁ δὲ λαός, οἷα δῆμος φιλεῖ, κατ᾽ ὀλίγους ἀεὶ
προστιθέμενοι τοῖς ὑπὸ Φλαβιανὸν ἐκκλησιάζουσιν οἱ πλείους
τῷ χρόνῳ ἡνώθησαν.

4

354 | **1** Ἐν τούτῳ δὲ Γαϊνᾶς ἀνὴρ βάρβαρος, αὐτομολήσας
Ῥωμαίοις, ἐξ εὐτελοῦς στρατιώτου παραλόγως εἰς τὴν τῶν
στρατηγῶν παρελθὼν τάξιν ἐπεχείρησε τὴν Ῥωμαίων ἀρχὴν
ὑφ᾽ ἑαυτὸν ποιεῖν. Ταῦτα δὲ βουλευόμενος τοὺς ὁμοφύλους
5 αὐτῷ Γότθους ἐκ τῶν ἰδίων νομῶν εἰς Ῥωμαίους μετεπέμ-
ψατο καὶ τοὺς ἐπιτηδείους συνταγματάρχας καὶ χιλιάρχους
κατέστησε. **2** Τιρβιγίλλου δὲ νεωτερίσαντος, ὃς αὐτῷ γένει
προσήκων πολυανθρώπου τάγματος ἡγεῖτο τῶν ἐν Φρυγίᾳ

1. Cf. *H.E.* VII, 15,1 et note *ad loc.*
2. Gainas, Wisigoth peut-être d'origine non noble, devenu citoyen
romain en entrant dans l'armée — P. J. HEATHER, *Goths and Romans*,
p. 197 —, accède rapidement au rang de comte militaire ; il commande en
tant qu'officier régulier des unités fédérées lors de l'expédition contre
Eugène. A son retour, les troupes sous son commandement mettent à mort
Rufin venu les accueillir. Malgré ses services et son rôle dans une campagne
victorieuse contre les Huns, il n'a pas obtenu d'Eutrope la promotion
souhaitée : un commandement supérieur ou le consulat. Son mécontentement l'incite à s'opposer à Eutrope puis à ses successeurs aux côtés d'Arcadius : cf. *P.L.R.E.* I, p. 379-380.
3. Les historiens de l'Église se montrent critiques à son égard et lui
prêtent l'initiative d'un complot contre l'Empire, impliquant une alliance
avec Tribigild dès le début de la révolte de ce dernier. Les modernes,
s'appuyant aussi sur SYNÉSIUS, *De Providentia* ou ZOSIME V, 14-15, ont
souvent défendu l'hypothèse d'une telle alliance face à un « parti anti-

temps à se rassembler à part, même sans évêque : car, comme nous l'avons vu, Évagrius, successeur de Paulin, était mort, ne lui ayant survécu que peu de temps [1]. C'est la raison, je pense, pour laquelle il fut facile aux évêques de réconcilier les gens, puisqu'il n'y avait plus d'opposant. De leur côté, les fidèles eustathiens, selon l'habitude du peuple, rejoignirent peu à peu, par petits groupes, ceux qui s'assemblaient sous Flavien, et avec le temps ils s'unirent à eux en grande majorité.

Chapitre 4

Ce qui concerne le barbare goth Gaïnas
et les actes terribles qu'il accomplit.

1 En ce temps-là, Gaïnas, un barbare qui avait passé dans le camp des Romains [2] et qui, de simple soldat, avait, contre toute attente, atteint le rang des généraux, tenta de mettre sous sa gouverne l'Empire romain [3]. Dans ce dessein, il fit venir de leurs districts chez les Romains les Goths, ses compatriotes, et il institua ses amis commandants de corps et chiliarques [4]. **2** Lors de la révolte de Tribigild, qui, parent de Gaïnas, commandait un puissant corps de troupes en Phry-

---

barbare » à Constantinople : voir encore Zos. III 1, éd. F. Paschoud, *CUF,* 1986, p. 124 note 28. Les travaux de Liebeschuetz, *Barbarians..*, p. 97-125, et d'Al. Cameron, J. Long, *Barbarians and Politics*, Berkeley 1993, p. 324-325, contestent la vision d'une opposition idéologique organisée entre « pro- » et « anti-barbares » et insistent sur les intérêts personnels plutôt qu'ethniques ou idéologiques qui motivent les principaux acteurs.

4. Ce terme désigne les tribuns militaires. Au départ, Gaïnas est seulement chargé par Eutrope, avec peut-être déjà le titre de maître de milice, de protéger la Thrace contre une attaque éventuelle de Tribigild. L'idée d'une armée « privée », de recrutement strictement barbare, acceptée par G. Albert (*Gothen in Konstantinopel*, Paderborn 1984, p. 112) est jugée peu crédible par Cameron-Long (*Barbarians and Politics...*, p. 203-205) qui voient là une volonté de noircir le personnage de Gaïnas.

στρατιωτῶν, τοῖς μὲν εὖ φρονοῦσι δῆλος ἦν ταῦτα κατα-
10 σκευάσας, ἀγανακτεῖν δὲ προσποιούμενος πορθουμένων τῶν
τῇδε πόλεων ἐπετράπη ταύταις βοηθεῖν. 3 Ἐπεὶ δὲ εἰς τὴν
Φρυγίαν ἀφίκετο πλῆθος ἔχων βαρβάρων ὡς εἰς πόλεμον
ἀφιγμένος, εἰς τὸ φανερὸν ἐξῆγεν τὴν γνώμην, ἣν πρότερον
ἔκρυπτεν, καὶ πόλεις, ἃς ἐτάχθη φυλάττειν, ἐδῄου, ταῖς δὲ
15 ἐπιθήσεσθαι ἔμελλεν· παραγενόμενος δὲ εἰς Βιθυνίαν ἐν τοῖς
Χαλκηδόνος ὅροις ἐστρατοπεδεύετο καὶ πόλεμον ἠπείλει.
4 Ἐν κινδύνῳ δὲ τῶν πραγμάτων ὄντων καὶ μάλιστα τῶν ἐν
Ἀσίᾳ καὶ ἕῳ πόλεων, ὅσαι τε μεταξὺ τούτων καὶ περὶ τὸν
Εὔξεινον πόντον οἰκοῦνται, λογισάμενος ὁ βασιλεὺς σὺν τοῖς
20 ἀμφ᾽ αὐτόν, ὡς οὐκ ἀσφαλὲς ἀπαρασκεύους ὄντας εἰς κίνδυνον καθίστασθαι πρὸς ἄνδρας ἤδη τὸ ζῆν ἀπειρηκότας, πέμψας πρὸς Γαϊνᾶν ἐπήγγελλεν εἰπεῖν ὅ τι βούλεται· εἶναι γὰρ
ἕτοιμος ἐν πᾶσιν αὐτῷ γενέσθαι κεχαρισμένος. 5 Ὁ δὲ
1524 Σατουρνῖνον καὶ Αὐρηλιανὸν ὑπατικοὺς | ἄνδρας ὑπονοῶν

---

1. Tribigild, parent par alliance de Gainas ou appartenant à la même tribu, Wisigoth entré depuis longtemps dans l'armée, a le grade de tribun militaire. Il commande des troupes fédérées gothiques installées en Phrygie près de Nacoleia et se soulève au printemps de 399, suite, probablement, au refus du gouvernement de lui fournir les indemnités promises : *P.L.R.E.* II, p. 1125-1126 et LIEBESCHUETZ, *Barbarians...*, p. 100-101.

2. Les événements se développent sur une période très courte, six ou huit mois, que Sozomène condense de manière relativement confuse autour de la seule personne de Gainas, ce qui renforce la thèse d'un complot prémédité associant les deux chefs goths. En fait, Eutrope commence par envoyer contre Tribigild des troupes commandées par Léon non mentionné ici ; c'est l'échec de ce dernier, vaincu par le chef rebelle, qui incite Eutrope à faire appel à Gainas resté jusque là en Thrace : cf. LIEBESCHUETZ, *Barbarians...*, p. 104. La dévastation des villes en Pamphylie et Phrygie est imputable aux troupes de Tribigild grossies d'éléments divers plutôt qu'à celles de Gainas.

gie [1], il fut patent pour les gens de bon sens que Gainas avait fomenté ces troubles : mais comme il feignait d'être en colère à cause de la dévastation des villes de ce pays [2], il fut chargé de leur venir en aide. **3** Quand il fut arrivé en Phrygie avec une multitude de soldats barbares, comme s'il était venu pour faire la guerre [3], il manifesta ouvertement le dessein qu'il tenait auparavant caché, ravageait les villes qu'il avait reçu l'ordre de protéger et se disposait à en attaquer d'autres. Parvenu en Bithynie sur le territoire de Chalcédoine, il dressa son camp et menaça d'entrer en guerre. **4** La situation était périlleuse, surtout pour les villes situées en Asie et en Orient, et pour toutes celles qui, entre les précédentes, se trouvent dans les parages du Pont Euxin [4]. L'empereur, ayant considéré avec ses conseillers qu'il n'était pas sûr, sans préparation, de se risquer contre des hommes ayant déjà renoncé à vivre, envoya des messagers à Gainas et l'invita à poser ses conditions : il était prêt à lui accorder toutes les faveurs. **5** Gainas, soupçonnant que les consulaires Saturnin et Aurélien lui étaient hostiles, les réclama ; mais,

3. L'historien saute plusieurs étapes intermédiaires afin d'illustrer la volonté de rupture de Gainas. En fait, celui-ci a d'abord tiré argument de la défaite de Léon pour exiger le départ d'Eutrope responsable de ce choix malheureux : Zos. V, 17, 3-18. Il obtient gain de cause : l'eunuque est exilé et, plus tard, exécuté. Arcadius nomme alors Aurélianus comme préfet du prétoire en août 399. La chute d'Eutrope n'est traitée par Sozomène que plus loin (VIII, 7, 1-3), car il l'attribue avant tout à ses mauvaises relations avec l'impératrice Eudoxie dont il relate alors le conflit avec Jean Chrysostome. Une fois débarrassé de l'eunuque, Gainas qui n'a pas les moyens militaires d'éliminer Tribigild commence par négocier avec lui, au nom de l'empereur. Un rapprochement a pu se faire alors entre les deux hommes, Gainas faisant ensuite pression sur Arcadius pour que Tribigild obtienne satisfaction ; mais la menace de guerre évoquée ici paraît très excessive : voir CAMERON, *Barbarians and Politics...*, p. 228.

4. Gainas, maître de milice à la tête de troupes régulières, mais largement barbarisées, se trouve non loin de Constantinople, et Tribigild avec ses fédérés plus à l'est.

25 ἐναντία φρονεῖν αὐτῷ ἐξήτησε, λαβὼν δὲ ἐφείσατο· καὶ εἰς
ταὐτὸν τῷ βασιλεῖ συνδραμὼν εἰς τὸν πρὸ τῆς Χαλκηδόνος
εὐκτήριον οἶκον, ἐν ᾧ Εὐφημίας τῆς μάρτυρος ὁ τάφος ἐστίν,
ὅρκους τε λαβὼν καὶ δοὺς περὶ εὐνοίας ἀπέθετο τὰ ὅπλα καὶ
εἰς Κωνσταντινούπολιν ἐπεραιοῦτο, πεζῶν καὶ ἱππέων τὴν
30 ἡγεμονίαν ἐκ βασιλέως ἔχων. 6 Παρ' ἀξίαν δὲ δόξας εὖ
πράττειν οὐκ ἤνεγκε σωφρόνως· ἀλλ' ἐπεὶ τὸ πρῶτον παράλο-
γον κατὰ γνώμην αὐτῷ ἀπέβη, καὶ τὴν καθόλου ἐκκλησίαν
θορυβεῖν ἐπεχείρησεν· ἦν μὲν γὰρ Χριστιανὸς τῆς τῶν βαρβά-
355 ρων αἱρέσεως, οἳ τὰ Ἀρείου φρονοῦσιν. 7 Ἀνα|πεισθεὶς δὲ
35 παρὰ τῶν ταύτης προεστώτων ἢ αὐτὸς φιλοτιμούμενος ᾔτησε
τὸν βασιλέα μίαν τῶν ἐν τῇ πόλει ἐκκλησιῶν τοὺς ὁμοδόξους
αὐτῷ ἔχειν· μηδὲ γὰρ εἶναι δίκαιον καὶ ἄλλως ἀπρεπὲς ἐμέμφετο, Ῥωμαίων ὄντα ἑαυτὸν στρατηγὸν ἔξω τειχῶν παραγενόμενον εὔχεσθαι. 8 Μαθὼν δὲ τάδε Ἰωάννης οὐκ ἐφησύ-
40 χασε. Παραλαβὼν δὲ τοὺς ἐπισκόπους, οἵπερ ἔτυχον ἐνδη-

1. On a voulu à tort faire de ces deux hommes des chefs du parti anti-barbare, ce qui aurait incité Gainas à vouloir les écarter. Or Flavius Saturninus, ancien comte militaire devenu provisoirement maître de la cavalerie avant la bataille d'Andrinople et nommé maître des milices en 382, a joué un rôle important dans l'accord de 383 avec les Goths. Ce qui lui vaut le consulat en 383. Chrétien influent à la cour, il avait fait partie du tribunal mis en place par Eutrope pour juger le général Timasius. Gainas pouvait donc le craindre comme proche de l'eunuque qu'il avait fait écarter et non pour des raisons d'ordre ethnique : P.L.R.E. I, p. 807-808, Flavius Saturninus 10. Aurélianus, fils d'un consulaire, frère de Flavius Eutychianus, est questeur du palais avant d'accéder à la fonction de préfet de la Ville de Constantinople en 393, puis à celle de préfet du prétoire d'Orient en 399 ; consul désigné pour 400, il n'est donc pas encore « consulaire » au moment où Sozomène le mentionne comme tel : P.L.R.E. I, p. 128-129, Aurelianus 3. Rien n'atteste de sa part une hostilité de principe à l'égard des barbares ; Gainas cherche à éliminer en lui un rival susceptible de gêner ses ambitions personnelles. De fait, Arcadius, sous la pression de l'alliance Gainas-Tribigild accepte de livrer à Gainas Saturninus et Aurélianus qui ne sont condamnés finalement qu'à l'exil (Zos. V, 23), d'où le terme « épargna ». Sozomène ne dit rien du troisième personnage dont Gainas voulait le départ, le comte Jean, favori de l'impératrice et adversaire de Chrysostome. Il ne semble pas avoir été livré à Gainas, grâce peut-être au soutien d'Eudoxie ? Cf. KELLY, p. 155.

quand il les eut, il les épargna [1]. S'étant rencontré avec l'empereur à la maison de prière, devant Chalcédoine, où se trouve la tombe de la martyre Euphémie [2], il échangea avec lui des serments pour la bonne entente, déposa les armes et fit la traversée jusqu'à Constantinople : l'empereur l'avait créé maître de l'infanterie et de la cavalerie [3]. **6** Comme il lui semblait réussir contre toute attente, il ne sut pas le supporter avec modération. Mais comme sa première entreprise avait merveilleusement abouti à son gré, il tenta aussi de troubler l'Église catholique : car il était un chrétien de la secte des barbares, lesquels sont ariens. **7** Persuadé par les chefs de cette secte ou mené lui-même par l'ambition, il exigea de l'empereur pour ses coreligionnaires d'occuper l'une des églises de la ville : il n'était pas juste, se plaignait-il, et d'ailleurs indécent que, lui qui était général en chef des Romains, eût à aller prier hors des murs [4]. **8** A cette nouvelle, Jean ne se tint pas en repos. Emmenant avec lui les évêques qui se trouvaient de séjour en la ville, il se rendit au

2. Euphémie subit le martyre sous Dioclétien le 16 septembre 303. Une basilique lui a été consacrée à Chalcédoine et de nombreux sanctuaires ailleurs : *DECA*, p. 909, V. SAXER. Cette église très bien située à l'extérieur de Chalcédoine fait l'objet d'une description admirative d'ÉVAGRE LE SCHOLASTIQUE, *H.E.* II, 3, *PG* 86, c. 2492-2493.

3. Pour la plupart des commentateurs, Gainas a fait pression sur l'empereur au point que celui-ci a finalement cédé et l'a effectivement promu : de *magister militum per Thracias* au début du soulèvement de Tribigild, il devient *magister equitum et peditum praesens* à la cour et se trouve ainsi à la tête de l'armée romaine : cf. DEMOUGEOT, *De l'unité à la division...*, p. 232 note 601, suivie par CAMERON, *Barbarians and Politics..*, p. 208.

4. Le goth Gainas appartient à la secte arienne ; or plusieurs lois de Théodose interdisent aux ariens ainsi qu'à d'autres hérétiques de se réunir *intra muros* : *Code Théodosien* XVI, 5, 6 (381) ; XVI, 5, 7 (381) ; XVI, 5, 9 (382) ; cf. *infra* § 9. Exiger une église à l'intérieur de Constantinople revient à en enlever une aux orthodoxes : KELLY, p. 157 et G. ALBERT, *Gothen...*, p. 158 note 42. Selon G. Albert, il pourrait s'agir en l'occurrence d'une église accordée auparavant aux Goths orthodoxes résidant à Constantinople.

μοῦντες τῇ πόλει, ἧκεν εἰς τὰ βασίλεια. Καὶ τοῦ βασιλέως
ἐπακούοντος αὐτοῦ τε Γαϊνᾶ παρόντος πολὺν κατέχεε λόγον,
πατρίδα τε καὶ φυγὴν ὀνειδίζων, καὶ ὡς τῷ βασιλέως πατρὶ
τότε σωθεὶς ὤμοσεν ἢ μὴν Ῥωμαίοις εὐνοεῖν αὐτῷ τε καὶ τοῖς
45 αὐτοῦ παισὶ καὶ νόμοις, οὓς ἀκύρους ἐπιχειρεῖ ποιεῖν. 9 Καὶ
τάδε λέγων ἐδείκνυ τὸν νόμον, ὃν Θεοδόσιος ἔθετο τοὺς ἑτεροδόξους εἴργων ἔνδον τειχῶν ἐκκλησιάζειν. Ἐκ τούτου δὲ
πρὸς τὸν βασιλέα τρέψας τὸν λόγον ἔπεισε τὸν τεθέντα νόμον
κατὰ τῶν ἄλλων αἱρέσεων κύριον φυλάττειν, ἄμεινον εἶναι
50 συμβουλεύων τῆς βασιλείας παραχωρεῖν ἢ προδότην οἴκου
θεοῦ γενόμενον ἀσεβεῖν. 10 Καὶ ὁ μὲν ἀνδρείως ὧδε παρρη-
σιασάμενος οὐδὲν συνεχώρησε νεωτερισθῆναι περὶ τὰς ὑπ'
αὐτὸν ἐκκλησίας. Ὁ δὲ Γαϊνᾶς ἐπιορκεῖν ἤδη διενοεῖτο καὶ
τὴν πόλιν πορθεῖν, ἡνίκα δὴ ταύτην τὴν ἐπιβουλὴν προεμή-
55 νυσε κομήτης ἐπὶ τῆς πόλεως φανεὶς μέγιστος, εἰς αὐτὴν
σχεδὸν τὴν γῆν διήκων καὶ οἷος πρότερον μὴ γεγενῆσθαι
λέγεται. 11 Ἐπειρᾶτο δὲ πρῶτον τοῖς ἀργυροπωλείοις ἐπιθέ-
σθαι, πλῆθος χρημάτων ἐντεῦθεν συλλέγειν ἐλπίσας· φήμης
δὲ γενομένης, ὅτι τάδε βεβούλευται, καὶ τῶν ἀργυροπωλῶν
60 τὸν πρόχειρον πλοῦτον ἀποκρυψαμένων καὶ τὸν ἐπὶ τῶν τρα-
πεζῶν ἄργυρον οὐκέτι συνήθως δημοσίᾳ προτιθέντων, ἐν

---

1. Impressionné par la présence du général en chef, le faible Arcadius
était peut-être prêt à favoriser la cession d'une église à Gainas et à ses
compatriotes ariens : cf. LIEBESCHUETZ, *Barbarians...*, p. 190. Rappeler sa
présence lors de l'audience impériale rehausse encore l'image de Jean, de
son courage face à l'empereur et à son général en chef. Sur le détail de
l'entrevue, KELLY, p. 157-158.

2. Le serment prêté par Gainas rappelle celui des recrues à l'entrée
dans l'armée. L'allusion à sa « fuite » sous Théodose fait penser à un engagement individuel dans les forces romaines avant même les accords de
382.

3. Sozomène, tout comme THÉODORET, *H.E.* V, 32, présente un Jean
Chrysostome apparemment triomphant ; SOCRATE, *H.E.* VI, 5, 8 est, lui,
beaucoup moins affirmatif. On ignore en fait comment se termina la
confrontation. Il n'est pas impossible que les Goths ariens aient malgré tout
obtenu accès à une église dans Constantinople : cf. SYNESIUS, *De Providentia* 1268 (éd. N. TERZAGHI, *Synesii Cyrenensis opuscula*, Rome 1944), texte
traduit dans CAMERON-LONG, *Barbarians...*, p. 336-398).

palais. Tandis que l'empereur l'écoutait, en présence de Gainas lui-même [1], il délivra un long discours lui reprochant sa patrie, sa fuite, et comment alors, sauvé par le père de l'empereur, il avait juré fidélité aux Romains, à lui, à ses enfants et aux lois qu'il cherchait maintenant à rendre sans force [2]. **9** Tout en disant cela, il montrait la loi que Théodose avait établie, par laquelle il interdisait aux hétérodoxes de tenir leurs assemblées de culte à l'intérieur des murs. Après quoi, s'adressant à l'empereur, il le persuada de maintenir en vigueur la loi qui était établie contre les hérésies en général, l'assurant qu'il valait mieux pour lui renoncer à l'Empire que d'admettre une impiété en livrant une maison de Dieu. **10** S'étant exprimé ainsi avec courage et franc-parler, Jean ne permit pas qu'on fît aucune innovation concernant les églises de son obédience [3]. Mais Gainas méditait déjà de violer son serment et de dévaster la ville : juste à ce moment, ses mauvais desseins furent indiqués à l'avance par une énorme comète qui, apparue au-dessus de la ville, s'étendit presque jusqu'à la terre, telle que, dit-on, il n'y en avait jamais eu [4]. **11** Gainas essaya de s'en prendre d'abord aux boutiques de change, dans l'espoir d'en tirer beaucoup d'argent. Le bruit ayant couru que telle était son intention, comme les changeurs avaient caché l'argent qu'ils avaient sous la main et qu'ils n'offraient plus en public, comme

4. La mention des comètes en association avec des événements très importants est fréquente dans l'historiographie classique. Dans le cas précis, il s'agit peut-être de la même comète que celle vue en Chine le 19 mars 400, qui aurait pu être visible à Constantinople en avril-mai ? cf. Ho Peng Yohn, « Ancient and Medieval observations of Comets and Novae in Chinese sources », dans A. Berr éd., *Vistas in Astronomy*, 5, 1962 p. 161. Les récits de l'épisode du massacre des Goths à Constantinople, à l'exception des discours plus idéologiques que descriptifs de Synésius, ont été composés après 410 et le sac de Rome, événement considérable dont la relation a fortement déteint sur celles des émeutes de la capitale. Gainas est décrit sur le modèle d'Alaric malgré des différences fondamentales entre les deux situations : cette relecture entraîne l'évocation d'épisodes très invraisemblables, cf. Cameron, *Barbarians..*, p. 202.

1525 νυκτὶ πλῆθος ἐπι|πέμψας βαρβάρων ἐνετείλατο τὰ βασίλεια
ἐμπιπρᾶν. 12 Οἱ δὲ ἄπρακτοι καὶ κατεπτηχότες ἀνέστρεφον.
Ὡς γὰρ πλησίον ἐγένοντο, πλῆθος ὁπλιτῶν ἐν μεγάλοις
65 σώμασιν ἔδοξαν ὁρᾶν, ὑπονοήσαντες δὲ νέηλυν εἶναι στρατιὰν
ἤγγειλαν τῷ Γαϊνᾷ. 13 Ὁ δέ — ἠπίστατο γὰρ τῶν εἰωθότων
μὴ πλείους τῇ πόλει ἐνδημεῖν στρατιώτας — οὐκ ἠξίου τοῖς
356 λεγομένοις πιστεύειν. | Ἐπεὶ δὲ καὶ τῆς ἐχομένης νυκτὸς
ἀποσταλέντες ἕτεροι ταὐτὰ τοῖς πρότερον ἤγγειλαν, αὐτὸς
70 ἐλθὼν αὐτόπτης ἐγένετο τοῦ παραδόξου θεάματος. 14 Νομίσας τε αὐτοῦ χάριν συνεληλυθέναι τοὺς ἐκ τῶν ἄλλων πόλεων
στρατιώτας καὶ νύκτωρ μὲν φρουρεῖν τὴν πόλιν καὶ τὰ βασίλεια, ἐν ἡμέρᾳ δὲ λανθάνειν, σκήπτεται δαιμονᾶν· ὡς εὐξόμε-
νός τε καταλαμβάνει τὴν ἐκκλησίαν ἣν ἐπὶ τιμῇ Ἰωάννου τοῦ
75 βαπτιστοῦ ὁ τοῦ βασιλέως πατὴρ ᾠκοδόμησε πρὸς τῷ Ἑβδόμῳ. 15 Τῶν δὲ βαρβάρων οἱ μὲν ἔνδον ἔμενον, οἱ δὲ Γαϊνᾷ
συνεξῄεσαν. Λάθρα δὲ συνεξῆγον ὅπλα ἐν γυναικείοις ὀχή-

1. Les changeurs, qui peuvent aussi jouer le rôle d'essayeurs de monnaie,
tirent leur nom de « trapézites » de la table (ou comptoir) sur laquelle sont
étalées les pièces. Ils peuvent à l'occasion recevoir des dépôts et exercer
l'activité de banquiers : cf. R. BOGAERT, Banques et banquiers dans les
cités grecques, Leyde 1968, p. 375. Ces banquiers changeurs avaient disparu
au IIIᵉ s. avec la crise monétaire. Ils réapparaissent dans la deuxième moitié
du IVᵉ s. comme orfèvres changeurs : cf. J. ANDREAU, La Banque et les
affaires dans le monde romain, Paris 2001, p. 70-71. L'attaque contre les
changeurs, également mentionnée par SOCRATE, H.E. VI, 6, 17, surprend :
si le maître de milice praesens, placé au sommet de la hiérarchie militaire,
avait des problèmes de solde à régler (DEMOUGEOT, De l'unité à la division..., p. 255), il existait sans doute d'autres moyens d'extorsion :
cf. CAMERON, Barbarians..., p. 202.
2. Le projet d'incendier le palais impérial, ignoré des autres sources,
semble encore moins crédible : on voit mal ce que Gainas, maître du pouvoir militaire, pouvait y gagner. Il s'agit là encore de noircir l'image du chef
goth en le peignant sous les traits d'un Alaric et de mieux faire ressortir par
l'échec de son hybris la protection divine dont jouit la dynastie théodosienne. Sur cette interprétation théologique du conflit par Sozomène, cf.
LIEBESCHUETZ, Barbarians.., p. 113.
3. Il semble peu vraisemblable que Gainas ait fait entrer ses 35000
hommes dans la ville, malgré DEMOUGEOT, De l'unité à la division...,

d'habitude, l'argent posé sur les tables [1], Gainas envoya de nuit une bande de barbares avec ordre d'incendier le palais [2]. **12** Mais ils revinrent sans avoir rien fait et tremblants de peur. Quand, en effet, ils arrivèrent près du palais, il leur sembla voir une multitude de soldats en armes de taille immense : ils crurent que c'était une armée nouvellement arrivée et le rapportèrent à Gainas. **13** Celui-ci ne voulut pas croire ce qu'ils disaient : il savait en effet qu'il n'y avait pas dans la ville plus du nombre habituel de soldats [3]. Comme, la nuit suivante, d'autres barbares qu'il avait envoyés rapportèrent les mêmes choses que les précédentes, il vint en personne et vit de ses yeux l'étrange spectacle [4]. **14** Il pensa qu'à cause de lui on avait rassemblé les troupes des autres villes, que la nuit elles gardaient la ville et le palais et se cachaient le jour. Il feint alors d'être possédé, et pour y prier, il gagne l'église que le père de l'empereur avait bâtie près de l'Hebdomon en l'honneur de Jean Baptiste [5]. **15** Parmi les barbares, les uns restèrent dans la ville, les autres accompagnèrent Gainas [6]. En secret, ils emportaient

p. 252 et ALBERT, *Gothen...*, p. 130, qui s'appuient sur SYN., *De Prov.* 2, 2 et ZOS. V, 19, 4. Une telle force armée ne se serait pas laissée chasser par le peuple de Constantinople. Les troupes campent à la périphérie. Dans la capitale ne se trouvent comme à l'habitude que des scholes palatines attachées à la résidence impériale. On peut supposer que les Goths présents *intra muros* étaient des militaires isolés ou démobilisés et des civils désarmés : sur ces points, voir CAMERON, *Barbarians..*, p. 202-217.

4. La présence de ces soldats d'une taille surnaturelle — SOCR., *H.E.* VI, 6, 18 mentionne explicitement des anges — relève de ces prodiges dont Sozomène est friand, comme ses prédécesseurs de l'âge classique ; mais elle sert surtout à illustrer la protection divine dont jouit la dynastie.

5. Cf. VII, 21, 5 et note *ad loc.* Cette église était peut-être accessible à un arien comme Gainas dans la mesure où elle se trouvait *extra muros*.

6. Selon Sozomène, Gainas quitte la ville avec une partie de ses troupes avec l'intention d'y revenir en force ; pour ZOSIME V, 19, 1 qui a la même opinion, c'est dans le but de reconstituer ses forces que Gainas marche sur la Thrace. Il semblerait plutôt qu'il soit parti découragé par l'hostilité, inquiet de la montée des tensions entre les Goths et le peuple victimes d'une « paranoia mutuelle » (CAMERON, *Barbarians...*, p. 215).

μασι καὶ κεράμους βελῶν· ἐπεὶ δὲ ἐφωράθησαν, τοὺς φύλακας τῶν πυλῶν ἀναιροῦσι πειραθέντας κωλῦσαι τὴν τῶν ὅπλων
80 ἐκκομιδήν. Ἐκ τούτου δὲ ταραχῆς καὶ θορύβων ἀνάπλεως ἡ πόλις ἐγένετο ὡς αὐτίκα ἁλωσομένη. 16 Ἀγαθὴ δὲ γνώμη ἐκράτει πρὸς τὰ παρόντα δεινά. Ὁ γὰρ βασιλεὺς μηδὲν μελλήσας τὸν μὲν Γαϊνᾶν πολέμιον ἀνεκήρυξε, τοὺς δὲ περιλειφθέντας ἐν τῇ πόλει βαρβάρους ἀναιρεθῆναι προσέταξεν.
85 17 Ἐπιθέμενοι δὲ τούτοις οἱ στρατιῶται ἀναιροῦσι τοὺς πλείους, τὴν δὲ καλουμένην τῶν Γότθων ἐκκλησίαν ἐμπιπρῶσιν· ὡς εἰς συνήθη γὰρ εὐκτήριον οἶκον ἐνθάδε ἠθροισμένοι ἐτύγχανον, οἷς οὐκέτι φυγεῖν ἐξεγένετο τῶν πυλῶν κεκλεισμένων. 18 Ταῦτα δὲ μαθὼν ὁ Γαϊνᾶς διὰ Θράκης ἐλάσας
90 ἧκεν εἰς Χερρόνησον καὶ τὸν Ἑλλήσποντον περαιοῦσθαι ἐσπούδαζε. Διενοεῖτο γὰρ ὡς, εἰ τῆς ἀντιπέρας Ἀσίας κρατήσειεν, ῥᾳδίως πάντα τὰ πρὸς ἕω τῆς ἀρχομένης ἔθνη ὑφ' ἑαυτὸν ποιήσει. Παρ' ἐλπίδας δὲ αὐτῷ καὶ τάδε ἀπήντα θείᾳ ῥοπῇ κἀνταῦθα τῶν Ῥωμαίων χρησαμένων. 19 Παρῆν μὲν
95 γὰρ στρατιὰ κατὰ γῆν τε καὶ θάλασσαν παρὰ βασιλέως ἀπεσταλμένη, ἧς ἡγεῖτο Φραβίτας, ἀνὴρ βάρβαρος τὸ γένος, ἀγαθὸς δὲ τὸν τρόπον καὶ στρατηγικός. Οἱ δὲ βάρβαροι ναῦς

1. Les troubles éclatent à la découverte de ces armes chez des civils qui ne devaient pas en posséder à l'intérieur de Constantinople, mais que les Goths s'étaient procurées sans doute par souci de leur protection. Ce sont des civils et non des soldats qui quittent la ville.

2. SOCRATE, *H.E.* VI, 6, 27 et Sozomène sont les seuls à mentionner cette condamnation officielle par Arcadius, qui revient, selon la tradition romaine, à autoriser n'importe qui à mettre à mort Gainas et ses hommes, dès lors qu'ils sont déclarés ennemis publics. Elle semble, pour ces deux admirateurs de la dynastie théodosienne, un moyen de donner une justification légale au massacre. ZOSIME V, 19, 4 ne parle que d'un ordre de massacrer les Goths réfugiés dans l'église.

3. Le problème est de savoir de quelles troupes dispose l'empereur : vraisemblablement des scholes palatines, car pour le reste il n'y a pas de garnison à Constantinople. Pour DAGRON, *Naissance...*, p. 355-356, l'émeute qui aboutit au massacre des Goths vient essentiellement du peuple de la capitale.

4. Cette église est-elle celle que Jean Chrysostome avait concédée aux Goths orthodoxes, celle-là même que Gainas aurait obtenue de l'empereur, malgré les objurgations de l'évêque et que Sozomène aurait ignorée ou

sur des chars de femmes des armes et des tonneaux remplis de projectiles. Ayant été pris sur le fait, ils tuent les gardiens des portes qui avaient essayé d'empêcher la sortie des armes. Sur ce, la ville fut remplie de trouble et de tumulte, comme si elle allait être aussitôt prise [1]. **16** On adopta une heureuse résolution dans ce présent péril. L'empereur, sans tarder, proclama Gainas ennemi public [2] et ordonna qu'on tuât les barbares qui avaient été laissés dans la ville [3]. **17** Les soldats se jetèrent sur eux, en tuent le plus grand nombre et mettent à feu l'église dite des Goths : ils s'y trouvaient en effet rassemblés comme en leur maison de prière habituelle et ils ne purent plus fuir, vu qu'on avait fermé les portes [4]. **18** A cette nouvelle, Gainas, traversant la Thrace [5], arriva en Chersonèse et essaya de franchir l'Hellespont. Il se disait que, s'il parvenait à la rive opposée d'Asie, il se rendrait facilement maître de toutes les provinces orientales de l'Empire. Mais, contrairement à ses espoirs, voici ce qui se passa, les Romains ayant bénéficié, cette fois encore, de l'assistance divine. **19** Arriva en effet, sur terre et sur mer, une armée envoyée par l'empereur, commandée par Fravita, qui sans doute était barbare d'origine, mais probe de caractère et entendu aux choses militaires [6]. Les barbares, n'ayant pas de

passée sous silence ? La tradition fait état de 7000 morts, le 12 juillet 400 (ce chiffre donné par Synésius, *De Prov.* II 2, doit prendre en compte peut-être les guerriers et leur famille). Le scandale de cette église incendiée avec les fidèles et le prêtre à l'intérieur a provoqué des controverses dans l'opinion : ainsi l'artiste a renoncé à représenter l'épisode sur la colonne d'Arcadius et Palladios ne le mentionne pas (cf. Liebeschuetz, *Barbarians..*, p. 121-122).

5. Faute de pouvoir nourrir son armée en Thrace où il s'était rendu en quittant Constantinople (Zos. V, 19, 7), Gainas se trouve contraint de repasser en Asie.

6. Chef wisigoth païen qui a fait très tôt allégeance à Théodose. Maître de milice pour l'Orient de 395 à 400, il y avait combattu avec succès les brigands en Cilicie et Phénicie ; il est promu maître de milice *praesentalis* pour lutter contre Gainas : *P.L.R.E.* 1, p. 373-374. Il est apprécié par Zosime V, 20 pour sa qualité d'Hellène. Pendant que Gainas se trouve en Thrace, les autorités tentent de reconstituer les forces romaines. A leur tête, Fravitta parviendra à acculer Gainas et son armée sur la côte thrace.

μὴ ἔχοντες ἐπὶ σχεδιῶν ἐπειρῶντο διεκπλεῖν τὸν Ἑλλήσποντον πρὸς τὴν ἀντικρὺ ἤπειρον. Ἐξαπίνης δὲ πολὺς ἐπιπνεύ-
σας ζέφυρος τὰς σχεδίας διέλυσε σὺν | βίᾳ καὶ κατὰ τούτων
τὰς Ῥωμαίων ναῦς ἤλαυνεν. **20** Τῶν δὲ βαρβάρων οἱ πλείους
μὲν αὐτοῖς ἵπποις ὑποβρύχιοι ἐγένοντο, οἱ δὲ ὑπὸ τῶν στρατιωτῶν ἀνῃρέθησαν. Ὁ δὲ Γαϊνᾶς ἅμα ὀλίγοις περισωθεὶς
τότε, οὐ πολλῷ ὕστερον ἀνὰ τὴν Θρᾴκην ἀλώμενός | τε καὶ
φεύγων ἑτέρᾳ στρατιᾷ περιέπεσε καὶ σὺν τοῖς ἀμφ' αὐτὸν
βαρβάροις ἀπώλετο. Τοῦτο τῶν Γαϊνᾶ τολμημάτων καὶ τοῦ
βίου τὸ τέλος. **21** Ὁ δὲ Φραβίτας λαμπρῶς ἐν ταύτῃ τῇ μάχῃ
διαγενόμενος χειροτονεῖται ὕπατος. Ἐν δὲ τῷ τότε αὐτοῦ καὶ
Βικεντίου ὑπατευόντων τίκτεται τῷ βασιλεῖ παῖς τῷ πάππῳ
ὁμώνυμος· ἀρχομένης δὲ τῆς ἑξῆς ὑπατείας ἀναγορεύεται
Σεβαστός.

1528 100

357
105

110

5

1 Ἰωάννης δὲ ἄριστα τὴν Κωνσταντινουπόλεως ἐκκλησίαν
ἐπιτροπεύων πολλοὺς μὲν ἐκ τῶν Ἑλλήνων, πολλοὺς δὲ τῶν
αἱρέσεων ἐπήγετο. Συνέρρει δὲ πρὸς αὐτὸν ἑκάστοτε πληθὺς
τῶν μὲν ἐπ' ὠφελείᾳ ἀκουσομένων, τῶν δὲ ἀπόπειραν ληψο-
μένων· ἅπαντάς τε ᾕρει καὶ τὰ αὐτὰ δοξάζειν αὐτῷ περὶ τὸ
θεῖον ἔπειθε. **2** Τοσοῦτον δὲ πρὸς αὐτὸν τὸ πλῆθος ἐκεχήνε-

5

---

1. Pour un récit détaillé de la bataille qui semble avoir été une véritable
tuerie, voir Zos. V, 21.

2. L'armée de Gainas, après sa défaite, reflue vers le Nord. Elle est alors
vaincue par les Huns de Uldin qui ont franchi le Danube ; Gainas lui-même
est tué : Zos. V, 21.

3. Flavius Vincentius, préfet du prétoire d'Orient (*P.L.R.E.* II, p. 1169,
Flavius Vincentius 6) est nommé consul avec Fravitta pour 401.

4. Il s'agit de Théodose II, fils de l'impératrice Aelia Eudoxia, né le 10
avril 401, et proclamé Auguste le 10 Janvier 402 : cf. SEECK, *Regesten*,
p. 303-305.

5. Sur la vogue des grands prédicateurs, voir J. BERNARDI, *La prédication des Pères Cappadociens. Le prédicateur et son auditoire*, Paris 1968,
p. 360-380. Il peut même arriver que des païens entrent dans l'église pour

vaisseaux, essayaient de traverser l'Hellespont vers le conti-
nent opposé, sur des radeaux. Mais il s'éleva soudain un gros
vent d'ouest qui rompit avec violence les radeaux et lança
contre eux les navires des Romains [1]. **20.** La plupart des
barbares furent noyés, eux et leurs chevaux, le reste fut
massacré par les soldats. Gainas alors s'échappa avec un petit
nombre d'hommes, mais peu après, alors qu'il errait, en
fuite à travers la Thrace, il tomba sur une autre armée et
périt avec ses compagnons barbares [2]. Telle fut la fin des
traits d'audace et de la vie de Gainas. **21** Fravita, qui s'était
conduit brillamment dans cette bataille, est nommé consul.
En ce temps, sous son consulat et celui de Vicentius [3], il naît
à l'empereur un fils qui porta le nom de son grand-père. Au
début du consulat suivant, il est proclamé Auguste [4].

Chapitre 5

*Jean attire les foules par ses prédications ;
la femme macédonienne
à cause de qui le pain fut changé en pierre.*

1 Jean cependant, gouvernant à merveille l'Église de
Constantinople, attirait à lui beaucoup de païens, beaucoup
aussi d'hérétiques. Il affluait auprès de lui chaque fois une
grande foule, les uns pour l'entendre en vue de leur édification, les autres à titre d'expérience [5]. Il les soulevait tous et
les amenait à avoir mêmes opinions théologiques que lui.
2 Si grande était la foule qui béait après lui et n'était jamais

écouter : F. Dolbeau, « Nouveaux sermons de saint Augustin pour la
conversion des païens et des donatistes », *RÉAug* 37, 1991, p. 53-77. Même
le païen Zosime reconnaît à Jean Chrysostome et à son éloquence un
véritable pouvoir : il juge Jean « très habile à soumettre la foule déraisonna-
ble » (Zos. V, 23, 4, éd. F. Paschoud, t. III, *CUF*, 1986, p. 35). Sur les
différents types d'homélies de Jean, cf. Pietri, *Histoire*, II, p. 483-484 et
Kelly, p. 131-137.

σαν καὶ τῶν αὐτοῦ λόγων κόρον οὐκ εἶχον, ὥστε, ἐπεὶ ὠστι-
ζόμενοι καὶ περιθλίβοντες ἀλλήλους ἐκινδύνευον, ἕκαστος
προσωτέρω ἰέναι βιαζόμενος ὅπως ἐγγὺς παρεστὼς ἀκριβέ-
10 στερον αὐτοῦ λέγοντος ἀκούοι, μέσον ἑαυτὸν πᾶσι παρέχων
ἐπὶ τοῦ βήματος τῶν ἀναγνωστῶν καθεζόμενος ἐδίδασκεν.
3 Ἐν καιρῷ δέ μοι δοκεῖ τὸ συμβὰν ἐπὶ αὐτοῦ θαῦμα συμπε-
ριλαβεῖν τῇ γραφῇ. Ἀνήρ τις τῆς Μακεδονίου αἱρέσεως
τοιαύτῃ γυναικὶ συνῴκει· περιτυχὼν δὲ αὐτῷ διδάσκοντι,
15 ὅπως χρὴ περὶ θεοῦ δοξάζειν, ἐπαινέτης ἦν τοῦ δόγματος καὶ
τὴν γυναῖκα ὁμοφρονεῖν αὐτῷ παρεκάλει. Ἐπεὶ δὲ τῇ πρὸ
τούτου συνηθείᾳ καὶ ταῖς ὁμιλίαις τῶν γνωρίμων γυναικῶν
ἥττητο καὶ πολλάκις νουθετῶν ὁ ἀνὴρ οὐδὲν ἤνυεν, « Εἰ μή,
φησί, κοινωνήσεις μοι τῶν θείων, οὐδὲ τοῦ βίου κοινωνὸς ἔσῃ
20 μοι τοῦ λοιποῦ.» 4 Ἐνταῦθα δὲ ἡ γυνὴ συνθεμένη τοῦτο
ποιεῖν κοινοῦταί τινι τῶν θεραπαινίδων, ἣν ἡγεῖτο πιστήν, καὶ
παραλαμβάνει συνεργὸν εἰς ἀπάτην τοῦ ἀνδρός. Περὶ δὲ τὸν
1529 καιρὸν τῶν μυστηρίων (ἴσασι δὲ | οἱ μεμυημένοι ὃ λέγω) ἡ μὲν
ὅπερ ἐδέξατο κατέχουσα ὡς εὐξομένη ἐπέκυψε· παρεστῶσα
25 δὲ αὐτῇ ἡ θεράπαινα λάθρα δέδωκεν ὃ μετὰ χεῖρας ἦλθε
φέρουσα· τὸ δὲ πρὸς τοῖς ὁδοῦσι λίθος ἐπήγνυτο. 5 Περιδεὴς
358 δὲ γενομένη ἡ | γυνή, μή τι πάθοι ἀποκρύπτουσα θεῖον οὕτω
πρᾶγμα ἐπ' αὐτῇ συμβάν, δρομαία ἐπὶ τὸν ἐπίσκοπον ἐλθοῦσα
ἑαυτὴν κατεμήνυσε· καὶ τὸν λίθον ἐπέδειξεν εἰκόνα φέροντα
30 τοῦ δήγματος, ἀγνῶτα δὲ τὴν ὕλην καὶ παράξενόν τι δεικ-
νύντα χρῶμα· σὺν δάκρυσί τε συγγνώμην αἰτήσασα ὁμοφρο-

---

1. On appelle « ambon » la tribune, entourée parfois d'une légère balus-
trade, à laquelle on accède par quelques marches et que l'on rencontre
beaucoup plus souvent en Orient qu'en Occident. Les lecteurs y montent
pour la lecture des Écritures saintes et parfois aussi les évêques pour la
prédication. L'expression « au milieu de tous » n'est pas tout à fait exacte
sur le plan topographique : à Sainte Sophie, située dans l'axe de l'église, la
tribune se trouve entre la nef et la zone de l'autel, mais le prédicateur y
paraît plus proche du public que lorsqu'il prononce son homélie depuis des
marches de l'autel. Il n'est plus isolé de l'auditoire comme lorsqu'il siège

rassasiée de son éloquence que, comme les gens se bousculaient, se pressaient les uns les autres et se mettaient en
danger, chacun s'avançant de force afin d'être plus près et de
mieux l'entendre parler, il se plaçait au milieu de tous sur la
tribune des lecteurs [1], s'y asseyait et donnait son enseignement. 3 C'est l'occasion d'insérer dans mon ouvrage le miracle qui eut lieu sous son épiscopat. Un macédonien était uni
à une épouse de la même secte. Il entendit Jean enseigner la
croyance qu'il fallait avoir sur Dieu, approuva sa foi et invita
sa femme à partager son sentiment. Mais celle-ci était rete-
nue par ses habitudes antérieures et les entretiens de ses
amies, et, bien que son mari l'adjurât souvent, il n'obtenait
rien. « Si tu ne communies pas avec moi aux divins mystères,
dit-il alors, tu ne seras plus ma compagne de vie désormais. »
4 Alors, la femme consentit à le faire, mais elle s'entendit
avec une servante qu'elle croyait de confiance et elle en fait
sa collaboratrice pour tromper son mari. Au moment des
mystères — les initiés savent ce que je veux dire —, elle
garda ce qu'elle avait reçu et baissa la tête comme pour
prier ; sa servante, qui était près d'elle, lui remit en cachette
ce qu'elle était venue apporter en ses mains [2] ; or la chose,
entre ses dents, durcit comme une pierre. 5 La femme
effrayée, craignant qu'il ne lui arrivât malheur si elle cachait
une affaire aussi divine qui s'était produite sur sa personne,
courut à l'évêque et se dénonça ; et elle lui montra la pierre
qui portait la marque de sa morsure, et qui était d'une
matière inconnue et montrait une couleur étrange. Elle
demanda pardon avec des larmes et désormais elle partagea

---

sur son trône épiscopal : *DECA*, p. 762-768, édifices du culte, N. Duval.
Jean se rapproche du public à cause de la faiblesse de sa voix mais surtout en
véritable orateur populaire pour qui la proximité de l'auditoire est indispensable au déploiement de son talent : cf. R. Brändle, p. 95.

2. La femme, au nom de la doctrine des macédoniens, refuse de reconnaître la divinité du Saint-Esprit : elle ne veut donc pas mettre le pain
consacré dans sa bouche et le remplace par un morceau de pain ordinaire
apporté par sa servante : cf. O. Nüssbaum, *Die Aufbewahrung der Eucharistie*, Berlin 1979, p. 270-271 (*Theophania* 29).

νοῦσα τῷ ἀνδρὶ συνῆν. 6 Ἀλλὰ τάδε μὲν εἴ τῳ μὴ πιθανὰ εἶναι δοκεῖ, μάρτυς αὐτὸς ὁ λίθος εἰσέτι νῦν ἐν τοῖς κειμηλίοις τῆς ἐκκλησίας Κωνσταντινουπόλεως φυλαττόμενος.

6

1 Ὁ δὲ Ἰωάννης πυθόμενος ὑπὸ ἀναξίων τὰς ἐν Ἀσίᾳ καὶ πέριξ ἐκκλησίας ἐπιτροπεύεσθαι καὶ τοὺς μὲν λήμμασι καὶ δωροδοκίαις, τοὺς δὲ χάριτι ὑπαγομένους τὰς ἱερωσύνας ἀπεμ- πολεῖν, ἧκεν εἰς Ἔφεσον· καθελών τε δέκα καὶ τρεῖς ἐπισκό-
5 πους, τοὺς μὲν ἐν Λυκίᾳ καὶ Φρυγίᾳ, τοὺς δὲ ἐν αὐτῇ τῇ Ἀσίᾳ, <ἑτέρους> ἀντ᾽ αὐτῶν κατέστησε, 2 τῆς δὲ Ἐφεσίων ἐκκλησίας (ἔτυχε γὰρ ὁ τότε ἐνθάδε ἐπισκοπῶν τελευτήσας) Ἡρακλείδαν ἄνδρα Κύπριον τὸ γένος, διάκονον τῶν ὑπ᾽ αὐτὸν μοναχῶν τῶν ἐκ τῆς Σκήτεως, Εὐαγρίου τοῦ μοναχοῦ μαθη-
10 τήν. Οὐ μὴν ἀλλὰ καὶ Γερόντιον ἐξεώσατο τῆς Νικομηδέων ἐκκλησίας. 3 Οὗτος γὰρ ὑπὸ Ἀμβροσίῳ τῷ ἐπισκόπῳ Μεδιο- λάνου διακονούμενος, οὐκ οἶδ᾽ ὅ τι παθών, ἀλλ᾽ ἢ τερατευόμε-

1. A l'origine, il y a une accusation de simonie portée par Eusèbe évêque de Valentinopolis contre Antoninos, évêque d'Éphèse, qui implique égale- ment plusieurs autres évêques à qui l'on reproche d'avoir acheté leur ordi- nation. Faute de preuves fournies par Eusèbe, l'affaire traîne ; Antoninos meurt, vers 400-401. Jean Chrysostome est alors appelé à Éphèse autant pour présider à la désignation d'un nouvel évêque que pour remettre de l'ordre dans l'église : cf. KELLY, p. 164-166.
2. Jean réunit un synode de 66 évêques d'Asie, de Lydie et de Carie, d'après PALLADIOS, Dial. XIV, 154, éd. A. M. Malingrey, SC 341, 1988, p. 290- 291. Sur la base de preuves et d'aveux, il dépose six évêques coupables, sans pour autant leur enlever l'accès à la communion. La purge très pro- longée lors de son passage en Lycie et Carie et le nombre de treize condamnés, donné par Sozomène, mais ignoré de Palladios, a sa vraisemblance : KELLY, p. 176. Peut-être ce chiffre, par son importance, est-il destiné ici à masquer la relative indulgence de Jean à l'égard des six principaux accusés.
3. Jean impose la désignation d'Héraclide qui à ce moment fait partie, comme diacre, de son clergé à Constantinople. Originaire de Chypre, il avait été moine dans le désert de Scété avant de rejoindre la capitale impé- riale. Accusé plus tard d' « origénisme », il est déposé et emprisonné à Nicée en 403 : DHGE XXIII, 1990, c. 1341, R. AUBERT.

le sentiment de son mari. **6** Si cela ne paraît pas croyable à certains, la pierre même le prouve qui, aujourd'hui encore, est conservée dans le trésor de l'église de Constantinople.

Chapitre 6

*Les actes accomplis en Asie et en Phrygie par Jean ;
Héraclide d'Éphèse et Gérontius de Nicomédie.*

1 Comme Jean avait appris que les Églises de la province d'Asie et des régions avoisinantes étaient gouvernées par des évêques indignes et qu'ils vendaient les sacerdoces, poussés les uns par des profits et la vénalité, les autres par le favoritisme, il se rendit à Éphèse [1]. Il déposa treize évêques, les uns en Lycie et Phrygie, les autres dans la province même d'Asie, et il nomma d'autres évêques à leur place [2]. **2** A la tête de l'église d'Éphèse, dont l'évêque d'alors était mort, il établit Héraclide [3], chypriote de naissance, diacre des moines de Scété placés sous son autorité, disciple du moine Évagre [4]. En outre, il chassa Gérontius du siège de Nicomédie. **3** Ce Gérontius, quand il était diacre sous Ambroise, l'évêque de Milan [5], je ne sais par quel accident, soit qu'il

4. Né à Ibora entre Amasie et Néocésarée, d'où le surnom de « Pontique », Évagre (345-399), après avoir été lecteur puis diacre, s'installe dans le désert de Nitrie et ensuite dans les Kellia, pour y vivre en anachorète. Il laisse une œuvre importante dont la théologie marquée par l'influence d'Origène est condamnée au VIe s. : *DECA*, p. 932, J. GRIBOMONT.

5. Gérontius n'est connu que par ce passage de Sozomène : *DHGE* XX, 1984, c. 1042, D. BUNDY. Sozomène tient peut-être ces informations des johannites rencontrés en Bithynie : VAN NUFFELEN, p. 74. Sur la forte autorité exercée par Ambroise sur son entourage, cf. MAC LYNN, p. 253. Sur l'attention portée jusqu'au moindre détail à la conduite de son clergé, y compris à la façon de parler et de marcher (cf. *De officiis*, I, 18, 71-75, la démarche ; I, 19, 83-85, la voix et la manière de parler, éd. M. Testard, *CUF*, t. 1, 1984), voir F. HOMES DUDDEN, *The Life and Times of St Ambrose*, t. I, Oxford 1935, p. 122.

νος ἢ δαιμονίου σπουδῇ καὶ φαντασίαις ὑπαχθείς, νύκτωρ ἔφη
τισὶν ὀνοσκελίδα συλλαβόμενος ξυρῆσαι τὴν κεφαλὴν καὶ
15 μυλωνίῳ ἐμβαλεῖν· ὡς ἀνάξια δὲ διακόνου θεοῦ φθεγξάμενον
ἐκέλευσεν Ἀμβρόσιος τέως καθ' ἑαυτὸν εἶναι καὶ μετανοίᾳ
1532 καθαίρεσθαι. 4 | Ὁ δὲ ἰατρὸς ὢν ἄριστος καὶ ὀκνότατος
λέγειν τε καὶ πείθειν καὶ φίλους περιποιεῖν ἱκανός, ὡς ἐπεγγελῶν Ἀμβροσίῳ ἧκεν εἰς Κωνσταντινούπολιν. Ἐν ὀλίγῳ τε
20 χρόνῳ τινὰς τῶν ἐν τοῖς βασιλείοις δυναμένων ποιεῖται
φίλους, καὶ μετ' οὐ πολὺ ἐπιτρέπεται τὴν Νικομηδέων ἐπισκοπήν. 5 Ἐχειροτόνησε δὲ αὐτὸν Ἑλλάδιος ὁ Καισαρέων
Καππαδοκῶν ἐπίσκοπος, ἀμειβόμενος καθότι παιδὶ αὐτοῦ
πρόξενος λαμπρᾶς στρατείας ἐν τοῖς βασιλείοις ἐγένετο.
25 Μαθὼν δὲ τάδε Ἀμβρόσιος ἔγραψε Νεκταρίῳ τῷ προϊστα-
359 μένῳ | τῆς ἐκκλησίας Κωνσταντινουπόλεως ἀφελέσθαι Γερον-
τίου τὴν ἱερωσύνην καὶ μὴ περιδεῖν αὐτὸν ὑβρισμένον καὶ
τὴν ἐκκλησιαστικὴν τάξιν. 6 Νεκταρίῳ δὲ καὶ μάλα τοῦτο
σπουδάσαντι γέγονεν ἀνήνυτον πανδημεὶ τῶν Νικομηδέων
30 ἀνδρικῶς ἀντιστάντων. Ὁ δὲ Ἰωάννης καθελὼν αὐτὸν ἐχειροτόνησε Πανσόφιον· ὃς παιδαγωγὸς ἐγεγόνει τῆς τοῦ βασιλέως γαμετῆς, εὐλαβὴς δὲ καὶ τὸ ἦθος μέτριός τε καὶ πρᾶος,
οὐ μὴν Νικομηδεῦσι καταθύμιος. 7 Στασιάσαντες γοῦν πολλάκις κοινῇ τε καὶ πρὸς ἕκαστον ἀπηριθμοῦντο τὰς Γεροντίου
35 εὐεργεσίας καὶ τὴν ἐκ τῆς ἐπιστήμης ἄφθονον χρείαν καὶ τὸ

---

1. Le terme apparaît chez Plutarque, *Mor.* 312 e (*Collection d'histoires parallèles*, éd. J. Boulogne, *CUF*, t. IV, p. 264) qui indique sa source, le grammairien-rhéteur historien Aristoclès, et chez Lucien, *Histoire vérita-ble* 2, 46. Dans les scholies à Aristophane, *Grenouilles* et *Assemblée des femmes*, il est associé à Empousa, monstre multiforme, sorte de vampire envoyé par Hécate pour terroriser les hommes. Dans un contexte chrétien, c'est un démon femelle doté de pattes d'âne : cf. G. W. Lampe, *A Patristic Greek Lexicon*, p. 965 qui renvoie à Théodoret, *Commentaire sur Isaïe* 13, 22 ; 34, 11 : « Celles que les anciens appellent *empousai*, on les appelle aujourd'hui onoskélides ».

2. Helladius, d'origine inconnue, succède à Basile sur le siège de Césarée et participe aux conciles de Constantinople de 381 et de 394 : *DECA*, p. 1122, E. Prinzivalli.

racontât des fables soit qu'il eût été poussé par l'ardeur et les apparitions du démon, dit à certaines gens que, de nuit, il avait saisi une onoskélide [1], lui avait rasé la tête, et l'avait jetée au moulin. Jugeant que Gérontius racontait des choses indignes d'un diacre de Dieu, Ambroise lui ordonna pour l'instant de rester chez lui et de se purifier par la pénitence. **4** Mais Gérontius, qui était excellent médecin, très diligent à parler et persuader et capable de se créer des amis, comme s'il se moquait d'Ambroise, se rendit à Constantinople. En peu de temps, il se fit des amis parmi les puissants du palais et, peu après, on lui confie l'évêché de Nicomédie. **5** Il fut ordonné par Helladius, évêque de Césarée de Cappadoce [2], qui le récompensait ainsi de ce qu'il eût fourni à son fils un poste brillant au palais. A cette nouvelle, Ambroise écrivit à Nectaire, le chef de l'Église de Constantinople, de priver Gérontius du sacerdoce et de ne pas admettre qu'on l'outrageât, lui, et l'ordre ecclésiastique. **6** Nectaire eut beau faire en la circonstance, il n'aboutit à rien en raison de l'opposition déterminée de tout l'ensemble des Nicomédiens [3]. Jean pourtant déposa Gérontius [4] et ordonna Pansophios [5]. Celui-ci avait été le pédagogue de l'épouse de l'empereur, c'était un homme vénérable, de caractère modéré et doux ; néanmoins, il ne plut pas aux gens de Nicomédie. **7** En tout cas, ils se révoltèrent souvent et, en commun ou chacun à part, ils faisaient le compte des bienfaits de Gérontius, des abondants services que leur avait

3. L'opposition des habitants tient à la popularité d'un évêque aux dons multiples, mais aussi sans doute à leur hostilité devant l'intervention disciplinaire de l'évêque de Constantinople et a fortiori devant celle d'un Occidental, Ambroise de Milan.

4. Là où le faible Nectaire n'avait pu imposer sa volonté, Jean Chrysostome, dans la continuité des purges opérées en Asie et dans les provinces voisines, n'hésite à affirmer son autorité.

5. Cf. *PW* XVIII 3, 1944, c. 680, W. ENSSLIN. L'ordination de cet ancien pédagogue de l'impératrice, tendrait à montrer que les relations de Jean avec la cour et plus particulièrement avec Eudoxie ne sont pas encore trop détériorées.

περὶ πάντας ἐπίσης πλουσίους τε καὶ πένητας ἄοκνον. Τούτοις δὲ καὶ τὰς ἄλλας ἀρετὰς προσετίθεσαν, οἷά γε εἰκὸς
φιλοῦντας. 8 Καὶ ὡς ἐπὶ σεισμοῖς ἢ αὐχμοῖς ἢ ἄλλαις τισὶ
θεομηνίαις περιόντες ἐν ταῖς ἀγυιαῖς ἀνὰ τὴν πατρίδα τὴν
40 ἑαυτῶν καὶ τὴν Κωνσταντινούπολιν ἔψαλλον καὶ ἱκέτευον τὸν
θεὸν ἐπίσκοπον αὐτὸν ἔχειν. Τὸ δὲ τελευταῖον βιασθέντες τοῦ
μὲν ἀπηλλάγησαν σὺν πένθει καὶ ὀδυρμοῖς, τὸν δὲ μετὰ δέους
καὶ μίσους ἐδέξαντο. 9 Ἐντεῦθεν δὲ οἱ καθαιρεθέντες καὶ οἱ
τούτων ἐπιτήδειοι ἐπητιῶντο Ἰωάννην, ὡς ἀρχηγὸς νεωτερισ-
45 μοῦ ταῖς ἐκκλησίαις ἐγένετο καὶ τὰ δίκαια τῶν χειροτονιῶν
παρὰ τοὺς πατρίους νόμους ἐκαινοτόμησεν, ὑπὸ δὲ λύπης καὶ
τὰ λόγου ἄξια αὐτῷ πεπραγμένα κατὰ τὰς τῶν πολλῶν δόξας
διέβαλλον· ἀμέλει τοι καὶ τὸ ἐπὶ Εὐτροπίῳ τότε συμβὰν ἐνε-
μέσων.

7

1533 1 Οὗτος γὰρ μείζων ὢν τῶν βασιλέως εὐνούχων μόνος καὶ
πρῶτος ὧν ἴσμεν ἢ ἀκηκόαμεν ὑπάτου καὶ πατρὸς βασιλέως
ἀξίᾳ ἐτιμήθη. 2 Ἐπὶ δὲ τῆς παρούσης δυνάμεως οὐκ ἐννοή-
σας τὸ μέλλον καὶ τὰς συμβαινούσας ἐν τοῖς ἀνθρωπείοις
5 πράγμασι μεταβολὰς ἐπεχείρει τῆς ἐκκλησίας ἀφέλκειν ἱκέ-

1. Les ordinations imposées non sans brutalité par Jean Chrysostome
entretiennent son impopularité car elles vont à l'encontre du principe de la
séparation des diocèses énoncé dans le canon 2 du concile de Constantinople. Elles tendent à affirmer de la part du siège de Constantinople une
autorité régionale comparable à celle d'Alexandrie sur l'Égypte : cf.
DAGRON, *Naissance...*, p. 463.
2. Sozomène revient ici en arrière. La chute d'Eutrope, étroitement liée à
l'ascension de Gaïnas, date de l'été 399 et aurait dû être traitée en VIII, 4, 3.
Après la mort de Théodose, Eutrope (cf. VIII, 2, 19 avec la note *ad loc.*)
a consolidé sa position auprès d'Arcadius, dont il a favorisé le mariage avec
Eudoxie ; en accord avec Stilichon, il travaille à l'élimination de Rufin. Pour
lutter contre une trop grande influence des généraux, c'est lui-même, un
civil, qui mène avec succès une campagne militaire contre les Huns qu'il
repousse vers l'Arménie dans l'été 398. Par affection et par reconnaissance

rendus sa science et de son égale diligence à l'égard de tous, riches et pauvres. A ces bienfaits, ils ajoutaient encore les autres vertus, comme il est naturel quand on aime. **8** Et comme s'il s'était agi de séismes, de sécheresses ou d'autres colères divines, ils allaient par les rues de leur ville et de Constantinople chantant des psaumes, suppliant Dieu que Gérontius fût leur évêque. Mais à la fin, contraints par la force, ils se séparèrent de Gérontius dans le deuil et les gémissements, et ils acceptèrent Pansophios avec crainte et haine. **9** De ce moment, les évêques déposés et leurs amis se mirent à accuser Jean, alléguant qu'il avait été pour les Églises fauteur d'innovations, qu'il avait révolutionné, contre les lois traditionnelles, les droits des ordinations [1], et, dans leur chagrin, ils attaquaient même les actes de Jean reconnus comme excellents par la plupart des gens : par exemple, ils s'indignaient aussi de ce qui était arrivé alors dans le cas d'Eutrope.

Chapitre 7

Le chef des eunuques Eutrope, la loi qu'il établit ;
arraché de l'église, il est tué.
Le méchant bruit qui circule contre Jean.

1 Celui-ci, chef des eunuques de l'empereur, fut le seul et le premier eunuque de ceux dont nous ayons eu connaissance ou entendu parler qui fut honoré des titres de consul et patrice [2]. **2** Sous le présent pouvoir, sans avoir réfléchi à l'avenir ni aux vicissitudes des affaires humaines, il essayait d'enlever à l'église des suppliants de Dieu qui, à cause de lui,

pour ses victoires, Arcadius lui donne le titre exceptionnel, a fortiori pour un eunuque, de patrice qui fait de lui le supérieur du maître des milices d'Occident (STEIN-PALANQUE, *Le Bas-Empire*.., t. I p. 230) ; il le désigne ensuite comme consul pour l'année 399, dignité non reconnue par l'Occident : DEMOUGEOT, *De l'unité à la division...*, p. 190-191.

τὰς θεοῦ δι' αὐτὸν ἐνθάδε διατρίβοντας, καὶ μάλιστα Πεντα-
δίαν τὴν Τιμασίου γαμετήν· ὃν στρατηγὸν δυνατὸν καὶ φοβε-
ρώτατον γενόμενον εἰς τὴν κατ' Αἴγυπτον Ὄασιν ἀιδίῳ φυγῇ
360 ἐζημίωσε τυραννίδος ἐπαγαγὼν αἰτίαν· | ἀλλ' ἐκεῖνος μὲν ἢ
10 δίψει πιεζόμενος, ὥς τινων ἐπυθόμην, ἢ δεδιὼς μή τι χεῖρον
ὑπομείνῃ, ἐν ταῖς αὐτόθι ψάμμοις ἀλώμενος ηὑρέθη νεκρός.
3 Εὐτροπίου δὲ σπουδῇ τίθεται νόμος προστάττων μηδαμῇ
μηδένα εἰς ἐκκλησίαν καταφυγεῖν, ἐξελαύνεσθαί τε καὶ τοὺς
ἤδη προσπεφευγότας. Οὐκ εἰς μακρὰν δὲ ὡς εἰς τὴν βασιλέως
15 γαμετὴν ὑβρίσας ἐπιβουλευθεὶς πρῶτος αὐτὸς παρέβη τὸν
νόμον καὶ ἀποδρὰς ἐκ τῶν βασιλείων ἱκέτης τὴν ἐκκλησίαν
κατέλαβεν· 4 ἡνίκα δὴ λαμπρόν τινα κατ' αὐτοῦ ὑπὸ τὴν ἱερὰν
1536 τράπεζαν κειμένου κατέτεινε λόγον | Ἰωάννης, τῶν μὲν ἐν
δυνάμει τὴν ὀφρῦν κατασπῶν, τῷ δὲ λαῷ δεικνὺς ὡς οὐδὲν
20 τῶν ἀνθρωπίνων ἐν ταὐτῷ μένειν φιλεῖ. Οἵ γε μὴν ἀπεχθανόμενοι πρὸς αὐτὸν καὶ τοῦτο διέβαλλον, ὡς ἐλεεῖν δέον τὸν περὶ

---

1. Il s'agit de la veuve du maître des milices Timasius condamné par
Eutrope et mort en exil en 397 : *P.L.R.E.* I, p. 687. Avec Olympias et
d'autres, elle fait partie des femmes de l'élite aristocratique de Constantinople que l'on retrouve autour de Jean Chrysostome : voir à ce sujet
W. MAYER, « Constantinopolitan Women in Chrysostom's circle », *Vigiliae
Christianae* 53, 1999, p. 264-288. Sur le rôle des femmes, C. BROC, « Le
rôle des femmes dans l'Église de Constantinople d'après la correspondance
de Jean Chrysostome », *Studia Patristica* XXVII, 1993, p. 150-155.

2. Flavius Timasius, comte militaire, puis maître de la cavalerie et enfin
maître de la cavalerie et de l'infanterie de 388 à 395, doit à ses mérites
militaires le consulat en 389. Il commande avec Stilichon l'expédition
contre Eugène : *P.L.R.E.* I, p. 914.

3. C'est sans doute d'accord avec Stilichon et dans le but d'écarter des
adversaires potentiels qu'Eutrope, après avoir fait condamner Abundantius
à l'exil, monte une accusation de lèse-majesté contre Timasius : celui-ci,
envoyé en exil en Égypte, y meurt peu après : DEMOUGEOT, *De l'unité à la
division...*, p. 164-165.

4. Eunuque dévot, Eutrope s'attaque néanmoins aux privilèges de
l'Église en limitant l'exercice du droit d'asile : *Code Théodosien* IX, 40, 16
(27 juillet 398).

5. Les historiens ecclésiastiques Socrate, Sozomène, Philostorge insistent sur le rôle de l'impératrice dans la disgrâce d'Eutrope. Claudien et

s'y trouvaient, et principalement Pentadia [1], l'épouse de Timasius [2]. Celui-ci, qui avait été un général capable et très redoutable, il le fit punir du bannissement perpétuel à l'Oasis d'Égypte, en portant sur lui l'accusation de tentative d'usurpation [3]. Or, tandis que cet homme, soit pressé par la soif, comme je l'ai appris de certains, soit dans la crainte de maux pires, errait dans les sables de la région, il fut trouvé mort. **3** Eutrope, de son côté, prend soin d'établir une loi interdisant à quiconque où que ce soit de chercher asile dans une église et prescrivant de chasser ceux qui s'y étaient déjà réfugiés [4]. Mais peu après, victime d'une intrigue par laquelle on l'accusait d'avoir outragé l'impératrice [5], il enfreignit, lui tout le premier, sa loi et, s'étant enfui du palais, comme un suppliant il se rendit dans l'église. **4** C'est à ce moment que, tandis qu'il gisait sous la table sainte [6], Jean composa contre lui un discours magnifique, rabaissant la morgue des puissants et montrant aux fidèles qu'il n'y a aucune stabilité dans les choses humaines. Ceux pourtant

---

Zosime y voient plutôt la marque de Gaïnas devenu le principal recours de l'empereur après la défaite de Léon contre Tribigild : cf. *H.E.* VII, 4, 1 notes *ad loc.* Eudoxie, qui devait pourtant son mariage aux recommandations d'Eutrope, se serait plainte auprès d'Arcadius de ce que l'eunuque avait menacé de la chasser du palais. Rumeur de gynécée qui courait à Constantinople ? Quelle que soit la cause exacte de sa colère, l'impératrice, dont le poids politique n'était pas négligeable à Constantinople, venait rejoindre les multiples ennemis que s'était faits Eutrope : militaires proches de Timasius, dignitaires civils choqués par l'ascension d'un eunuque, dirigeants inquiets de la faiblesse des moyens face aux menaces extérieures et prêts à faire appel à Stilichon. C'est cette coalition qui vient à bout du patrice : cf. LIEBESCHUETZ, p. 104-105.

6. La scène est connue par l'homélie *In Eutropium* (*PG* 52, c. 391-396) prononcée par Jean Chrysostome, alors qu'Eutrope est prosterné aux pieds de l'autel, à l'église Sainte Sophie. Elle a lieu un samedi d'août 399. Sozomène ne précise pas que l'évêque refusa de livrer le suppliant malgré la pression des soldats à l'extérieur ; il omet également de préciser que c'est le dimanche suivant que Jean prononce son sermon sur le thème de la vanité des richesses et des pouvoirs humains.

ψυχῆς κινδυνεύοντα ἤλεγχεν ἐπεμβαίνων ταῖς αὐτοῦ συμφοραῖς. 5 Ἀλλ' Εὐτρόπιος μὲν τῆς ἀσεβοῦς ταύτης ἐπιχειρή-
σεως ἀνέπλησε τὴν δίκην τὴν κεφαλὴν ἀποτμηθείς· καὶ ὁ
25 τεθεὶς νόμος ἄρδην ἐκ τῶν δημοσίων ὑπομνημάτων ἠφανίσθη.
6 Ἡ δὲ ἐκκλησία εὖ μάλα διέπρεπεν ὡς τοῦ θεοῦ τιμωροῦ
γενομένου ἐν τάχει τῶν κατ' αὐτῆς ἀδικημάτων, καὶ ταῖς περὶ
τὸ θεῖον θεραπείαις ἐπεδίδου. Προθυμότερόν τε τότε μᾶλλον ὁ
Κωνσταντινουπόλεως λαὸς τοῖς ἑωθινοῖς καὶ νυκτερινοῖς
30 ὕμνοις ἐχρῆτο κατὰ πρόφασιν τοιάνδε.

8

1 Ἐπεὶ γὰρ οἱ ἀπὸ τῆς Ἀρείου αἱρέσεως, ἀφαιρεθέντες
τῶν ἐν τῇ πόλει ἐκκλησιῶν ἐπὶ τῆς Θεοδοσίου βασιλείας, πρὸ
τῶν τειχῶν ἐκκλησίαζον, νύκτωρ πρότερον ἐν ταῖς δημοσίαις
στοαῖς συνελέγοντο καὶ εἰς συστήματα μεριζόμενοι κατὰ τὸν
5 τῶν ἀντιφώνων τρόπον ἔψαλλον, ἀκροτελεύτια συντιθέντες
πρὸς τὴν αὐτῶν δόξαν πεποιημένα. Ὑπὸ δὲ τὴν ἔω τάδε
δημοσίᾳ ψάλλοντες εἰς τοὺς τόπους ἀπήεσαν ἔνθα καὶ ἐκκλησίαζον. 2 Ἐποίουν δὲ ὧδε ἐν ταῖς ἐπισήμοις ἑορταῖς καὶ τῇ
πρώτῃ καὶ τελευταίᾳ τῆς ἑβδομάδος ἡμέρᾳ. Τελευτῶντες δὲ
10 καὶ πρὸς ἔριν τὰς ᾠδὰς συνετίθεσαν, « Ποῦ εἰσιν οἱ λέγοντες
1537 τὰ τρία μίαν δύναμιν » καὶ ἕτερα τοιάδε τοῖς ὕμνοις | ἀναμι-

1. Sozomène simplifie le déroulement des événements. Sans prendre la
défense de l'eunuque, Jean Chrysostome réussit à obtenir des soldats la
promesse qu'ils lui laisseraient la vie sauve ; Eutrope fut donc exilé à
Chypre (Zos. V, 18). Sous la pression de Gaïnas ou d'Eudoxie, une accusation de lèse-majesté le contraint à comparaître devant un tribunal présidé
par Aurélianus qui le fait exécuter à Chalcédoine : cf. DEMOUGEOT, De
l'unité à la division..., p. 231.
2. L'annulation de tous ces textes se trouve au Code Théodosien IX, 40,
17 (août 399).

qui haïssaient Jean l'accusaient d'attaquer, quand il aurait dû avoir pitié, un homme dont la vie était en péril et d'insulter à ses malheurs. **5** Quoi qu'il en soit, Eutrope fut puni de cette tentative impie et eut la tête tranchée [1] ; la loi qu'il avait établie disparut complètement des archives publiques [2]. **6** L'Église prospérait, Dieu l'ayant rapidement vengée des atteintes qu'on lui portait, et elle progressait dans le service divin. C'est alors que le peuple fidèle de Constantinople se mit à chanter avec plus de ferveur les hymnes du matin et de la nuit pour la raison que voici.

Chapitre 8

Les chants alternés de Jean contre les ariens.
Par sa prédication,
Jean fait progresser les affaires des orthodoxes ;
les riches sont mécontents.

1 Comme en effet les ariens, privés, sous le règne de Théodose, de leurs églises dans la ville, tenaient leurs assemblées de culte hors les murs, ils se réunissaient d'abord la nuit sous les portiques publics et, divisés en groupes, ils chantaient les psaumes par chœurs alternés, ayant composé des refrains conformes à leur opinion. Au petit matin, en chantant ces psaumes en public, ils allaient aux lieux où ils tenaient assemblée. **2** Ils faisaient ainsi aux fêtes solennelles et le premier et le dernier jour de chaque semaine [3]. Finalement ils avaient aussi, par esprit de querelle, composé le chant « Où sont ceux qui disent que la triade est une puissance unique ? » et autres chants pareils qu'ils mêlaient à

---

3. C'est-à-dire le dimanche, jour du Seigneur qui ouvre la semaine, et le samedi qui la ferme ; dans les églises orientales, le samedi n'est pas jeûné comme souvent en Occident, mais peut être marqué par des célébrations divines, éventuellement un service eucharistique en souvenir de l'achèvement de la Création : *DECA*, p. 2204, sabbat, W. RORDORF.

361 γνύντες. **3** | Δείσας δὲ Ἰωάννης, μή τινες τούτοις ὑπαχθῶσι τῶν ὑπ' αὐτὸν ἐκκλησιαζόντων, ἐπὶ τὸν ἴσον τρόπον τῆς ψαλμῳδίας τὸν αὐτοῦ λαὸν προτρέπει. Ἐν ὀλίγῳ δὲ ἐπισημό-
15 τεροι γενόμενοι τοὺς ἀπὸ τῆς ἐναντίας αἱρέσεως ὑπερέβαλλον τῷ πλήθει καὶ τῇ παρασκευῇ. **4** Καὶ γὰρ δὴ καὶ σταυρῶν ἀργυρᾶ σημεῖα ὑπὸ κηροῖς ἡμμένοις προηγοῦντο αὐτῶν, καὶ εὐνοῦχος τῆς βασιλέως γαμετῆς ἐπὶ τοῦτο τέτακτο τὴν περὶ ταῦτα δαπάνην καὶ τοὺς ὕμνους παρασκευάζων. Ἐντεῦθεν δὲ
20 ἢ ζηλοτυπήσαντες οἱ ἀπὸ τῆς Ἀρείου αἱρέσεως ἢ ἀμυνόμενοι τοῖς ἀπὸ τῆς καθόλου ἐκκλησίας εἰς μάχην κατέστησαν, καὶ κτείνονταί τινες ἑκατέρωθεν. **5** Ὁ δὲ Βρίσων (τοῦτο γὰρ ὄνομα ἦν τῷ βασιλικῷ εὐνούχῳ) λίθῳ κατὰ τοῦ μετώπου βάλλεται. Κινηθεὶς δὲ πρὸς ὀργὴν ὁ βασιλεὺς ἔπαυσε τῶν ἀπὸ
25 τῆς Ἀρείου ἐκκλησίας τὰς τοιαύτας συνόδους. Οἱ δὲ ἀπὸ τῆς καθολικῆς ἐξ αἰτίας τοιᾶσδε τὸν εἰρημένον τρόπον ὑμνεῖν ἀρξάμενοι καὶ εἰσέτι νῦν οὕτω διέμειναν.

6 Ἰωάννη δὲ ἐκ τούτων καὶ ἐκ τῶν ἐπ' ἐκκλησίας λόγων πρὸς μὲν τὸν δῆμον ἐπεδίδου τὸ φίλτρον, μῖσος δὲ πρὸς τοὺς
30 δυναμένους καὶ κληρικοὺς ἐκ τῆς κατ' αὐτῶν παρρησίας. Τοὺς μὲν γὰρ ἀδικοῦντας ὁρῶν ἤλεγχεν, τοὺς δὲ πλούτῳ καὶ ἀσωτίᾳ καὶ ἡδοναῖς ἀσέμνοις διεφθαρμένους ἀνῆγε πρὸς ἀρετήν.

---

1. Les processions permettent aux ariens privés de leurs églises de continuer à proclamer ouvertement leurs dogmes en critiquant ceux des orthodoxes.
2. La richesse du décor de ces processions tient sans doute à la part que prend l'impératrice Eudoxie au financement de leur organisation.
3. L'impératrice dispose, comme l'empereur, d'un *cubiculum*, soumis jusqu'au vᵉ s., à l'autorité du préposé à la chambre impériale ; il se compose de servantes et d'eunuques : cf. R. DELMAIRE, *Les institutions...*, p. 156-157.
4. Selon SOCRATE, *H.E.* VI, 8, 9, la nouveauté principale consistait à chanter des hymnes la nuit.
5. Eunuque fervent catholique, influent à la cour, admirateur et correspondant de l'évêque, Brison est chargé en 403 par l'impératrice de rappeler Jean Chrysostome de son premier exil : *P.L.R.E.* II, p. 242 et R. DELMAIRE, « Les Lettres d'exil de Jean Chrysostome », *Recherches Augustiniennes* 25, 1991, p. 115.

leurs hymnes [1]. 3 Jean, de crainte que certains des fidèles sous son autorité ne fussent induits en erreur par ces pratiques, exhorte son peuple à psalmodier de la même manière. Bientôt, s'étant fait remarquer davantage, ces derniers surpassèrent les hérétiques par le nombre et l'apparat. 4 De fait, des figures de croix en argent sous des cierges allumés les précédaient [2] et un eunuque de l'impératrice avait été préposé à cet office [3], chargé de s'occuper de la dépense afférente et des hymnes [4]. En conséquence, par jalousie ou pour se venger, les ariens en vinrent aux mains avec les catholiques et il y eut des morts des deux côtés. 5 Brison — tel était le nom de l'eunuque impérial [5] — fut frappé d'une pierre au front. Ému de colère, l'empereur mit fin à de telles assemblées des ariens ; quant aux catholiques, qui avaient commencé pour la raison indiquée de chanter des psaumes en la façon susdite, ils ont continué de le faire jusqu'à aujourd'hui.

6 Jean, pour ces raisons et à cause de ses sermons à l'église, gagnait en affection auprès du peuple, mais il s'attirait la haine des grands et des clercs à cause de son francparler contre eux [6]. Il réprouvait les grands parce qu'il les voyait commettre des iniquités, et les clercs, qui étaient corrompus par la richesse, la débauche et les plaisirs indignes, il les ramenait à la vertu.

6. Le Pseudo-Martyrios, *Vie de Jean Chrysostome*, évoque l'agacement des clercs contre l'autoritarisme de l'évêque ainsi que celui des riches qui n'osent pas se rendre à l'église de peur des regards hostiles de l'auditoire populaire. Mais si l'action de Jean en matière de charité et d'assistance lui assure sans doute la faveur des pauvres, il n'en garde pas moins des sympathisants à la cour ou dans les milieux riches de la capitale : LIEBESCHUETZ, p. 216-220. Sur la sévérité de Jean à l'égard des puissants, voir aussi SOCR., *H.E.* VI, 4, 1. Sur la conception de la richesse chez Jean, voir A. PUECH, *Un réformateur de la société chrétienne au IVᵉ s. Jean Chrysostome et les mœurs de son temps*, Paris 1891, p. 46-61.

9

1 Ηὔξησε δὲ αὐτῷ τὴν πρὸς τοὺς κληρικοὺς ἀπέχθειαν
Σαραπίων, ὃν ἀρχιδιάκονον αὐτοῦ κατέστησεν, ἀνὴρ Αἰγύπτιος, ταχὺς εἰς ὀργὴν καὶ εἰς ὕβριν ἕτοιμος, οὐχ ἥκιστα δὲ
καὶ αἱ πρὸς Ὀλυμπιάδα συμβουλαί. Ταύτην γὰρ ἐκ γένους
5 ἐπισημοτάτην οὖσαν, καίπερ νέαν χήραν γενομένην, εἰσάγαν
1540 δὲ φιλοσοφοῦσαν κατὰ τὸν τῆς ἐκκλησίας θεσμόν, διά|κονον
ἐχειροτόνησε Νεκτάριος. **2** Ἰδὼν δὲ αὐτὴν Ἰωάννης τοῖς
αἰτοῦσι τὴν οὐσίαν προϊεμένην καὶ τὰ μὲν ἄλλα ὑπερορῶσαν,
μόνα δὲ τὰ θεῖα σπουδάζουσαν, « Ἐπαινῶ σου, ἔφη, τὴν
10 προαίρεσιν· ἀλλ᾽ οἰκονομικὸν εἶναι δεῖ τὸν κατὰ θεὸν τῆς
ἄκρας ἀρετῆς ἐφιέμενον· σὺ δὲ πλουτοῦσι πλοῦτον ἐπεισά-
362 γουσα οὐχ ἧττον ἢ εἰς | θάλασσαν ἐκχέεις τὰ σά. **3** Ἦ οὐκ
ἐπίστασαι ὅτι ἑκοῦσα τοῖς δεομένοις διὰ θεὸν τὴν οὐσίαν
ἀνέθηκας καὶ ὡς ἐπὶ χρήμασι τῆς σῆς δεσποτείας ἐξελθοῦσι
15 διοικεῖν ἐτάχθης καὶ λόγοις ἔνοχος ἐγένου; Ἦν οὖν ἐμοὶ
πείθῃ, πρὸς τὴν χρείαν τῶν αἰτούντων τοῦ λοιποῦ μετρήσεις

---

1. Socrate, *H.E.* VI, 4, 3 raconte que cet archidiacre égyptien, chargé de l'administration quotidienne de l'église, aurait donné à Jean Chrysostome le conseil de chasser à coups de baguettes les clercs indignes. Il voit dans la brutalité de Sarapion une cause essentielle de l'impopularité de Jean. Sur le personnage, R. Delmaire, « Les lettres d'exil », p. 158.
2. Née à Constantinople d'une famille aristocratique, petite fille du préfet de Constantin, Ablabius, elle possédait une fortune considérable. Veuve du préfet de la Ville de Constantinople Nébridius, après un mariage de courte durée, elle refuse de se remarier malgré les pressions de Théodose. Elle se voue alors à l'ascèse et anime une communauté de femmes recrutées pour la plupart dans les milieux riches de Constantinople, qui est installée tout contre Sainte Sophie. Ordonnée diaconesse par Nectaire,

Chapitre 9

L'archidiacre Sérapion et la sainte Olympias ;
certains membres de l'élite
se conduisent de manière injurieuse envers Jean,
l'appelant maladroit et irascible.

1 L'animosité du clergé à son égard fut aggravée par Sarapion [1], dont il avait fait son archidiacre, un Égyptien prompt
à la colère et porté à l'outrage, mais surtout par les conseils
qu'il donna à Olympias [2]. Celle-ci, qui était de très haute
noblesse et qui menait une vie extrêmement ascétique selon
la loi de l'Église, bien qu'elle fût toute jeune quand elle
devint veuve, avait été ordonnée diaconesse par Nectaire.
2 Jean, voyant qu'elle répandait sa fortune sur tous les quémandeurs et, sans se soucier de rien d'autre, ne songeait
qu'aux choses divines : « Je loue ton choix, dit-il, mais il
convient que celui qui aspire au sommet de la vertu selon
Dieu soit bon administrateur. Toi, en apportant de la
richesse aux riches, tu ne fais rien d'autre que jeter tes biens
à la mer. **3** Ne sais-tu pas que tu as volontairement, à cause
de Dieu, consacré ta fortune aux indigents, que tu as été
chargée de l'intendance comme sur des biens qui ne t'appartiennent plus et que tu auras à en rendre compte ? Si tu m'en
crois, tu régleras désormais tes dons sur les besoins de ceux
qui demandent. Tu pourras ainsi faire du bien à un plus

malgré un âge trop précoce pour cette fonction (environ trente ans), elle
entretient une longue et étroite amitié avec Jean Chrysostome qui devient le
directeur spirituel de sa communauté : cf. *Vie d'Olympias* (anonyme) dans
JEAN CHRYSOSTOME, *Lettres à Olympias*, éd. A. M. Malingrey, *SC* 13 bis,
Paris 1968, p. 406-449 ; *P.L.R.E.* I, p. 642-643 Olympias 2 ; KELLY, p. 112-
113, ainsi que W. MAYER, « Constantinopolitan Women », p. 260-268 et
R. DELMAIRE, « Les lettres d'exil », p. 144-148.

τὴν δόσιν· οὕτω γὰρ πλείους τε εὐεργετήσεις καὶ ἐλέου καὶ σπουδαιοτάτης κηδεμονίας ἀμοιβῶν τεύξῃ παρὰ θεοῦ. »

4 Γέγονε δέ τις αὐτῷ διαφορὰ καὶ πρὸς πολλοὺς τῶν
20 μοναχῶν καὶ μάλιστα τὸν Ἰσαάκιον. Ἡρεμοῦντας μὲν γὰρ ἐν τοῖς αὐτῶν φροντιστηρίοις τοὺς ὧδε φιλοσοφοῦντας εἰσάγαν ἐπῄνει τε καὶ ᾑδεῖτο καί, ὅπως μὴ ἀδικοῖντο καὶ τὰ ἐπιτήδεια ἔχοιεν, σφόδρα ἐπεμελεῖτο, ἐξιόντας δὲ θύραζε καὶ κατὰ τὴν πόλιν φαινομένους ὡς τὴν φιλοσοφίαν ἐνυβρίζοντας ἐλοιδόρει
25 καὶ ἐπέστρεφεν. 5 Ἐκ τοιούτων δὴ προφάσεων ἀπηχθάνοντο πρὸς αὐτὸν κληρικοί τε καὶ πολλοὶ τῶν μοναχῶν καὶ χαλεπὸν καὶ ὀργίλον, σκαιόν τε καὶ ὑπερήφανον ἀπεκάλουν. Ἐπεχεί-
1541 ρουν δὲ καὶ περὶ τὸν βίον διαβάλλειν εἰς τὸν | δῆμον καὶ τούτῳ πείθειν ὡς ἀληθῆ λέγοιεν, ὅτι μηδενὶ συνήσθιεν οὔτε ἐπὶ
30 ἑστίασιν καλούμενος ὑπήκουεν. 6 Τούτου δὲ πρόφασιν ἑτέραν λέγειν οὐκ ἔχω, πλὴν ὅτι ἀψευδής τις οἶμαι πυνθανομένῳ μοι περὶ τούτου ἔφη, ὡς ὑπὸ ἀσκήσεως τὴν κεφαλὴν καὶ τὸ στόμα τῆς γαστρὸς κακῶς διατεθεὶς παρῃτεῖτο τὰς ἐν τοῖς ἀρίστοις συνουσίας. Καὶ οἱ μὲν ἐντεῦθεν μάλιστα τὰς μεγίστας ὕφαινον
35 κατ᾽ αὐτοῦ διαβολάς.

---

1. Face à une pratique du don encore marquée d'une certaine façon chez Olympias par la tradition évergétique classique selon laquelle il n'est pas déterminé par la pauvreté de celui qui le reçoit mais peut aller aussi bien à des riches, Jean Chrysostome affirme la valeur de la charité, du don chrétien déterminé, lui, par le seul besoin de l'indigent : cf. É. Patlagean, *Pauvreté économique et pauvreté sociale à Byzance, 4ᵉ-7ᵉ s.*, Paris 1977, p. 181-186. Sur l'attitude sociale de Jean, sur son souci prioritaire pour les pauvres et les faibles, voir A. Dupleix, « Un évêque social face à l'Empereur », *Recherches et Tradition, Mélanges patristiques offerts à H. Crouzel*, Paris 1992, p. 119-139.

2. Selon ses hagiographes, Isaac quitte le désert syrien pour venir s'installer à Constantinople et y combattre, à l'appel de Dieu, les ariens. En 378, il est mis sous surveillance par Valens pour avoir critiqué la politique impériale au nom de la défense de l'orthodoxie. Libéré par Théodose, il reste dans la capitale, à la tête du premier monastère orthodoxe construit pour lui à Constantinople : cf. *DHGE* XXVI, 1997, c. 78-80, R. Aubert ; Kelly, p. 124 ; Dagron, « Le monachisme à Constantinople jusqu'au concile de Chalcédoine », *Travaux et Mémoires* IV (Centre de Recherche d'Histoire et de Civilisation byzantines), Paris 1970, p. 229-276, aux p. 262-

grand nombre, et tu recevras de Dieu la récompense d'une miséricorde et sollicitude pleines de zèle » [1].

4 Il y eut aussi un différend entre Jean et beaucoup de moines, en particulier avec Isaac [2]. De fait, s'ils restaient en paix dans leurs monastères, Jean louait très fort ceux qui menaient ainsi la vie d'ascèse [3], s'en réjouissait et veillait avec soin à ce qu'ils ne subissent nul dommage et fussent pourvus du nécessaire. Mais si les moines sortaient au dehors et se montraient par la ville, il les rabrouait et les réprimait comme faisant injure à la vie d'ascèse. **5** Pour ces raisons, les clercs et beaucoup des moines l'avaient pris en haine, ils le traitaient d'homme dur et emporté, maladroit et orgueilleux. Ils essayaient aussi de l'accuser sur sa vie devant le peuple et de persuader celui-ci de la vérité de leurs dires, à savoir qu'il n'invitait jamais personne et qu'invité lui-même à un repas, il refusait. **6** Je ne puis en donner d'autre raison que celle-ci, que je tiens d'une personne, à mon avis véridique, que j'interrogeais à ce sujet : comme l'ascèse lui avait abîmé la tête et l'estomac, il déclinait les invitations à dîner. Et c'est de là surtout que les gens prenaient prétexte pour tisser contre lui les pires calomnies.

264 (Isaac contre Jean Chrysostome) ainsi que LIEBESCHUETZ, « Friends and enemies of John Chrysostomus » dans *Maistor. Classical, Byzantine and Renaissance Studies for R. Browning*, A. MOFFATT éd., Canberra 1984, p. 90-94 (Australian Assoc. for Byzantine Studies). PALLADIOS, *Dial.* VI, 16, p. 126-127, dresse de lui un portrait très critique : « un batteur de pavés, chef de file de faux moines ».

3. Jean Chrysostome a connu et admiré la vie des ascètes syriens vivant à l'extérieur d'Antioche ; il les associe au désert. Les désordres commis par ceux qu'il rencontre dans la capitale, rétifs à rester dans leurs monastères et à se plier à son autorité, vont à l'encontre de sa vision du monachisme. On ignore toutefois la nature exacte de son différend avec Isaac qui, très vite, prend la tête d'un parti monastique hostile à l'évêque. Peut-être Jean a-t-il tenté de déposséder Isaac de sa fonction d'higoumène ? Cf. DAGRON, « Le monachisme ... », p. 263.

10

1 Ἐπεγένετο δέ τις αὐτῷ πρόφασις μίσους καὶ πρὸς τὴν βασιλέως γαμετὴν διὰ Σευηριανὸν τὸν ἐκ Γαβάλων τῆς Συρίας ἐπίσκοπον. Οὗτός τε γὰρ καὶ Ἀντίοχος ὁ Πτολεμαΐ- δος (Φοίνισσα δὲ πόλις ἥδε) κατὰ ταὐτὸν ἄμφω ἐγενέσθην
5 ἐλλογίμω τε καὶ ἐπ᾽ ἐκκλησίας ἱκανὼ διδάσκειν· ἀλλ᾽ ὁ μὲν εὐκόλως καὶ μάλα εὐήχως ἔλεγεν, ὡς καὶ Χρυσόστομος πρός τινων ὀνομάζεσθαι, ὁ δὲ Σευηριανὸς τὴν Σύρων δασύτητα, καίπερ τοῖς νοήμασι καὶ ταῖς μαρτυρίαις τῶν γραφῶν ἀμεί-
363 νων εἶναι δοκῶν, ἐπὶ τῆς γλώσσης ἔφερεν. | **2** Ἐλθὼν δὲ
10 πρότερον Ἀντίοχος εἰς Κωνσταντινούπολιν ἐπὶ τοῖς λόγοις ἐπῃνέθη, καὶ χρήματα ἀθροίσας εἰς τὴν αὐτοῦ πόλιν ἐπανῆλ- θεν. Κατὰ ζῆλον δὲ τούτου καὶ Σευηριανὸς ὕστερον ἀφικόμε- νος, εὔνου τυχὼν Ἰωάννου, πολλάκις ἐπὶ τῆς ἐκκλησίας λέγων ἐθαυμάζετο, καὶ ἐν τιμῇ ἦν καὶ πολλοῖς <τῶν> ἐν
15 δυνάμει καὶ αὐτῷ βασιλεῖ καὶ τῇ βασιλίδι γνώριμος ἐγένετο. **3** Ἡνίκα δὲ Ἰωάννης εἰς τὴν Ἀσίαν ἀπεδήμησε, τὴν ἐκκλη- σίαν αὐτῷ παρέθετο· κολακείαις γὰρ αὐτὸν περιέποντα φίλον εἶναι σπουδαῖον ἐνόμισεν. Ὁ δὲ πλέον ἐπεμελεῖτο τοῖς ἀκροα- ταῖς χαρίζεσθαι καὶ τὸν λαὸν τοῖς λόγοις ἥδειν. Ἰωάννης δὲ
20 τάδε πυθόμενος ἐζηλοτύπησε μέν, ὥς φασι, Σαραπίωνος
1544 αὐτὸν ἐπὶ τούτοις παρακινοῦν | τος. **4** Ἐπεὶ δὲ ἐκ τῆς Ἀσίας

---

1. Évêque du petit port de Gabala sur la côte de Syrie du Nord, actuelle Dscheble, *PW* VII 1, 1910, c. 415, BENZINGER. C'était un orateur connu pour sa grande connaissance des Écritures. Arrivé vers 400 à Constantino- ple pour tenter d'y faire carrière, il y est d'abord bien accueilli par Jean : l'évêque le charge de la prédication en son absence. Occasion lui est ainsi donnée de devenir un prédicateur apprécié de l'impératrice, sensible à son caractère plus amène et moins rigide que celui de Jean Chrysostome : *DECA*, p. 2283-2284, S. J. VOICU.

Chapitre 10

Sévérianus de Gabala et Antiochus de Ptolémaïs ;
ce qui s'est passé entre Sérapion et Sévérianus ;
grâce à l'impératrice, la brouille entre eux est dissipée.

1 Une cause de dissentiment survint entre Jean et l'impératrice, due à Sévérianus, l'évêque de Gabala en Syrie [1]. Celui-ci et Antiochus de Ptolémaïs [2] — c'est une ville de Phénicie — furent au même moment tous deux gens cultivés et bons prédicateurs à l'église. Antiochus avait la parole coulante et la voix sonore, si bien que certains le nommaient aussi Bouche d'or. Quant à Sévérianus, il portait sur sa langue la rudesse syrienne, mais il passait pour être supérieur par les pensées et les références à l'Écriture. **2** Venu en premier à Constantinople, Antiochus fut loué pour son éloquence et, ayant ramassé de l'argent, retourna dans sa ville. Sévérianus voulut rivaliser avec lui : il arriva après lui à Constantinople, reçut un accueil bienveillant de Jean, se faisait admirer souvent pour ses sermons à l'église, était honoré aussi par beaucoup des grands et de l'empereur lui-même et devint le familier de l'impératrice. **3** Quand Jean partit pour la province d'Asie, il lui confia l'église : Sévérianus en effet l'avait comblé de flatteries et Jean le croyait un ami zélé. Mais Sévérianus s'efforçait plus encore de plaire aux auditeurs et de charmer le peuple par sa parole. Jean l'apprit et en éprouva de la jalousie : il y était poussé, dit-on, par Sarapion. **4** Quand Jean fut revenu de

2. Prédicateur renommé, au point de tirer d'importants profits de son talent qu'il savait monnayer. Il fait partie des accusateurs de Jean lors du synode du « Chêne » en 403. Il meurt en 408. Le personnage est souvent maltraité par la tradition ecclésiastique : *DHGE* III, 1924, c. 707-708, R. AIGRAIN. Ptolemaïs est une très ancienne cité phénicienne dotée d'un excellent port naturel, située au sud de Tyr, l'actuelle Akko (Acre) : *PW* XXIII 2, 1952, Ptolemaïs 9, B. SPULER.

ἐπανῆλθεν, ἔτυχέν που παριὼν Σευηριανός· ἰδὼν δὲ αὐτὸν Σαραπίων οὐκ ἐξανέστη ἐπίτηδες τοῖς παροῦσιν ἐνδεικνύμενος ὡς ὑπερφρονεῖ τὸν ἄνδρα. Ὁ δὲ πρὸς τοῦτο χαλεπήνας
25 ἀνεβόησεν· « Εἰ Σαραπίων ἀποθάνοι κληρικός, Χριστὸς οὐκ ἐνηνθρώπησεν.» 5 Ἐπὶ τούτοις δὲ κατηγορηθεὶς παρὰ Σαραπίωνος ἐξηλάθη τῆς πόλεως ὑπὸ Ἰωάννου ὡς ὑβριστὴς καὶ βλάσφημος εἰς θεόν. Οἱ μὲν γὰρ ἐπὶ μαρτυρίᾳ τούτων παραχθέντες — ἦσαν δὲ τῶν Σαραπίωνος ἐπιτηδείων —
30 ἀποκρυψάμενοι τὰ εἰρημένα πάντα τουτὶ μόνον εἰρηκέναι ἐμαρτύρησαν, ὡς ἄρα Χριστὸς οὐκ ἐνηνθρώπησεν. Ἰωάννης δὲ καὶ τάδε καὶ τἆλλα ἐπῃτιᾶτο· « Οὐδὲ γὰρ εἰ Σαραπίων, ἔφη, κληρικὸς μὴ ἀποθάνοι, παρὰ τοῦτο Χριστὸς οὐκ ἐνηνθρώπησεν.» 6 Ἡ δὲ βασιλέως γαμετή, ἅμα τε ταῦτα ἐγεγό-
35 νει, διὰ τῶν Σευηριανοῦ σπουδαστῶν ἔγνω καὶ εὐθὺς αὐτὸν ἐκ Χαλκηδόνος μετεκαλέσατο. Ἰωάννης δὲ καίπερ πολλῶν ἀντιβολούντων παρῃτεῖτο τὴν πρὸς αὐτὸν ὁμιλίαν, εἰσότε δὴ ἐν τῇ ἐπωνύμῳ τῶν ἀποστόλων ἐκκλησίᾳ τοῖς αὐτοῦ γόνασιν ἐπιθεῖσα Θεοδόσιον τὸν υἱὸν λιπαροῦσά τε καὶ πολλάκις ὁρκοῦσα
40 μόλις αὐτὸν εἰς φιλίαν τῷ Σευηριανῷ συνῆψε. Καὶ τὰ μὲν ὧδε ἔγνων.

1. Sozomène minimise l'incorrection de Sarapion à l'égard de Sévérianus et ne mentionne pas, comme Socrate, son intention de nuire aux relations entre Jean et l'évêque de Gabala. Le récit de SOCRATE, *H.E.* VI, 11 offre une tonalité différente : il met en cause la prétention et l'insolence de Sarapion qui déforme les paroles de Sévérianus pour mieux persuader Jean de le chasser. L'anecdote illustre alors la partialité et la brutalité de Jean.

2. La décision frappe par une rapidité qui sera reprochée à l'évêque lors du synode du Chêne.

3. Sévérianus n'était pas allé plus loin que la rive asiatique du Bosphore et s'était arrêté à Chalcédoine, confiant dans ses appuis à la cour et protégé par l'évêque local qui s'était brouillé avec Jean depuis le voyage de celui-ci en Asie Mineure.

l'Asie, il se trouva un jour que Sévérianus passait. Sarapion
ne se leva pas à sa vue, montrant à dessein aux assistants
qu'il le méprisait. L'autre en fut irrité et s'exclama : « Si
Sarapion meurt clerc, le Christ ne s'est pas fait homme » [1].
5 Accusé à ce sujet par Sarapion, il fut chassé de la ville par
Jean [2], comme ayant prononcé une insulte et un blasphème
contre Dieu. Les gens appelés en témoignage — c'étaient
des amis de Sarapion — par dissimulation ne dirent pas
l'ensemble de la phrase et témoignèrent qu'il avait seulement dit : « Le Christ ne s'est pas fait homme. » De son côté,
Jean blâmait et l'une et l'autre sentence : « Car même si
Sarapion meurt non clerc, ce n'est pas une raison pour que
le Christ ne se soit pas fait homme. » **6** L'impératrice, ces
faits à peine arrivés, les apprit par des partisans de Sévérianus et aussitôt elle le rappela de Chalcédoine [3]. Mais, malgré
de nombreuses sollicitations, Jean refusa de le rencontrer,
jusqu'à ce que, dans l'église qui porte le nom des Apôtres,
elle lui eut mis sur les genoux son fils Théodose avec supplications et profusion de serments : à grand peine, elle le
réconcilia avec Sévérianus [4]. Voilà ce que j'ai appris
là-dessus.

4. Sozomène ne dit rien du blâme sévère (Socr., *H.E.* VI, 11, 12)
prononcé à l'égard de Jean par l'impératrice qui fait revenir Sévérianus à
Constantinople. Cette humiliation infligée à l'évêque commençait à susciter
des troubles dans la population dont il fallait tenter de calmer les manifestations dirigées entre autres contre le Syrien. Eudoxie cherche un geste fort
comme gage de réconciliation et use pour cela de son fils que l'évêque venait
de baptiser au début de l'année, en janvier 402. Son attitude témoigne
encore d'un grand respect pour la personne de l'évêque. L'historien omet
également les deux séances publiques de réconciliation entre les adversaires, contraints malgré eux de prêcher le retour à une concorde dont
Socrate, *H.E.* VI, 11 montre le caractère artificiel. Peut-être cette réconciliation de façade ne parvenait-elle pas à masquer les responsabilités de Jean,
dont les torts apparaissaient trop clairement.

11

1 Ἐν τούτῳ δὲ οὐ πολλῷ πρότερον ἀρξαμένη ζήτησις κατὰ τὴν Αἴγυπτον κεκίνητο, εἰ τὸν θεὸν ἀνθρωπόμορφον δοξάζειν
364   δεῖ. Ταύτης δὲ τῆς γνώ|μης οἱ πλείους τῶν τῇδε μοναχῶν ἦσαν, ὑπὸ ἁπλότητος ἀβασανίστως τοὺς ἱεροὺς ἐκλαμβάνο-
5   ντες λόγους καὶ ὀφθαλμοὺς θεοῦ καὶ πρόσωπον καὶ χεῖρας καὶ ὅσα τοιαῦτα προσεθισθέντες ἀκούειν. **2** Οἱ δὲ τὴν ἐν τοῖς ὀνόμασι κεκρυμμένην διάνοιαν σκοποῦντες ἐναντίως εἶχον, καὶ τοὺς τοιάδε λέγοντας ἄντικρυς βλασφημεῖν εἰς τὸ θεῖον ἔλεγον. Καὶ Θεόφιλος δὲ ταύτης ἔχεσθαι τῆς δόξης ἐν ἐκκλη-
10   σίᾳ παρεκελεύσατο καὶ ἐν ἐπιστολῇ, ἣν ἐξ ἔθους περὶ τῆς πασχαλίας ἑορτῆς ἔγραψεν, ἀσώματον χρῆναι νοεῖν τὸν θεὸν εἰσηγεῖτο καὶ ἀνθρώπου σχήματος ἀλλότριον. **3** Ἐπεὶ δὲ τοῦτο δῆλον ἐγένετο τοῖς Αἰγυπτίων μοναχοῖς, ἧκον εἰς Ἀλε-ξάνδρειαν· καὶ εἰς ἓν ἀθροισθέντες ἐστασίαζον καὶ ὡς ἀσεβοῦ-
1545   15   ντα τὸν Θεόφιλον ἀνελεῖν ἐβου|λεύοντο. Ὁ δὲ παραυτίκα φανεὶς ἔτι στασιάζουσιν « Οὕτως ὑμᾶς, ἔφη, εἶδον ὡς θεοῦ πρόσω-πον.» **4** Τὸ δὲ ῥηθὲν ἱκανῶς ἐμάλαξε τοὺς ἄνδρας, καὶ τῆς ὀργῆς καθυφέντες « Οὐκοῦν, φασίν, εἰ τάδε ἀληθῶς δοξάζεις, καὶ τὰς Ὠριγένους ἀποκήρυξον βίβλους, ὡς τῶν ἀσκουμένων
20   ταύτας οὕτω φρονεῖν εἰσηγουμένων.» « Ἀλλ' ἐμοί, ἔφη, τοῦτο πάλαι δεδογμένον ἦν, καὶ ποιήσω ὡς ὑμῖν δοκεῖ· μέμφομαι γὰρ οὐχ ἧττον κἀγὼ τοῖς τὰ Ὠριγένους θαυμάζου-

---

1. Le terme vaut pour définir le niveau de culture et celui de l'origine sociale de la majorité des moines du désert égyptien.
2. Cette lettre annuelle communique la date exacte de la fête de Pâques. Théophile y rappelle l'impossibilité d'une conception anthropomorphique de Dieu : il peut sembler alors s'inscrire dans la lignée d'Origène pour qui Dieu étant un esprit totalement immatériel, il fallait interpréter de façon figurée de nombreux passages de la Bible. Mais Origène, après avoir connu

Chapitre 11

La recherche soulevée en Égypte
pour savoir si la divinité est anthropomorphique ;
Théophile d'Alexandrie et les livres d'Origène.

1 En ce temps-là fut agitée en Égypte une question soulevée peu auparavant, celle de savoir s'il faut croire que Dieu a
une forme humaine. C'était là l'opinion de la plupart des
moines de là-bas, qui, par simplicité [1], prenaient le texte des
saintes Lettres sans examen et étaient accoutumés à entendre parler des yeux de Dieu, de son visage, de ses mains et
toutes autres parties. **2** Ceux qui cherchent sous les mots un
sens caché étaient d'avis contraire et disaient que, parlant
ainsi, ils blasphémaient ouvertement contre la divinité.
Théophile, à l'église, recommanda de tenir l'opinion du
second parti et, dans une lettre qu'il écrivit comme il est
usuel pour la fête de Pâques, il énonça la doctrine qu'il faut
regarder Dieu comme incorporel et étranger à toute figure
humaine [1]. **3** Quand cela fut connu des moines d'Égypte, ils
vinrent à Alexandrie. S'étant réunis en corps, ils fomen-
taient une sédition et délibéraient de se débarrasser de
Théophile comme d'un impie. Mais lui se montra aussitôt à
eux alors qu'ils étaient encore en révolte : « Je vous vois,
dit-il, comme le visage de Dieu. » **4** Ce mot apaisa grandement nos hommes, et quand ils se furent relâchés de leur
colère, ils lui dirent : « Eh bien donc, si telle est vraiment ton
opinion, condamne aussi les livres d'Origène, car ce sont
ceux qui les pratiquent qui introduisent de croire de la
sorte. » « Mais j'en ai eu l'intention depuis longtemps,
répondit-il, et je ferai comme bon vous semble. Car moi
aussi, je ne réprouve pas moins les admirateurs d'Ori-

un grand succès pendant la deuxième moitié du IIIe s., commence à faire, au
siècle suivant, l'objet de critiques sévères, dont celles d'Épiphane de Salamine.

σι.» **5** Καὶ ὁ μὲν οὕτως βουκολήσας τοὺς μοναχοὺς διέλυσε τὴν στάσιν.

12

1 Ἴσως δ᾽ ἂν καὶ ἥδε ἡ ζήτησις παντελῶς τότε διελύθη, εἰ μὴ πεπαυμένην ἤδη δι᾽ ἔχθραν ἰδίαν ἀνεκίνησε Θεόφιλος ἐπιβουλεύων Ἀμμωνίῳ καὶ Διοσκόρῳ Εὐσεβίῳ τε καὶ Εὐθυμίῳ τοῖς ἐπίκλην μακροῖς· οὓς ἀδελφοὺς ὄντας εὐδοκίμους
5 γενέσθαι παρὰ τοῖς ἐν Σκήτει φιλοσοφοῦσιν ἐκ τῶν πρόσθεν ἔγνωμεν. **2** Οὗτοι γὰρ ἦσαν αὐτῷ τὰ μάλιστα τῶν ἐν Αἰγύπτῳ μοναχῶν κεχαρισμένοι, καὶ τὰ πολλὰ συνομίλους καὶ συνοίκους αὐτοὺς ἐποιεῖτο· τὸν δὲ Διόσκορον καὶ τῆς Ἑρμουπόλεως ἐπίσκοπον κατέστησεν. Εἰς μῖσος δὲ αὐτοῖς κατέστη
10 ἐκ τῆς πρὸς Ἰσίδωρον ἔχθρας, ὃν μετὰ Νεκτάριον ἐν Κωνσταντινουπόλει χειροτονεῖν ἐσπούδαζεν. **3** Οἱ μὲν γάρ φασιν ὡς γυνή τις ἐκ τῆς Μανιχαίων αἱρέσεως μετέθετο πρὸς τὴν καθόλου ἐκκλησίαν· ὡς ἀπερισκέπτως δὲ ταύτης κοινωνησά-
365 σης μυστηρίων, πρὶν ἀπαγορεῦσαι | τὴν προτέραν αἵρεσιν,
15 ἐπῃτιᾶτο Θεόφιλος τὸν τότε ἀρχιπρεσβύτερον· ἀπηχθάνετο γὰρ αὐτῷ καὶ ἄλλως. **4** Ὁ δὲ Πέτρος (τοῦτο γὰρ ἦν ὄνομα αὐτῷ) καὶ κατὰ τὸν νόμον τῆς ἐκκλησίας καὶ γνώμῃ Θεοφί-

---

1. Ce genre de palinodie, fréquente chez Théophile, lui avait valu le surnom d'*amphallax* (la girouette) à Alexandrie : cf. PALLADIOS, *Dial.* VI, 24, p. 18-129.
2. Cf. *H.E.* VI, 30, 2 et note *ad loc.* SOCRATE, *H.E.* VI, 7, 12 explique ce surnom par leur grande taille ; il insiste sur leur réputation de science et de vertu.
3. Petite cité au sud d'Oxyrhynchos, à la frontière de la Haute et de la Basse Égypte. D'après SOCRATE, *H.E.* VI, 7, 13, Théophile avait obtenu de deux des autres frères qu'ils soient ordonnés et participent à ses côtés à l'administration de l'église.
4. Cf. *H.E.* VIII, 2, 16 et note *ad loc.*

gène » [1]. **5** Voilà comment, s'étant ainsi joué des moines, il rompit la sédition.

Chapitre 12

Les quatre frères ascètes surnommés les Longs
auxquels Théophile témoigne de l'hostilité.

1 Peut-être bien cette question eût-t-elle été alors complètement résolue si, alors qu'elle avait déjà cessé, Théophile ne l'avait ranimée en s'en prenant avec une haine particulière à Ammonius, Dioscore, Eusèbe et Euthyme, surnommés les Longs [2]. Ils étaient frères et, comme nous l'avons vu par ce qui précède, ils étaient devenus illustres chez les ascètes de Scété. **2** Ils avaient été chers à Théophile plus que tous autres des moines d'Égypte, il s'entretenait souvent avec eux et les prenait souvent en sa maison. Il établit même Dioscore évêque d'Hermoupolis [3]. Mais il en vint à les haïr du fait de son inimitié envers Isidore [4], qu'après Nectaire il mettait son zèle à faire ordonner à Constantinople. **3** Les uns racontent ceci. Une femme de la secte manichéenne [5] passa à l'Église catholique. Parce qu'elle avait inconsidérément participé aux mystères, avant d'avoir abjuré sa secte d'autrefois, Théophile accusa l'archiprêtre d'alors [6] : du reste, il avait d'autres sujets de haine contre lui. **4** Pierre — tel était son nom — soutenait que la femme avait reçu la communion et

---

5. Cf. *H.E.* VII, 1, 3. Malgré des persécutions aussi bien sous les empereurs païens que sous les empereurs chrétiens, malgré les peines graves encourues par ses membres (mort civile, exil, confiscation des biens...), la secte manichéenne reste fortement implantée en Syrie, en Égypte, en Afrique et à Rome : *DACL* X, 1931, c. 1390-1405, manichéisme, H. Leclercq.

6. En général le prêtre le plus ancien. Il joue un rôle d'auxiliaire de l'évêque qu'il remplace éventuellement dans les activités pastorales ; il est chargé des veuves et des orphelins, de la surveillance du clergé et de l'administration des sacrements : *DECA*, p. 223, A. di Berardino.

λου κεκοινωνηκέναι τὸ γύναιον ἰσχυρίζετο, καὶ μάρτυρα τούτων Ἰσίδωρον ἔλεγεν. **5** Ὁ δὲ ἔτυχε μὲν τότε εἰς Ῥώμην
20 ἀποσταλείς, ἐπανελθὼν δὲ ἀληθῆ λέγειν τὸν Πέτρον ἐμαρτύ-
ρησεν. Ὡς συκοφαντηθεὶς δὲ Θεόφιλος χαλεπήνας ἄμφω τῆς
ἐκκλησίας ἐξήλασεν. Καὶ οἱ μὲν τάδε λέγουσι. **6** Τῶν γε μὴν
συγγενομένων τούτοις τότε τοῖς μοναχοῖς ἀνδρὸς οἵου
πιστεύεσθαι ἐπυθόμην διττὴν αἰτίαν Θεοφίλῳ γενέσθαι τῆς
25 πρὸς Ἰσίδωρον δυσμενείας, κοινὴν μὲν αὐτῷ τε καὶ Πέτρῳ
τῷ πρεσβυτέρῳ, καθότι μαρτυρῆσαι παρῃτήσαντο, ὡς τῆς
Θεοφίλου ἀδελφῆς πρός του κληρονόμου ἐγγραφείσης, ἰδίαν
1548 δὲ καθὸ χρημάτων αὐτῷ | πολλῶν προσφερομένων ὡς ἐπι-
τρόπῳ πτωχῶν, ἐπιχειροῦντι Θεοφίλῳ τούτων λαμβάνειν ὡς
30 δαπανωμένων εἰς οἰκοδομὰς ἐκκλησιῶν οὐκ ἐνεδίδου, ἄμεινον
εἶναι λέγων τὰ σώματα τῶν καμνόντων, ἃ ναοὺς θεοῦ κυριώ-
τερον νοεῖν ἔστι, δι᾿ οὓς καὶ τὰ χρήματα παρείχετο, ταῖς
προσηκούσαις θεραπείαις ἀνανεοῦν ἢ τοίχους οἰκοδομεῖν.
7 Ἀλλ᾿ εἴτε ἐντεῦθεν εἴτε ἐξ ἑκατέρας αἰτίας ἀφαιρεθεὶς παρὰ
35 Θεοφίλου τῆς κοινωνίας Ἰσίδωρος ἦλθεν εἰς Σκῆτιν ὡς πρὸς
ἑταίρους τοὺς ἐνθάδε μοναχούς. Παραλαβὼν δέ τινας Ἀμμώνιος παρεγένετο πρὸς Θεόφιλον καὶ τὴν κοινωνίαν ἀποδοῦναι

---

1. Isidore se rend deux fois à Rome. La première, au moment de l'usurpation de Maxime (*H.E.* VIII, 2, 17), la deuxième, pour œuvrer au rapprochement entre Damase et Flavien d'Antioche (*H.E.* VIII, 3, 3).

2. Les deux raisons évoquées par Sozomène correspondent au défaut
souvent attribué à Théophile : la cupidité entretenue par un goût dispen-
dieux pour les constructions. Pierre et Isidore n'ont pas voulu authentifier
un testament destiné à une personne aussi proche de Théophile que sa sœur
pour que cette fortune n'aille pas alimenter les projets de l'évêque bâtisseur. L'épisode ne se trouve pas dans Palladios : il en semble pas, malgré de
fortes ressemblances, pouvoir être identifié avec celui que rapporte Palladios, *Dial.* VI, 49-75, p. 130-133, dont l'héroïne serait, d'après Georges
d'Alexandrie, auteur de *La vie de Jean Chrysostome*, Théodote, sœur de
Théodore, éparque d'Alexandrie (cf. la note 2 d'A. M. Malingrey, *SC* 341,
p. 132). La description très critique que Sozomène donne de Théophile
contraste avec le jugement de Théodoret : celui-ci loue son courage et son
énergie dans la lutte contre les païens à Alexandrie (Théod., *H. E.* V, 22) et
se refuse à mentionner son nom à propos des intrigues menées contre Jean

selon les règles ecclésiastiques et de l'avis même de Théophile, et il en appelait au témoignage d'Isidore. **5** Celui-ci avait été alors envoyé à Rome [1], mais, à son retour, il confirma les dires de Pierre. Théophile se tint pour calomnié et, dans son courroux, il les chassa tous deux de l'Église. Voilà ce que certains disent. **6** Néanmoins, d'un homme digne de foi parmi ceux qui furent alors en relation avec ces moines, j'ai appris que Théophile avait deux raisons de haïr Isidore. L'une, qui le concernait en commun avec le prêtre Pierre, était qu'ils avaient refusé de témoigner que la sœur de Théophile avait été inscrite comme héritière dans un testament [2]. L'autre, qui concernait seulement Isidore, était que, bien qu'il reçût beaucoup d'argent comme intendant du service des pauvres, il n'en remettait pas à Théophile — qui cherchant à en soutirer afin de le dépenser pour bâtir des églises —, alléguant qu'il valait mieux restaurer par les soins appropriés les corps des malades, qu'on doit plus proprement regarder comme temples de Dieu, pour lesquels du reste l'argent était offert, que d'élever des murs [3]. **7** Que ce soit pour cela ou pour les deux causes, Isidore fut excommunié par Théophile [4] et il se rendit à Scété, puisque les moines de ce lieu étaient ses compagnons. Ammonius alors, avec certains autres moines, alla trouver Théophile et lui deman-

Chrysostome parce qu'il éprouve, dit-il, trop de respect pour les vertus de ceux qui ont pu commettre des injustices à l'égard de l'évêque de Constantinople. Sozomène, qui manifeste déjà une certaine réserve à propos de l'action menée par Théophile dans l'affaire des sanctuaires païens alexandrins, semble, pour sa part, exprimer à travers un portrait constamment accusateur les craintes d'un Constantinopolitain face aux ambitions du siège d'Alexandrie.

3. Isidore qui avait la responsabilité des hospices d'Alexandrie aurait reçu d'une veuve mille statères d'or destinés à vêtir les pauvres, en échange de la promesse de ne rien révéler à Théophile, qui aurait fini par l'apprendre de ses agents : PALLADIOS, *Dial.* VI, 49-75, p. 130-133.

4. Selon PALLADIOS, *Dial.* VI, 82-83, p. 134-135, l'évêque aurait utilisé contre Isidore une accusation vieille de plusieurs années concernant des actes de sodomie.

Ἰσιδώρῳ ἐδεῖτο. 8 Ὁ δὲ τότε μὲν προθύμως ὑποσχέσθαι λέγεται· χρόνου δὲ διαγενομένου, ὡς οὐδὲν αὐτοῖς πλέον ἠνύε-
40 το, δῆλος δὲ ἐγεγόνει Θεόφιλος παρακρουόμενος, σπουδαιό-τερόν πως αὐτῷ προσελθόντες ἀπήτουν τὴν ὑπόσχεσιν πλη-ροῦν. Ὁ δέ τινα τῶν μοναχῶν ἐν δημοσίᾳ φρουρᾷ ποιεῖ, ὥστε φόβον τοῖς ἄλλοις ἐμβαλεῖν· ἥμαρτε δὲ τούτου. 9 Ὁ γὰρ Ἀμμώνιος ἅμα πᾶσι τοῖς σὺν αὐτῷ μοναχοῖς δόξαντες τοῖς
45 προεστῶσι τῆς φρουρᾶς εἰς μετάδοσιν ἐπιτηδείων τοῖς καθειργμένοις ἐλθεῖν ἑτοίμως ἔνδον εἰσεδέχθησαν, εἰσελθόν-τες δὲ οὐκέτι ἐξιέναι ἠνείχοντο. 10 Μαθὼν δὲ τάδε Θεόφιλος ἐδήλου πρὸς ἑαυτὸν καλῶν τοὺς ἄνδρας. Οἱ δὲ τὰ μὲν πρῶτα
366 αὐτὸν παραγενόμενον σφᾶς ἐξάγειν ἠξίουν· μηδὲ γὰρ | εἶναι
50 δίκαιον δημοσίᾳ ὑβρισμένους λάθρα τῆς φρουρᾶς ἀνίεσθαι. Ὕστερον δὲ ἐνδόντες ὡς αὐτὸν ἦλθον· παραιτησαμένους δὲ αὐτοὺς ὡς οὐ περαιτέρω λυπήσων ἀπέπεμψε. 11 Καθ' ἑαυτὸν δὲ ἐδάκνετο καὶ ἠγανάκτει καὶ κακῶς ποιεῖν ἐπεβούλευεν. Ἀπορῶν δὲ ὅ τι δράσειεν αὐτοὺς κακὸν ἀκτήμονας ὄντας καὶ
55 πάντων πλὴν φιλοσοφίας ὑπερορῶντας, ἔγνω περὶ τὴν ἡσυ-χίαν βλάψαι. Καὶ ἐπεὶ ἠπίστατο καὶ ἐξ ὧν συνόντες αὐτῷ διελέγοντο μεμφομένους τοῖς ἀνθρωπόμορφον τὸν θεὸν δοξά-ζουσιν, ὡς τὰ Ὠριγένους φρονοῦντας συνέκρουσε πρὸς τὸ μοναχικὸν πλῆθος ἄλλως ἔχον δόξης. 12 Ἐκ τούτου δὲ δεινή
60 τις ἐν τοῖς μοναχοῖς ἔρις ἐκράτει· καὶ τὰς διαλέξεις οὐκ ἐν κόσμῳ πρὸς ἑαυτοὺς ποιούμενοι πείθειν ἀλλήλους οὐκ ἠξίουν,
1549 ἀλλ' εἰς ὕβρεις καθίσταντο. Καὶ οἱ μὲν | τοὺς ἀσώματον τὸν θεὸν ὁριζομένους Ὠριγενιαστὰς ἀπεκάλουν, οἱ δὲ Ἀνθρωπο-μορφιανοὺς τοὺς ἐναντίως φρονοῦντας.

---

1. Les Longs, déçus par la manière dont Théophile gouvernait l'église, choqués par son appétit de richesses et sa folie de bâtisseur, avaient regagné le désert, après s'être installés un temps à Alexandrie pour l'aider dans sa gestion : Socr., H.E. VI, 7, 15.

dait de rendre la communion à Isidore [1]. **8** On dit que Théophile en fit alors de bon cœur la promesse. Mais, du temps ayant passé, comme leur affaire n'avait fait aucun progrès et que Théophile manifestement les bernait, ils revinrent le trouver et lui demandèrent avec plus d'insistance de tenir sa promesse. Il fait alors incarcérer dans la prison publique l'un des moines, de manière à effrayer les autres. En quoi il se trompa. **9** Car Ammonius ainsi que tous les moines ses compagnons donnèrent à croire aux gardes de la prison qu'ils venaient apporter des vivres aux prisonniers et on les laissa aisément entrer ; mais, une fois dedans, ils ne voulurent plus en sortir. **10** A cette nouvelle, Théophile fit savoir qu'il appelait à lui nos hommes. Ceux-ci exigèrent d'abord qu'il vînt lui-même les chercher : il n'était pas juste, disaient-ils, qu'ayant été publiquement outragés, ils sortissent de la prison en secret. Puis ils cédèrent et allèrent le trouver. Leur requête une fois présentée, il les congédia en disant qu'il ne les importunerait pas à l'avenir. **11** Cependant, à part lui, il était piqué et courroucé et il méditait de leur faire du mal. Ne sachant quel dommage leur causer puisqu'ils ne possédaient rien et méprisaient tout sauf la vie d'ascèse, il résolut de nuire à leur tranquillité. Comme il savait aussi, par les entretiens qu'ils avaient eus jadis avec lui quand ils partageaient sa compagnie, qu'ils blâmaient ceux qui tenaient Dieu comme anthropomorphe, il les fit se heurter, comme étant disciples d'Origène, à la masse des moines qui pensait autrement qu'eux. **12** Il en résulta une terrible querelle chez les moines. Avec les discussions sans ordre qu'ils soulevaient entre eux, ils ne cherchaient pas à se persuader mutuellement mais ils en venaient aux insultes. Les uns traitaient d'origénistes les partisans du Dieu incorporel, les autres appelaient leurs opposants anthropomorphiens.

13

1 Αἰσθόμενοι δὲ τῆς ἐπιβουλῆς οἱ ἀμφὶ Διόσκορον καὶ Ἀμμώνιον ἀνεχώρησαν εἰς Ἱεροσόλυμα· κἀκεῖθεν εἰς Σκυθό-πολιν ἧκον, ἐπιτηδείαν ἡγησάμενοι τὴν ἐνθάδε οἴκησιν διὰ τοὺς πολλοὺς φοίνικας, ὧν τοῖς φύλλοις ἐχρῶντο πρὸς τὰ
5 εἰωθότα μοναχοῖς ἔργα. Εἵποντο γὰρ αὐτοῖς ἀμφὶ ἄνδρες ὀγδοήκοντα. **2** Ἐν τούτῳ δὲ Θεόφιλος πέμπει τινὰς εἰς Κων-σταντινούπολιν ἅμα τε διαβολὰς κατ᾽ αὐτῶν προπαρασκευά-σοντας καί, εἰ βασιλέως περί του δέοιντο, ἀντιπράξοντας. Μαθόντες δὲ τάδε οἱ ἀμφὶ Ἀμμώνιον ἀπέπλευσαν εἰς Κων-
10 σταντινούπολιν, σὺν αὐτοῖς δὲ καὶ Ἰσίδωρος. **3** Κοινῇ τε ἐσπούδαζον παρὰ βασιλεῖ κριτῇ καὶ Ἰωάννῃ τῷ ἐπισκόπῳ ἐλέγχεσθαι τὰς κατ᾽ αὐτῶν ἐπιβουλάς. Ὤιοντο γὰρ ἐνδίκου παρρησίας αὐτὸν ἐπιμελούμενον δύνασθαι τὰ δίκαια βοηθεῖν αὐτοῖς. Ὁ δὲ προσελθόντας αὐτῷ τοὺς ἄνδρας φιλοφρόνως
15 ἐδέξατο καὶ ἐν τιμῇ εἶχε καὶ εὔχεσθαι ἐπ᾽ ἐκκλησίας οὐ διεκώλυε, κοινωνεῖν δὲ μυστηρίων αὐτοῖς οὐχ ἡγήσατο, ὡς οὐ θεμιτὸν πρὸ διαγνώσεως τοῦτο ποιεῖν. **4** Ἔγραψε δὲ Θεοφίλῳ τὴν κοινωνίαν αὐτοῖς ἀποδοῦναι ὡς ὀρθῶς περὶ θεοῦ δοξάζου-

---

1. Jean de Jérusalem avait défendu Origène contre les attaques d'Épi-phane et de Jérôme et s'en était pris aux « anthropomorphistes » : c'est probablement la raison pour laquelle les Longs et leurs compagnons, convaincus « d'origénisme » et excommuniés par un synode d'évêques réuni près de Nitrie vers 400, se rendent d'abord à Jérusalem. Théophile obtient du préfet d'Égypte l'autorisation de déposer Dioscore de son siège et de chasser par la force les Longs de leur désert : Palladios, *Dial.* VII, 29-44, p. 144-147.
2. Sur la rive droite du Jourdain, au sud du lac de Tibériade. Actuelle Beth Schan : *PW*, Reihe 2, II 1, 1921, c. 947-948, Beer.
3. Les travaux de vannerie constituent une des principales sources de revenus des moines égyptiens : cf. *H.E.* VI, 29.
4. Selon Palladios, *Dial.* VII, 61-82, p. 148-149, à la différence de Socrate et de Sozomène, les Longs ne cherchaient au départ que le soutien de Jean Chrysostome et non celui de l'empereur invoqué seulement en cas de refus de l'évêque : cf. Kelly, p. 196.

Chapitre 13

Les mêmes Longs, en raison du zèle de Jean,
vont le trouver ;
Théophile en est irrité et fourbit des armes contre Jean.

1 S'étant rendu compte de la machination, Dioscore, Ammonius et leurs compagnons se rendirent à Jérusalem [1]. De là, ils allèrent à Scythopolis [2], ayant jugé ce lieu de séjour approprié, vu le grand nombre de palmiers dont ils utilisaient les feuilles pour les travaux habituels des moines [3]. Quatre-vingts hommes environ les suivaient. **2** A ce moment, Théophile envoie des émissaires à Constantinople, tout ensemble pour fomenter à l'avance des accusations contre eux et, dans le cas où ils feraient appel sur quelque point à l'empereur, pour agir en sens contraire. A cette nouvelle, Ammonius et ses compagnons firent voile pour Constantinople : Isidore était avec eux. **3** Ils mettaient en commun leur zèle à dénoncer, en prenant pour juges l'empereur et l'évêque Jean [4], les machinations contre eux. Ils se disaient en effet qu'avec le souci qu'il avait d'une liberté de parole attachée à la justice, Jean pourrait les assister dans leurs droits. Quand ils furent venus le trouver, il les accueillit avec bienveillance, les tenait en honneur, ne les empêchait pas de prier à l'église, mais il ne jugea pas bon de les faire participer aux mystères, car ce n'était pas permis avant que la cause n'eût été jugée [5]. **4** Il écrivit à Théophile de leur rendre la communion comme étant orthodoxes ; s'il fallait

5. Sur le plan canonique, les Longs restent soumis à l'autorité de l'évêque d'Alexandrie. Jean ne peut les accueillir en hôtes officiels ni leur permettre de recevoir l'eucharistie, sous peine d'encourir la fureur de son collègue, d'où la difficulté de sa situation.

σιν· εἰ δὲ δίκῃ δέοι κρίνεσθαι τὰ κατ᾽ αὐτούς, ἀποστέλλειν ὃν
20 αὐτῷ δοκεῖ δικασόμενον. Ὁ δὲ οὐδὲν ἀντεδήλωσεν· χρόνου δὲ
367 | πολλοῦ διαγενομένου προϊούσῃ τῇ βασιλέως γαμετῇ προ-
σῆλθον οἱ περὶ Ἀμμώνιον τὰ κατ᾽ αὐτῶν βεβουλευμένα Θεοφίλῳ μεμφόμενοι. 5 Ἡ δὲ ἐπιβουλευθέντας αὐτοὺς ᾔσθετο καὶ
τιμῶσα ἔστη· καὶ προκύψασα τοῦ βασιλικοῦ ὀχήματος ἐπέ-
25 νευσε τῇ κεφαλῇ καί «Εὐλογεῖτε, ἔφη, καὶ εὔχεσθε ὑπὲρ τοῦ
βασιλέως καὶ ἐμοῦ καὶ τῶν ἡμετέρων παίδων καὶ τῆς ἀρχῆς·
ἐμοὶ δὲ ἐν τάχει μελήσει συνόδου καὶ τῆς Θεοφίλου ἀφίξεως.» 6 Καὶ ἡ μὲν τοιάδε ἐσπούδαζε. Ψευδοῦς δὲ φήμης ἐν
Ἀλεξανδρείᾳ κρατούσης, ὡς ἐκοινώνησεν Ἰωάννης τοῖς ἀμφὶ
30 Διόσκορον καὶ προθυμεῖται πάντα βοηθεῖν αὐτοῖς, διενοεῖτο
Θεόφιλος, εἴ πῃ δύναιτο, καὶ αὐτὸν Ἰωάννην τῆς ἐπισκοπῆς
καθελεῖν.

14

1552 | 1 Ταῦτά τε κατὰ νοῦν κρύπτων καὶ συσκευαζόμενος
ἔγραφε κατὰ πόλεις τοῖς ἐπισκόποις τὰ Ὠριγένους βιβλία
κατηγορῶν. Λογισάμενος δὲ μέγιστον αὐτῷ συνοίσειν, εἰ κοινωνὸν προσλάβοιτο τῶν σπουδαζομένων, Ἐπιφάνιον τὸν
5 Σαλαμῖνος τῆς ἐν Κύπρῳ ἐπίσκοπον, ἄνδρα τῶν κατ᾽ αὐτὸν

---

1. Sozomène simplifie la suite des épisodes. Il mentionne ici une première lettre que PALLADIOS, *Dial.* VII, 104-106, p. 152-153, présente
comme encore pleine de chaleur et de bonne volonté à l'égard de Théophile.
Ce dernier non seulement n'y répond pas, mais utilise ses correspondants à
Constantinople et des clercs ou moines envoyés exprès, pour dénoncer et
accuser d'imposture les Longs. D'où, à la demande de ces derniers, une
nouvelle lettre de Jean présentant à l'évêque d'Alexandrie la liste des
charges qu'ils invoquaient contre lui ; Théophile répondit cette fois de
manière furieuse, invitant Jean à ne pas se mêler des affaires égyptiennes :
cf. KELLY, p. 196-199.
2. Sozomène ne donne pas plus de précisions : il s'agit de la fête de Jean
Baptiste (le 24 juin : cf. DEMOUGEOT, *De l'unité à la division* ..., p. 312
n. 468), à l'occasion de laquelle l'empereur et l'impératrice se rendent à

porter leur affaire en justice, qu'il envoyât qui il voudrait pour soutenir l'accusation. Celui-ci ne fit aucune réponse [1]. Beaucoup de temps passa et, un jour que l'épouse de l'empereur était sortie [2], les gens d'Ammonius l'abordèrent en se plaignant des machinations de Théophile contre eux. **5** Elle se rendit compte qu'ils étaient victimes d'intrigues et s'arrêta en leur honneur. Se penchant hors du char impérial, elle leur fit signe de la tête et leur dit : « Bénissez-moi, priez pour l'empereur, pour moi, pour nos enfants, pour l'Empire. Je vais m'occuper sans tarder de faire réunir un concile et de faire venir Théophile. » **6** Elle y mettait tout son zèle. Mais comme le faux bruit s'était répandu à Alexandrie que Jean avait accepté dans sa communion Dioscore et ses compagnons et qu'il s'efforçait de toute manière de les aider, Théophile méditait, s'il le pouvait, de déposer Jean lui-même de l'épiscopat.

Chapitre 14

La méchanceté de Théophile, saint Épiphane ;
il vient résider dans la ville de Constantin
et machine de soulever le peuple contre Jean.

1 Tandis qu'il cachait et concertait à part lui ces intentions, il écrivit aux évêques de chaque ville en accusant les livres d'Origène. Ayant considéré qu'il lui serait très profitable de se donner un auxiliaire pour ses desseins, il cherchait à se faire un ami d'Épiphane, l'évêque de Salamine de Chy-

l'église de l'Hebdomon. C'est à l'impératrice que les moines présentent leur pétition protestant contre les calomnies et méfaits de Théophile et de ses amis à leur égard, en demandant que leur plainte contre ses agents diffamateurs soient présentée devant un tribunal séculier et que l'évêque d'Alexandrie soit jugé par un synode présidé par Jean Chrysostome. Sozomène ne fait pas état de la réponse positive apportée à la pétition : les auteurs de calomnies contre les Longs sont arrêtés et Théophile convoqué à comparaître devant un tribunal ecclésiastique présidé par Jean, cf. KELLY, p. 201.

αἰδοῖ βίου ἐπισημότατον, φίλον ἐποιεῖτο, πρότερον αὐτῷ
μεμφόμενος ὡς ἀνθρωπόμορφον τὸν θεὸν δοξάζοντι· 2 ὡς ἐκ
μετανοίας δὲ τὴν ὀρθὴν δόξαν ἐπιγνοὺς ὁμοφρονεῖν αὐτῷ
ἔγραφε καὶ κατὰ τῶν Ὠριγένους βιβλίων ὡς παραιτίων δογ-
10 μάτων τοιούτων ἐκίνει διαβολάς. Ἐπιφάνιος δὲ πάλαι ἀπο-
στρεφόμενος τὰ Ὠριγένους συγγράμματα ῥᾳδίως προσέθετο
τῇ Θεοφίλου ἐπιστολῇ. 3 Καὶ συνελθὼν ἅμα τοῖς ἐν Κύπρῳ
ἐπισκόποις ἀπηγόρευσε τὴν ἀνάγνωσιν τῶν Ὠριγένους
λόγων. Καὶ τὰ δεδογμένα αὐτοῖς γράψας ἄλλοις τε καὶ τῷ
15 Κωνσταντινουπόλεως ἐπισκόπῳ προετρέπετο συνόδους
ποιεῖν καὶ ταὐτὰ ψηφίζεσθαι. 4 Συνιδὼν δὲ Θεόφιλος, ὡς
οὐδείς ἐστι κίνδυνος Ἐπιφανίῳ ἕπεσθαι πολλοὺς ἐπαινέτας
ἔχοντι καὶ διὰ τὴν ἀρετὴν τοῦ βίου ὅπερ ἂν φρονῇ θαυμάζον-
τας, παραπλήσια αὐτῷ ἐψηφίσατο σὺν τοῖς ὑπ' αὐτὸν ἐπι-
20 σκόποις. Ὁ δὲ Ἰωάννης τὴν μὲν ἐπὶ τούτοις σπουδὴν οὐκ
ἀξίαν ἡγεῖτο λόγου καὶ τὰ Ἐπιφανίου καὶ Θεοφίλου γράμ-
368 ματα ἐν δευτέρῳ ἐποιεῖτο. 5 Οἱ δὲ δυσμενῶς | πρὸς αὐτὸν
ἔχοντες τῶν ἐν δυνάμει καὶ τῷ κλήρῳ μαθόντες Θεόφιλον
σπουδάζειν αὐτοῦ τὴν καθαίρεσιν ἐπιμελῶς συνέπραττον καὶ
25 σύνοδον γενέσθαι μεγίστην ἐν Κωνσταντινουπόλει παρεσ-
κευάζοντο· καὶ Θεόφιλος δὲ ταῦτα γνοὺς ἔτι μᾶλλον ἠπείγετο
καὶ τοὺς μὲν ἐξ Αἰγύπτου ἐπισκόπους ἐκπλεῦσαι ἐκέλευσε,
γράφει δὲ Ἐπιφανίῳ καὶ ἑτέροις τῶν ἀνὰ τὴν ἕω σπουδῇ
συνελθεῖν· αὐτὸς δὲ πεζὸς ἐποιεῖτο τὴν πορείαν. 6 Οὐκ εἰς
30 μακρὰν δὲ πρῶτος Ἐπιφάνιος ἐκπλεύσας ἐκ Κύπρου κατῆρεν

---

1. Cf. *H.E.* VI, 32, 2-3 et *SC* 495 p. 419 note 4. Né en 315, après des
débuts en Égypte, Épiphane s'installe à Chypre où il est évêque de Constantia (Salamine) de 365 à 403. Grand défenseur de l'orthodoxie — il soutient,
à ce titre, Paulin lors du schisme d'Antioche —, il se fait une réputation de
chasseur d'hérétiques (A. Pourkier, *L'hérésiologie chez Épiphane de
Salamine*, Paris, Beauchesne, 1992, Coll. Christianisme antique 4). Sa
culture avant tout biblique, de tendance parfois un peu littéraliste, le porte
à critiquer les discours influencés par la nouvelle sophistique et les dérives
allégorisantes. Il laisse de nombreux traités de polémique théologique :
cf. *DECA*, p. 841, C. Riggi. Le personnage fait partie des favoris de Sozomène : d'où la tendance de l'historien à minimiser sa responsabilité et son
rôle dans le conflit avec Jean : cf. Van Nuffelen, p. 67.

pre [1], un des plus illustres de ses contemporains par le respect qu'inspirait sa vie, bien qu'il l'eût blâmé d'abord comme étant d'avis que Dieu avait forme humaine. **2** Comme si, par repentir, il avait enfin reconnu la doctrine orthodoxe, il lui écrivait son accord de pensée et soulevait des accusations contre les livres d'Origène qui, disait-il, étaient cause de pareilles opinions. Épiphane qui, depuis longtemps, rejetait les écrits d'Origène, donna aisément son appui à la lettre de Théophile. **3** Il se réunit avec les évêques de Chypre et interdit la lecture des ouvrages d'Origène [2]. Et ayant écrit ce qu'ils avaient décidé à d'autres évêques et en particulier à celui de Constantinople, il les invita à réunir des synodes et à prendre les mêmes décisions. **4** Théophile se dit qu'il n'y avait aucun péril à faire comme Épiphane, un homme dont tant de gens louaient et admiraient les opinions à cause de la vertu de sa vie, et, avec les évêques de son obédience, il prit des dispositions proches des siennes. Jean pourtant estimait que tout l'empressement à ce sujet ne méritait pas qu'on en tînt compte [3] et regardait comme choses secondaires les lettres d'Épiphane et de Théophile. **5** Mais ceux qui, parmi les grands et les clercs, le haïssaient, à la nouvelle que Théophile cherchait à le déposer, l'aidaient de leurs efforts et travaillaient à ce qu'on convoquât un très grand concile à Constantinople. Ayant su cela, Théophile pressait l'affaire encore davantage. Il ordonna aux évêques d'Égypte de lever l'ancre et il écrit à Épiphane et à d'autres évêques d'Orient de se réunir en hâte ; lui-même faisait la route à pied [4]. **6** Peu après, ayant levé l'ancre le premier

2. Le synode vraisemblablement inspiré par Théophile a lieu au moment où les Longs se mettent en route pour Constantinople.

3. Jean Chrysostome n'a rien d'un théologien dogmatique ; il est par conviction personnelle hostile à la prétention de s'interroger sur la nature d'un Dieu par définition incompréhensible.

4. L'historien omet de signaler que c'est l'ordre impérial de comparution qui a déclenché ou accéléré le départ de Théophile. Si celui-ci choisit le voyage le plus lent, c'est sans doute pour se donner les moyens de recruter de nouveaux partisans le long du chemin : cf. KELLY, p. 204.

εἰς τὸ πρὸ τῆς Κωνσταντινουπόλεως καλούμενον Ἕβδομον. Εὐξάμενος δὲ ἐν τῇ ἐνθάδε ἐκκλησίᾳ ἧκεν εἰς τὴν πόλιν. Ὁ δὲ Ἰωάννης εἰσιόντα αὐτὸν τῇ ὑπαντήσει τοῦ παντὸς κλήρου
1533 ἐτίμησεν. 7 Ἐπιφάνιος δὲ δῆλος ἦν εἴξας ταῖς κατ᾽ αὐτοῦ
35 διαβολαῖς· προτραπεὶς γὰρ ἐν οἰκήμασιν ἐκκλησιαστικοῖς καταμένειν οὐκ ἠνέσχετο. Καὶ Ἰωάννῃ μὲν εἰς ταὐτὸν συνελθεῖν ἀπέφυγεν· ἰδίᾳ δὲ συγκαλῶν τοὺς ἐνδημοῦντας ἐν Κωνσταντινουπόλει ἐπισκόπους ἐπεδείκνυ τὰ ψηφισθέντα κατὰ τῶν Ὠριγένους λόγων, καί τινας ἐπιψηφίσασθαι ἔπεισεν· οἱ
40 δὲ πλείους παρῃτήσαντο. 8 Θεότιμος δὲ ὁ Σκυθίας ἐπίσκοπος καὶ ἄντικρυς Ἐπιφανίου καθήψατο. Οὔτε γὰρ ἔφη ὅσιον εἶναι τὸν πάλαι τετελευτηκότα ὑβρίζειν οὔτε βλασφημίας ἐκτὸς τὴν τῶν παλαιοτέρων διαβάλλειν κρίσιν καὶ τὰ παρ᾽ ἐκείνων δεδοκιμασμένα ἀθετεῖν. Ἅμα τε λέγων καὶ βιβλίον τι τῶν Ὠριγέ-
45 νους προκομίσας διεξῄει, καὶ χρειώδη ταῖς ἐκκλησίαις τὰ ἀνεγνωσμένα δείξας «Ἄτοπον, ἔφη, ὑπομένουσιν οἱ ταῦτα διαβάλλοντες· κινδυνεύουσι γὰρ ταῦτα ὑβρίζειν, περὶ ὧν οἱ λόγοι.» 9 Ὁ δὲ Ἰωάννης δι᾽ αἰδοῦς εἶχεν ἔτι τὸν Ἐπιφάνιον καὶ παρεκάλει αὐτὸν ἐκκλησιάζειν καὶ σύνοικον ἔχειν. Ὁ δὲ
50 οὔτε συνοικεῖν οὔτε συνεύχεσθαι αὐτῷ ἀντεδήλου, εἰ μὴ καταψηφίσηται τῶν Ὠριγένους λόγων καὶ Διόσκορον καὶ τοὺς σὺν αὐτῷ ἐξελάσῃ. 10 Ἐπεὶ δὲ ταῦτα πρὸ δίκης ποιεῖν οὐ δίκαιον ἡγεῖτο καὶ ἀνεβάλλετο, μελλούσης ἐπιτελεῖσθαι συνάξεως ἐν τῇ ἐπωνύμῳ τῶν ἀποστόλων ἐκκλησίᾳ κατε-
55 σκεύαζον οἱ Ἰωάννου δυσμενεῖς προελθεῖν Ἐπιφάνιον καὶ
369 δημοσίᾳ ἐπὶ τοῦ λαοῦ ἀποκηρύξαι | τὰς Ὠριγένους βίβλους καὶ τοὺς ἀμφὶ Διόσκορον ὡς τὰ τούτου φρονοῦντας, ἐν ταὐτῷ δὲ καὶ τὸν ἐπίσκοπον τῆς πόλεως διαβαλεῖν ὡς ἐκείνοις προ-

---

1. En débarquant à l'Hebdomon, à 10 km de la capitale, Épiphane évite ostensiblement les ports habituels de Constantinople. Il y arrive à la mi-avril 403 ; il prie à l'église de Jean Baptiste.

2. Épiphane tient des assemblées sans l'accord de Jean et pousse la provocation jusqu'à ordonner un diacre sans l'avis de l'évêque (Socr., H.E. VI, 12, 3). En convoquant les évêques séjournant à Constantinople

depuis Chypre, Épiphane aborda à ce qu'on nomme l'Hebdomon devant Constantinople [1]. Il y pria à l'église du lieu et
arriva à la ville. A son arrivée, Jean vint à sa rencontre avec
tout le clergé pour lui faire honneur. **7** Mais il était manifeste
qu'Épiphane avait ajouté foi aux calomnies contre l'évêque :
invité en effet à demeurer à l'évêché, il refusa. Il évita toute
rencontre avec Jean, mais, ayant convoqué en privé les évêques de séjour à Constantinople, il leur montrait les décisions contre les écrits d'Origène [2]. Il persuada quelques-uns
de les approuver mais la plupart refusèrent. **8** Théotime
même, évêque de Scythie [3], s'attaqua en face à Épiphane. Il
n'était ni juste, dit-il, d'outrager un homme mort depuis
longtemps ni sans blasphème d'accuser le jugement des
Anciens et de rejeter ce qu'ils avaient approuvé. Tout en
parlant, comme il avait apporté un livre d'Origène, il le
parcourait ; et ayant montré que ce qu'il avait lu était utile
aux Églises, « Absurde, dit-il, est la conduite de ceux qui
condamnent ce texte : ils risquent de porter outrage aux
sujets dont parlent les textes ». **9** Cependant Jean continuait
de tenir Épiphane en révérence, il l'invitait à célébrer le
culte et à accepter son hospitalité. Mais Épiphane lui faisait
savoir en réponse qu'il ne vivrait pas dans la même maison
que lui et qu'il ne prierait pas avec lui s'il ne condamnait pas
les ouvrages d'Origène et ne chassait pas Dioscore et ses
compagnons. **10** Comme Jean estimait qu'il n'était pas juste
de faire cela avant jugement et qu'il remettait la chose à plus
tard, un jour qu'il devait y avoir synaxe dans l'église qui
porte le nom des Apôtres, les ennemis de Jean faisaient en
sorte qu'Épiphane y vînt, pour y condamner publiquement
devant le peuple les livres d'Origène et Dioscore ainsi que
ses compagnons, comme partageant les opinions de celui-ci,
et qu'en même temps il attaquât l'évêque de la ville comme

pour leur faire approuver les décisions du synode de Chypre, il porte
atteinte à l'autorité de Jean. Sozomène évite d'en parler !

3. Cf. *H.E.* VII, 26 et la note *ad loc.*

σκείμενον. Καὶ οἱ μὲν τάδε ἐσπούδαζον· ᾤοντο γὰρ οὕτως
60 συγκρούσειν αὐτὸν πρὸς τὸ πλῆθος. 11 Τῇ δὲ ἑξῆς ἐπὶ τοῦτο
προελθὼν Ἐπιφάνιος ἐγγὺς ἤδη τῆς ἐκκλησίας ἐτύγχανεν·
ἀπαντήσας δὲ αὐτῷ Σαραπίων παρὰ Ἰωάννου ἀποσταλείς
(ᾔσθετο γὰρ τὰ τῇ προτεραίᾳ βεβουλευμένα) ἐμαρτύρατο
μήτε δίκαια ποιεῖν μήτε αὐτῷ συμφέροντα, εἰ ταραχῆς ἐν τῷ
65 πλήθει ἢ στάσεως κινηθείσης αὐτὸς κινδυνεύσει ὡς αἴτιος
γεγονώς. Καὶ ὁ μὲν ὧδε ἀνεκόπη τῆς ἐπὶ τοῦτο ὁρμῆς.

15

1 Ἐν τούτῳ δὲ συνέβη νοσεῖν τοῦ βασιλέως παιδίον· περι-
1556 δεὴς δὲ οὖσα ἡ μήτηρ, μή τι πάθοι, πέμψασα | πρὸς Ἐπιφά-
νιον ἐδεῖτο εὔχεσθαι ὑπὲρ αὐτοῦ. Ὁ δὲ ζήσεσθαι τὸν κάμνοντα
ὑπέσχετο, εἰ τοὺς ἀμφὶ Διόσκορον αἱρετικοὺς ὄντας ἀποστρα-
5 φείη. 2 Ἡ δὲ βασιλὶς « Τὸ μὲν ἐμόν, ἔφη, παιδίον, εἴ γε δοκεῖ
τῷ θεῷ λαμβάνειν, ταύτῃ ἔστω· κύριος γὰρ ὁ δοὺς πάλιν
ἀφαιρεῖται· αὐτὸς δὲ εἴπερ οἷός τε ἦς νεκροὺς ἀνεγείρειν, οὐκ
ἂν ὁ σὸς ἀρχιδιάκονος τεθνήκει. » Ἔτυχε γὰρ οὐ πρὸ πολλοῦ
τελευτήσας Κρισπίων, ὃν ἀδελφὸν ὄντα Φούσκωνος καὶ
10 Σαλαμάνου τῶν ἐπὶ Οὐάλεντος δηλωθέντων μοναχῶν σύνοικον ἔχων ἀρχιδιάκονον ἑαυτοῦ κατέστησεν. 3 Οἱ δὲ περὶ
Ἀμμώνιον (τοῦτο γὰρ αὐτῇ τῇ βασιλίδι ἐδόκει) πρὸς Ἐπιφάνιον ἦλθον. Πυθομένου δὲ αὐτοῦ, τίνες εἶεν, ὑπολαβὼν Ἀμ-

---

1. Selon Socrate, *H.E.* VI, 14, le projet d'Épiphane, dont Sozomène ne
dit mot, était d'excommunier les Longs, du haut de l'ambon, et d'adresser
un blâme à Jean. Ce dernier envoya alors Sarapion auprès de l'évêque de
Chypre pour l'inciter à renoncer à une conduite aussi inconvenante : Socr.,
VI, 14, 6.
2. La réaction de l'impératrice, qui n'a rien d'invraisemblable, implique
que malgré les épisodes de tension antérieurs, il n'y a pas encore de véritable rupture entre elle et Jean Chrysostome : cf. Kelly, p. 189.

étant attaché à ces moines. Voilà à quoi ils mettaient leur
zèle. Ils pensaient qu'ainsi ils le brouilleraient avec le
peuple. **11** Le lendemain donc, Épiphane vint pour cela à
l'église [1] et déjà il en était proche. Mais Sarapion, envoyé par
Jean — celui-ci s'étant rendu compte des décisions prises la
veille —, vint à sa rencontre et lui démontra qu'il agissait
contrairement et à la justice et à son intérêt, si, en provo-
quant dans la masse trouble ou sédition, il allait lui-même
courir le risque d'en être tenu pour responsable. Épiphane
fut ainsi arrêté dans son entreprise.

Chapitre 15

Le fils de l'impératrice et saint Épiphane :
les Longs viennent s'entretenir avec Épiphane ;
celui-ci retourne par mer à Chypre. Épiphane et Jean.

1 Sur ces entrefaites, il arriva que le petit garçon de
l'empereur tomba malade. Prise de crainte qu'il ne lui arrivât malheur, sa mère envoya un message à Épiphane, lui
demandant de prier pour l'enfant. Il promit que le malade
vivrait si sa mère chassait Dioscore et ses compagnons qui
étaient hérétiques. **2** L'impératrice répondit : « S'il plaît à
Dieu de prendre mon petit garçon, qu'il en soit ainsi. Le
Seigneur a donné, le Seigneur reprend. Mais toi, si tu étais
capable de ressusciter des morts, ton archidiacre ne serait
pas mort » [2]. Il se trouvait en effet que, peu auparavant, était
mort Crispion, frère de Phouskôn et de Salamanès [3], les
moines dont il a été question dans le règne de Valens :
Épiphane l'avait dans sa maison et il en avait fait son archidiacre. **3** Ammonius et ses compagnons vinrent trouver Épiphane : ainsi en avait décidé l'impératrice elle-même.
Comme il leur demandait qui ils étaient, Ammonius prit la

---

3. Ces trois moines ont été mentionnés *supra H.E.* VI, 32, 5.

μώνιος « Οἱ μακροί, ἔφη, ὦ πάτερ· ἀλλ' εἰ πώποτε μαθηταῖς
15 ἡμετέροις ἢ συντάγμασιν ἐνέτυχες, ἡδέως ἐμάνθανον.» Τοῦ
δὲ ἀποφήσαντος πάλιν ἤρετο· « Πόθεν οὖν αἱρετικοὺς εἶναι
σφᾶς νενόμικας μηδένα ἔλεγχον ἔχων τῆς αὐτῶν γνώμης;»
4 Ἀκηκοέναι δὲ Ἐπιφανίου λέγοντος « Ἡμεῖς δέ, ἔφη, πᾶν
τοὐναντίον πεπόνθαμεν· μαθηταῖς τε γὰρ σοῖς ἐνετύχομεν
20 πολλάκις καὶ συγγράμμασιν· ὧν ἐκεῖνό γέ ἐστιν ὁ τὴν ἐπιγρα-
φὴν Ἀγκυρωτὸς ἔχων· βουλομένων τε πολλῶν λοιδορεῖσθαι
καὶ ὡς αἱρετικὸν διαβάλλειν ὑπερηγωνιζόμεθα ὡς εἰκὸς πατρὸς καὶ ὑπεραπελογούμεθα. Οὔκουν ἐχρῆν ἐξ ἀκοῆς ἐρήμην
καταδικάζειν, ὧν οὐκ αὐτὸς πεισθεὶς κατέγνως, οὔτε τοιαύ-
25 την ἀμοιβὴν τοῖς εὐλογοῦσιν ἀποδοῦναι.» 5 Ὁ δὲ Ἐπιφάνιος
370 τότε μὲν μετριώτερόν πως προσδιαλεχθεὶς ἀπέπεμπε τοὺς |
ἄνδρας· οὐ πολλῷ δὲ ὕστερον ἀπέπλευσε εἰς Κύπρον, ἢ τῆς
ἐπὶ Κωνσταντινούπολιν ἀφίξεως καταγνοὺς ἢ τοῦ θεοῦ χρήσαντος καὶ τὸν αὐτοῦ θάνατον, ὡς εἰκός, αὐτῷ προμηνύσα-
30 ντος· πλέων γὰρ πρὶν εἰς Κύπρον ἐλθεῖν ἐτελεύτησεν. 6 Λέγεται γοῦν τοῖς αὐτῷ συνελθοῦσιν ἐπὶ θάλασσαν εἰπεῖν μέλλων
ἐπιβαίνειν τοῦ σκάφους· « Ἀφίημι ὑμῖν τὴν πόλιν καὶ τὰ
βασίλεια καὶ τὴν ὑπόκρισιν, ἐγὼ δὲ ἄπειμι· σπεύδω γάρ, πάνυ
σπεύδω.» 7 Κἀκεῖνον δὲ εἰσέτι νῦν πολλῶν ὄντα τὸν λόγον
35 ἐπυθόμην, ὡς Ἐπιφανίῳ μὲν Ἰωάννης τὴν ἐν θαλάσσῃ τελευτὴν προεμήνυσεν, ὁ δὲ ἐκείνῳ τῆς ἐπισκοπῆς τὴν καθαίρεσιν.
Ἐν ᾧ γὰρ διεφέροντο, ὁ μὲν ἐδήλωσεν Ἰωάννῃ· « Ἐλπίζω σε
μὴ ἀποθανεῖσθαι ἐπίσκοπον.» Ὁ δὲ Ἰωάννης ἀντεδήλου·
« Οὐδὲ ἐγώ σε τῆς σῆς ἐπιβήσεσθαι πόλεως.»

---

1. Ce traité, qui date de 374, expose la doctrine orthodoxe sur la Trinité
et en particulier sur le Saint-Esprit, ainsi que sur les problèmes de l'incarnation et de la résurrection de la chair. Il s'élève contre les interprétations
allégoriques d'Origène et énumère une liste de quatre-vingts hérésies : cf.
DHGE XV, 1963, c. 626, Épiphane de Salamine, P. Nautin.

parole et dit : « Nous sommes les Longs, père. Mais je voudrais bien savoir si jamais tu as rencontré de nos disciples ou lu de nos livres. » « Non », dit-il. Ammonius reprit : « D'où vient donc que tu les juges hérétiques, si tu n'as aucune preuve de leur opinion ? » **4** Comme Épiphane répondait qu'il l'avait entendu dire, « Nous autres, dit Ammonius, nous agissons tout à l'opposé. Nous avons souvent rencontré de tes disciples et lu de tes livres. Il y en a un qui porte le titre d'*Ancoratus* [1]. Quand beaucoup voulaient t'injurier et t'attaquer comme hérétique, nous avons lutté pour toi, comme il est naturel pour un père, et nous avons pris ta défense. Il ne fallait donc pas condamner par défaut, sur un simple bruit, des gens sur lesquels tu ne t'étais pas fait une conviction propre, ni récompenser d'une telle manière ceux qui faisaient ton éloge. » **5** Sur ce, Épiphane leur parla plus modérément avant de congédier nos hommes. Peu après, il refit voile vers Chypre, soit qu'il se fût repenti de son voyage à Constantinople soit que Dieu l'eût averti et lui eût annoncé, comme il est vraisemblable, sa mort [2] : car il mourut en mer avant d'arriver à Chypre. **6** On raconte qu'à ceux qui l'avaient accompagné jusqu'à la mer, avant de s'embarquer, il dit : « Je vous laisse la ville, le palais, la scène. Moi, je m'en vais. Car j'ai hâte, j'ai grande hâte. » **7** Voici ce que j'ai appris et que beaucoup répètent aujourd'hui encore. Jean prédit à Épiphane qu'il mourrait en mer, Épiphane lui prédit qu'il serait déposé de l'épiscopat. Lors en effet de leur dissentiment, Épiphane avait signifié à Jean : « J'espère que tu ne mourras pas évêque. » Jean lui signifia en réponse : « Et moi, que tu n'entreras pas dans ta ville [3]. »

2. Épiphane meurt au début du mois de mai 403 : *DHGE, ibid.*, c. 625.
3. Cf. Socr., *H.E.* VI, 14, 12.

16

1557 | **1** Ἐπεὶ δὲ ἀπέπλευσεν Ἐπιφάνιος, ἐκκλησιάζων Ἰωάννης κοινὸν κατὰ γυναικῶν διεξῆλθε ψόγον· αἰνιγματωδῶς δὲ συγκεῖσθαι τοῦτον κατὰ τῆς τοῦ βασιλέως γαμετῆς τὸ πλῆθος ἐδέχετο. Οἱ δὲ τοῦ ἐπισκόπου δυσμενεῖς καὶ αὐτὸν τὸν λόγον

5 ἐκλαβόντες τῇ βασιλίδι διεκόμισαν. Ἡ δὲ παρὰ τῷ ἀνδρὶ τὴν ὕβριν ἀπωδύρατο καὶ Θεόφιλον θᾶττον παρεῖναι καὶ σύνοδον ποιεῖν κατήπειγε. **2** Συνέπραττε δὲ καὶ συγκατεσκεύαζε ταῦτα καὶ Σευηριανὸς ὁ Γαβαλεὺς οὔπω τῆς προτέρας ἀπαλλαγεὶς λύπης. Ἀλλὰ πότερον οὕτως ὡς ἔτυχεν ἐπὶ τοῦτον ὁ

10 Ἰωάννης προήχθη τὸν λόγον ἤ, ὥς τινες λέγουσιν, ὑπονοήσας ὡς ἡ βασιλὶς ἀνέπεισεν Ἐπιφάνιον ἐπιβουλεύειν αὐτῷ, ἀκριβῶς οὐκ ἔχω λέγειν. **3** Οὐκ εἰς μακρὰν δὲ καὶ Θεόφιλος παρῆν εἰς Χαλκηδόνα τὴν Βιθυνῶν καὶ ἄλλοι πολλῶν πόλεων ἐπίσκοποι, οἱ μὲν ὑπὸ Θεοφίλου προτραπέντες, οἱ δὲ βασιλέως

15 προστάγματι μετακληθέντες. Σπουδῇ δὲ μάλιστα συνῄεσαν,

371 ὅσοι τε τῶν ἐν Ἀσίᾳ τῆς ἐπισκοπῆς ἀφῄρηντο παρὰ Ἰωάν|νου καὶ ὅσοι ἄλλοθεν ἄλλος αὐτῷ ἀπηχθάνοντο. Ἤδη δὲ καὶ ἐξ Αἰγύπτου νῆες, ἃς Θεόφιλος περιέμενεν, εἰς Χαλκηδόνα ἀφίκοντο. **4** Συνελθόντων δὲ πάντων εἰς ταὐτὸν ἐνθάδε καὶ βου

20 λευόντων, ὅπως αὐτοῖς κατὰ γνώμην προβαίη ἡ κατὰ Ἰωάν

---

1. La culture ascétique de Jean explique sans doute la thématique misogyne récurrente dans ce sermon dont le texte est perdu. Mais ses relations parfois difficiles avec Eudoxie, qu'il jugeait trop bienveillante à l'égard de Sévérianus de Gabala, et à qui l'avaient opposé antérieurement plusieurs conflits d'ordre financier (cf. DAGRON, *Naissance...* p. 498-500) où il l'avait accusée de profiter de son pouvoir pour dépouiller autrui en évoquant l'exemple de Jézabel, ont pu alimenter son inspiration. Sur la question de ses rapports avec l'impératrice, voir K. G. HOLUM, *Theodosian Empresses...*, Berkeley 1982, p. 48-78.

2. Malgré cette colère de l'impératrice, le motif officiel de la convocation de Théophile reste encore celui de se présenter devant un tribunal que présiderait Jean.

Chapitre 16

Le différend de Jean avec l'impératrice ;
Théophile revient d'Égypte ;
Cyrinus, évêque de Chalcédoine.

1 Après le départ d'Épiphane, Jean, célébrant le culte, prononça un discours de blâme général contre les femmes [1] ; mais le peuple l'entendit comme s'il eût été composé à mots couverts contre l'épouse de l'empereur. Les ennemis de l'évêque en avaient recueilli le texte et ils le transmirent à l'impératrice. Celle-ci se plaignit de l'outrage auprès de son époux et pressa Théophile de paraître au plus vite et de réunir un synode [2]. 2 S'associait et collaborait également à ces manœuvres Sévérianus de Gabala, qui ne s'était pas encore remis de sa récente fâcherie. Quant à savoir si Jean se laissa aller à ce sermon par pur hasard, ou bien, comme certains le disent, parce qu'il soupçonnait l'impératrice d'avoir poussé Épiphane à intriguer contre lui, je ne puis le dire exactement. 3 Peu après Théophile parut à Chalcédoine de Bithynie [3] et, avec lui, d'autres évêques de beaucoup de villes, les uns sur l'invitation de Théophile, les autres mandés par ordre de l'empereur. S'étaient surtout empressés de venir tous les évêques asiates qui avaient été dépouillés de l'épiscopat par Jean [4] et tous ceux qui le haïssaient, l'un pour une cause, l'autre pour une autre. Déjà étaient arrivés aussi d'Égypte à Chalcédoine les navires que Théophile attendait. 4 Alors que tous s'étaient réunis là et qu'ils cherchaient à faire aboutir à leur gré l'entreprise contre Jean,

3. Théophile débarque fin mai 403, un an après sa convocation. Il arrive par voie terrestre. Il était convoqué seul, mais vingt-neuf évêques égyptiens venus par mer le rejoignent. D'autres évêques ont peut-être été ralliés à sa cause en chemin. Il s'installe à Chalcédoine, dont l'évêque Cyrinus est un ennemi de Jean : cf. R. BRÄNDLE, p. 150.

4. Cf. *H.E.* VIII, 6, 1.

νου ἐπιχείρησις, Κυρῖνος, ὃς ἡγεῖτο τότε τῆς ἐν Χαλκηδόνι
ἐκκλησίας, καὶ κατὰ τὸ συγγενὲς ἴσως Θεοφίλῳ χαριζόμενος
(ἦν γὰρ Αἰγύπτιος) καὶ ἄλλως διάφορος Ἰωάννῃ τυγχάνων,
πλεῖστα αὐτὸν ἐλοιδόρει. 5 Ταχεῖα δὲ τούτων τῶν ὕβρεων
25 ἔδοξεν αὐτὸν μετιέναι δίκη. Μαρουθᾶς γὰρ ὁ ἐκ Μεσοποτα-
μίας συνὼν τοῖς ἐπισκόποις ἄκων αὐτοῦ θάτερον τοῖν ποδοῖν
ἐπάτησεν. Ὀδυνηθεὶς δὲ οὐκέτι σὺν τοῖς ἄλλοις ἱερεῦσιν
εἰς Κωνσταντινούπολιν ἐπεραιώθη, καίπερ ἀναγκαῖος εἶναι
δοκῶν πρὸς τὰς κατὰ Ἰωάννου ἐπιβουλάς. 6 Μετὰ ταῦτα δὲ
30 κακῶς διατεθείς, πολλάκις ὑπὸ τῶν ἰατρῶν ἀπεπρίσθη τὸ
σκέλος· ἐπιγενομένη γὰρ σηπεδὼν τὸ πᾶν ἐπενέμετο σῶμα,
ὡς καὶ τὸν ἕτερον πόδα ταὐτὸν ὑπομεῖναι τῇ μεταδόσει τοῦ
πάθους. Ἀλλ᾽ ὁ μὲν οὐ πολλῷ ὕστερον ἐν ταῖς ὀδύναις ἐτε-
λεύτα τὸν βίον.

17

1 Περαιωθέντι δὲ Θεοφίλῳ οὐδεὶς τῶν ἐν Κωνσταντινου-
1560 πόλει | κληρικῶν ὑπήντετο· δῆλος γὰρ ἦν ἤδη τῷ ἐπισκόπῳ
δυσμενής. Τὸ δὲ τῶν Ἀλεξανδρέων ναυτικόν, οἵπερ ἔτυχον
ἐνδημοῦντες ἔκ τε τῶν ἄλλων πλοίων καὶ μάλιστα τῶν σιτη-
5 γῶν, ὁμοῦ συνελέγησαν καὶ προθύμως αὐτὸν εὐφημοῦντες
ἐδέξαντο. 2 Παραδραμὼν δὲ τὴν ἐκκλησίαν εἰς βασιλικὴν

1. D'origine égyptienne, évêque de Chalcédoine depuis 401. Il avait
accompagné Jean dans sa tournée en Asie Mineure. Il meurt en 405 (cf.
VIII, 27, 2) : DACL III, 1914, c. 120, Chalcédoine, H. LECLERCQ.
    2. Issu d'une famille noble arménienne, il est évêque de Majphesqat en
Mésopotamie depuis le règne de Théodose. Il effectua plusieurs missions
auprès du roi perse, dont celle de 399, à l'occasion de laquelle il aurait
rapporté les reliques des martyrs des persécutions de Sapor II ; il meurt un
peu avant 420 : DECA, p. 1586-1587, J.-M SAUGET et R. DELMAIRE, « Les
lettres d'exil », p. 142.
    3. Au lieu de débarquer, selon l'habitude de ceux qui viennent de Chal-
cédoine, au port de Phosphorianos sur la Corne d'Or, il choisit celui
d'Éleuthère sur la mer de Marmara, là où aboutissent les convois annonai-
res venus d'Égypte. L'accueil que lui font les marins de la flotte annonaire

Cyrinus, qui était alors à la tête de l'église de Chalcédoine [1], peut-être pour plaire à Théophile en raison d'un lien de parenté — il était de fait égyptien — et d'ailleurs en inimitié avec Jean, était celui qui le couvrait le plus d'opprobre. Mais une justice rapide parut le punir de ces outrages. **5** En effet, Marouthas de Mésopotamie [2] qui était avec les évêques foula sans le vouloir un des pieds de Cyrinus. Souffrant, celui-ci ne put plus faire la traversée jusqu'à Constantinople avec les autres évêques, bien qu'il parût indispensable pour les machinations contre Jean. **6** Après cela, vu son mauvais état, les médecins lui coupèrent plusieurs fois la jambe. La gangrène s'y mit et envahit tout le corps, en sorte que l'autre pied envahi par le mal subit le même sort. Et peu après il mourut dans les souffrances.

Chapitre 17

Le concile organisé par Théophile ;
les accusations contre Jean au palais de Rufin.
Convoqué, Jean ne se présente pas,
il est déposé par Théophile.

1 Quand Théophile eut passé le détroit, nul des clercs de Constantinople ne vint à sa rencontre : il était déjà manifeste qu'il était hostile à l'évêque. Mais il y avait la flotte des Alexandrins qui précisément se trouvaient là, ceux des autres navires et en particulier ceux des navires de l'annone : ils se rassemblèrent et lui firent un accueil de fête empressé [3]. **2** Il passa devant l'église et se rendit à un palais

le met en position de force face à l'empereur et à sa cour : cf. R. BRÄNDLE, p. 151. Bien des détails des événements qui suivent sont connus par la lettre que Jean envoie, peu avant son deuxième exil, au pape Innocent pour le tenir au courant et obtenir son appui : citée par PALLADIOS au chapitre 2 de son *Dialogue sur la vie de Jean Chrysostome*, elle est éditée séparément par A. M. Malingrey, *SC* 342, 1988, p. 69-95.

οἰκίαν ἦλθεν, ἐν ᾗ καταμένειν αὐτῷ ηὐτρέπιστο. Ἐπεὶ δὲ
πολλοὺς ἔγνω Ἰωάννῃ ἀπεχθάνεσθαι καὶ κατηγορεῖν ἑτοί-
μους, προδιαθεὶς τἆλλα, ᾗπερ αὐτῷ καλῶς ἔχειν ἐδόκει, ἧκεν
10 εἰς Δρῦν. 3 Χαλκηδόνος δὲ τοῦτο προάστειον, Ῥουφίνου τοῦ
ὑπατικοῦ νῦν ἐπώνυμον, ἐν ᾧ βασίλειά ἐστι καὶ μεγίστη
ἐκκλησία, ἣν αὐτὸς Ῥουφῖνος ἐπὶ τιμῇ Πέτρου καὶ Παύλου
τῶν ἀποστόλων ἐδείματο καὶ ἀποστολεῖον ἐξ αὐτῶν ὠνόμα-
σε· πλησίον δὲ μοναχοὺς συνῴκισεν οἳ τῆς ἐκκλησίας τὸν
15 κλῆρον ἐπλήρουν. 4 Ἐνταῦθα δὲ συνελθὼν Θεόφιλος ἅμα τοῖς
372 | ἄλλοις ἐπισκόποις περὶ μὲν τῶν Ὠριγένους βιβλίων οὐδὲν
ἐπεμνημόνευσε, τοὺς δὲ ἀπὸ Σκήτεως μοναχοὺς εἰς μετάνοιαν ἐκάλει, μήτε μνησικακεῖν μήτε κακῶς ποιεῖν ὑποσχόμενος. Ἐπιβοώντων δὲ αὐτοῖς συγγνώμην αἰτεῖν τῶν Θεοφίλου
20 σπουδαστῶν καὶ προσποιουμένων τὴν σύνοδον ἱκετεύειν ὑπὲρ
αὐτῶν, ταραχθέντες οἱ μοναχοὶ καὶ τοῦτο χρῆναι ποιεῖν νομί-
σαντες πολλῶν ἐπισκόπων προκαθημένων — τοῦτο δὴ τὸ
σύνηθες αὐτοῖς λέγειν κἂν ἀδικῶνται — « Συγχώρησον »
ἔφασαν. 5 Θεοφίλου δὲ ἑτοίμως σπεισαμένου καὶ τὴν κοινω-
25 νίαν αὐτοῖς ἀποδόντος διελύθη τῶν περὶ Σκῆτιν ἀδικημάτων
ἡ ἐξέτασις. Ὅπερ οἶμαι οὐκ ἂν συνέβη, εἰ συμπαρῆσαν τοῖς
ἄλλοις μοναχοῖς Διόσκορός τε καὶ Ἀμμώνιος. Ὁ μὲν γὰρ ἤδη
πρότερον τελευτήσας ἐτάφη ἐν τῇ Μωκίου τοῦ μάρτυρος

---

1. Théophile refuse l'offre de Jean de loger au palais épiscopal, il évite la
cathédrale et s'installe dans une des résidences impériales réservée aux
Augustae : les *Placidianae* du nom de la fille de Théodose, cf. Socr.,
H.E. VI, 15, 12. Contrairement à ce que dit Socrate, cette résidence se
trouvait dans la 1ère région de Constantinople et non pas à la périphérie de
la ville : cf. R. Janin, *Constantinople byzantine*, Paris 1964, p. 135-136.

2. Rouphinianes se trouve au sud-est de Chalcédoine. Il s'agit à l'origine
du lieu dit Drys, qui doit ce nom à la présence d'un grand chêne. Il prit par
la suite le nom du préfet du prétoire d'Orient Flavius Rufinus (consul en
392, et préfet du prétoire de 392 à 395 : cf. *P.L.R.E.* I, p. 778, Fl. Rufinus
18), qui avait fait bâtir un luxueux palais, confisqué par Arcadius lors de sa
chute.

impérial où une résidence lui avait été préparée [1]. Comme il s'était rendu compte que beaucoup haïssaient Jean et étaient prêts à l'accuser, quand il eut tout bien disposé à l'avance de la façon qui lui paraissait la meilleure, il se rendit au Chêne. **3** C'est un faubourg de Chalcédoine qui porte aujourd'hui le nom du consulaire Rufin [2] ; il y a là un palais et une très grande église que Rufin lui-même avait bâtie en l'honneur des Apôtres Pierre et Paul et qu'il dénomma d'après eux Apostoléion [3]. A côté, il établit des moines qui fournissaient le clergé de l'église. **4** Une fois rassemblé là avec d'autres évêques, Théophile ne fit aucune mention des livres d'Origène. Mais il invitait au repentir les moines de Scété, leur promettant qu'il n'aurait pas de ressentiment et ne leur ferait aucun mal. Comme les fidèles de Théophile leur criaient de demander pardon et feignaient de supplier le concile pour eux, les moines, troublés, pensant qu'ils devaient agir ainsi puisque beaucoup d'évêques siégeaient devant eux, dirent « Pardon ! » : c'est ce qu'ils ont l'habitude de dire même quand on leur fait du tort. **5** Théophile se réconcilia volontiers avec eux, leur rendit la communion, et ainsi s'acheva l'enquête sur les torts des moines de Scété [4]. Cela n'eût pas eu lieu, à mon avis, si Dioscore et Ammonius avaient été présents avec les autres moines. Mais Dioscore était mort déjà auparavant et il avait été enterré à l'église

---

3. Rufin avait fait construire un *martyrium* pour abriter des reliques des martyrs Pierre et Paul, venues de Rome. Le monastère qui lui était adjoint fut restauré par saint Hypace vers 400 : cf. CALLINICOS, *Vie de saint Hypace*, *SC* 177, éd. G. J. M. Bartelink, Paris 1971, p. 110-115.

4. Les Longs et leurs partisans étaient très déçus que l'évêque de Constantinople eût refusé, au nom des règles canoniques, d'instruire leurs plaintes contre l'évêque d'Alexandrie comme le lui demandait Arcadius. Son refus maladroit que Sozomène omet de mentionner, sans doute pour préserver l'image d'un Chrysostome systématiquement persécuté, fait basculer l'empereur dans le camp de ses ennemis ; il précipite la réconciliation des Longs avec Théophile qui leur fait d'habiles concessions : BRÄNDLE, p. 152-153. SOCRATE, *H.E.* VI, 16 place à tort cette manœuvre de Théophile après la déposition de Jean : KELLY, p. 217.

ἐπωνύμῳ ἐκκλησίᾳ. 6 Ἀμμώνιος δὲ ἔναγχος τῆς συνόδου
30 παρασκευαζομένης ἐμαλακίσθη τὸ σῶμα· περαιωθεὶς δὲ εἰς
Δρῦν χαλεπώτερον ὑπὸ τῆς νόσου διετέθη καὶ μετ᾽ οὐ πολὺ
τελευτᾷ τὸν βίον· καὶ πρὸς τῶν πλησίον μοναχῶν, ἔνθα δὴ
κεῖται, λαμπρᾶς ἠξιώθη ταφῆς. Ὁ δὲ Θεόφιλος, ὡς ἐπύθετο,
λέγεται δακρῦσαι καὶ εἰς πάντας εἰπεῖν, ὡς οὐδεὶς εἴη τῶν
35 κατ᾽ αὐτὸν μοναχὸς οἷος Ἀμμώνιος, εἰ καὶ αὐτῷ ταραχῆς
αἴτιος ἐγένετο. 7 Προὐχώρει δὲ ὅμως αὐτῷ καὶ τοῦτο κατὰ
γνώμην. Ἡ δὲ σύνοδος ἅπαντας συνεκάλεσε τοὺς Κωνσταντινουπόλεως κληρικούς, καθαίρεσιν ἀπειλήσασα κατὰ τῶν
ἀπειθούντων. Ἐκάλεσε δὲ καὶ Ἰωάννην εἰς ἀπολογίαν· σὺν
1561 40 αὐτῷ δὲ παρεῖναι προσέταξε Σαραπίωνα καὶ Τίγριον πρε|σ-
βύτερον καὶ Παῦλον ἀναγνώστην. 8 Ὁ δὲ Ἰωάννης ἄλλους τέ
τινας τῶν ἐπιτηδείων αὐτῷ κληρικῶν καὶ Δημήτριον τὸν
Πισινοῦντος ἐπίσκοπον πέμψας πρὸς αὐτοὺς ἔλεγε μὴ ἀπο-
φεύγειν τὴν κρίσιν· ἕτοιμος δὲ εἶναι, εἰ πρότερον μάθοι τοὺς
45 κατηγόρους καὶ τὴν γραφὴν ἐπισκέψαιτο, ἐπὶ μείζονος ἀπο-

---

1. Mocius subit le martyre à Byzance sous Dioclétien. La célèbre église
bâtie en son honneur, sur l'emplacement peut-être d'un temple de Zeus, a
été attribuée à tort au règne de Constantin : cf. R. JANIN, La géographie
ecclésiastique de l'Empire byzantin, III Les Églises et les monastères,
Paris 1953, p. 354-358.

2. D'après PALLADIOS, Dial. XVII, 64-66, p. 336-337, Ammonius fut
enterré dans l'église construite par Rufin, sur son domaine de Roufinia-
num : elle est qualifiée de martyrium par la Vie de saint Hypace, VIII, 4.

3. Le concile, désormais chargé par Arcadius de juger Jean et non Théophile, s'ouvre à la fin du mois de septembre 403. On en connaît la préparation et le déroulement par Socrate, Sozomène, Palladios et par le résumé
qu'en a donné le patriarche Photius (éd. dans PALLADIOS, Dialogue...,
SC 342, p. 100-115). Il réunit Théophile, les vingt-neuf évêques venus
d'Égypte, les adversaires traditionnels de Jean (Antiochus de Ptolémaïs,
Sévérianus de Gabala, Acace de Béroé, Cyrinus de Chalcédoine) ainsi que
Marouthas, sous la présidence de Paul d'Héraclée ; s'y ajoutent peut-être
des évêques qui ont abandonné Jean. Le total des participants varie, selon
les sources et les moments, entre 36 et 45. Assistent également au « concile »
le moine Isaac et plusieurs autres prêtres.

4. Sur Sarapion, cf. supra, VIII, 9, 1. Après son altercation avec Sévérianus de Gabala, Sarapion avait été promu prêtre. Tigrius, d'origine barbare,

portant le nom du martyr Mocius [1]. **6** Ammonius, alors
qu'on préparait le concile, avait été récemment pris de faiblesse. Il avait fait la traversée jusqu'au Chêne, mais s'était
senti plus mal et peu après il finit sa vie. Il obtint une très
belle sépulture de la part des moines voisins : c'est là qu'il
repose [2]. On dit que Théophile, à cette nouvelle, versa des
larmes et dit devant tous que nul des moines de son temps
n'avait été pareil à Ammonius, — et pourtant il avait été
pour ce dernier cause de trouble. **7** Cependant cette mort
aussi était venue à point pour lui. Le concile [3] convoqua tous
les clercs de Constantinople, avec menace de déposer les
désobéissants. Il convoqua aussi Jean pour qu'il se défendît,
et il ordonna que comparussent avec Jean, Sarapion, le prêtre Tigrius et le lecteur Paul [4]. **8** De son côté, Jean leur
envoya des clercs de son entourage et en particulier Démétrius, évêque de Pessinonte [5]. Il disait qu'il ne se soustrayait
pas à l'enquête ; il était prêt à se défendre devant un concile
plus important, à la condition de connaître d'abord les accusateurs et d'avoir examiné l'acte d'accusation [6] ; il ne voulait

ancien esclave eunuque, affranchi, devenu prêtre — cf. Socr., *H.E.* VI,
15 —, était réputé pour sa modération à l'égard des pauvres et des étrangers : cf. *H.E.* VIII, 24, 8. Le diacre Paul, après avoir porté la lettre de Jean
à Innocent, avait rejoint l'évêque à Cucuse pour ensuite repartir en Italie :
R. Delmaire, « Les lettres d'exil », p. 152.

5. L'évêque de Pessinonte joue un rôle important comme messager de
Jean porteur d'une lettre au pape (Palladios, *Dial.* I, 173-177, p. 62-65 et
VIII, 163-167, p. 170-173). Par la suite, il parcourt l'Orient pour y rappeler
le soutien du pape à la cause de Jean : cf. Palladios, *Dial.* I, 173, *SC* 341,
p. 64, note 1.

6. Les chefs d'accusation comportaient initialement vingt-neuf points,
portant sur le comportement de Jean à l'égard de son clergé (brutalités
physiques sur un diacre, manque d'égards pour les moines...), sur ses
mœurs (gloutonnerie, solitude à table, caractère peu sociable...), sur sa
gestion financière et surtout sur son orgueil et son excessive confiance en
lui. Socrate, *H.E.* VI, 15, 15, malgré son jugement parfois plus critique
que celui de Sozomène, considère toutes ces accusations comme insoutena-
bles. Il reste néanmoins que l'autoritarisme de Jean lui avait valu beaucoup
d'ennemis dans le clergé : cf. Liebeschuetz, *Barbarians...*, p. 208-216.

λογεῖσθαι συνόδου· μὴ γὰρ αἱρεῖσθαι ἀνόητόν τι ὑπομένειν καὶ περιφανῶς ἐχθρῶν ἀνέχεσθαι δικαστῶν. 9 Ὡς ἀπειθοῦντος δὲ συνόδῳ χαλεπαινόντων αὐτῶν, οἱ μὲν τῶν τάδε ἀγγειλάντων δείσαντες οὐκέτι ἀνέστρεφον, Δημήτριος δὲ καὶ ὅσοι 373 50 τὴν Ἰωάννου προετίμων συνουσίαν ὡς αὐτὸν ἐπανῆλθον. | Κατ᾽ αὐτὴν δὲ τὴν ἡμέραν ταχυδρόμος καὶ ταχυγράφος ἐκ τῶν βασιλείων παραγενόμενοι τὸν μὲν κατήπειγον πρὸς τοὺς ἐπισκόπους ἐλθεῖν, τοὺς δὲ μὴ μέλλειν περὶ τὴν κρίσιν. 10 Ἐπεὶ δὲ τετράκις κληθεὶς οἰκουμενικὴν ἐπεκαλεῖτο σύν-
55 οδον, οὐδὲν ἕτερον ἐπαιτιώμενοι, πλὴν ὅτι κληθεὶς οὐχ ὑπήκουσε, καθεῖλον αὐτόν.

18

1 Τὸ δὲ πλῆθος ὡς τάδε ἔγνω ἐν Κωνσταντινουπόλει περὶ δείλην ὀψίαν πρὸς στάσιν κεκίνητο· καὶ συνδραμόντες ἔωθεν εἰς τὴν ἐκκλησίαν ἄλλα τε πολλὰ ἀνέκραγον καὶ ὡς δέοι μείζονα σύνοδον περὶ αὐτοῦ διαλαβεῖν. Κατεπειγόντων τε τῶν
5 ἐκ βασιλέως προστεταγμένων εἰς ὑπερορίαν αὐτὸν ἀπάγειν οὐ συνεχώρουν. 2 Ὁ δὲ δείσας, μή τι ἕτερον αὐτῷ ἔγκλημα πλακείη ὡς βασιλεῖ ἀπειθοῦντι ἢ τὸν δῆμον ταράττοντι,

---

1. Il s'agit d'une quarantaine d'évêques convoqués initialement pour juger Théophile : Kelly, p. 218.

2. L'envoi du courrier et du notaire manifeste l'accord désormais officiel de l'empereur avec l'entreprise menée contre Jean ; cette prise de position prend appui sur l'hostilité que manifeste une partie du clergé de Constantinople à l'égard de l'évêque à cause de ses méthodes brutales et autoritaires : Liebeschuetz, « The Fall of John Chrysostomus », *Nottingham Medieval Studies*, 29, 1985, p. 13.

3. Après avoir délibéré de manière désordonnée et incomplète sur certains chefs d'accusation auxquels le moine Isaac avait ajouté une nouvelle liste, les membres de l'assemblée votent, non sur les charges elles-mêmes, mais sur le refus de comparaître de Jean. Photius dans son résumé des actes du synode du Chêne (cf. Palladios, SC 342, 133, p. 113) donne le chiffre de quarante-cinq votants : les trente-six du début plus quelques évêques du camp de Jean qui avaient fait défection. Le rapport envoyé à l'empereur fait

pas en effet subir une accusation absurde et supporter des juges ouvertement hostiles. **9** Comme les évêques étaient courroucés de ce qu'il désobéît au concile, certains de ceux qui avaient annoncé cette réponse, pris de peur, ne prirent pas le chemin du retour, mais Démétrius et tous ceux qui préféraient la compagnie de Jean rentrèrent auprès de lui [1]. Ce même jour survinrent un courrier et un notaire du palais [2] ; ils pressèrent Jean d'aller chez les évêques, et ceux-ci de ne plus tarder sur le jugement. **10** Comme, bien que convoqué quatre fois, Jean continuait de réclamer un concile oecuménique, les évêques, au seul motif d'accusation qu'il n'avait pas répondu aux convocations [3], le déposèrent.

Chapitre 18

La foule se soulève contre Théophile et son concile,
elle insulte les souverains.
Rappelé cependant, Jean retrouve son siège.

1 Mais quand la foule [4] apprit cela à Constantinople dans la soirée, elle s'émut en sédition. Le lendemain matin, accourus à l'église, ils poussaient toutes sortes de cris et entre autres qu'il fallait qu'un concile plus important décidât sur Jean. Alors que les officiers chargés par l'empereur d'emmener Jean en exil pressaient la chose, ils ne cédaient pas. **2** Jean craignit alors qu'on ne forgeât contre lui une seconde accusation, qu'il désobéissait à l'empereur ou troublait le

---

état de la déposition de Jean pour non comparution et également d'une accusation de lèse-majesté qui ne pouvait être traitée que par le tribunal impérial. Arcadius n'a pas voulu aller jusque là : cf. KELLY, p. 225-228.

4. Le mot « foule » recouvre probablement une réalité sociale très diverse : sur les soutiens de Jean chez les pauvres sensibles à sa critique des richesses et à sa pratique pastorale orientée vers l'assistance aux faibles, mais aussi chez les puissants, voir LIEBESCHUETZ, *Barbarians...*, p. 223-227.

ἡμέρᾳ τρίτῃ μετὰ τὴν καθαίρεσιν διασπαρέντος τοῦ πλήθους
περὶ μεσημβρίαν λαθὼν ἀπέλιπε τὴν ἐκκλησίαν. Ἤδη δὲ
10 αὐτοῦ ἀπαγομένου χαλεπῶς ὁ λαὸς ἐστασίαζε, βασιλέα τε καὶ
τὴν σύνοδον καὶ μάλιστα Θεόφιλον καὶ Σευηριανὸν ἐλοιδό-
ρουν· ἄμφω μὲν γὰρ ἀρχηγὼ τῆς ἐπιβουλῆς ἤστην. 3 Ὁ δὲ
Σευηριανὸς καὶ ἐπὶ ἐκκλησίας τότε διδάσκων ἐπήνεσε τὴν
Ἰωάννου καθαίρεσιν ὡς κατὰ ἀλαζόνος, εἰ καὶ μηδὲν ἦν ἕτε-
15 ρον ἔγκλημα, γεγενημένην· « Τὰ μὲν γὰρ ἄλλα, ἔφη, ἁμαρτήματα συγχωρεῖ τοῖς ἀνθρώποις τὸ θεῖον, ὑπερηφάνοις δὲ
ἀντιτάσσεται.» 4 Ἐπὶ τούτοις δὲ ἐνεμέσησε τὸ πλῆθος καὶ
τὴν ὀργὴν ἀνενέου καὶ ἀσχέτως ἐστασίαζε, καὶ οὔτε ἐν ἐκκλησίαις οὔτε ἐν ἀγοραῖς ἠρεμεῖν ἠνείχετο· ἅμα δὲ ὀλολυγῇ καὶ
20 ὀδυρμοῖς μέχρι καὶ αὐτῶν τῶν βασιλείων προϊόντες ἐδέοντο
1564 περὶ τῆς Ἰωάννου ἀνακλήσεως. 5 Εἴξασα δὲ ταῖς ἱκεσίαις |
τοῦ δήμου ἡ βασιλὶς πείθει τὸν ἄνδρα ἐπινεῦσαι· ἐν τάχει τε
Βρίσωνα τῶν ἀμφ᾽ αὐτὴν πιστὸν εὐνοῦχον πέμψασα, ἐκ
Πραινέτου τῆς Βιθυνίας Ἰωάννην ἐπανήγαγεν, ἀθῷον εἶναι
25 τῶν κατ᾽ αὐτοῦ βεβουλευμένων δηλώσασα καὶ δι᾽ αἰδοῦς

---

1. Pour P. C. Baur qui suit la *Lettre à Innocent* (PALLADIOS, *Lettre* ...
93-97, *SC* 342, p. 78-79) l'expulsion, sous le commandement d'un *curiosus*
(fonctionnaire important, en fait le *princeps* de la préfecture urbaine agissant comme officier de police : cf. DAGRON, *Naissance*..., p. 237-238)
envoyé par le palais, s'est faite le jour même dans la soirée : cf. BAUR, t. II,
p. 224. KELLY, p. 228 et BRÄNDLE, p. 160 préfèrent suivre SOCRATE,
H.E. VI, 15, 21 et Sozomène : ils évoquent un délai de trois jours avant le
premier exil.
2. Ce conflit entre un « bon » empereur et un évêque orthodoxe pose un
problème à l'historiographie ecclésiastique qui cherche à ménager l'un et
l'autre : d'où la tendance chez Socrate et chez Sozomène à accentuer les
responsabilités extérieures, en l'occurrence celle de Théophile qui devient
un véritable bouc émissaire, constamment critiqué par les historiens de
Constantinople, ce qui leur évitait de mettre en cause l'empereur : cf.
M. WALRAFF, « Le conflit de Jean Chrysostome avec la cour chez les historiens grecs », dans *L'historiographie de l'Église des premiers siècles*,
B. Pouderon-Y.M. Duval éd., Paris Beauchesne (Théologie historique 114),
2001, p. 362-365.
3. Même développement dans SOCR., *H.E.* VI, 16, 4.

peuple, et le troisième jour après sa déposition [1], la foule
s'étant dispersée, à midi, il quitta en secret l'église. Mais à
l'heure où déjà on l'emmenait, la révolte populaire grandis-
sait, on injuriait l'empereur, le concile, surtout Théophile et
Sévérianus [2] : tous deux en effet étaient les fauteurs de la
machination. 3 Cependant Sévérianus, s'étant même mis à
prêcher alors à l'église, approuva la déposition de Jean
comme ayant eu lieu contre un orgueilleux, même s'il n'y
avait pas d'autre crime : « Toutes les autres fautes, dit-il,
Dieu les pardonne aux hommes, mais il s'oppose aux superbes » [3]. 4 Là-dessus, la foule fut prise de fureur, elle ranimait
sa colère, sa révolte était incontrôlable, et ni dans les églises
ni sur les places le calme ne régnait ; avec des cris de douleur
et des gémissements, les gens s'avancèrent jusqu'au palais
même et ils réclamaient le rappel de Jean. 5 L'impératrice,
ayant cédé aux supplications du peuple, persuade son époux
de donner son accord [4]. En hâte, elle envoya Brison, un
eunuque de confiance de sa cour [5], et il ramena Jean de
Prainetos en Bithynie [6]. Elle lui fit savoir qu'elle était inno-
cente de la conspiration contre lui et qu'elle le vénérait

4. Sozomène fait jouer, comme souvent, un rôle central à l'impératrice, à
la différence de Socrate, *H.E.* VI, 16, 5 qui mentionne seulement l'ordre
donné par Arcadius de rappeler Jean. Eudoxie est à l'origine du rappel, non
pas à la suite d'un tremblement de terre (Théod., *H.E.* V, 34), ni par crainte
de la foule comme l'avance Sozomène pour renforcer l'image de la popularité de l'évêque, mais suite à un accident privé (Palladios, *Dial.* IX, 5,
SC 341 p. 180-181), peut-être une fausse couche venant peu après la naissance de sa dernière fille Marina en février 404, perçue par elle comme une
punition envoyée par le ciel pour sa conduite à l'égard de Jean : cf. Baur,
t. II, 265.

5. Cet eunuque du service de l'*Augusta* est un admirateur de Jean qui
lui envoie deux lettres lors du deuxième exil (Jean Chrysostome, *ep.* 190 et
234, *PG* 52, c. 718 et 739-740) : voir *P.L.R.E.*, t. II, p. 242.

6. Petite ville commerçante sur la rive droite de la Propontide entre
Hélénopolis et Nicomédie, aujourd'hui Karamürsel. De là partait une route
vers Nicée : *PW* XXII 2, 1954, c. 1832-1833, F. K. Dörner. Ce n'était
probablement pas le lieu prévu pour l'exil : cf. Baur, t. II p. 225.

374 αὐτὸν | ἔχειν ὡς ἱερέα καὶ μυσταγωγὸν τῶν αὐτῆς παίδων.
6 Ὁ δὲ ἐπανελθὼν ἐν προαστείῳ αὐτῆς τῆς βασιλίδος περὶ τὸν
Ἀνάπλουν διέτριβεν· καὶ πρὸ κρίσεως μείζονος συνόδου, ἵν᾽
εἴη δῆλον ὡς ἀδίκως ἀφῃρέθη τῆς ἐπισκοπῆς, παρῃτεῖτο τέως
30 τὴν εἰς τὴν πόλιν εἴσοδον. Ἐπεὶ δὲ πάλιν ὁ λαὸς ἠγανάκτει
καὶ τοὺς κρατοῦντας ἐλοιδόρει, βιασθεὶς εἰσῆλθεν. **7** Ἐν ψαλμῳδίαις δὲ πρὸς τὸ συμβὰν πεποιημέναις ὑπαντήσας ὁ δῆμος
(ἔφερον δὲ κηροὺς ἡμμένους οἱ πλείους) ἄγουσιν αὐτὸν ἐπὶ
τὴν ἐκκλησίαν. Παραιτούμενόν τε καὶ πολλάκις ἰσχυριζόμε-
35 νον χρῆναι πρότερον τοὺς καταψηφισαμένους αὐτοῦ πάλιν
ἀποψηφίσασθαι, ὡς ἱερεῦσι θέμις ἠνάγκασαν τὴν εἰρήνην τῷ
λαῷ προσειπεῖν καὶ εἰς τὸν ἐπισκοπικὸν καθῖσαι θρόνον.
Ἀναγκασθεὶς δὲ καὶ σχέδιόν τινα διεξῆλθε λόγον. **8** Ἐκ
χαριεστάτης δὲ εἰκόνος τὰς ἀφορμὰς λαβὼν ὑπεδήλου Θεόφι-
40 λον μὲν ἐνυβρίσαι τὴν ὑπ᾽ αὐτὸν ἐκκλησίαν ἐπιχειρῆσαι ὡς
τὸν Αἰγυπτίων βασιλέα τὴν Ἀβραὰμ τοῦ πατριάρχου γαμε-
τήν, ὡς αἱ τῶν Ἑβραίων ἱστοροῦσι βίβλοι· τὸν δὲ λαὸν ὡς
εἰκὸς ἐπαινέσας τῆς προθυμίας καὶ τοὺς κρατοῦντας τῆς περὶ
αὐτὸν εὐνοίας εἰς πολλοὺς κρότους καὶ εὐφημίαν τοῦ βασι-
45 λέως καὶ τῆς αὐτοῦ γαμετῆς τὸ πλῆθος ἐκίνησεν, ὡς καὶ
ἡμιτελῆ καταλιπεῖν τὸν λόγον.

---

1. Jean fait allusion à cette lettre dans le *Sermo post reditum suum a priore exsilio*, 4 (*PG* 52, c. 445). Elle vient rappeler combien est complexe la relation de l'impératrice avec l'évêque. De fait, Sozomène écrivant sous Théodose II ne peut donner de la mère de l'empereur une image trop critique.

2. Il s'agit d'un faubourg suburbain sur la rive européenne du Bosphore : cf. R. JANIN, *Constantinople byzantine*, p. 468.

3. Des moines armés adversaires de Jean, menés par Isaac, ayant occupé la cathédrale, il avait fallu faire appel à la troupe, à laquelle s'était joint le peuple, pour les chasser, au prix de pertes humaines : cf. ZOS., 5, 23. Afin de calmer ses partisans par sa présence, Jean se trouve contraint de revenir plus vite, sans attendre la réunion, qu'il réclamait, d'un concile digne de ce nom pour juger son cas : KELLY, p. 233. Sozomène, si souvent admiratif à l'égard des moines, évite, sans doute volontairement, de mentionner leur comportement particulièrement violent.

comme évêque et comme l'initiateur de ses enfants [1]. **6** A son retour, Jean logea dans une villa suburbaine de l'impératrice même près de l'Anaplous [2] : avant que ne l'eût jugé un plus grand concile, pour qu'il fût manifeste qu'il avait été injustement déposé de l'épiscopat, il refusait pour l'instant d'entrer dans la ville. Mais comme les fidèles étaient de nouveau en colère [3] et qu'ils insultaient les princes, contraint et forcé, il entra. **7** Le peuple vint à sa rencontre avec des chants composés pour la circonstance — la plupart portaient des cierges allumés — et on le conduit à l'église. Bien qu'il s'y refusât et qu'il eût soutenu à plusieurs reprises que ceux qui l'avaient condamné devaient d'abord revenir sur leur décision, on l'obligea à donner la paix aux fidèles [4], comme il est de règle pour les évêques, et à s'asseoir sur le trône épiscopal. Comme on l'y obligeait, il fit aussi un sermon improvisé. **8** Empruntant son argument à une comparaison des plus heureuses, il insinua que Théophile avait tenté de violer son église comme le roi d'Égypte la femme du patriarche Abraham, ainsi que le racontent les livres des Hébreux [5]. Il loua le peuple fidèle, comme de juste, pour son empressement, les princes pour leur bienveillance à son égard, et il souleva un tel tumulte d'applaudissements, de tels cris de louange à l'adresse de l'empereur et de son épouse, qu'il dut même laisser son sermon à demi achevé.

4. Cette bénédiction de paix est donnée par l'évêque avant le début de l'office proprement dit : cf. JEAN CHRYSOSTOME, *In ep. I ad Cor.*, XXXVI, 5 (texte cité par A. M. Malingrey, PALLADIOS, *Dial.* XIV, 20-21, *SC* 341, p. 278-279 avec la note 1). Rendre à Jean ce privilège de l'évêque dans la liturgie correspond à proclamer l'illégalité de sa déposition. Le retour triomphal date du début d'octobre 403.

5. Gn 12, 10-20.

19

1 Θεόφιλος δὲ ἀπορῶν ὅ τι χρήσαιτο τοῖς παροῦσιν οὐκ ἐθάρρει, καίπερ προθυμούμενος, εἰς τὸ φανερὸν διαβάλλειν Ἰωάννην ὡς παρανόμως μετὰ καθαίρεσιν ἱερώμενον. Ἤδει
1565 γὰρ τοῖς κρατοῦσι προσκρούσων, | οἳ διὰ τὴν κίνησιν τοῦ
5 δήμου παραιτούμενον ἐπανελθεῖν ἐβιάσαντο. **2** Τοῖς δὲ Ἡρακλείδου κατηγόροις δικαστήριον κατὰ ἀπόντος προτέθεικεν, οἰηθεὶς ἐντεῦθεν εὐλογωτέραν πως αἰτίαν εὑρήσειν τῆς Ἰωάννου καθαιρέσεως. Ἀνταιρόντων δὲ τῶν αὐτῷ ἐπιτηδείων, ὡς οὐ νόμιμον οὐδὲ ἐκκλησιαστικὸν τὸν ἀπόντα κρίνεσθαι, τῶν
10 δὲ περὶ Θεόφιλον τἀναντία ἰσχυριζομένων, ἐπιλαβόμενοι τῆς ἔριδος τὸ λοιπὸν τῶν Ἀλεξανδρέων καὶ Αἰγυπτίων πλῆθος καὶ ὁ Κωνσταντινουπόλεως λαὸς εἰς ἀλλήλους ἐχώρησαν, ὡς
375 πολλοὺς τραυματίας γενέσθαι, | τινὰς δὲ καὶ ἀπολέσθαι. **3** Δείσαντες δὲ Σευηριανός τε καὶ οἱ ἄλλοι ἐπίσκοποι πλὴν
15 τῶν τὰ Ἰωάννου ζηλούντων φυγῇ τὴν Κωνσταντινούπολιν ἀπέλιπον. Καὶ Θεόφιλος δὲ αὐτίκα μηδὲν ἀναβαλλόμενος ἤδη τοῦ χειμῶνος ἀρχομένου φεύγων ἅμα Ἰσαακίῳ τῷ μοναχῷ ἀπέπλευσεν εἰς Ἀλεξάνδρειαν. Ἀπὸ δὲ τοῦ πελάγους ὧδε συμβὰν κατῆρεν εἰς Γεράν, πόλιν μικρὰν ἀμφὶ πεντήκοντα
20 στάδια τοῦ Πηλουσίου ἀφεστῶσαν. **4** Τελευτήσαντος δὲ τότε

---

1. Cf. Socr., *H.E.* VI, 17, 2. Sur cet évêque accusé d'origénisme par le synode du Chêne : *DHGE* XXIII, 1990, c. 1341, Héraclide d'Éphèse, P. Th. Camelot. Que Théophile se soit soucié de reprendre la procédure destinée à obtenir la déposition d'Héraclide d'Éphèse qui devait à Jean son trône épiscopal, alors qu'il était lui-même menacé jusque dans sa vie au point de quitter rapidement Constantinople (Palladios, IX, 8-9, *SC* 341 p. 180-181), paraît un peu invraisemblable : Baur, t. II p. 231 note 30.
2. Sozomène suit là encore la version de Socrate, *H.E.* VI, 17, 2-3 tout aussi discutable : le conflit entre Alexandrie et Constantinople concernait bien plus l'affaire de Jean que celle d'Héraclide. L'historien semble très attentif à ne pas trop insister sur l'opposition des deux sièges.

Chapitre 19

La malignité de Théophile ;
la haine entre Égyptiens et Constantinopolitains ;
la fuite de Théophile ;
l'ascète Nilammon et le concile concernant Jean.

1 Théophile, ne sachant que faire dans ces circonstances, n'osait pas, bien qu'il en eût une grande envie, attaquer ouvertement Jean comme exerçant de façon illégale ses fonctions sacerdotales après sa déposition. Il savait qu'il heurterait les princes qui, à cause du soulèvement populaire, avaient forcé l'évêque à revenir malgré lui. **2** Il proposa alors aux accusateurs d'Héraclide [1] de constituer un tribunal contre un absent : il pensait qu'il trouverait là un motif plus vraisemblable de déposer Jean. Comme s'y opposaient les amis d'Héraclide, alléguant qu'il n'était ni juste ni canonique de juger un absent, et que les partisans de Théophile soutenaient le contraire, se mêlèrent à la querelle d'un côté tout le reste des Alexandrins et des Égyptiens, de l'autre le peuple de Constantinople : ils en vinrent aux mains, il y eut beaucoup de blessés, même des morts [2]. **3** Sévérianus prit peur ainsi que les autres évêques, sauf ceux du parti de Jean, ils s'enfuirent et quittèrent Constantinople. Aussitôt Théophile, lui aussi, sans plus différer, l'hiver commençant déjà, prit la fuite avec le moine Isaac et fit voile vers Alexandrie. Et d'aventure, de la haute mer, il débarqua à Géra, petite ville à environ cinquante stades de Péluse [3]. **4** Or, comme l'évêque du lieu était mort, les habi-

---

3. Également Gerra. Ancien évêché de la province Ière augustamnique, dépendant de Péluse dont il est distant de 9 km : cf. *DHGE* XX, 1984 c. 1045, Gerrha, D.L. STIERNON.

τοῦ ἐνθάδε ἐπισκόπου οἱ μὲν πολῖται, ὡς ἐπυθόμην, ἐψηφίσαντο Νιλάμμωνα προστατεῖν τῆς αὐτῶν ἐκκλησίας, ἄνδρα
ἀγαθὸν καὶ μοναχικῆς φιλοσοφίας εἰς ἄκρον ἐλθόντα. Ὤικει
δὲ πρὸ τοῦ ἄστεως, ἐν οἰκήματι καθείρξας ἑαυτὸν καὶ λίθοις
25 τὴν θύραν ἀποφράξας. Ἀποφεύγοντα δὲ τὴν ἱερωσύνην,
ἐλθὼν πρὸς αὐτὸν Θεόφιλος συνεβούλευε καταδέχεσθαι τὴν
παρ᾽ αὐτοῦ χειροτονίαν. 5 Ὁ δὲ πολλάκις παραιτησάμενος,
ὡς οὐκ ἔπειθεν, « Αὔριον εἴ σοι φίλον, ἔφη, πρᾶξον, ὦ πάτερ,
ὥστε με σήμερον τὰ κατ᾽ ἐμαυτὸν διαθεῖναι. » Ἐπεὶ δὲ τῇ
30 ὑστεραίᾳ κατὰ τὰ συγκείμενα ἦλθε καὶ τὴν θύραν ἀνοίγειν
ἐκέλευσεν, « Ἄγε δὴ πρότερον, ὁ Νιλάμμων ἔφη, εὐξώμεθα. »
Καὶ Θεόφιλος ἐπαινέσας ηὔξατο· Νιλάμμων δὲ ἐν τῷ
εὔχεσθαι τὴν ἐνθάδε κατέλιπε βιοτήν. 6 Τοῦτο δὲ τὰ μὲν
πρῶτα ἠγνοεῖτο Θεοφίλῳ καὶ τοῖς ἀμφ᾽ αὐτὸν ἔξωθεν ἑστῶ-
35 σιν. Ἀναλωθείσης δὲ λοιπὸν τῆς ἡμέρας, ὡς πολλάκις γεγω-
νότερον καλούντων οὐχ ὑπήκουε, καταβαλόντες τοὺς πρὸς τῇ
θύρᾳ λίθους εὗρον τὸν ἄνδρα νεκρόν· καὶ περιστείλαντες ᾗ ἔδει
δημοσίας ἠξίωσαν ταφῆς· καὶ εὐκτήριον οἶκον περὶ τὸν αὐτοῦ
τάφον ᾠκοδόμησαν οἱ ἐπιχώριοι, καὶ ἐπισημότατα εἰσέτι νῦν
40 τὴν ἡμέραν τῆς αὐτοῦ τελευτῆς ἄγουσι. 7 Ὁ μὲν δὴ Νιλάμμων ὧδε τέθνηκεν, εἴ γε δεῖ θάνατον καλεῖν ὃν ὑπομεῖναι
ηὔξατο πρὶν ἐπιτραπῆναι τὴν ἱερωσύνην, ἧς ἀνάξιος εἶναι διὰ
μετριότητα τρόπων ἡγεῖτο.

Ὁ δὲ Ἰωάννης ἐπανελθὼν εἰς Κωνσταντινούπολιν ἔτι μᾶλ-
45 λον κεχαρισμένος τῷ λαῷ ἐφαίνετο. 8 Συνεληλυθότων δὲ τότε
ἐν Κωνσταντινουπόλει ἀμφὶ ἑξήκοντα ἐπισκόπων ἄκυρά τε
376 τὰ ἐν τῇ Δρυΐ πεπραγμένα καὶ | αὐτὸν ἔχειν τὴν ἐπισκοπὴν
ψηφισαμένων διετέλεσεν ἱερώμενος καὶ χειροτονῶν καὶ τἆλλα
περὶ τὴν ἐκκλησίαν ᾗ θέμις τοῖς προεστῶσι διέπων· ἡνίκα καὶ
50 Σαραπίωνα τῆς ἐν Θράκῃ Ἡρακλείας ἐπίσκοπον κατέστησεν.

---

1. Cf. Neilammon, *PW* Suppl. VII 1940, c. 561, Ensslin.
2. Il s'agit d'évêques convoqués auparavant par Arcadius pour décider
du sort de Théophile et encore présents à Constantinople ainsi que de
proches de Jean. Ils ne sont pas réunis de manière officielle par lettre
impériale et leur sentence n'a pas de valeur canonique : cf. Kelly, p. 238.

tants, à ce que j'ai appris, avaient décidé de mettre à la tête de leur église Nilammon, un homme vertueux parvenu au sommet de l'ascèse monastique [1]. Il habitait, devant la ville, une cabane où il s'était enfermé et dont il avait bouché la porte avec des pierres. Comme il repoussait le sacerdoce, Théophile vint à lui et lui conseilla d'accepter l'élection de ses mains. **5** Il s'y refusa à plusieurs reprises et, comme il n'arrivait pas à persuader Théophile, il lui dit : « Fais-le demain, père, si tu y tiens, en sorte que moi, aujourd'hui, je règle mes affaires. » Le lendemain, Théophile vint selon la convention et lui demanda d'ouvrir la porte. « Eh bien, prions d'abord », dit Nilammon. Théophile en fut d'accord et se mit en prière : mais Nilammon, en pleine prière, quitta l'existence d'ici-bas. **6** Théophile et sa suite, qui se tenaient dehors, ne s'en aperçurent pas tout d'abord. Mais le jour s'écoulait et, bien qu'ils eussent souvent à voix plus forte appelé Nilammon, il ne répondait pas ; alors, ils rejetèrent les pierres de devant la porte et ils le trouvèrent mort. Ils l'enveloppèrent comme il convenait et ils lui firent des funérailles publiques. Les gens du lieu bâtirent une maison de prière autour de sa tombe, et jusqu'à ce jour, ils célèbrent avec éclat l'anniversaire de sa mort. **7** Ainsi mourut Nilammon, si du moins il faut appeler mort ce qu'il avait souhaité de subir avant d'être chargé de l'épiscopat, dont, à cause de sa modestie, il se jugeait indigne.

Une fois revenu à Constantinople, Jean paraissait plus encore chéri du peuple. **8** Comme environ soixante évêques [2], s'étant réunis alors à Constantinople, avaient voté qu'étaient sans valeur les actes du concile du Chêne et que Jean gardait son épiscopat, il continua de célébrer le culte, de faire des ordinations et d'administrer les affaires de l'église comme il est de règle pour les évêques. C'est à ce moment aussi qu'il nomma Sarapion évêque d'Héraclée en Thrace [3].

---

3. C'est la mort de Paul d'Héraclée qui permet à Jean, le 20 octobre 404, de promouvoir Sarapion qui l'avait activement soutenu jusque là.

20

1568 | **1** Οὐ πολλῷ δὲ ὕστερον ἀνδριάντος ἀργυροῦ τῆς τοῦ βασιλέως γαμετῆς ἐπὶ πορφυροῦ κίονος ἀνατεθέντος, ὃς καὶ νῦν ἐστι πρὸς μεσημβρίαν τῆς ἐκκλησίας πρὸ τοῦ οἴκου τῆς μεγάλης βουλῆς ἐφ' ὑψηλοῦ βήματος, κρότοι τε καὶ δημώδεις 5 θέαι ὀρχηστῶν τε καὶ μίμων ἐνθάδε ἐπετελοῦντο, ὡς ἔθος ἦν τότε ἐπὶ τῇ ἀναθέσει τῶν βασιλικῶν εἰκόνων. **2** Ἐφ' ὕβρει δὲ τῆς ἐκκλησίας τάδε γεγενῆσθαι ἐν ὁμιλίᾳ πρὸς τὸν λαὸν ὁ Ἰωάννης διέβαλεν. Ἡ δὲ βασιλὶς ἔτι προσφάτου τῆς μνήμης οὔσης τῶν προτέρων λυπηρῶν ὡς ὑβρισμένη πάλιν ἐμπίπλα- 10 ται θυμοῦ καὶ σύνοδον αὖθις ἐπιτελεῖσθαι ἐσπούδαζεν. Ὁ δὲ οὐκ ἐνεδίδου, ἀλλ' ἔτι σαφέστερον ἐπ' ἐκκλησίας λοιδορῶν αὐτὴν ἐξέκαυσε πρὸς ὀργήν· **3** ἡνίκα δὴ τὸν ἀοίδιμον ἐκεῖνον διεξῆλθε λόγον ἀρξάμενος ὧδε· « Πάλιν Ἡρῳδιὰς μαίνεται, πάλιν ὀρχεῖται, πάλιν Ἰωάννου τὴν κεφαλὴν ἐπὶ πίνακος 15 σπουδάζει λαβεῖν. » Οὐκ εἰς μακρὰν δὲ ἄλλοι τε ἐπίσκοποι

1. La statue en argent de l'impératrice, placée au sommet d'une colonne de porphyre, est érigée à l'initiative du préfet de la ville de Constantinople, Simplicius, à la mi-novembre 403, sur la place des Pittakia au nord-est de l'*Augusteon*, entre Sainte Sophie et Sainte Irène. Son piédestal qui porte une inscription bilingue en l'honneur d'Eudoxie (reproduite dans Brändle, p. 166) se trouve au Musée des Antiquités d'Istanbul : cf. R. Janin, *Constantinople Byzantine*, p. 76-77.
2. L'honneur exceptionnel fait à Eudoxie qui avait reçu le titre d'*Augusta* le 9 janvier 400 justifiait des festivités particulières : cf. Socr., *H.E.* VI, 18, 1-2. C'est le bruit causé un dimanche de novembre 403 pendant l'office qui pousse Jean à protester contre les excès commis lors de ces fêtes. Socrate reproche à Jean de ne pas avoir alors présenté ses remontrances à l'empereur et à l'impératrice avec assez de modération. Les adversaires de l'évêque en ont profité pour faire croire à la cour qu'il s'opposait au principe même de ces honneurs. Les sermons prononcés à cette occasion sont perdus : cf. Kelly, p. 239-240.
3. Arcadius lui-même a convoqué sur les instances de Jean un concile pour régler sa situation et annuler la sanction prise au Chêne ; Eudoxie de son côté, soutenue par les adversaires de l'évêque (Antiochus, Sévérien,

Chapitre 20

La statue de l'impératrice ;
la prédication de Jean,
le concile rassemblé à nouveau contre lui et sa déposition.

1 Peu de temps après, comme on avait dressé une statue d'argent de l'épouse de l'empereur sur une colonne de porphyre qui se voit encore, au sud de l'église, devant le palais du Sénat, sur un haut piédestal [1], il y eut sur la place applaudissements et spectacles publics de danseurs et de mimes, comme il était d'usage à l'époque lors de la consécration de statues impériales. **2** Dans un sermon au peuple, Jean attaqua ces fêtes comme une insulte à l'Église [2]. L'impératrice, qui avait le souvenir récent des mortifications précédentes, se tenant de nouveau pour outragée, est remplie de fureur ; et elle s'employait à réunir un nouveau concile [3]. Mais Jean ne fléchissait pas, et, l'invectivant plus clairement encore à l'église, il enflamma sa colère. **3** C'est alors qu'il prononça ce sermon célèbre en commençant ainsi : « De nouveau Hérodiade est en démence, de nouveau elle danse, de nouveau elle cherche à obtenir la tête de Jean sur un plat » [4]. Peu après arrivèrent à Constantinople, entre autres évêques, Léontios

---

Acace) qui ont refait surface, y voit un moyen de renouveler au contraire la condamnation : KELLY, p. 240-241.

4. Sozomène bouscule la chronologie. Ce sermon, dont le texte est perdu, prononcé en l'honneur de Jean Baptiste, date probablement d'avant l'épisode de l'office de Noël. La harangue passionnée contre Hérodiade (Jean se trompe en l'occurrence puisque c'est Salomé, la fille d'Hérodiade, qui danse à la demande de sa mère, Mc 6, 14-29) relève de l'effet rhétorique et ne visait probablement pas l'impératrice ; mais, exploitée par les ennemis de Jean, elle provoque à nouveau la fureur d'Eudoxie : cf. F. VAN OMMESLAEGHE, « Jean Chrysostome en conflit avec l'impératrice Eudoxie. Le dossier et les origines d'une légende », *Analecta Bollandiana*, t. 97, fasc. 1-2, 1979, p. 131-159 et BRÄNDLE, p. 167.

παρεγένοντο καὶ Λεόντιος ὁ Ἀγκύρας καὶ Ἀκάκιος ὁ
Βεροίας. Ἐπιγενομένης δὲ τῆς γενεθλίου ἡμέρας τοῦ Χριστοῦ ὁ μὲν βασιλεύς, ὡς εἰώθει, εἰς τὴν ἐκκλησίαν οὐκ ἦλθεν·
ἐδήλωσε δὲ Ἰωάννῃ μὴ κοινωνεῖν αὐτῷ πρὶν ἀνεύθυνος φανῇ
20 τῶν ἐγκλημάτων. 4 Ἐπεὶ δὲ προθύμως ἀπολογεῖσθαι ἔφη, οἱ
δὲ κατήγοροι δείσαντες ἐπεξιέναι τοῖς ἐγκλήμασιν οὐκ ἐθάρρουν, ἐδόκει δὲ τοῖς δικασταῖς μὴ δέον εἰς δευτέραν χωρεῖν
κρίσιν τὸν ὁπωσοῦν καθαιρεθέντα, τῶν μὲν ἄλλων οὐδὲν ἐξή-
ταζον· πρὸς τοῦτο δὲ μόνον ἀπολογεῖσθαι τὸν Ἰωάννην
25 ἀπῄτουν, ὅτι καθαιρεθείς, πρὶν ἐπιτρέψαι σύνοδον, εἰς τὸν
ἐπισκοπικὸν ἐκάθισε θρόνον. 5 Τοῦ δὲ τὴν ψῆφον τῶν κεκοι-
νωνηκότων αὐτῷ μετὰ τὴν προτέραν σύνοδον προϊσχομένου,
ὡς πλειόνων αὐτοῦ καταψηφισαμένων καὶ διὰ τοῦτο ἱερατι-
1569 377 κοῦ | κανόνος ἀπαγορεύοντος | οὐ προσίεντο τὴν ἀπολογίαν,
30 ἀλλὰ καθεῖλον αὐτόν, ἑτεροδόξων ἐνιστάμενον τοῦτον εἶναι
νόμον. 6 Ἐπεὶ γὰρ οἱ ἀπὸ τῆς Ἀρείου αἱρέσεως συκοφαντή-
σαντες Ἀθανάσιον ἀφείλοντο τὴν Ἀλεξανδρέων ἐκκλησίαν,
δέει τῆς τῶν πραγμάτων μεταβολῆς τάδε ἐνομοθέτησαν, ἀνε-
ξέταστα μένειν τὰ ἐπ᾽ αὐτῷ βεβουλευμένα σπουδάζοντες.

---

1. *H.E.* VI, 34, 9, *SC* 495, p. 433 note 3.

2. Arcadius, poussé par sa femme et par les adversaires de Jean qui
reviennent ou réapparaissent à Constantinople, prend alors de plus en plus
nettement ses distances à l'égard de l'évêque lors de la célébration de
l'office de Noël. Celui-ci a lieu probablement le 6 janvier comme à Alexandrie, bien que la coutume se soit établie progressivement de célébrer la
nativité le 25 décembre et le baptême le 6 janvier : PIETRI, *Histoire*, II,
p. 609.

3. Le texte de Sozomène donne l'impression qu'il y a un véritable débat
à l'occasion d'un concile effectivement réuni, ce qui n'est pas le cas.
L'affaire se traitait en coulisses, dans le cadre de réunions informelles, afin
d'éviter de soulever l'agitation populaire : cf. KELLY, p. 241.

d'Ancyre [1] et Acace de Béroé. Alors qu'était venue la fête du jour de la naissance du Christ, l'empereur n'alla pas, comme à son habitude, à la grande église : il fit savoir à Jean son refus de communier avec lui avant qu'il ne se fût montré innocent des chefs d'accusation [2]. **4** Jean ayant répondu qu'il était tout prêt à se défendre, les accusateurs prirent peur et n'osèrent pas pousser jusqu'au bout leurs accusations. Les juges [3] estimèrent alors qu'il ne fallait pas que fût jugé une seconde fois un homme qui, de toute façon, avait été déposé, ils laissèrent tomber toutes les autres charges et réclamèrent seulement de Jean de se défendre sur ce point-ci : bien que déposé, avant que ne l'eût permis un synode, il avait repris le trône épiscopal. **5** Comme Jean avançait le vote des évêques qui, après le premier synode, avaient fait cause commune avec lui, les juges, alléguant que les évêques qui l'avaient condamné avaient été plus nombreux et que, pour cette raison, le canon épiscopal l'interdisait [4], n'acceptèrent pas cette défense. Ils déposèrent donc l'évêque, bien qu'il eût maintenu jusqu'au bout que c'était là un canon d'hétérodoxes [5]. **6** De fait, quand les ariens, par leurs calomnies contre Athanase, l'eurent déposé de l'église d'Alexandrie, par crainte d'un changement de circonstances, ils avaient institué cette loi, en cherchant à conserver leurs décisions prises à son sujet à l'abri de tout examen.

4. L'argument avait été suggéré depuis Alexandrie par Théophile peu soucieux de se rendre à nouveau dans la capitale. Il s'appuyait sur le 4ᵉ canon du concile d'Antioche, dit des *Encaenies* (en 341), interdisant à un évêque déposé par un concile de reprendre son siège sans y avoir été autorisé officiellement par un nouveau concile. Ce canon qui visait à l'origine à empêcher le retour d'Athanase était très respecté en Orient ; il avait de plus l'intérêt d'éviter le recours à un véritable concile. Sur le concile des *Encaenies*, voir Hefele-Leclercq, t. I, p. 762-763.

5. L'origine de cet interdit ne semble pas avoir gêné l'orthodoxe Arcadius ; de fait les évêques réunis à Antioche n'étaient pas véritablement ariens, ils avaient tous renié Arius : Kelly, p. 242-243.

21

1 Ὁ δὲ Ἰωάννης καθαιρεθεὶς οὐκέτι ἐκκλησίαζεν, ἀλλ᾽ ἐν τῷ ἐπισκοπικῷ καταγωγίῳ ἠρέμει. Ἤδη δὲ ληγούσης τῆς τεσσαρακοστῆς, κατ᾽ αὐτὴν τὴν ἱερὰν νύκτα, ἐν ᾗ ἡ ἐτήσιος ἑορτὴ ἐπὶ ἀναμνήσει τῆς ἀναστάσεως τοῦ Χριστοῦ ἐπιτελεῖ-
5 ται, ἐξωθοῦνται τῆς ἐκκλησίας οἱ τὰ αὐτοῦ φρονοῦντες, ἐπι-θεμένων αὐτοῖς ἔτι μυσταγωγοῦσι στρατιωτῶν καὶ τῶν αὐτοῦ δυσμενῶν. 2 Ἀπροόπτου δὲ τούτου συμβάντος πολὺς περὶ τὸ βαπτιστήριον ἐγένετο θόρυβος, γυναίων μὲν μετ᾽ οἰμωγῆς ταραττομένων, παιδίων δὲ κλαόντων, ἱερέων τε καὶ
10 διακόνων τυπτομένων τε καὶ πρὸς βίαν ὡς εἶχον σχήματος ἐλαυνομένων. Τἆλλα δὲ οἷα εἰκὸς ἦν γενέσθαι ἐν ἀταξίᾳ τοσαύτῃ οἱ μυηθέντες οὐκ ἀγνοοῦσιν, ἐγὼ δὲ ἀναγκαίως σιγήσομαι, μὴ καὶ ἀμύητός τις ἐντύχῃ τῇ γραφῇ. 3 Αἰσθόμε-νοι δὲ τὴν ἐπιβουλὴν καὶ τὸ λοιπὸν πλῆθος τῇ ὑστεραίᾳ κατα-
15 λιπόντες τὴν ἐκκλησίαν ἐν δημοσίῳ λουτρῷ πολυχωρήτῳ μάλα, Κωνσταντίου τοῦ βασιλέως ἐπωνύμῳ, τὸ πάσχα ἐπε-

---

1. La condamnation de Jean, désormais écarté de sa fonction et de son église, est prononcée peu avant Pâques et Arcadius lui fait dire que, condamné par deux conciles, il ne peut retrouver son église : cf. Socr., *H.E.* VI, 18.

2. Un contingent de quatre cents hommes, jeunes recrues inexpérimentées venues de Thrace parmi lesquelles il y avait sans doute beaucoup de païens : cf. Palladios, *Dial.* IX, 189-207, p. 198-199 dont le récit suscite quelques réserves : Fl. Van Ommeslaeghe, « Chrysostomica. La nuit de Pâques 404 », *Analecta Bollandiana*, 110, 1992, p. 123-134.

3. Pendant la nuit de Pâques 404, trois milliers de baptêmes étaient prévus à Sainte Sophie : cf. Palladios, *Dial.* IX, 221-222, p. 200-201 et IX, 231-232, p. 202-203.

4. Il s'agit sans doute des aubes en lin blanc portées par les diacres : cf. L. Duchesne, *Les origines du culte chrétien*, Paris 1903, p. 386.

5. Les violences sacrilèges n'épargnent rien : l'eau baptismale est souillée du sang des personnes frappées, et l'huile pour l'onction des baptisés et les autres espèces sacrées renversées. Les détails du rituel baptismal relevant du même devoir de secret que l'eucharistie, Sozomène s'interdit

Chapitre 21

*Tous les maux qui arrivèrent au peuple
après l'expulsion de Jean
et l'attentat au poignard contre lui.*

1 Jean, une fois déposé [1], ne tint plus des assemblées de culte ; il demeurait en paix à l'évêché. A la fin du Carême, en la nuit sainte même où l'on célèbre annuellement la fête en mémoire de la Résurrection du Christ, les partisans de Jean sont chassés de l'église : des soldats [2] et les ennemis de Jean les attaquèrent alors qu'on accomplissait encore les cérémonies de l'initiation [3]. 2 Comme ce forfait était imprévu, il y eut un grand tumulte au baptistère, des femmes gémissaient éperdues, des enfants pleuraient, prêtres et diacres étaient battus et chassés de force en l'habit qu'ils portaient [4]. Les autres excès qui devaient se produire en un tel désordre, les initiés ne les ignorent pas, mais je dois les taire, pour le cas où un non initié lirait ce livre [5]. 3 Consciente de la machination, le reste de la foule, le lendemain, abandonnant la grande église, célébra la Pâque aux très vastes bains publics dénommés d'après l'empereur Constance [6], sous la conduite

plus de précisions. Les sources divergent à propos du lieu où se déroulent ces Pâques sanglantes : JEAN CHRYSOSTOME, *Lettre à Innocent*, SC 342 p. 83, évoque « les églises », Sozomène « l'église » ; quant à PALLADIOS, *Dial.* IX, 162-164, p. 194-195, suivi par Socrate, il situe le massacre dans les Bains de Constance : voir A. M. Malingrey, dans PALLADIOS, *Dial.* SC 342, introd., p. 51-54, qui identifie l'église mentionnée par Sozomène comme étant Sainte Sophie alors que pour FL. VAN OMMESLAEGHE, « Chrysostomica. La nuit de Pâques 404 », qui souligne la valeur du récit de l'historien, il s'agirait plutôt de l'église des Saints Apôtres (p. 131).

6. Le baptême ayant lieu la nuit de Pâques, la fête de Pâques elle-même est célébrée le lendemain matin, dimanche 17 avril 404 : cf. BAUR, t. II p. 244. Ces Grand Bains publics avaient été commencés sous Constance II, en avril 345, sur un projet dû à Constantin : cf. R. JANIN, *Constantinople Byzantine*, p. 219 et DAGRON, *Naissance...*, p. 89.

τέλεσαν, ὑπὸ ἐπισκόποις καὶ πρεσβυτέροις καὶ λοιποῖς
ἄλλοις, οἷς θέμις τὰ περὶ τὴν ἐκκλησίαν διέπειν· οἱ δὴ τῷ λαῷ
συνῆσαν τὰ Ἰωάννου φρονοῦντες. 4 Ἐλαθέντες δὲ ἔνθεν συν-
20 ῆλθον πρὸ τοῦ ἄστεως εἴς τινα χῶρον, ὃν Κωνσταντῖνος ὁ
βασιλεὺς μήπω τὴν πόλιν συνοικίσας εἰς ἱπποδρόμου θέαν
ἐκάθηρε ξύλοις περιτειχίσας· ἐξ ἐκείνου τε πῆ μὲν ἐνθάδε, πῆ
δὲ ἑτέρωθι, ᾗ ἐξῆν, ἰδίᾳ ἐκκλησίαζον καὶ Ἰωαννῖται ὠνομά-
ζοντο. 5 Περὶ δὲ τοῦτον τὸν χρόνον ἄνθρωπός τις δαιμονῶν ἢ
1572 25 νομιζόμενος, ἐγχειρίδιον | ἔχων ὡς ἐπὶ σφαγὴν Ἰωάννου
παρεσκευασμένος, οὔπω δὲ ἐπιχειρήσας τῷ πράγματι, φωρᾶ-
378 ται· καὶ ὑπὸ τοῦ πλήθους ὡς | ὠνητὸς εἰς τὴν ἐπιβουλὴν
συλληφθεὶς ἄγεται πρὸς τὸν ὕπαρχον. Ἐπισκόπους δέ τινας
τῶν ἀμφ᾽ αὐτὸν ἀποστείλας Ἰωάννης ἐξείλετο τοῦτον πρὶν
30 αἰκισθῆναι. 6 Ἐς ὕστερον δὲ καὶ Ἐλπιδίου πρεσβυτέρου, ὃς
προφανὴς ἐχθρὸς Ἰωάννου ἐτύγχανε, δοῦλος δρομαῖος εἰς τὸν
ἐπισκοπικὸν οἶκον εἰσέβαλεν. Ἐπιγνοὺς δέ τις αὐτὸν τῶν
παρατυχόντων ἐπέσχε, τοῦ δρόμου τὴν αἰτίαν πυνθανόμενος.
7 Ὁ δὲ μηδὲν ἀποκριθεὶς παραχρῆμα ξιφιδίῳ παίει τὸν ἄνδρα,
35 καὶ μετ᾽ ἐκεῖνον ἕτερον ἐπιβοήσαντα τῇ τοῦ πρώτου πληγῇ·
νύττει δὲ καὶ τρίτον ἐπὶ τούτοις. Θορυβησάντων δὲ σὺν βοῇ
τῶν παρόντων ὑποστρέψας διέφυγε. Παρακελευομένων δὲ
τῶν διωκόντων τοῖς πόρρωθεν συλλαμβάνεσθαι τὸν φεύγον-
τα, προσδραμών τις ἐκ βαλανείου λελουμένος ἀναχωρῶν
40 ἐπελάβετο αὐτοῦ, καὶ καιρίαν πληγεὶς ἔκειτο νεκρός. 8 Ἐπεὶ
δὲ κυκλωθεὶς μόλις ὑπὸ τοῦ πλήθους ἐκρατήθη, ἄγουσιν
αὐτὸν εἰς τὰ βασίλεια. Καὶ μαρτυρόμενοι τῶν ἀπεχθανομένων
Ἰωάννῃ τὴν ἐπιβουλήν, καὶ τὸν φονέα καὶ τοὺς ἐπὶ τοῦτο

---

1. Ce *Xylokerkos* utilisé comme « hippodrome en bois » sous Constantin
entre 324 et 330, en attendant la construction d'un véritable hippodrome en
dur dans la ville, se trouvait à Pempton (*Dial.* IX, 219-220, p. 200-201),
bourgade distante de cinq milles au nord-ouest de Constantinople : cf.
DAGRON, *Naissance*..., p. 305 (renvoyant à R. JANIN, *Constantinople
Byzantine* II, p. 195 et 440).

2. Il s'agit du préfet de la Ville, Studius, ancien comte de la fortune
privée, qui succède à Simplicius : en tant que préfet attesté en août 404-

d'évêques, de prêtres et d'autres qui avaient droit d'administrer les affaires de l'Église : ces clercs en effet avaient pris le
parti de Jean et s'étaient joints aux fidèles. **4** Chassés de ce
lieu, ils se réunirent devant la ville en un endroit que l'empereur Constantin, avant même la fondation de la cité, avait
nettoyé en vue d'un spectacle d'hippodrome et entouré de
barrières de bois [1]. Depuis ce moment, ces fidèles tenaient
assemblée en privé tantôt ici, tantôt là, selon qu'il leur était
possible, et on les nommait johannites. **5** Vers ce temps-là,
un homme possédé du démon ou cru tel est pris sur le fait,
tenant un poignard comme s'il s'était préparé à tuer Jean,
mais sans avoir encore tenté le crime. Il fut saisi par la foule
comme acheté en vue de la machination et traîné devant le
préfet [2]. Mais Jean envoya quelques évêques de sa suite et il
fit délivrer l'homme avant qu'il ne fût torturé. **6** Plus tard,
un esclave aussi du prêtre Elpidius [3], qui était un ennemi
manifeste de Jean, entra en courant dans la maison épiscopale. Quelqu'un de ceux qui se trouvaient là le reconnut,
l'arrêta, lui demanda la raison de sa course. **7** Sans rien lui
répondre, l'esclave frappe aussitôt l'homme d'un poignard,
et après lui un autre qui s'était écrié au coup frappant le
premier. En outre, il en blessa un troisième. Devant le
tumulte et les cris des assistants, l'esclave fit volte-face et
s'enfuit. Comme les poursuivants criaient aux gens plus loin
de se saisir du fuyard, un homme qui sortait du bain et
rentrait chez lui se précipita, le saisit, mais frappé d'un coup
fatal, il tomba mort. **8** Enfin, on entoure l'esclave, le peuple
s'en rend maître avec peine, on l'entraîne au palais. La foule
témoignait que c'était là une machination des ennemis de
Jean, elle réclamait la punition et de l'assassin et des instiga-

sept. 404, il a la haute main sur l'administration de la ville et sur la
juridiction criminelle et civile : cf. DAGRON, *Naissance..*, p. 262-263. Il
reçoit, après la mort de son frère, une lettre de Jean désormais exilé :
P.L.R.E. II, p. 1036.

3. Selon PALLADIOS, *Dial.* XX, 93-97, p. 402-403, cinquante pièces d'or
avaient été versées pour ce crime.

ἀναπείσαντας ἐπεβόων τιμωρίαν δοῦναι. Παραλαβὼν δὲ τοῦ-
45 τον ὁ ὕπαρχος ὡς ἐπεξιὼν τῇ δίκῃ διέλυσε τοῦ δήμου τὴν
ὀργήν.

22

1 Ἐξ ἐκείνου δὲ τὸν Ἰωάννην ἐφύλαττον οἱ τοῦ λαοῦ
σπουδαιότεροι νύκτωρ καὶ μεθ' ἡμέραν ἀμοιβαδὸν περικαθή-
μενοι τὸν ἐπισκοπικὸν οἶκον. Σύγχυσιν δὲ ἐπαιτιώμενοι τῶν
ἐκκλησιαστικῶν νόμων οἱ κατ' αὐτοῦ συνεληλυθότες ἐπίσκο-
5 ποι, ἐπὶ σφᾶς αὐτοὺς ἔφασαν δικαιοτάτην οὖσαν ἀναδεδέχθαι
τὴν ἐπ' αὐτῷ κρίσιν, καὶ τῆς πόλεως αὐτὸν ἐξιέναι ἐκέλευον·
ἄλλως γὰρ μηδὲ τὸ πλῆθος ἠρεμήσειν. 2 Παραγενομένου δὲ
τοῦ ἀπὸ βασιλέως καὶ ταῦτα σὺν ἀπειλῇ ποιεῖν προστάξαντος, λαθὼν τοὺς ἀπὸ τοῦ λαοῦ φύλακας ἐξῆλθε, τοσοῦτον
10 μεμφόμενος ὅτι γε παρανόμως πρὸς βίαν ἐλαύνεται μὴ ἀξιω-
θεὶς κρίσεως, ἧς καὶ ἀνδροφόνοις καὶ γόησι καὶ μοιχοῖς μέτε-
στιν ἐκ νόμων. Καὶ μικροῦ σκάφους ἐπιβὰς περαιοῦται αὐτίκα

1. On ignore la sentence du préfet. Socrate ne mentionne aucun de ces
deux attentats signalés par Palladius, ainsi que par le Pseudo-Martyrios
dont la *Vie de Jean Chrysostome* est considérée par F. Van Ommeslaeghe,
« Que vaut le témoignage de Palladius sur le procès de Jean Chrysostome ? », *Analecta Bollandiana* 95, 1977, p. 389-414, comme une source
contemporaine et de qualité pour cette période. Selon P. Van Nuffelen
(p. 75), Sozomène aurait probablement lu l'épitaphios du Pseudo-Martyrios
sur Jean et l'aurait utilisé en lui retirant une part de sa virulence car il écrit
après le retour des reliques de Jean à Constantinople.
2. Les adversaires principaux de Chrysostome, Acace, Antiochus, Sévérien, Cyrinus reçus par l'empereur toujours hésitant, le jeudi après la
Pentecôte (9 juin 404), font valoir que la situation est intenable tant que
Jean, simplement assigné à résidence dans son palais, n'est pas formelle-
ment condamné à l'exil : Brändle, p. 173 (pour Baur, t. II, p. 252 note 16,
le jeudi 9 correspond à la date du départ de Jean).
3. Arcadius envoie le notaire Patricius le 20 juin 404 : Palladios,
Dial. X, 28-33, p. 204-207.

teurs. Le préfet, en se chargeant de lui et en promettant de poursuivre l'affaire, arrêta la colère du peuple [1].

Chapitre 22

Jean est injustement chassé du trône,
le désordre qui s'ensuit ; le feu du ciel envoyé sur l'église,
l'exil de Jean à Cucuse.

1 Depuis ce moment, les plus zélés des fidèles se mirent à veiller sur Jean, jour et nuit ils se relayaient à la porte de l'évêché. Cependant, les évêques qui s'étaient rassemblés contre lui se plaignaient du bouleversement des règles ecclésiastiques [2] ; ils dirent qu'ils prenaient sur eux la condamnation de Jean, puisqu'elle était tout à fait juste, et ils lui ordonnaient de sortir de la ville : autrement, jamais le peuple ne serait en repos. **2** Un messager de l'empereur vint donc trouver Jean, lui enjoignit avec menaces d'obéir [3], et Jean sortit, en se cachant des gardes envoyés par les fidèles [4]. Il se plaignit seulement d'être chassé par force, illégalement, sans avoir été estimé digne d'un jugement, chose que pourtant les lois accordent aux homicides, aux sorciers et aux adultères [5]. Il monte sur une petite barque [6], fait aussitôt la

4. La sortie de Jean ne s'est pas faite aussi rapidement : il eut le temps de retrouver des partisans au baptistère de Sainte Sophie et de faire ses adieux à ses évêques, à Olympias ainsi qu'à trois diaconesses (PALLADIOS, *Dial.* X, 50-67, *SC* 341 p. 206-209) : cf. BRÄNDLE, p. 173. Mais c'est de l'église en fait qu'il s'éclipse discrètement, laissant devant la grande porte son mulet habituel pour faire croire à sa présence dans le bâtiment : PALLADIOS, *Dial.* X, 68-72, p. 208-209.

5. Il s'agit là des crimes majeurs, exclus de toute amnistie : *Code Théodosien*, IX, 38, 1 (322).

6. Ce détail est absent du récit de Palladios : Sozomène l'a peut-être tiré de l'épisode du premier exil que Jean rapporte dans la *Lettre à Innocent*, 94-97, *SC* 342, p. 78-79. Il tient une grande partie de ses informations des johannites rencontrés en Bithynie : VAN NUFFELEN, p. 76.

εἰς Βιθυνίαν, ἐκεῖθέν τε παραχρῆμα εἴχετο τῆς ὁδοῦ. **3** Προϊ-
δόντες δέ τινες τῶν ἐπιβουλευόντων αὐτῷ ὡς, εἰ | αἴσθοιτο ὁ
λαός, ἐπιδιώξει καὶ πάλιν αὐτὸν βιά|σεται ἐπανελθεῖν, φθάσαν-
τες ἀποκλείουσι τὰς θύρας τῆς ἐκκλησίας. Ἐπεὶ δὲ οἱ ἀνὰ
τὰς ἀγυιὰς ἔγνωσαν, οἱ μὲν δρομαῖοι ἠπείγοντο πρὸς θάλασσαν ὡς δὴ καταληψόμενοι, οἱ δὲ περιδεεῖς γενόμενοι εἰς φυγὴν
ἠλαύνοντο, ὡς ἐπὶ τοσούτῳ θορύβῳ καὶ ταραχῇ στάσεως καὶ
βασιλέως ὀργῆς προσδοκωμένης. **4** Οἱ δὲ ἐν τῇ ἐκκλησίᾳ ἔτι
μᾶλλον ἔφραττον τὰς ἐξόδους ἐπὶ ταύτας συρρέοντες καὶ
περιωθοῦντες ἀλλήλους. Μόλις δὲ σὺν βίᾳ τὰς θύρας ἐπέτα-
σαν, τῶν μὲν λίθοις κατεαξάντων, τῶν δὲ πρὸς ἑαυτοὺς
ἀνθελκόντων καὶ τὸν κατὰ νώτου ὄχλον εἰς τοὐπίσω ἀπωθου-
μένων. Ἐν τούτῳ δὲ πῦρ ἐξαπίνης πάντοθεν τὴν ἐκκλησίαν
ἐπεβόσκετο· καὶ πᾶσαν διαδραμὸν ἐνεμήθη καὶ τὸν παρακεί-
μενον αὐτῇ ἐκ μεσημβρίας μέγιστον οἶκον τῆς συγκλήτου
βουλῆς. **5** Τούτου δὲ τὴν αἰτίαν ἀντεπῆγον ἀλλήλοις, οἱ μὲν
Ἰωάννῃ ἐπιβουλεύοντες τοὺς τὰ αὐτοῦ φρονοῦντας ἐπαιτιώμενοι ὡς χαλεπήναντας πρὸς τὴν τῆς συνόδου ψῆφον, οἱ δὲ
συκοφαντεῖσθαι ἰσχυριζόμενοι καὶ τὴν ἐκείνων πρᾶξιν σφίσιν
περιτρέπειν, ἅμα τῇ ἐκκλησίᾳ καὶ αὐτοὺς πυρπολῆσαι βουλευσαμένων. **6** Ἀπὸ δείλης δὲ ὀψίας μέχρις ἕω τοῦ πυρὸς
περαιτέρω χωροῦντος καὶ πρὸς τὰς ἔτι συνεστώσας ὕλας
ἕρποντος, οἱ μὲν ἐπιδιώξαντες Ἰωάννην εἰς Κουκουσὸν διῆ-
γον τῆς Ἀρμενίας βασιλέως γράμμασι καταδικασθέντα τὴν
ἐκεῖσε οἴκησιν· **7** οἱ δὲ τοὺς συνεξελθόντας αὐτῷ ἐπισκόπους

---

1. De nombreux fidèles sont venus à Sainte Sophie dans l'espoir de voir Jean une dernière fois (Palladios, *Dial.* X, 71-72, *SC* 341, p. 208-209). Pour les empêcher de le rejoindre sur la route du port, les soldats sous le commandement de Lucius ont fermé la porte de la cathédrale.

2. L'incendie détruit la cathédrale, en épargnant toutefois la chambre des trésors (Palladios, *Dial.* X, 108-113, p. 212-213), et le bâtiment du Sénat tout proche qui abritait de nombreuses œuvres d'art.

3. Socrate, *H.É.* VI, 18, 15, lui, ne semble pas douter qu'il s'agisse d'un partisan de Jean. Sozomène, beaucoup plus favorable à l'évêque, se refuse à trancher entre les deux camps. L'enquête ne parviendra pas à identifier les coupables.

traversée vers la Bithynie et de là sur le champ il prit la route. **3** Certains des ennemis de Jean, prévoyant que, si les fidèles s'en apercevaient, ils courraient à sa suite et le force-raient à revenir, prennent les devants et ferment les portes de l'église. Quand les gens dans les rues apprirent cela, les uns coururent en hâte jusqu'à la mer pour le rattraper, les autres, pris de peur, s'enfuirent, pensant que, dans un si grand trouble et tumulte, il fallait s'attendre à une émeute et à la colère du prince. **4** Cependant, ceux qui étaient dans l'église obstruaient encore plus les portes de sortie du fait qu'ils y couraient tous et se bousculaient les uns les autres. Avec peine, ils ouvrirent par la force les portes ; les uns les avaient brisées à coups de pierres, les autres les tiraient à eux, tout en repoussant la foule qui les pressait dans le dos [1]. A ce moment, le feu prit soudain et de tout côté dévorait l'église. Il la parcourut tout du long et incendia aussi le très vaste palais du Sénat situé à côté de l'église, au midi [2]. **5** Ils se renvoyaient les uns aux autres la cause de l'accident, les ennemis de Jean accusaient ses partisans comme ayant été indignés de la décision du concile, les autres soutenaient que c'était calomnie, qu'on retournait contre eux les actions de ces gens qui avaient délibéré de les consumer eux aussi par le feu avec l'église [3]. **6** Comme le feu se répandit du soir à l'aube et qu'il se glissait jusqu'à des matériaux encore intacts, les persécuteurs de Jean le firent conduire à Cucuse d'Arménie, une lettre impériale l'ayant condamné à ce lieu de séjour [4]. D'autres emmenèrent les évêques et les clercs

---

4. La phrase manque de clarté à force de raccourci. Jean part d'abord pour Nicée, accompagné de deux évêques et de quelques membres de son clergé. C'est là qu'il apprendra, au bout de plusieurs semaines, le lieu choisi pour son exil. Peut-être la gravité de l'incendie a-t-elle incité l'empereur à durcir la peine par un éloignement accru. Cucuse est une petite cité d'Arménie seconde, isolée dans les montagnes, dotée d'un climat très dur, où avait été déjà déporté puis étranglé Paul de Constantinople sur l'ordre de Constance II. Jean avait espéré Sébaste qui présentait des conditions plus favorables : cf. BAUR, t. II, p. 290.

καὶ κληρικοὺς ἀγαγόντες ἐν Χαλκηδόνι καθεῖρξαν. Ἄλλοι δὲ
περιιόντες ἀνὰ τὴν πόλιν τοὺς καταμηνυομένους τὰ αὐτοῦ
40 φρονεῖν συνελαμβάνοντο καὶ ἐφρούρουν καὶ ἀναθεματίζειν
αὐτὸν ἠνάγκαζον.

23

1 Οὐ πολλῷ δὲ ὕστερον χειροτονεῖται Κωνσταντινουπόλεως ἐπίσκοπος Ἀρσάκιος, Νεκταρίου τοῦ πρὸ Ἰωάννου ταύτην τὴν ἐπισκοπὴν διανύσαντος ἀδελφός, ἀνὴρ πρᾶος καὶ περὶ
τὸ θεῖον εὐλαβής· ἔβλαψαν δὲ τὴν ἐν τῷ πρεσβυτερίῳ κρατοῦ-
5 σαν περὶ αὐτοῦ δόξαν κληρικοί τινες ποιοῦντες μὲν ἅ γε
ἐβούλοντο, αὐτῷ δὲ ταῦτα ἀνατιθέντες· διέβαλλον δὲ αὐτὸν
380 μάλιστα καὶ τὰ | συμβάντα μετὰ ταῦτα περὶ τοὺς Ἰωάννου
ἐπαινέτας. 2 Ἐπεὶ γὰρ αὐτῷ καὶ τοῖς αὐτῷ συνοῦσι κοινωνεῖν
ἢ συνεύχεσθαι οὐκέτι ἀνεκτὸν ἡγοῦντο ἀναμεμιγμένων αὐτοῖς
10 τῶν ἐπιβούλων Ἰωάννου, καθ᾽ ἑαυτοὺς δέ, ὡς εἴρηται, συνιόντες ἐν ταῖς ἐσχατιαῖς τῆς πόλεως ἐκκλησίαζον, κοινοῦται
βασιλεῖ περὶ τούτου. Συνηγμένοις δὲ συνταγματάρχης ἅμα
1576 στρατιώταις ἐμβαλεῖν ἐπιτραπεὶς τὸ μὲν πλῆθος | παίων
ξύλοις καὶ λίθοις εἰς φυγὴν τρέπει, τοὺς δὲ ἐπισημότερον καὶ
15 προθυμότερον τὰ Ἰωάννου ζηλοῦντας ἐν φρουρᾷ ποιεῖται.

1. Dès l'enquête entamée, les soupçons pesant sur l'entourage de Jean
justifient les arrestations de Cyriacus et Eulysius et d'autres clercs. Leur
emprisonnement à Chalcédoine s'explique parce qu'ils se trouvaient encore
en Bithynie mais aussi parce que l'évêque local Cyrinos faisait partie des
adversaires acharnés de Jean.

2. Le terme implique l'excommunication, mais avec en plus la notion
d'une mise au ban de la communauté : cf. *DECA*, p. 118, V. GROSSI.

3. Le frère de Nectaire, évêque de Constantinople de juin 387 à septembre 397, avait quatre-vingts ans, il était archiprêtre. Il avait témoigné contre
Jean lors du concile du Chêne. Il est choisi par les adversaires de Jean dès le
27 juin 404. Cet homme réputé doux mais faible laisse faire les « persécu-

qui étaient partis avec Jean et les enfermèrent dans Chalcédoine [1]. D'autres parcouraient la ville, saisissaient ceux
qu'on leur dénonçait comme partisans de Jean, les jetaient
en prison et les obligeaient à l'anathématiser [2].

Chapitre 23

*Arsace élu après Jean, tous les méfaits commis
contre les amis de Jean. La sainte Nikarétè.*

1 Peu après est ordonné évêque de Constantinople
Arsace [3], frère de Nectaire qui avant Jean avait occupé cette
fonction épiscopale. C'était un homme doux et pieux à
l'égard de la divinité. Mais entachèrent la réputation qu'il
s'était acquise dans le presbytérat certains clercs qui faisaient ce qu'ils voulaient en en rejetant la responsabilité sur
l'évêque. Mais ce qui lui nuisit surtout fut ce qui se produisit, après cela, contre les admirateurs de Jean. **2** Ceux-ci, en
effet, ne tinrent plus pour supportable d'entrer en communion et union de prière avec Arsace et ses compagnons, vu
que s'étaient mêlés à ceux-ci les ennemis de Jean ; et dès
lors, comme il a été dit, ils se réunissaient à part et tenaient
assemblée de culte aux extrémités de la ville. On rapporte la
chose à l'empereur. Alors qu'ils s'étaient rassemblés, un
commandant d'unité avec un corps de soldats reçut l'ordre
de les attaquer [4]. Frappant la foule d'épieux et de cailloux, il
la met en fuite ; quant à ceux qui se distinguaient d'une
manière plus remarquable et plus ardente par leur zèle pour

teurs » des johannites. Il meurt le 11 nov. 405, Socr., *H.E.* VI, 20 : cf.
DECA, p. 256, E. Prinzivalli.

4. Les militaires appliquent des directives impériales semblables à celles
édictées en novembre 404 (cf. *infra* VII, 24, 10), contre ceux qui, tout en
étant orthodoxes, refusent la communion des évêques officiels comme
Arsace et tiennent des réunions illégales : *Code Théodosien* XVI, 4, 6. Il
s'agit là d'une mesure disciplinaire et non d'une excommunication qui doit
être prononcée par des évêques.

3 Ἐνταῦθα δέ, οἷα συμβαίνειν φιλεῖ στρατιωτῶν ἐπιτραπέντων νεανιεύεσθαι, γύναια πρὸς βίαν τοῦ κόσμου <ἀφῃρέθη-
σαν>, τῶν μὲν ὅρμους καὶ ζώνας χρυσᾶς καὶ περιδέραια καὶ
στρεπτοὺς ληιζομένων, τῶν δὲ σὺν αὐτοῖς λοβοῖς ἐξελκόντων
20 τὰ ἐνώτια. Μεγίστης δὲ ταραχῆς καὶ οἰμωγῆς ἀνὰ τὴν πόλιν
συμβάσης οὐδ’ οὕτως μετέθεντο τοῦ περὶ Ἰωάννην φίλτρου.
4 Δημοσίᾳ δὲ οὐκέτι συνῄεσαν, πολλοὶ δὲ οὔτε εἰς ἀγορὰν
οὔτε εἰς βαλανεῖα ἐφοίτων, τισὶ δὲ καὶ τὸ οἴκοι μένειν οὐκ
ἀκίνδυνον ἦν, καὶ φυγὴν ἑαυτοῖς ἐπιτάξαντες τῆς πόλεως
25 ἐξῆλθον, ἄλλοι τε πολλοὶ σπουδαῖοι ἄνδρες καὶ ἀγαθαὶ γυναῖ-
κες· ὧν ἦν Νικαρέτη ἡ Βιθυνὴ τῶν παρὰ Νικομηδεῦσιν εὐπατριδῶν ἐπισήμου γένους, ἐπὶ ἀιδίῳ παρθενίᾳ καὶ ἀρετῇ βίου
εὐδοκιμοῦσα. 5 Ἀτυφοτάτην δὲ ὧν ἴσμεν σπουδαίων γυναικῶν ταύτην ἔγνων, ἤθει τε καὶ λόγῳ καὶ διαίτῃ τεταγμένην
30 καὶ τὰ θεῖα μέχρι θανάτου τῶν ἀνθρωπίνων προτιμῶσαν
ἀνδρείᾳ τε καὶ φρονήσει πρὸς περιπετείας δυσχερῶν πραγμάτων ἀντισχεῖν ἱκανήν, ὡς μήτε πολλῆς πατρῴας περιουσίας
ἀδίκως ἀφαιρεθεῖσαν ἀγανακτεῖν ἐν ὀλίγοις τε περιλειφθεῖσιν
ὑπὸ ἀρίστης οἰκονομίας, καίπερ εἰς γῆρας προελθοῦσαν, τὰ
35 ἐπιτήδεια σὺν τοῖς οἰκείοις ἔχειν καὶ ἄλλοις ἀφθόνως χορη-
γεῖν. 6 Ὑπὸ φιλανθρώπου δὲ προθυμίας φιλόκαλος οὖσα καὶ
παντοδαπὰ κατεσκεύαζε φάρμακα εἰς πτωχῶν νοσούντων
χρείαν· οἷς δὴ πολλοῖς τῶν γνωρίμων πολλάκις ἐπήμυνε
381 μηδὲν ἀποναμένοις τῶν συνήθων ἰατρῶν. Σὺν θείᾳ γάρ | τινι

---

1. Ce type de description indignée a été utilisé par PALLADIOS, *Dial.* X,
4-18, *SC* 341, p. 202-205 et par Jean Chrysostome lui-même dans sa *Lettre à
Innocent* pour dénoncer les violences commises lors des réunions des
johannites hors de la ville le jour de Pâques.

2. Nikarétè fait partie, comme Olympias, des femmes issues des classes
fortunées entourant Jean. Le « dépouillement » dont il est fait état à son
propos résulte probablement d’une confiscation liée aux enquêtes menées
contre les johannites après l’exil de Jean et l’incendie de la cathédrale. Une
loi du 29 août 404 (*Code Théodosien* XVI, 2, 37) menace de l’appliquer à

Jean, il les jette en prison. **3** A cette occasion, comme il arrive quand des soldats reçoivent licence pour leurs débordements, on dépouilla des femmes de leur parure, aux unes on ravissait colliers, ceintures d'or, chaînes et torques, à d'autres on arrachait les boucles d'oreilles avec les lobes mêmes [1]. Il y eut très grand trouble et gémissements dans la ville, mais, même ainsi, ils ne renoncèrent pas à leur amour pour Jean. **4** Ils ne se rencontraient plus en public, beaucoup ne fréquentaient plus ni le marché ni les bains, pour certains même rester chez soi n'était pas sans péril ; ils s'imposèrent la fuite et sortirent de la ville, et parmi eux beaucoup d'hommes de mérite et de femmes de bien. De ce nombre fut Nikarétè de Bithynie [2], qui était d'une famille noble parmi les gens bien nés de Nicomédie, et devait son renom à sa virginité perpétuelle et à l'excellence de sa vie. **5** De toutes les femmes vertueuses dont nous avons entendu parler, celle-ci fut la plus dépourvue d'orgueil que j'ai connue. Caractère, parole, façon de vivre, tout en elle était bien ordonné, et, jusqu'à la mort, elle mit les choses divines au-dessus des humaines ; par son courage et sa prudence, elle sut faire front contre les vicissitudes des malheurs, au point que, même injustement dépouillée d'un fortune familiale importante, elle n'en prit pas de peine et avec le peu qui lui était resté, elle sut, par une sage administration, bien que parvenue à la vieillesse, suffire à ses besoins et à ceux de sa maison et largement donner à d'autres. **6** Poussée, dans son désir du bien, par une ardeur philanthropique, elle préparait aussi toute sorte de remèdes à l'usage des malades pauvres ; par ces remèdes, elle secourut souvent bon nombre de gens connus qui n'avaient tiré aucun bénéfice des médecins habituels ; car, par une assistance divine, elle faisait aboutir à une fin heureuse ce qu'elle entreprenait. Pour le dire d'un mot,

ceux qui recevraient les évêques proches de Jean que l'on venait de libérer mais en même temps de renvoyer chez eux. Sozomène a pu rencontrer Nikarétè ainsi que d'autes johannites en Bithynie : cf. Van Nuffelen, p. 75.

40   ῥοπῇ, ἅπερ ἐπεχείρει, εἰς χρηστὸν ἀπέβαινε τέλος· καὶ συλλήβδην εἰπεῖν, τῶν καθ᾽ ἡμᾶς σπουδαίων γυναικῶν ἑτέραν οὐκ
ἔγνων εἰς τοσοῦτον ἤθους τε καὶ σεμνότητος καὶ τῆς ἄλλης
ἀρετῆς ἐπιδοῦσαν. 7 Ἀλλ᾽ ἡ μὲν καίπερ τοιάδε οὖσα τοὺς
πολλοὺς ἐλάνθανεν· ὑπὸ μετριότητος γὰρ τρόπων καὶ φιλοσο-
45   φίας ἀεὶ λανθάνειν ἐπετήδευεν, ὡς μήτε εἰς ἀξίωμα διακόνου
σπουδάσαι προελθεῖν μήτε προτρεπομένου πολλάκις Ἰωάννου ἑλέσθαι ποτὲ παρθένων ἐκκλησιαστικῶν ἡγεῖσθαι.
8 Μεγίστου δὲ φόβου πᾶσιν ἐμπεσόντος, ἐπειδὴ δῆλον ἦν
μηκέτι στασιάζειν τὸ πλῆθος, δημοσίᾳ προελθὼν ὁ τῆς
50   πόλεως ὕπαρχος ὡς ἐξετάσων τὰ περὶ τῆς πυρᾶς τῆς ἐκκλησίας καὶ τοῦ βουλευτηρίου πολλοὺς χαλεπῶς ἐτιμωρήσατο·
Ἕλλην γὰρ ὢν ὡς ἐπεγγελῶν ταῖς συμφοραῖς τῆς ἐκκλησίας
καὶ πρὸς ἡδονὴν ἔσχε τὸ συμβάν.

24

1577 | 1 Ἐν δὲ τῷ τότε καὶ Εὐτρόπιός τις ἀναγνώστης παραχ-
θεὶς ἐπὶ καταμηνύσει τῶν ἐμβαλόντων τὸ πῦρ οὔτε βοείαις
οὔτε ξύλοις οὔτε ὄνυξι ξαινόμενος πλευράς τε καὶ παρειάς, ἐπὶ
τούτοις τε καὶ τὸν ὑφαπτόμενον τῷ σώματι πυρσὸν ὑπομεί-
5   νας, καὶ ταῦτα νέος ὢν καὶ ἁπαλόχρως, οὐδὲν ὡμολόγησεν

---

1. Ces vierges consacrées n'exercent pas de fonction précises mais,
tout en vivant retirées dans la maison familiale, participent à l'action de
charité et d'aide spirituelle, aux côtés des clercs : PIETRI, Histoire..., t. II,
p. 562.
2. A la suite de l'incendie, une commission d'enquête est mise en place
pour identifier les responsables. Elle était présidée par Studius, préfet de la
ville, païen ; elle comprenait aussi le comte financier Jean, proche de
l'impératrice et très hostile à l'évêque, ainsi qu'Optatus, qui exerçait alors
une fonction que nous ignorons, avant de succéder à Studius à l'automne
404 : cf. BAUR, t. II, 264. Le commentaire de Sozomène surprend : le préfet
avait, semble-t-il, de bonnes relations avec Jean qui lui adresse l'ep. 197,
PG 52, c. 721-722.

des femmes vertueuses de notre temps, je n'en connais pas d'autre qui soit parvenue à un tel degré de bonnes mœurs, de dignité et autres vertus. **7** Pourtant, quelle que fût sa perfection, elle restait cachée au grand nombre. A cause, en effet, de sa modestie naturelle et de son goût de l'ascèse, elle s'efforçait toujours d'échapper aux regards, au point que ni elle ne chercha à atteindre un rang de diaconesse ni, bien que Jean l'en pressât souvent, elle n'accepta jamais de gouverner des vierges consacrées [1].

8 Alors qu'une terreur extrême avait fondu sur tous, quand il fut manifeste que le peuple n'était plus en sédition, le préfet de la ville s'avança en public, disant qu'il allait faire une enquête sur l'incendie de l'église et du palais sénatorial [2], et il infligea beaucoup de cruels châtiments. Comme en effet il était païen, en homme qui se riait des malheurs de l'Église, il trouvait même de la joie dans ce qui s'était produit.

Chapitre 24

Le lecteur Eutrope et la bienheureuse Olympias,
le prêtre Tigrios, ce qu'ils ont subi à cause de l'évêque Jean ;
des patriarches.

1 En ce même temps, un certain Eutrope aussi, un lecteur [3], fut amené au tribunal pour dénoncer ceux qui avaient allumé l'incendie. Mais, bien qu'il eût les flancs et les joues déchirés par les lanières, les coups de bâton et les crocs de fer et qu'en plus il eût subi la brûlure de torches qu'on approchait de son corps, et cela alors que, tout jeune, il avait la

---

3. Palladios, *Dial.* XX, 99-106, p. 402-403, présente Eutrope comme un chantre. De fait, l'ordre des chantres est souvent assimilé à celui des lecteurs : cf. *DACL* III 2, 1914, p. 358-359, H. Leclercq.

εἰδέναι. Μετὰ δὲ τὰς βασάνους ἐγκλείεται εἰς τὸ δεσμωτή-
ριον, ἔνθα δὴ οὐκ εἰς μακρὰν ἐτελεύτησεν. 2 Ἄξιον δὲ τῇ
γραφῇ παραδοῦναι καὶ τὸ συμβὰν ἐπ᾽ αὐτῷ ὄναρ. Σισιννίῳ
γὰρ τῷ ἐπισκόπῳ τῆς τῶν Ναυατιανῶν αἱρέσεως ἤδη καθεύ-
10 δοντι ἀνήρ τις κάλλει καὶ μεγέθει περιφανέστατος, παρεστὼς
τῷ θυσιαστηρίῳ τῆς αὐτῶν ἐκκλησίας, ἣν εἰς τιμὴν Στεφάνου
τοῦ πρωτομάρτυρος ᾠκοδόμησεν, ἔδοξεν ἀδημονεῖν ἐπὶ σπά-
νει ἀγαθῶν ἀνδρῶν, ὡς τούτου χάριν τὴν πᾶσαν πόλιν περι-
εληλυθὼς καὶ μηδένα εὑρὼν ἢ μόνον Εὐτρόπιον. 3 Πρὸς δὲ τὴν
15 ὄψιν καταπλαγεὶς ὁ Σισίννιος πρός τινα τῶν ὑπ᾽ αὐτὸν πιστοτάτων πρεσβυτέρων ὁμολογήσας τὸ ὄναρ ἐκέλευσεν ἀναζη-
τεῖν τὸν ἄνδρα ὅστις εἴη. Ὁ δὲ εὐστόχως συμβαλὼν ὡς ἐν τοῖς
ἔναγχος ἐπὶ τοῦ ὑπάρχου βασανισθεῖσιν εἰκὸς εἶναι τοιοῦτον,
περιιὼν τὰ δεσμωτήρια ἐπυνθάνετο εἴ τίς ἐστιν ἐν αὐτοῖς
20 Εὐτρόπιος. Καὶ εὑρὼν εἰς λόγους αὐτῷ ἦλθε καὶ διηγήσατο
382 τοῦ ἐπισκόπου τὸ ὄναρ, καὶ δακρύων εὔχεσθαι ὑπὲρ | αὐτοῦ
ἐλιπάρει. Καὶ τὰ μὲν κατὰ Εὐτρόπιον ὧδε ἔσχεν·
4 ἀνδρεία δὲ ἐν ταύταις ταῖς συμφοραῖς διεφάνη καὶ Ὀλυμ-
πιὰς ἡ διάκονος. Ἐπεὶ γὰρ ἐκ ταύτης τῆς αἰτίας εἰς τὸ
25 δικαστήριον παρήχθη, πυθομένου τοῦ ὑπάρχου, τί δή ποτε
τὴν ἐκκλησίαν ἐνέπρησεν, ὑπολαβοῦσα « Οὐχ αὕτη, ἔφη, τοῦ
ἐμοῦ βίου ἡ προαίρεσις· πολλὴν γὰρ οὖσαν εἰς ἀνανέωσιν
ναῶν θεοῦ τὴν οὐσίαν ἀνάλωσα.» Τοῦ δὲ τὸν αὐτῆς βίον
ἐπίστασθαι λέγοντος « Οὐκοῦν εἰς κατηγόρου τάξιν μετάθη-
30 θι, ἔφη, καὶ ἕτερος ἡμῖν δικάσει.» 5 Ἀμαρτύρου δὲ τῆς
κατηγορίας οὔσης μὴ ἔχων ὁ ὕπαρχος ὅ τι δικαίως μέμψαιτο
ἠπιώτερόν πως εἰς ἕτερον μετέβη ἔγκλημα, καὶ ὡς ἐν συμ-

---

1. Sur la généralisation de la pratique de la torture à l'époque tardive,
voir L. ANGLIVIEL, « Les mots de la torture au IVᵉ s. », dans *La torture
judiciaire, approches historiques et juridiques*, B. DURAND, L. OTIS-COUR
éd., Lille, t. I, 2002, p. 294-309. Les historiens ecclésiastiques en donnent
souvent une description particulièrement impressionnante en reprenant
par ce biais l'image du martyre du juste persécuté.

peau tendre, il professa ne rien savoir. Après les tortures [1],
on l'enferme dans la prison et il y mourut peu après. **2** Il vaut
la peine que je mette par écrit aussi le songe qui se produisit
à son sujet. Alors que Sisinnius, l'évêque de la secte des
novatiens [2], était déjà endormi, un homme très brillant de
beauté et de taille, debout près de l'autel de l'église des
novatiens qu'il avait bâtie en l'honneur du protomartyr
Étienne [3], lui apparut, déplorant la rareté d'hommes de
mérite, alléguant qu'il avait parcouru toute la ville pour en
voir et n'avait trouvé que le seul Eutrope. **3** Stupéfait de
cette vision, Sisinnius raconta le songe à l'un de ses prêtres
de confiance et lui demanda de chercher qui pouvait être cet
Eutrope. Celui-ci conjectura justement qu'il était vraisemblable qu'un tel homme fût du nombre de ceux qui avaient
été récemment torturés devant le préfet. Il parcourut les
prisons et il y demandait s'il y avait là un Eutrope. Il le
trouva, s'entretint avec lui, lui raconta le songe de l'évêque
et, avec des larmes, le supplia de prier pour lui. Voilà ce qu'il
en était pour l'affaire d'Eutrope.

4 Courageuse aussi se montra dans ces malheurs la diaconesse Olympias [4]. Comme on l'avait amenée pour la même
raison au tribunal et que le préfet lui demandait pourquoi
donc elle avait mis le feu à l'église, prenant la parole, elle
dit : « Ce n'est pas là ma règle de vie. J'ai dépensé ma grande
fortune à restaurer des temples de Dieu. » Le préfet lui ayant
dit qu'il connaissait sa vie : « Eh bien, prends donc la place
de l'accusateur, dit-elle, et un autre sera notre juge. »
5 Comme l'accusation ne reposait sur aucun témoignage et
que le préfet n'avait aucun reproche juste à formuler, il
passa, d'un ton plus doux, à un autre grief et, comme par
manière de conseil, il reprochait à Olympias et autres dames

---

2. Cf. *H.E.* VII, 11, 4 et note *ad loc.*

3. Étienne, chef de file des « hellénistes », est arrêté et lynché à l'instigation des autorités sacerdotales juives pour ses critiques à l'égard du Temple : Ac 7, 54-60.

4. Cf. *H.E.* VIII, 9, 1 et la note *ad loc.*

βουλῇ ἄνοιαν αὐτῇ καὶ ταῖς ἄλλαις γυναιξὶν ἐμέμφετο, ὅτι τὴν πρὸς τὸν ἐπίσκοπον κοινωνίαν ἠρνοῦντο, ἐξὸν μεταμεληθῆναι 35 καὶ πραγμάτων ἀπηλλάχθαι. 6 Ἀλλ' αἱ μὲν ὑπὸ δέους τάδε τῷ ὑπάρχῳ προστάξαντι εἶξαν, ἡ δὲ Ὀλυμπιάς « Οὐ δίκαιον, ἔφη, τὴν ἐν τῷ πλήθει ὑπὸ συκοφαντίας ἁλοῦσαν, ἐν δὲ τοῖς δικαστηρίοις ἐπ' οὐδενὶ τῶν κατηγορουμένων διελεγχθεῖσαν εἰς ἀπολογίαν ἕλκεσθαι μέμψεων ἀνευθύνων· ἐπίτρεψον οὖν 1580 40 μοι πρὸς τὴν προτέραν γραφὴν | συνηγόρους προστήσασθαι· εἰ γὰρ καὶ παρανόμως βιασθείην οἷς μὴ δεῖ κοινωνεῖν, οὐ ποιήσω ἃ μὴ θέμις τοῖς εὐσεβοῦσιν.» 7 Ὁ δέ, ὡς οὐκ ἔπεισεν αὐτὴν Ἀρσακίῳ κοινωνεῖν, τότε μὲν ἠφίει ὡς συνηγόρους διδάξουσαν, ἐν ἑτέρᾳ δὲ παραγαγὼν πολλοῦ χρυσίου κατεδί-
45 κασεν· ᾤετο γὰρ οὕτως αὐτὴν μεταθήσειν τῆς γνώμης. Ἀλλ' ἡ μὲν τῶν χρημάτων ὑπεριδοῦσα οὐ καθυφῆκε· καὶ καταλι-ποῦσα τὴν Κωνσταντινούπολιν ἐν Κυζίκῳ διέτριβεν.

8 Ἐν δὲ τῷ τότε καὶ Τίγριος πρεσβύτερος τῆς ἐσθῆτος γυμνωθεὶς καὶ κατὰ νώτου μαστιγωθείς, πόδας καὶ χεῖρας 50 δεδεμένος διαταθεὶς διελύθη τὰ ἄρθρα. 9 Ἐγένετο δὲ οὗτος βάρβαρος τὸ γένος, οὐκ ἐκ γενετῆς εὐνοῦχος· ἐν οἰκίᾳ δέ του τῶν ἐν δυνάμει τὰ πρῶτα δουλεύσας καὶ ἐπαινεθεὶς παρὰ τοῦ κεκτημένου μετέσχεν ἐλευθερίας. Εἰς πρεσβυτέρου δὲ ἀξίαν προελθὼν τῷ χρόνῳ διεφάνη τὸ ἦθος ἐπιεικέστατος καὶ πρᾶος

---

1. La forme « douce » de l'interrogatoire d'Olympias tient plus à sa position sociale qui devait en principe lui permettre d'éviter la torture, sauf cas de lèse-majesté, qu'à une quelconque sympathie du préfet pour Jean, car Studius — qui avait reçu de l'exilé à Cucuse l'*ep.* 197, *PG* 52, c. 721-722 — a été remplacé, au moment de l'interrogatoire de la diaconesse, par Optatus, un tortionnaire selon les johannites (PALLADIOS, *Dial.* III, 108-113, *SC* 341, p. 80-81, avec la note 5). Sur Optatus, voir DAGRON, *Naissance...*, p. 263-264.

2. C'est sans doute une peine de ce genre qui avait presque ruiné Nicarétè (*supra* VIII, 23, 5). L'amende avait été fixée à 200 livres d'or par Optatus (PALLADIOS, *Dial.* III, 112, p. 80-81).

3. Olympias quitte Constantinople par hostilité pour Arsace et ses partisans, mais aussi parce qu'elle était physiquement malade et sous le coup d'une profonde dépression depuis l'exil de Jean. Dans les dix-sept lettres qu'il lui adresse, ce dernier tente de l'aider à surmonter ce désespoir : KELLY, p. 260-266.

leur démence, de ce qu'elles refusaient d'entrer en communion avec l'évêque, alors qu'il leur était permis de changer d'opinion et d'être débarrassées de tout ennui [1]. **6** Les unes alors, par crainte, cédèrent à l'ordre du préfet. Mais Olympias dit : « Il n'est pas juste que moi qui ai été arrêtée dans la foule par suite d'une calomnie, qui n'ai été convaincue, au tribunal, d'aucun des crimes dont on m'accusait, j'aie à me défendre au sujet de plaintes étrangères au procès. Permets-moi donc pour la première accusation de faire appel à des avocats. Car même si, contre la loi, on me contraignait à entrer dans la communion de gens avec qui il ne le faut pas, je ne ferai pas ce que la loi divine interdit aux gens pieux. » **7** Le préfet n'arriva pas à la persuader d'entrer dans la communion d'Arsace et il la relâcha pour l'instant, afin qu'elle pût donner ses instructions à des avocats. Mais il la fit revenir une autre fois et lui infligea une forte amende d'or [2] : il pensait que de cette manière, il la ferait changer d'opinion. Mais elle méprisait l'argent et ne céda pas. Elle quitta Constantinople et alla loger à Cyzique [3].

8 Dans le même temps aussi, le prêtre Tigrios fut dénudé, flagellé sur le dos, on lui lia les mains et les pieds, on l'étendit sur le chevalet et on lui rompit les membres [4]. **9** Il était né barbare et il était eunuque, mais non de naissance. Il avait été d'abord esclave dans la maison d'un des grands, et comme il était apprécié de son maître, il fut affranchi. Il s'avança jusqu'à la dignité de prêtre et, avec le temps, se fit remarquer pour son extrême modération de caractère, sa douceur, et parce que plus que tout autre, il fut extrême-

---

4. L'épisode de la torture infligée au prêtre Tigrios (le personnage est un fidèle de Jean mentionné dans PALLADIOS, *Dial.* VIII, 160, p. 170-171 et XX, 69-70, p. 398-401 où il est dit qu'il fut relégué en Mésopotamie) ne se trouve dans aucune autre source : il provient peut-être des informations recueillies par Sozomène chez les johannites : cf. VAN NUFFELEN, p. 76. Le statut inférieur du personnage autorisait le recours à la torture.

383 55 καὶ περὶ τοὺς δεομένους | καὶ ξένους, εἴπερ τις ἄλλος, δεξιώτατος. Καὶ τὰ μὲν ἐν Κωνσταντινουπόλει τοιάδε ἦν.

10 Ἐν τούτῳ δὲ Σιρικίου δέκα καὶ πέντε ἔτη τὴν Ῥωμαίων ἐπισκοπὴν διανύσαντος, Ἀναστασίου δὲ τρία, μετὰ τοῦτον Ἰννοκέντιος ταύτην ἐπλήρου τὴν διαδοχήν. **11** Ἐτελεύτησε 60 δὲ καὶ Φλαβιανὸς μὴ συνθέμενος τῇ Ἰωάννου καθαιρέσει· διαδέχεται δὲ τὴν Ἀντιοχέων ἐκκλησίαν Πορφύριος· καὶ ἐπειδὴ τοῖς κατ' αὐτοῦ κεκριμένοις ἐπεψηφίσατο, πολλοὶ τῶν ἐν Συρίᾳ τῆς ἐνθάδε ἐκκλησίας ἐχωρίσθησαν, καθ' ἑαυτούς τε τὰς συνόδους ποιούμενοι πραγμάτων καὶ πλείστων δεινῶν 65 ἐπειράθησαν. **12** Χάριν γὰρ τῆς πρὸς Ἀρσάκιον κοινωνίας καὶ Πορφύριον τοῦτον καὶ Θεόφιλον τὸν Ἀλεξανδρείας ἐπίσκοπον σπουδῇ τῶν ἐν τοῖς βασιλείοις δυνατῶν νόμος ἐτέθη τοὺς ὀρθῶς δοξάζοντας ἐκτὸς τῶν ἐκκλησιῶν μὴ συνιέναι, τοὺς δὲ μὴ κοινωνοῦντας αὐτοῖς ἐλαύνεσθαι.

25

1 Περὶ δὲ τοῦτον τὸν χρόνον, ὡς ἐπίπαν συνενεχθὲν εὑρεῖν ἔστιν ἐν ταῖς τῶν ἱερέων διχονοίαις, καὶ τὰ κοινὰ θορύβων καὶ ταραχῆς ἐπειράθη. Καὶ Οὖννοι μὲν τὸν Ἴστρον περαιωθέντες 1581 τοὺς Θρᾷκας | ἐδῄουν, οἱ δὲ ἐν Ἰσαυρίᾳ λῃσταὶ εἰς πλῆθος

---

1. Sirice est évêque de Rome de 384 à 399, Anastase de 399 à 402 et Innocent lui succède en 402.

2. La déposition et l'exil de Jean ont des répercussions en dehors de Constantinople. Ses adversaires syriens Antiochus, Sévérien et Acace profitent de la mort, en septembre 405, de Flavien, fidèle soutien de Jean, pour faire élire à la sauvette, contre le souhait des fidèles, Porphyre à la place de Constance, candidat soutenu par l'évêque de Constantinople : cf. KELLY, p. 252.

3. Cf. *Code Théodosien* XVI, 4, 6 (18 nov. 404). Sozomène transcrit de manière exacte le contenu de la loi.

4. A partir de 395, les Huns traversent à plusieurs reprises le Danube pour aller ravager la Thrace mal défendue : repoussés par Fravitta, après que, sous la direction de Uldin, ils eurent vaincu et tué Gainas, les Huns réapparaissent à nouveau en 404 en Thrace : cf. E. DEMOUGEOT, *La formation de l'Europe...*, t. II, p. 389-390.

ment bon pour les indigents et les étrangers. Voilà donc ce qui se produisit à Constantinople.

10 En ce temps, après que Sirice eut occupé quinze ans l'évêché de Rome, puis Anastase trois ans, après lui Innocent prit la succession [1]. **11** Flavien aussi mourut, sans s'être associé à la déposition de Jean ; il eut pour successeur à l'église d'Antioche Porphyre [2] ; comme celui-ci avait souscrit au jugement contre Jean, beaucoup de fidèles en Syrie se séparèrent de l'église d'Antioche et tinrent leurs assemblées à part, mais furent victimes d'une foule d'ennuis et de mauvais traitements. **12** Pour favoriser en effet la communion avec Arsace, avec le susdit Porphyre et avec Théophile, évêque d'Alexandrie, le zèle des gens puissants au palais fit édicter une loi prescrivant aux orthodoxes de ne pas s'assembler hors des églises et que soient chassés ceux qui ne seraient pas en communion avec ces évêques [3].

Chapitre 25

Malheurs de l'Église, les affaires du monde aussi vont mal.
Ce qui concerne Stilichon, général d'Honorius.

1 Vers ce temps-là, comme on peut le voir de façon générale arriver quand il y a discordes entre les prêtres, les affaires publiques aussi furent atteintes de tumultes et de trouble. Les Huns, ayant franchi le Danube, ravageaient la Thrace [4] ; les brigands d'Isaurie [5], s'étant rassemblés en

5. Située au sud-est de l'Asie Mineure, sur la frange sud-orientale du Taurus, cette région très montagneuse, qui borde au sud l'Arménie seconde, fait l'objet d'une administration militaire, confiée à un comte ou à un *dux*, qui témoigne des difficultés de Rome à y maintenir l'ordre. Mais ce que la tradition historiographique présente comme des activités récurrentes de brigandage commises par les montagnards, surtout éleveurs, aux dépens des agriculteurs de vallées et des citadins, s'explique à la lumière des difficultés liées aux aléas de l'économie régionale de montagne : voir J. MATTHEWS, *The Roman Empire of Ammianus*, Londres 1989, p. 355-367.

5 ἀθροισθέντες μέχρι Καρῶν καὶ Φοινίκων τὰς ἐν μέσῳ πόλεις
καὶ κώμας ἐκακούργουν. 2 Στελίχων δὲ ὁ Ὀνωρίου στρατη-
γός, ἀνὴρ εἴπερ τις πώποτε ἐν πολλῇ δυνάμει γεγενημένος,
Ῥωμαίων τε καὶ βαρβάρων τοὺς νέους πειθομένους ἔχων, εἰς
ἔχθραν καταστὰς τοῖς Ἀρκαδίου ἄρχουσιν ἐβεβούλευτο πρὸς
384 10 ἑαυτὰ συγκροῦσαι τὰ βασίλεια. 3 Καὶ στρα|τηγοῦ Ῥωμαίων
ἀξίωμα παρὰ Ὀνωρίου προξενήσας Ἀλαρίχῳ τῷ ἡγουμένῳ
τῶν Γότθων Ἰλλυριοῖς ἐπανέστησεν· ὕπαρχόν τε αὐτῶν
καταστάντα Ἰόβιον προπέμψας συνέθετο συνδραμεῖσθαι μετὰ
τῶν Ῥωμαίων στρατιωτῶν, ὥστε καὶ τοὺς τῇδε ὑπηκόους
15 δῆθεν ὑπὸ τὴν Ὀνωρίου ἡγεμονίαν ποιῆσαι. 4 Παραλαβὼν δὲ
Ἀλάριχος τοὺς ὑπ᾽ αὐτὸν ἐκ τῆς πρὸς τῇ Δαλματίᾳ καὶ Παννονίᾳ βαρβάρου γῆς, οὗ διῆγεν, ἧκεν εἰς τὰς Ἠπείρους· καὶ
συχνὸν ἐνταῦθα προσμείνας χρόνον ἐπανῆλθεν εἰς Ἰταλίαν.
1584 Μέλλων γὰρ | ἐκδημεῖν ὡς ὡμολόγησε Στελίχων Ὀνωρίου
20 γράμμασιν ἐπεσχέθη. Καὶ τὰ μὲν ἐν τούτοις ἦν.

---

1. C'est sa première apparition dans le texte de Sozomène. Fils d'un
officier d'origine vandale et d'une Romaine, Flavius Stilichon accomplit un
brillante carrière militaire qui le mène depuis le grade de tribun militaire
prétorien en 383 jusqu'au sommet de la hiérarchie militaire comme comte
et maître des deux milices présent à la cour en 394 jusqu'à sa mort en 408. Il
reçoit le consulat en 404 et 405. Gendre du frère aîné de Théodose, beau-
père de l'empereur Honorius auprès duquel Théodose l'avait désigné peu
avant sa mort comme tuteur, il tient le rôle politique décisif dans la *pars
occidentalis* et occasionnellement au delà : cf. *P.L.R.E.* I, p. 853-858,
Flavius Stilicho, et S. MAZZARINO, *Stilicone*, Rome 1942.
2. Stilichon cherche à étendre l'autorité d'Honorius sur l'Illyricum
oriental aux dépens de la cour de Constantinople.
3. Chef wisigoth, Alaric avait participé à l'expédition contre Eugène à la
tête d'un contingent de fédérés. Mécontent de n'en avoir retiré qu'un titre
honorifique de comte, il se révolte à plusieurs reprises et ravage l'Épire en
397. Eutrope, désireux de consolider son pouvoir face à Stilichon, négocie
avec lui et, contrairement à ce que dit Sozomène, c'est Arcadius qui, le
premier, lui confère probablement le titre de maître des milices pour l'Illyricum en 397. La chute d'Eutrope et les changements de politique à la cour
d'Arcadius le poussent à tenter sa chance vers l'Italie mais il y est deux fois
partiellement vaincu par Stilichon. Il parvient cependant à se replier sur la
Dalmatie : *P.L.R.E.* II, p. 43 et P. HEATHER, *Goths...*, p. 200-213.

masse, dévastaient jusqu'à la Carie et à la Phénicie les villes et les villages qui se trouvaient au milieu. **2** Stilichon [1], général d'Honorius, devenu homme plus puissant qu'il n'en fut jamais, et qui avait à ses ordres la jeunesse des Romains et des barbares, ayant pris en haine les hauts fonctionnaires d'Arcadius, avait médité de mettre en conflit les deux palais [2]. **3** Ayant fait donner par Honorius à Alaric, le chef des Goths, le titre de général des Romains [3], il le lança contre l'Illyrie [4]. Il envoya à l'avance Jovius [5], qui avait été créé préfet d'Illyrie, et il lui promit qu'il accourrait à son secours avec l'armée romaine, de manière à faire passer aussi les sujets de cette contrée dès lors sous l'autorité d'Honorius. **4** Alaric prit avec lui ceux qu'il commandait, il les fit sortir du pays barbare où il demeurait près de la Dalmatie et de la Pannonie, et il arriva jusqu'en Épire [6]. Mais après qu'il y fut demeuré assez longtemps, il retourna en Italie [7]. Stilichon en effet, alors qu'il était sur le point de partir le rejoindre comme il l'avait promis, fut retenu par une lettre d'Honorius [8]. Voilà ce qu'il en était.

4. En 404-405, Stilichon se rapproche d'Alaric afin d'ajouter la force militaire de celui-ci à celle de la *pars occidentalis* et d'élargir vers l'est la zone contrôlée par Honorius : ce dernier nomme donc à son tour le chef wisigoth maître des milices pour l'Illyricum (P. HEATHER, p. 211) ou comte d'Illyricum (*P.L.R.E.* II, p. 43) dans l'optique d'un conflit à venir avec Constantinople.

5. La nomination de Jovius, très lié à Alaric, comme préfet du prétoire d'Illyricum, responsable, entre autres, des fournitures aux armées, va dans le même sens, celui d'une volonté de mainmise sur l'Illyricum oriental qui relevait encore de Constantinople : cf. *P.L.R.E.* II, p. 623, Jovius 3.

6. De là il contrôle la *via Egnatia* vers Thessalonique et les détroits.

7. Il ne se retourne contre l'Italie, en passant par le Norique, qu'à la fin de 407.

8. L'invasion des Ostrogoths de Radagaise en Italie en 406, l'usurpation de Constantin III en Gaule, la traversée du Rhin par les barbares germaniques, incitent Honorius, désireux de secouer la tutelle de son beau-père, à abandonner les projets orientaux et à rompre l'alliance avec Alaric : cf. P. HEATHER dans *C.A.H.*, t. XIII, *The Late Roman Empire, A.D. 337-425*, p. 512-513.

26

1 Μαθὼν δὲ Ἰννοκέντιος ὁ Ῥωμαίων ἐπίσκοπος τὰ κατὰ
Ἰωάννου πεπραγμένα ἐχαλέπαινε· καὶ τῶν μὲν κατέγνω,
οἰκουμενικὴν δὲ συναγεῖραι σύνοδον σπουδάζων ἔγραψεν
Ἰωάννῃ, ἐν μέρει τε τοῖς Κωνσταντινουπόλεως κληρικοῖς·
5 ἑκατέραν τε ἐπιστολὴν ἐκ τῆς Ῥωμαίων φωνῆς εὑρὼν παρε-
θέμην· ἔχει δὲ ὧδε·
2 « Τῷ ἀγαπητῷ ἀδελφῷ Ἰωάννῃ Ἰννοκέντιος.
Εἰ καὶ πάντα δεῖ τὸν ἀναίτιον προσδοκᾶν τὰ χρηστὰ καὶ παρὰ
τοῦ θεοῦ τὸν ἔλεον αἰτεῖν, ὅμως καὶ παρ' ἡμῶν τῶν ἀνεξικα-
10 κίαν συμβουλευόντων τὰ καθήκοντα γράμματα διὰ Κυριακοῦ
τοῦ διακόνου ἐξαπέσταλται, ὥστε μὴ πλέον δυνηθῆναι τὴν
ὕβριν ἐν τῷ συντρίβειν <ἢ> τὸ ἀγαθὸν συνειδὸς ἐν τῷ ἐλπί-
ζειν. **3** Οὐδὲ γὰρ ὀφείλεις διδαχθῆναι ὁ τοσούτων λαῶν διδά-
σκαλος καὶ ποιμήν, τοὺς ἀρίστους ἀεὶ καὶ πολλάκις δοκιμάζε-
15 σθαι, εἰ ἐν τῇ ἀκμῇ τῆς ὑπομονῆς παραμένουσι καὶ οὐδενὶ

---

1. Innocent a été mis au courant entre les deux exils de Jean, d'abord par
une ambassade d'évêques égyptiens envoyée par Théophile qui l'avertit des
décisions du synode du Chêne, de la déposition de Jean et du recours au
4ᵉ canon d'Antioche, puis par une ambassade, envoyée par Jean, porteuse
d'une lettre de l'évêque, d'une autre de son clergé et d'une troisième des
40 évêques qui avaient décidé d'effacer la décision du Chêne, ces trois
lettres dénonçant les irrégularités et brutalités commises par Théophile et
ses alliés. De nouveaux messagers des deux camps sont arrivés à Rome avant
et après l'exil final de Jean. Innocent prend très vite parti pour ce dernier,
mais reste prudent malgré les sympathies de l'aristocratie romaine pour
Jean. Sur ces échanges et leur chronologie, voir PIETRI, *Roma Christiana...*,
II, Paris 1976, p. 1300-1325.
2. L'évêque de Rome ne cherche pas à affirmer une forme de suprématie
romaine en se contentant d'un concile occidental, il veut une grande assemblée réunissant Orientaux et Occidentaux pour régler la question.
3. Innocent, après avoir écrit à Théophile, répond à Jean, déjà parti pour
son exil définitif ainsi qu'aux clercs de la capitale : ces lettres datent de la
fin de l'été 404.

Chapitre 26

*Deux lettres d'Innocent, pape de Rome, à Jean Chrysostome
et au clergé de Constantinople en faveur de Jean.*

1 Quand Innocent, l'évêque de Rome, eut appris ce que
l'on avait fait contre Jean, il en fut fâché [1]. Il condamna ces
actes, et comme il cherchait à réunir un concile œcuménique [2], il écrivit à Jean, et de leur côté aussi aux clercs de
Constantinople [3]. J'ai trouvé ces deux lettres [4] écrites dans
la langue des Romains et les ai présentées. En voici le texte :
2 « A mon très cher frère Jean, Innocent.

Bien que celui qui n'est pas coupable doive toujours
s'attendre à une heureuse fin et demander à Dieu sa miséricorde, néanmoins, alors même que nous te prêchons de
supporter ton mal, nous avons envoyé la lettre qui convenait
par le diacre Cyriaque [5], pour que la violence n'ait pas plus
de force dans l'oppression que n'en a la bonne conscience
dans l'espérance. **3** Tu n'as pas besoin d'apprendre, toi l'ins-
tructeur et le pasteur de tant de fidèles, que les meilleurs
sont toujours, à maintes reprises, mis à l'épreuve, pour voir

4. En même temps que les deux lettres pontificales que Sozomène est le
seul à nous avoir transmis, arrive à Constantinople une lettre d'Honorius à
son frère (*Coll. Avellana*, 38, éd. Günther, *CSEL* 35, 1895, p. 85-88) :
l'empereur d'Occident, averti par Innocent, proteste auprès d'Arcadius
contre les troubles de l'église de Constantinople, les violences commises sur
les personnes et l'intervention du pouvoir impérial dans les affaires ecclésiastiques. Sozomène a peut-être connu le contenu des lettres du pape
auprès des johannites en Bithynie : cf. Van Nuffelen, p. 75.

5. Ce diacre — cf. R. Delmaire, « Les lettres d'exil » p. 122 — ainsi que
son collègue Paul faisaient partie ainsi que trois évêques proches de Jean,
Pansophius de Pisidie, Pappus le Syrien, Démétrios de Pessinonte, de la
première délégation envoyée par Jean à Rome : cf. Pietri, *Roma Christiana*, p. 1301.

πόνῳ κακοπαθείας ὑποπίπτουσι. Καὶ ἔστιν ὡς ἀληθῶς
βέβαιον πρᾶγμα τὸ συνειδὸς εἰς πάντα τὰ ἀδίκως συμπίπ-
τοντα. 4 Ἅπερ εἰ μὴ νικήσειέν τις ὑπομένων, τεκμήριον φαύλης
ὑπολήψεως ἐκφέρει. Πάντα γὰρ ὑπομένειν ὀφείλει ὁ τῷ θεῷ |
πρῶτον, εἶτα καὶ τῷ ἑαυτοῦ συνειδότι πεποιθώς· ὁπότε μάλιστα γυμνάζεσθαι εἰς ὑπομονὴν ὁ καλὸς καὶ ἀγαθὸς δύναται,
νικᾶσθαι δὲ οὔ, ἐπειδήπερ αὐτοῦ τὴν διάνοιαν αἱ θεῖαι γραφαὶ
φυλάττουσι. 5 Περιττεύουσιν ὑποδείγμασιν αἱ θεῖαι ἀναγνώ-
σεις ἃς τοῖς λαοῖς παραδιδόαμεν, αἵτινες πάντας σχεδὸν τοὺς
ἁγίους καταπεπονῆσθαι διαφόρως καὶ συνεχῶς ἐπιστώσαντο
καὶ δοκιμάζεσθαι καθάπερ ἔν τινι διαγνώσει, οὕτω τε εἰς τὸν
στέφανον τῆς ὑπομονῆς ἐληλυθέναι. 6 Παραμυθείτω τὴν ἀγά-
πην σου αὐτὸ τὸ συνειδός σου, ἀδελφὲ τιμιώτατε, ὅπερ ἐν ταῖς
θλίψεσιν ἔχει τὴν παραμυ|θίαν τῆς ἀρετῆς. Ἐποπτεύοντος
γὰρ τοῦ δεσπότου Χριστοῦ ἐν τῷ λιμένι τῆς εἰρήνης καθορμι-
σθεῖσα ἡ συνείδησις στήσεται.»
7 « Ἰννοκέντιος ἐπίσκοπος πρεσβυτέροις καὶ διακόνοις
καὶ παντὶ τῷ κλήρῳ καὶ τῷ λαῷ τῆς Κωνσταντινουπόλεως
ἐκκλησίας τῆς ὑπὸ τὸν ἐπίσκοπον Ἰωάννην, ἀγαπητοῖς ἀδελ-
φοῖς χαίρειν.
8 Ἐκ τῶν γραμμάτων τῆς ὑμετέρας ἀγάπης, ἅτινα διὰ
Γερμανοῦ τοῦ πρεσβυτέρου καὶ Κασσιανοῦ τοῦ διακόνου ἀπε-

---

1. La lettre développe la rhétorique habituelle autour du thème du
« juste souffrant » : elle se veut consolatrice mais ne comporte aucune promesse concrète de secours. Il semble que Palladios, Dial. III, 4, p. 68-69,
se réfère, en les résumant très rapidement, aux lettres d'Innocent adressées
à Jean et à ceux qui sont en communion avec lui : « Il leur demandait en
pleurant de prendre patience — παρεκάλει μετὰ δακρύων μακροθυμεῖν —
incapable qu'il était de les aider, à cause de l'action que menaient en sens
contraire certaines personnes puissantes dans le mal. »
2. Dans cette lettre au ton plus sévère (BRÄNDLE, p. 183) qui se fait l'écho
des persécutions contre les johannites, Innocent prend ouvertement position contre Arsace et ses partisans, dans la mesure où il continue à ne
reconnaître que l'autorité de Jean pourtant condamné et exilé.

s'ils persévèrent dans la fleur de leur patience et s'ils ne succombent pas à l'épreuve d'aucun mauvais traitement. Mais la bonne conscience est en vérité un rempart solide contre tous les maux qu'on souffre injustement. **4** Si quelqu'un ne triomphe pas de ces maux par la patience, il offre un argument pour une opinion défavorable. Car il doit tout supporter avec patience, celui qui a mis sa confiance d'abord en Dieu, puis en sa bonne conscience, alors surtout que l'homme de bien peut s'exercer à la patience, mais non pas être vaincu, puisque les divines Écritures protègent son esprit. **5** Surabondent en exemples les divines lectures que nous livrons aux fidèles : elles nous garantissent que presque tous les saints ont été accablés de peines diverses et continuelles, qu'ils sont mis à l'épreuve comme dans un examen, et qu'ils sont parvenus ainsi à la couronne de la patience. **6** Que donc ta conscience même, frère très cher, console ta Charité, cette bonne conscience qui, dans les persécutions, apporte la consolation de la vertu. Car, sous le regard du Christ notre maître, notre conscience restera amarrée au port de la paix » [1].

7 « Innocent, évêque, aux prêtres, aux diacres, à tout le clergé et au peuple fidèle de l'église de Constantinople, celle qui est sous l'obédience de Jean, à mes frères très chers, salut ! [2]

8 Par les lettres de votre Charité, que vous m'avez envoyées par le prêtre Germain et le diacre Cassien [3], j'ai

---

3. Tout comme son ami Germain, Jean Cassien devient moine vers 378-380, dans la région de Béthléem. Tous les deux se rendent ensuite en Égypte pour y vivre la vie d'ascète en Thébaïde puis à Scété. En conflit avec Théophile à propos de l'origénisme, ils rejoignent Constantinople où Jean Chrysostome les ordonne l'un prêtre, l'autre diacre. Ils font partie de la première ambassade envoyée à Rome : ils étaient porteurs de la lettre du clergé de la capitale en faveur de Jean. Germain meurt un peu plus tard, à Rome, d'où Jean Cassien, ordonné prêtre, part pour rejoindre la Gaule où il fonde près de Marseille les premiers monastères de la région, Saint Victor pour les hommes et Saint Sauveur pour les femmes. Il meurt vers 432-433 : cf. *DECA*, p. 429-430, F. BORDONEL.

στάλκατε, τὴν σκηνὴν τῶν κακῶν, ἣν πρὸ τῶν ὀφθαλμῶν
40 ἐθήκατε, ἐμμερίμνῳ φροντίδι κατέμαθον· ὅσαις τε ἡ πίστις
κάμνει ταλαιπωρίαις τε καὶ πόνοις, ἐπαναληφθείσῃ πολλάκις
τῇ ἀναγνώσει κατεῖδον. 9 Ὅπερ πρᾶγμα μόνη ἡ παράκλησις
τῆς ὑπομονῆς ἰᾶται. Δώσει γὰρ ἐν τάχει ὁ ἡμέτερος θεὸς ταῖς
τοσαύταις θλίψεσι τέλος, καὶ ταῦτα συνοίσει ὑπενηνοχέναι.
45 Ἀλλὰ γὰρ αὐτὴν τὴν ἀναγκαίαν παράκλησιν ἐν ἀρχῇ τῆς
ἐπιστολῆς τῆς ὑμετέρας ἀγάπης κειμένην ἐγκωμιάζοντες
ὑμῶν τὴν σύνεσιν ἐπεγνώκαμεν, πολλὰς πρὸς τὸ ὑπομένειν
μαρτυρίας περιέχουσαν. 10 Τὴν γὰρ ἡμετέραν παράκλησιν,
ἣν ὠφείλομεν ὑμῖν ἐπιστεῖλαι, τοῖς ὑμετέροις γράμμασι προε-
50 φθάσατε. Ταύτην γὰρ τοῖς κάμνουσιν ὁ ἡμέτερος δεσπότης
ὑπομονὴν παρέχειν εἴωθεν, ἵνα καὶ ἐν ταῖς θλίψεσι τυγχάνον-
τες ἑαυτοὺς οἱ τοῦ Χριστοῦ δοῦλοι παραμυθῶνται, ἀναλογι-
ζόμενοι ἐν αὐτοῖς καὶ πρότερον γεγενῆσθαι τοῖς ἁγίοις ἅπερ
αὐτοὶ πάσχουσι. 11 Καὶ ἡμεῖς δὲ ἐξ αὐτῶν τῶν ὑμετέρων
386 55 γραμμάτων δυνά|μεθα ἡμῖν προσενέγκαι παράκλησιν. Οὐ γὰρ
τοῦ συναλγεῖν ὑμῖν ἐσμεν ἀλλότριοι, ἐπειδήπερ καὶ ἡμεῖς
κολαζόμεθα ἐν ὑμῖν. Τίς γὰρ ἐνέγκαι δυνήσεται τὰ ἐξαμαρτα-
νόμενα ὑπ' ἐκείνων, οὕστινας ἐχρῆν μάλιστα τοῦ γαληνοῦ τῆς
60 εἰρήνης καὶ αὐτῆς σπουδαστὰς εἶναι τῆς ὁμονοίας; Νῦν δὲ
ἐνηλλαγμένῳ τρόπῳ ἀπὸ τῆς προεδρίας τῶν ἰδίων ἐκκλησιῶν
ἐξωθοῦνται ἀθῷοι ἱερεῖς. 12 Ὅ δὴ καὶ πρῶτος ὁ ἀδελφὸς
ἡμῶν καὶ συλλειτουργὸς Ἰωάννης ὁ ὑμέτερος ἐπίσκοπος ἀδίκως πέπονθε μηδεμιᾶς τυχὼν ἀκροάσεως. Οὐδὲν ἔγκλημα

1. Le terme qualifie les traitements infligés aux partisans de Jean qui ont été arrêtés, emprisonnés, torturés, dans le cadre de l'enquête sur l'incendie. Même lorsque le 29 août 404, la commission d'enquête ayant échoué à trouver les coupables, un édit impérial proclame la relaxe des prisonniers, le même texte évoque encore néanmoins des sanctions possibles (confiscation, bannissement) contre ceux qui auraient fréquenté des réunions de clercs illégales : Code Théodosien XVI, 2, 37. Mais le terme concerne aussi les évêques chassés de leur siège à Éphèse, Héraclée, Antioche ... parce qu'ils y avaient été soutenus par Jean.

appris avec une profonde sollicitude la tragédie de vos malheurs que vous m'avez mise sous les yeux. A combien de misères et de chagrins la foi est en butte, je l'ai vu en relisant souvent vos lettres. **9** Cette situation, seule la consolation de la patience y peut porter remède. Notre Dieu mettra bientôt fin à de si grandes tribulations [1], et il vous sera profitable de les avoir supportées. Mais d'ailleurs, cette consolation indispensable, placée dès le début de la lettre de votre Charité, nous vous en félicitons et nous avons reconnu là votre Prudence qui donnait de nombreuses preuves de sa disposition à la patience. **10** Car, la consolation que, de notre côté, nous devions vous envoyer, vous l'avez prévenue par votre lettre. Cette patience, en effet, notre Maître a coutume de la donner à ceux qui souffrent, pour que, même quand ils sont dans les tribulations, les serviteurs du Christ se consolent mutuellement, considérant en eux-mêmes qu'auparavant déjà il est arrivé aux saints des épreuves qu'ils subissent eux-mêmes. **11** Au surplus, de votre lettre même nous pouvons tirer pour nous la consolation. Car nous ne sommes pas étrangers au partage de votre souffrance, puisque nous sommes châtiés nous aussi en vous. Qui, en effet, pourrait supporter les méfaits de ces gens-là, qui auraient dû être surtout zélateurs du calme, de la paix et de la concorde ? Mais à présent, par un renversement des choses, ce sont des évêques innocents qui sont chassés de la présidence de leurs Églises. **12** C'est ce qui est arrivé premièrement, contre toute justice, à notre frère et collègue dans le sacerdoce votre évêque Jean [2], qui n'a jamais obtenu d'être entendu [3]. Nul grief n'est allégué

2. En opposition avec Arcadius et avec les partisans d'Arsace, Innocent s'affirme ici en communion avec Jean.

3. Lors du synode du Chêne, les témoignages et les griefs ont été présentés en l'absence de Jean. Avant son deuxième exil, il n'y a même pas eu un simulacre de procédure.

65 ἐπιφέρεται, οὐδεὶς ἀκούεται. Καὶ τίς ἡ ἀπηγορευμένη ἐπί-
νοια; Ἵνα μὴ πρόφασις κρίσεως γένηται ἢ ζητηθῇ, εἰς τόπους
ζώντων ἱερέων ἄλλοι ὑποκαθίστανται, ὡς δυναμένων τῶν ἐκ
τοῦ τοιούτου πλημμελήματος ὁρμωμένων ὀρθῶς τι ἔχειν ἢ
πεπρᾶχθαι ὑπό τινος κριθῆναι. 13 Οὐδὲ γὰρ πώποτε παρὰ
70 τῶν πατέρων τῶν ἡμετέρων τοιαῦτα τετολμῆσθαι ἐγνώκα-
μεν, ἀλλὰ μᾶλλον κεκωλῦσθαι τῷ μηδενὶ εἰς τόπον ζῶντος
1588 χειροτονεῖν ἄλλον δεδόσθαι ἐξουσίαν· οὐ γὰρ χειροτονία |
ἀδόκιμος τὴν τιμὴν δύναται ἀφελέσθαι τοῦ ἱερέως, ἐπειδήπερ
οὐδὲ ἐπίσκοπος δύναται εἶναι ἐκεῖνος, ὃς ἀδίκως ὑποκαθίστα-
75 ται.

14 Ὅτι καὶ περὶ τῆς τῶν κανόνων παραφυλακῆς τούτοις
δεῖν ἕπεσθαι γράφομεν, οἵτινες ἐν Νικαίᾳ εἰσὶν ὡρισμένοι, οἷς
μόνοις ὀφείλει ἐξακολουθεῖν ἡ καθολικὴ ἐκκλησία καὶ τούτους γνωρίζειν. 15 Εἰ δὲ ἕτεροί τινες ὑπό τινων προφέρονται,
80 οἵτινες ἀπὸ τῶν κανόνων τῶν ἐν Νικαίᾳ διαφωνοῦσιν καὶ ὑπὸ
αἱρετικῶν ἐλέγχονται συντετάχθαι, οὗτοι παρὰ τῶν καθολι-
κῶν ἐπισκόπων ἀποβάλλονται. Τὰ γὰρ ὑπὸ τῶν αἱρετικῶν
εὑρεθέντα ταῦτα οὐκέτι τοῖς καθολικοῖς κανόσι προσαπτέον·
ἀεὶ γὰρ διὰ τῶν ἐναντίων καὶ ἀθέσμων τὴν βουλὴν τῶν ἐν
85 Νικαίᾳ μειοῦν ἐθέλουσιν. 16 Οὐ μόνον λέγομεν τούτοις μὴ
δεῖν ἐξακολουθεῖν, ἀλλὰ μᾶλλον αὐτοὺς μετὰ αἱρετικῶν καὶ
σχισματικῶν δογμάτων εἶναι κατακριτέους, καθάπερ καὶ
πρότερον γέγονεν ἐν τῇ Σαρδικῇ συνόδῳ ὑπὸ τῶν πρὸ ἡμῶν

---

1. La lettre vise ici le 4ᵉ canon d'Antioche, dit des *Encaenies* auquel les
adversaires de Jean avaient eu recours pour le déposer sans avoir à le faire
comparaître ; Théophile l'avait également invoqué dans sa correspondance
avec le pape. Mais, issu d'un concile qui avait tenté d'échapper au symbole
de Nicée et que l'on pouvait de ce fait juger teinté d'arianisme, même si les
évêques orientaux ne se considéraient pas comme arianisants, ce canon
devait être rejeté aux yeux des tenants de l'orthodoxie nicéenne. Il reste
néanmoins que le qualificatif d'hérétiques appliqués aux canons de ce
concile est très discutable, la majorité des évêques étant orthodoxes : cf.
HEFELE-LECLERCQ, t. I, p. 702-733.

2. Il s'agit du concile de 343-344 — cf. *H.E.* III, 12 —, réuni par Constant pour rétablir l'union de la foi entre Occidentaux et Orientaux. Le
concile très vite réduit aux seuls évêques occidentaux, outre la rédaction

contre lui, nul témoin n'est entendu. Et que signifie ce projet infâme ? Pour qu'il n'y ait aucun motif pour un jugement ou pour qu'on n'en cherche pas, en lieu et place d'évêques vivants, on substitue d'autres évêques, comme si ceux qui s'élancent après un tel forfait pouvaient, aux yeux de quiconque, passer pour être ou avoir agi dans la droite ligne ! **13** Car nous ne voyons pas que de tels crimes aient jamais été osés par nos ancêtres. Bien plutôt, ils ont été empêchés, du fait qu'il n'a été permis à personne d'ordonner un autre évêque en place de l'évêque vivant. Une ordination illégitime ne peut en effet annuler la dignité de l'évêque en place, puisque ne peut non plus être évêque celui qui est injustement substitué.

14 Quant à ce qui regarde l'observance des canons, nous prescrivons qu'il faut suivre ceux qui ont été définis à Nicée : ce sont les seuls auxquels doit obéir l'Église catholique et qu'elle doit reconnaître. **15** S'il est présenté par certains d'autres canons différents de ceux de Nicée et dont il est prouvé qu'ils ont été composés par des hérétiques, ces canons-là sont rejetés par les évêques catholiques [1]. Il ne faut plus en effet adjoindre aux canons catholiques ceux qui ont été inventés par les hérétiques : car toujours, par l'adjonction de canons contraires et illégitimes, ils se proposent d'affaiblir la décision des Pères de Nicée. **16** Non seulement nous déclarons qu'il ne faut pas suivre ces canons, mais nous disons même qu'ils sont condamnables au même titre que les dogmes hérétiques et schismatiques, comme il a été aussi prononcé avant nous par les évêques, nos prédécesseurs, au concile de Sardique [2]. Il valait mieux

d'un texte doctrinal fidèle à Nicée mais ne reprenant pas le terme *homoousios*, édicta une série de canons disciplinaires. Innocent se réfère ici probablement aux canons 3, 4, 7 promulgués contre les sentences d'Antioche, concernant les conditions de déposition des évêques : ceux-ci devaient être condamnés par un concile de leur province et gardaient la possibilité de faire appel auprès de l'évêque de Rome : cf. HEFELE-LECLERCQ, t. I, p. 762-763.

ἐπισκόπων. Τὰ γὰρ κακῶς πραχθέντα κατακρίνεσθαι μᾶλλον
90 προσῆκεν ἢ ἄντικρυς τῶν κανόνων γενόμενα ἔχειν τινὰ
βεβαιότητα, ἀδελφοὶ τιμιώτατοι. 17 Ἀλλὰ τί κατὰ τῶν
τοιούτων νῦν ἐν τῷ παρόντι ποιήσωμεν; Ἀναγκαία ἐστὶ
387 διάγνω|σις συνοδική, ἣν καὶ πάλαι ἔφημεν συναθροιστέαν.
Μόνη γάρ ἐστιν ἥτις δύναται τὰς κινήσεις τῶν τοσούτων
95 καταστεῖλαι καταιγίδων· ἧς ἵνα τύχωμεν, χρήσιμόν ἐστι τέως
ὑπερτίθεσθαι τὴν ἰατρείαν τῇ βουλήσει τοῦ μεγάλου θεοῦ καὶ
τοῦ Χριστοῦ αὐτοῦ, τοῦ κυρίου ἡμῶν. 18 Πάντα ὅσα νῦν τῷ
φθόνῳ τοῦ διαβόλου πρὸς τὴν τῶν πιστῶν δοκιμασίαν τετά-
ρακται, πραϋνθήσεται. Οὐδὲν ὀφείλομεν τῇ στερρότητι τῆς
100 πίστεως παρὰ τοῦ κυρίου ἡμῶν ἀπελπίσαι. Καὶ γὰρ καὶ ἡμεῖς
πολλὰ σκεπτόμεθα, ὃν τρόπον ἡ οἰκουμενικὴ σύνοδος συναχ-
θείη, ὅπως τῇ βουλήσει τοῦ θεοῦ αἱ ταραχώδεις κινήσεις
παύσωνται. Ὑπομείνωμεν οὖν τέως καὶ τῷ τείχει τῆς ὑπομονῆς ὀχυρούμενοι ἐλπίσωμεν πάντα τῇ βοηθείᾳ τοῦ θεοῦ ἡμῶν
105 ἀποκατασταθῆναι. 19 Πάντα δὲ ὅσα ὑμᾶς ὑφίστασθαι εἰρή-
κατε, καὶ πρότερον συνδραμόντων εἰς τὴν Ῥώμην τῶν ἡμετέ-
1589 ρων | συνεπισκόπων, εἰ καὶ τὰ μάλιστα διαφόροις χρόνοις,
τουτέστι Δημητρίου, Κυριακοῦ, Εὐλυσίου καὶ Παλλαδίου,
οἵτινες σύνεισι μεθ᾽ ἡμῶν, τελείᾳ ἐρωτήσει μεμαθήκαμεν. »

1. Cf. supra H.E. VIII, 26, 1 (avec la note ad loc.), où Sozomène, comme
il le fait souvent, a indiqué par avance le point principal de la longue lettre
d'Innocent.
2. Il s'agit de Démétrius de Pessinonte qui avait fait partie de la délégation porteuse des lettres de Jean peu avant son exil (cf. H.E. VIII, 26, 1 avec
la note ad loc.). Cyriacos, évêque de Synnada en Phrygie, emprisonné avec
d'autres compagnons de Jean à Chalcédoine juste après l'incendie de Sainte
Sophie, avait été libéré fin août, l'enquête n'ayant rien donné ; il s'était
réfugié à Rome. Eulysios d'Apamée en Bithynie (DHGE III, 1924, c. 917-
918, R. Janin) qui avait soutenu Jean lors du synode du Chêne, l'avait suivi
au début de son exil et avait été emprisonné avec lui à Chalcédoine ; libéré
comme Cyriacos fin août, il avait rejoint Rome. Pallade, aux côtés de
Démétrius lors de la première ambassade à Rome, puis de retour à Constantinople, avait quitté à nouveau la capitale lors de l'exil de Jean.

en effet, très honorés frères, condamner les mauvaises décisions prises que de voir des choses directement contraires aux canons avoir la moindre force. **17** Mais comment agir contre ce qui se fait au moment présent ? Il est indispensable que l'on procède à un examen conciliaire, et ce concile, nous avons dit depuis longtemps qu'il faut le réunir. Car il est seul capable d'apaiser les mouvements de si grandes tempêtes. Pour que nous l'obtenions, il est préférable pour l'instant de remettre à plus tard la guérison au conseil du Dieu tout puissant et de son Christ, notre maître. **18** Tous les troubles qui ont été aujourd'hui créés, par la jalousie du diable, pour la mise à l'épreuve des vrais croyants, seront apaisés. Grâce à notre fermeté dans la foi, nous ne devons nullement désespérer de notre Seigneur. Et de fait, nous aussi nous ne cessons pas de chercher les moyens de réunir ce concile œcuménique [1], pour que cessent enfin, par le vouloir de Dieu, ces désordres qui troublent l'Église. Patientons donc pour l'instant et, fortifiés par le rempart de la patience, espérons que tout sera rétabli par l'assistance de notre Dieu. **19** Tout ce que vous nous dites avoir supporté, nous l'avons déjà appris, pour les avoir sérieusement interrogés, de nos collègues évêques qui sont accourus à Rome — bien que le plus souvent à des moments différents — je veux dire Démétrius, Cyriaque, Eulysios [2] et Pallade [3], qui sont avec nous. »

3. Il est l'auteur du *Dialogue sur la vie de Jean Chrysostome* et de *l'Histoire Lausiaque*. Galate d'origine, né vers 363-364, il devient, après quinze ans de vie monastique en Palestine dans le désert de Nitrie ou des Cellia, évêque d'Hélénopolis en Bithynie, en 400. Il plaide la cause de Jean auprès d'Innocent, ce qui lui vaut d'être arrêté et envoyé en exil à son retour à Constantinople en 406. A la fin de son exil, il revient en Galatie et y devient évêque d'Aspuna. Il meurt avant 431 : cf. *DECA*, p. 1869-1870, S. ZINCONE.

27

1 Τάδε μὲν τὰ Ἰννοκεντίου γράμματα· ἐξ ὧν συνιδεῖν ἔστιν οἵαν εἶχε περὶ Ἰωάννου γνώμην. Ἐν τούτοις δὲ παμμεγέθης ἐν Κωνσταντινουπόλει καὶ τοῖς προαστείοις χάλαζα κατερρά-γη, τετάρτῃ τε μετὰ τοῦτο ἡμέρᾳ ἡ τοῦ βασιλέως γαμετὴ
5 ἐτελεύτησε. 2 Καὶ τάδε συμβῆναι χαλεπαίνοντος τοῦ θεοῦ διὰ Ἰωάννην τοῖς πολλοῖς ἐδόκει. Καὶ γὰρ δὴ καὶ Κυρῖνος ὁ Χαλκηδόνος ἐπίσκοπος, ὃς αὐτὸν μάλιστα ἐλοιδόρει, οὐ πολλῷ πρότερον ἐκ τῆς συγκυρησάσης αὐτῷ περὶ τὸν πόδα συμφορᾶς ἑκάτερον σκέλος ὑπὸ τῶν ἰατρῶν ἀποπρισθεὶς
10 ἐλεεινῶς ἀπεβίω. 3 Καὶ Ἀρσάκιος δὲ ἐπ᾽ ὀλίγῳ χρόνῳ τὴν Κωνσταντινουπόλεως ἐκκλησίαν ἐπιτροπεύσας ἐτελεύτησεν. Πολλῶν δὲ τὴν αὐτοῦ διαδοχὴν μνωμένων τετάρτῳ μηνὶ τῆς αὐτοῦ τελευτῆς χειροτονεῖται Ἀττικός, πρεσβύτερος τοῦ
388 Κωνσταντινουπόλεως κλήρου, ἐκ τῶν ἐπι|βούλων Ἰωάννου.
15 4 Ὃς τὸ μὲν γένος ἦν ἐκ Σεβαστείας τῆς Ἀρμενίας, ἐκ νέου δὲ φιλοσοφεῖν ἐπαιδεύθη ὑπὸ μοναχοῖς τῆς Μακεδονίου αἱρέ-σεως· οἳ δὴ τότε ἀνὰ τὴν Σεβάστειαν ἐν τῇδε τῇ φιλοσοφίᾳ διέπρεπον ἐκ τῆς Εὐσταθίου διατριβῆς ὄντες, ὃν ἐπίσκοπον ἐνθάδε καὶ ἡγεμόνα ἀρίστων μοναχῶν γενέσθαι ἐν τοῖς πρό-
20 σθεν ἔγνωμεν. 5 Ἤδη δὲ εἰς ἄνδρας τελῶν πρὸς τὴν καθόλου ἐκκλησίαν μετέθετο· φύσει δὲ μᾶλλον ἢ μαθήσει φρόνιμος ὢν ἐγένετο τῶν πρακτέων ἐπήβολος, ἐπιβουλεῦσαί τε καὶ πρὸς ἐπιβουλὰς ἀντισχεῖν ἱκανός, τὸ δὲ ἦθος ἐπαγωγὸς ὡς πολλοῖς κεχαρισμένος εἶναι, 6 μέτριος δὲ πρὸς τοὺς ἐπ᾽ ἐκκλησίας

---

1. A celles du pape s'ajoutait une deuxième lettre d'Honorius à son frère Arcadius, appelant à un concile œcuménique, à la paix de l'Église, et appuyant l'ambassade des prélats occidentaux : Pietri, *Roma Christiana*, t. II, p. 1323.
2. Eudoxie meurt le 6 octobre 404 (Seeck, *Regesten*, p. 309).
3. Cf. VIII, 16, 4 et note *ad loc.*
4. Arsace meurt le 11 nov. 405. Si l'on retient cette date donnée par Socrate, *H.E.* VI, 20, il aura été évêque environ 17 mois.

Chapitre 27

Les maux survenus à cause de Jean,
la mort de l'impératrice Eudoxie et d'Arsace ;
et encore le patriarche Atticus, ses origines et son caractère.

1 Telles furent les lettres d'Innocent [1]. Il est aisé de voir par elles quelle était son opinion sur Jean. En ce temps, il y eut une violente chute de grêle à Constantinople et dans les faubourgs et le quatrième jour après cela l'épouse de l'empereur mourut [2]. **2** Beaucoup pensèrent que ces malheurs étaient la conséquence de la colère de Dieu à cause de Jean. De fait, Cyrinus [3], évêque de Chalcédoine, qui l'insultait le plus grandement, peu de temps auparavant, à cause d'un accident survenu au pied, avait eu les deux jambes coupées par les médecins et mourut misérablement. **3** Arsace aussi mourut après avoir gouverné peu de temps l'Église de Constantinople [4]. Alors que beaucoup convoitaient sa succession, quatre mois après sa mort fut ordonné Atticus, prêtre du clergé de Constantinople, l'un de ceux qui avaient machiné contre Jean [5]. **4** Il était originaire de Sébaste d'Arménie et, dès sa jeunesse, il avait été instruit dans la vie d'ascèse par des moines de la secte de Macédonius : ceux-ci, qui brillaient alors en cette vie d'ascèse à Sébaste, étaient de l'école d'Eustathe, dont nous avons vu plus haut qu'il fut évêque de cette ville et higoumène d'excellents moines. **5** Arrivé à l'âge adulte, il passa à l'Église catholique. Comme il était avisé de nature plus encore que par formation, il eut le sens de ce qu'il fallait faire, était habile à intriguer et à déjouer les intrigues, d'ailleurs engageant de caractère, en sorte qu'il était cher à beaucoup. **6** Ses sermons à l'église n'étaient que

---

5. Si l'on suit Sozomène, Atticus est désigné comme évêque vers février-mars 406.

25 λόγους, ὡς μήτε γραφῆς ἀξίους νομίζεσθαι τοῖς ἀκροαταῖς
μήτε παιδείας παντελῶς ἀμοίρους· ἐμμελὴς γὰρ ὤν, εἴ πῃ
καιρὸν ἦγε, τοὺς παρ' Ἕλλησιν εὐδοκιμωτάτους συγγραφέας
ἠσκεῖτο· καὶ τῷ δοκεῖν ἰδιώτης εἶναι περὶ τούτων διαλεγόμενος καὶ τοὺς ἐπιστήμονας πολλάκις ἐλάνθανεν. 7 Ἐλέγετο δὲ
1592 30 πρὸς μὲν τοὺς ὁμοδόξους | σπουδαῖος εἶναι, τοῖς δὲ ἑτεροδό-
ξοις φοβερός, καὶ ῥᾳδίως μὲν αὐτοῖς ἡνίκα βούλοιτο δέος
ἐμποιεῖν, αὖθις δὲ μεταβαλλόμενος πρᾶος φαίνεσθαι. Καὶ τὸν
μὲν τοιόνδε γενέσθαι φασὶν οἵ γε τὸν ἄνδρα ἔγνωσαν.

8 Ὁ δὲ Ἰωάννης καὶ φεύγων ἐπισημότερος ἐγένετο· χρη-
35 μάτων γὰρ ἔχων ἀφθονίαν, ἄλλων τε πολλῶν προσφερόντων
καὶ Ὀλυμπιάδος τῆς διακόνου πεμπούσης, πολλοὺς αἰχμα-
λώτους παρὰ τῶν Ἰσαύρων λῃστῶν ὠνεῖτο καὶ τοῖς οἰκείοις
ἀπεδίδου, πολλοῖς δὲ δεομένοις τὰ ἀναγκαῖα ἐχορήγει· οἷς δὲ
οὐδὲν ἔδει χρημάτων τῷ λόγῳ προσήγετο, καὶ εἰσάγαν
40 κεχαρισμένος ἐτύγχανεν Ἀρμενίοις τε παρ' οἷς ἦν καὶ τοῖς
πλησιοχώροις. 9 Πλεῖστοι δὲ πρὸς αὐτὸν ἐφοίτων ἀπό τε
Ἀντιοχείας καὶ τῆς ἄλλης Συρίας καὶ Κιλικίας.

1. Né en Arménie, Atticus s'engage très tôt dans la vie monastique : il y
rencontre des membres de la secte macédonienne très marqués par
l'influence de l'évêque de Sébaste Eustathe. Il quitte Sébaste pour Constantinople, probablement par ambition personnelle ; il y devient prêtre.
Homme de mœurs et de vertu irréprochables, il avait, à défaut de talent
oratoire et de véritable culture, beaucoup d'habileté et de diplomatie. On le
voit témoigner contre Jean devant le synode du Chêne, ce qui a sans doute
aidé à sa désignation comme successeur d'Arsace. Il est présenté très négativement par Palladios, *Dial.* IV, 40-45, p. 40-45 (un usurpateur), XI, 31,
p. 216-217 (artisan de toute la machination contre Jean). Sozomène donne
d'Atticus un portait beaucoup plus étoffé que celui de Socrate, *H.E.* VI,
20, 2 ; les notations franchement positives y sont compensées par des
constats très critiques et l'ensemble donne une impression très mitigée.

de valeur moyenne, de sorte qu'ils ne paraissaient aux auditeurs ni dignes d'être notés ni totalement dépourvus de culture. De fait, comme il avait bon goût, chaque fois qu'il était de loisir, il pratiquait les plus renommés des auteurs grecs. Mais comme il avait réputation de profane, quand il traitait de ces auteurs, son érudition passait souvent inaperçue même des gens instruits. **7** Il était, disait-on, zélé en faveur de ceux qui pensaient comme lui, terrible envers ceux qui pensaient autrement, et chaque fois qu'il le voulait, il leur inspirait aisément de la crainte, mais ensuite, changeant d'humeur, il se montrait doux. Tel fut ce personnage, aux dires de ceux qui l'ont connu [1].

8 Jean cependant, bien que banni, était devenu plus illustre. Il avait abondance d'argent, beaucoup lui en offraient, et, entre autres, la diaconesse Olympias lui en envoyait [2]. Il rachetait aux brigands d'Isaurie beaucoup de prisonniers et il les rendait à leurs familles [3]. Il fournissait aussi le nécessaire aux indigents. Ceux qui n'avaient pas besoin d'argent, il les entraînait par la parole. Bref, il était devenu extrêmement cher aux Arméniens chez qui il se trouvait et aux populations des régions voisines. Beaucoup aussi allaient le visiter depuis Antioche et le reste de la Syrie et de la Cilicie [4].

Certes, Atticus réinséra en 412 Jean dans la liste officielle des évêques de Constantinople, ce qui constituait un début de réhabilitation, mais ce fut sous la pression des évêques de Rome, d'Antioche, et de l'empereur. Sur ce personnage : *DHGE* V, 1931, c. 161-166, M.-TH. DISDIER.

2. Olympias continue à assurer la subsistance de Jean : cf. *Vie d'Olympias* 8.

3. Sur le rachat de prisonniers par les évêques, cf. J. GAUDEMET, *L'Église dans l'Empire Romain*, p. 351 et 568.

4. L'exilé de Cucuse devient l'objet de visites venues de toutes les régions avoisinantes, de clercs ou de laïcs (PALLADIOS, *Dial.* XI, 83-86, p. 222-223) et entretient ainsi l'opposition à la politique inspirée par ses adversaires dans l'entourage d'Arcadius.

28

1 Ἰννοκέντιος δὲ ὁ Ῥώμης ἐπίσκοπος, καθάπερ πρότερον ἔγραψεν, ἐπανελθεῖν αὐτὸν σπουδάζων σὺν τοῖς ἐκ τῆς ἕω
389 περὶ τούτου πρεσβευσαμένοις | ἐπισκόποις πέπομφεν ἐπισκόπους πέντε καὶ πρεσβυτέρους δύο τῆς Ῥωμαίων ἐκκλησίας
5 πρὸς Ὀνώριον καὶ Ἀρκάδιον τὸν βασιλέα, σύνοδον αἰτήσοντας καὶ καιρὸν ταύτης καὶ τόπον. **2** Οἱ δὲ ἐπὶ τῆς Κωνσταντινουπόλεως ἀπεχθανόμενοι Ἰωάννῃ, ὡς ἐπὶ ὕβρει τῆς ἐνταῦθα βασιλείας τούτων γινομένων, διαβολὴν κατεσκεύασαν· καὶ τοὺς μὲν ὡς ὑπερόριον ἀρχὴν ἐνοχλήσαντας ἀτίμως
10 ἐκπεμφθῆναι παρεσκεύασαν, αὐτὸν δὲ Ἰωάννην ψήφῳ βασιλέως πορρωτέρω μετοικισθῆναι εἰς Πιτυοῦντα κατώρθωσαν·

1. La formulation de Sozomène a le mérite de mettre en valeur la prudence d'Innocent qui s'abrite derrière l'autorité d'Honorius. Le pape avait finalement réuni à Rome un synode rassemblant des évêques italiens, où les partisans de Jean, Pallade en tête, avaient démontré l'inanité des accusations portées contre l'évêque de Constantinople. Le synode avait dès lors excommunié Théophile et Arsace. Fort de cet appui, c'est Innocent qui incite Honorius à demander un concile pour régler la question de Jean : cf. PIETRI, *Roma Christiana*, t. II, p. 1322-1324.

2. L'ambassade chargée de la lettre à l'empereur quitte l'Italie fin mars 406 (PALLADIOS, *Dial.* IV, 1-13, p. 84-87). Elle comprend les évêques Aemilius de Bénévent, Cythégius, Gaudentius de Brescia et deux prêtres de Rome, Valentin et Boniface ; le chiffre de cinq évêques donné par Sozomène semble inexplicable sinon par une erreur ou une confusion entre les évêques et les prêtres. Ils sont accompagnés des évêques orientaux Cyriacus, Palladius, Démétrius, Eulysius qui avaient rejoint Rome. L'ambassade était porteuse d'une nouvelle lettre d'Honorius proposant la tenue d'un concile œcuménique à Thessalonique, ville située à la jonction des deux *partes*, relevant sur le plan ecclésiastique de l'église de Rome et sur le plan politique de Constantinople : cf. BRÄNDLE, p. 184.

3. La politique de Stilichon et ses vues sur l'Illyricum oriental entretiennent une forte tension entre les deux *partes imperii*. A Constantinople, le préfet Anthémius s'oppose à la volonté d'ingérence des Occidentaux qui prétendent remettre en question, à travers leur soutien à Jean, une décision impériale. Une surveillance militaire est imposée à l'ambassade occiden-

Chapitre 28

*Le zèle que met Innocent de Rome
à faire rappeler Jean grâce à un concile ;
les ambassadeurs qu'il envoie pour enquête ;
la mort de Jean Chrysostome.*

1 Comme Innocent, l'évêque de Rome, s'efforçait, ainsi qu'il l'avait écrit auparavant, de faire revenir Jean, il envoya à Honorius [1] et à l'empereur Arcadius, en accompagnement des évêques d'Orient qui étaient venus en ambassade au sujet de Jean, cinq évêques et deux prêtres de l'église de Rome, pour demander un concile, et le temps et le lieu de celui-ci [2]. **2** Les ennemis de Jean à Constantinople, estimant que cette demande était un outrage à l'Empire d'Orient [3], fomentèrent une accusation. Ils firent renvoyer de façon déshonorante [4] les prélats italiens, comme ayant causé du trouble dans une partie de l'Empire qui leur était étrangère. Quant à Jean, par un ordre impérial, ils réussirent à le faire exiler encore plus loin, à Pityonte [5]. Les soldats vinrent donc

tale : les Italiens sont astreints à résidence et les évêques grecs qui désiraient rentrer à Constantinople après s'être exilés à Rome sont emprisonnés, sans que la possibilité leur soit offerte de remettre les lettres à Arcadius : cf. KELLY, p. 279-280.

4. Les Orientaux tentent même de corrompre les clercs italiens en leur proposant de l'argent pour rentrer en communion avec Arsace : PALLADIOS, *Dial.* IV, 40-45, p. 90-91. Dans l'incapacité de mener à bien leur mission, ceux-ci repartent en Italie dans des conditions matérielles très difficiles. Sozomène passe là encore très vite sur les méthodes employées, comme pour éviter de trop charger l'Orient, dans un ouvrage dédié à Théodose II, fils d'Arcadius : cf. KELLY, p. 280.

5. En août 407, jugeant l'exilé encore trop dangereux par son rayonnement qu'entretenaient une abondante correspondance et de nombreuses visites, les autorités imposent à Jean un nouveau lieu d'exil, Pityonte (ou Pityus), petit poste frontière sur la côte du Caucase aux limites nord-est du monde romain — cf. *PW* XX 2, 1950, c. 1883-1884, E. DIEHL —, dans une région désertique, suffisamment éloignée pour décourager les visiteurs.

ἐν τάχει τε παραγενόμενοι στρατιῶται τοῦτο ἐπετέλουν.
3 Φασὶ δὲ αὐτὸν ὑπὸ τούτων ἀγόμενον καθ᾽ ὁδὸν προϊδεῖν τὴν
ἡμέραν, ἐν ᾗ τελευτᾶν ἤμελλεν, ἐπιφανέντος αὐτῷ Βασιλί-
15 σκου τοῦ μάρτυρος ἐν Κομάνοις τῆς Ἀρμενίας· ἔνθα δὴ
μηκέτι πρὸς τὴν ὁδὸν ἀντισχών (ἤλγει γὰρ τὴν κεφαλὴν καὶ
τὴν ἀκτῖνα τοῦ ἡλίου φέρειν οὐχ οἷός τε ἦν) νόσῳ τὸν βίον
μετήλλαξεν.

en hâte et se mirent à exécuter cet ordre [1]. **3** On raconte que, tandis qu'ils l'emmenaient ainsi, il sut à l'avance sur la route le jour où il devait mourir : le martyr Basiliskos lui était apparu en effet à Comana d'Arménie [2]. Là donc, comme il ne résistait plus aux fatigues du voyage — il souffrait de la tête et ne pouvait supporter les rayons du soleil —, malade, il quitta la vie [3].

1. Le trajet entre Arabissos et Pityus, plus de 380 km (BAUR, p. 353) dans des conditions particulièrement rudes sous le commandement de militaires brutaux produit l'effet peut-être escompté sur un organisme déjà affaibli par une pathologie digestive et respiratoire.

2. Basiliskos aurait subi le martyre en même temps que Lucien d'Antioche en 312, sous Maximin Daïa. Il était probablement évêque de Comana dans le Pont Polémoniaque : cf. *DHGE* XIII, 1956, c. 354, R. JANIN. Il aurait dit à Jean dans une apparition : « Courage, frère Jean, demain nous serons ensemble », selon PALLADIOS, *Dial.* XI, 122-129, p. 226-227.

3. S'étant vu refuser la possibilité de retarder son départ de l'étape de Comana, Jean est obligé de reprendre la route, mais il revient très vite en arrière, épuisé physiquement. Il meurt le 14 septembre 407, trois ans et trois mois après son deuxième exil : BAUR, p. 357.

Α'. Περὶ τῆς Ἀρκαδίου τελευτῆς καὶ τοῦ Νέου Θεοδοσίου ἀρχῆς, καὶ περὶ τῶν ἀδελφῶν αὐτοῦ· καὶ περὶ τῆς εὐσεβείας καὶ ἀρετῆς καὶ παρθενίας Πουλχερίας τῆς βασιλίδος, καὶ περὶ τῶν θεοφιλῶν ταύτης ἔργων, καὶ ὡς τὸν βασιλέα πρεπόντως ἀνῆγε.

5 Β'. Περὶ τῆς εὑρέσεως τῶν λειψάνων τῶν ἁγίων τεσσαράκοντα μαρτύρων.

Γ'. Ἔτι περὶ ἀρετῆς καὶ θεοφιλείας τῆς Πουλχερίας καὶ τῶν αὐτῆς ἀδελφῶν.

Δ'. Περὶ τῶν σπονδῶν τῶν Περσῶν, καὶ περὶ Ὀνωρίου καὶ Στελί-
10 χωνος καὶ τῶν ἐν Ῥώμῃ καὶ Δαλματίᾳ πραχθέντων.

Ε'. Περὶ διαφόρων ἐθνῶν ἐπιστρατευσάντων Ῥωμαίοις καὶ Θεοῦ προνοίᾳ ἡττηθέντων· ἄλλων δὲ καὶ ὑποσπόνδων γενομένων.

ς'. Περὶ Ἀλαρίχου τοῦ Γότθου, καὶ ὡς τῇ Ῥώμῃ ἐπεισπεσὼν
15 ἐστενοχώρει ταύτην πολέμῳ.

Ζ'. Περὶ Ἰνοκεντίου τῆς πρεσβυτέρας Ῥώμης ἐπισκόπου ὡς διεπρεσβεύσατο πρὸς Ἀλάριχον· καὶ περὶ Ἰοβίου τοῦ Ἰταλίας ὑπάρχου, καὶ περὶ τῆς εἰς βασιλέα πρεσβείας καὶ ὅσαπερ Ἀλαρίχῳ συνέβη.

20 Η'. Περὶ τῆς ἀποστασίας Ἀττάλου καὶ τοῦ στρατηγοῦ Ἡρακλειανοῦ· καὶ ὡς ὕστερον προσπεσὼν Ὀνωρίῳ συγγνώμης ἔτυχε.

Θ'. Περὶ τῆς ταραχῆς ἣν ἔσχον οἱ Ἕλληνες καὶ οἱ Χριστιανοὶ περὶ Ἀττάλου· καὶ περὶ Σάρου τινὸς ἀνδρείου· καὶ ὡς Ἀλάριχος δόλῳ εἷλε τὴν Ῥώμην ἄσυλον φυλάξας τὸ τοῦ ἀποστόλου
25 Πέτρου ἱερόν.

Ι'. Περὶ τῆς Ῥωμαίας γυναικὸς σωφροσύνης ἔργον ἐνδειξαμένης.

ΙΑ'. Περὶ τῶν ἐν τοῖς χρόνοις ἐκείνοις τυράννων ἐπαναστάντων ἐν Δύσει κατὰ Ὀνωρίου καὶ πάντων ἄρδην ἀναιρεθέντων διὰ τὸ τοῦ βασιλέως θεοφιλές.

30 ΙΒ'. Περὶ Θεοδοσιώλου καὶ Λαγωδίου· περὶ Οὐανδάλων καὶ Σουί-
βων ἐθνῶν· καὶ περὶ τοῦ θανάτου Ἀλαρίχου. Καὶ περὶ τῆς
ψυχῆς Κωνσταντίνου καὶ Κώνστα τῶν τυράννων.

ΙΓ'. Περὶ Γεροντίου καὶ Μαξίμου, καὶ περὶ τῆς στρατιᾶς Ὀνωρίου
καὶ περὶ ἁλώσεως Γεροντίου καὶ τῆς γυναικὸς αὐτοῦ, καὶ ὡς
35   ἐφονεύθησαν.

ΙΔ'. Περὶ Κωνσταντίνου καὶ τῆς στρατιᾶς Ὀνωρίου καὶ Ἐδοβίχου
τοῦ στρατηγοῦ· καὶ ἧττα Ἐδοβίχου ὑπὸ Οὐλφίλα τοῦ συστρα-
τηγοῦ Κωνσταντίνου καὶ φόνος αὐτοῦ.

ΙΕ'. Περὶ τῆς ἀποθέσεως τῶν βασιλικῶν σημείων Κωνσταντίνου
40   καὶ ὡς ἐχειροτονήθη πρεσβύτερος· καὶ θάνατος αὐτοῦ ὕστερον
καὶ τῶν ἄλλων τυράννων τῶν ἐπαναστάντων Ὀνωρίῳ.

ΙϚ'. Περὶ τῆς τοῦ κρατοῦντος Ὀνωρίου θεοφιλείας καὶ τῆς τελευτῆς αὐτοῦ καὶ περὶ τῶν διαδόχων αὐτοῦ Οὐαλεντινιανοῦ καὶ
Ὀνωρίας τῆς θυγατρός· καὶ περὶ τῆς τότε κοσμικῆς εἰρήνης.

45 ΙΖ'. Περὶ τῆς εὑρέσεως Ζαχαρίου τοῦ προφήτου καὶ Στεφάνου τοῦ
πρωτομάρτυρος.

ΣΑΛΑΜΑΝΟΥ ΕΡΜΕΙΟΥ <ΣΩΖΟΜΕΝΟΥ>

ΕΚΚΛΗΣΙΑΣΤΙΚΗΣ ΙΣΤΟΡΙΑΣ

ΤΟΜΟΣ ΕΝΑΤΟΣ

1

[PG 67
col. 1593
Bidez 390]

1 Τὰ μὲν δὴ κατὰ 'Ιωάννην ὧδε ἔσχε. Μετ' οὐ πολὺ δὲ τῆς τούτου τελευτῆς, τρίτον ἔτος ἤδη 'Αττικοῦ διανύοντος τὴν Κωνσταντινουπόλεως ἐπισκοπήν, Βάσσου καὶ Φιλίππου ὑπατευόντων, τελευτᾷ τὸν βίον 'Αρκάδιος διάδοχον τῆς ἡγεμο-
5 νίας Θεοδόσιον τὸν υἱέα καταλιπὼν ἀρτίως γάλακτι τρέφε-

1. Jean Chrysostome meurt le 14 septembre 407, près de Comana Pontica, sur la rive caucasienne de la mer Noire : cf. *H.E.* VIII, 28, 2 et la note *ad loc.*
2. Atticus occupa le siège de Constantinople de 406 à 425 (voir *H.E.* VIII, 27, 7 et la note *ad loc.*). L'année 408 est bien la troisième de son épiscopat.
3. Anicius Auchénius Bassus 7 (*P.L.R.E.* II, p. 219-220), préfet de la Ville en 382, fut, en 408, consul *prior* (Occident) avec, pour collègue, Flavius Philippus 9 (*P.L.R.E.* II, p. 876-877), probablement préfet de la Ville en 391, qui était le consul oriental (Seeck, *Regesten*, p. 312).
4. La mort d'Arcadius, Auguste depuis 383 (*P.L.R.E.* I, p. 99 et *PW* II 1, 1895, c. 1137-1153, Seeck Arkadios 2), est datée du 1er mai 408 (Seeck, *Regesten*, p. 315).
5. Théodose, fils d'Arcadius et d'Eudoxie, est né le 10 avril 401 (*P.L.R.E.* II, p. 1100 et surtout *PW* Suppl. XIII, 1973, c. 961-1044, Lippold). Il avait donc sept ans à la mort de son père : l'expression imagée

DE SALAMANÈS HERMIAS SOZOMÈNE

Histoire Ecclésiastique

Livre IX

Chapitre 1

*La mort d'Arcadius
et l'accession au pouvoir de Théodose le jeune ; ses sœurs ;
la piété, vertu et virginité de l'Augusta Pulchérie,
ses actions aimées de Dieu ;
elle éduque l'empereur comme il convient.*

1 Tels furent les événements relatifs à Jean. Peu après sa mort [1], alors qu'Atticus occupait pour la troisième année le trône de Constantinople [2], sous le consulat de Bassus et de Philippus [3], Arcadius achève sa vie [4], laissant pour successeur au pouvoir son fils Théodose [5] qui venait à peine de

appliquée à son très jeune âge ne correspond pas à la date du 1er mai 408, mais à celle de la proclamation de Théodose II comme Auguste le 10 janvier 402 : il n'avait alors que neuf mois. Il est le dernier rejeton de la dynastie théodosienne qui régna sur l'Orient : voir le chapitre synthétique de R. C. BLOCKLEY, « The dynasty of Theodosius », dans *Cambridge Ancient History* XIII, 1998, p. 111-137.

σθαι πεπαυμένον, θυγατέρας δὲ Πουλχερίαν καὶ Ἀρκαδίαν
καὶ Μαρίναν ἔτι κομιδῇ νέας. **2** Ἦι μοι δοκεῖ μάλιστα τὸν
θεὸν ἐπιδεῖξαι μόνην εὐσέβειαν ἀρκεῖν πρὸς σωτηρίαν τοῖς
βασιλεύουσιν, ἄνευ δὲ ταύτης μηδὲν εἶναι στρατεύματα καὶ
10 βασιλέως ἰσχὺν καὶ τὴν ἄλλην παρασκευήν. Ἐπεὶ οὖν εὐσεβέσ-
τατον τὸν βασιλέα ἔσεσθαι προεῖδεν ἡ τῶν ὅλων οἰκουρὸς θεία
δύναμις, ἐπίτροπον αὐτοῦ καὶ τῆς ἡγεμονίας κατέστησε
Πουλχερίαν τὴν ἀδελφήν. **3** Ἡ δὲ οὔπω πεντεκαιδέκατον ἔτος
ἄγουσα ὑπὲρ τὴν ἡλικίαν σοφώτατον καὶ θεῖον ἔλαβεν νοῦν.
15 Καὶ πρῶτα μὲν τὴν αὐτῆς παρθενίαν τῷ θεῷ ἀνέθηκε καὶ τὰς
ἀδελφὰς ἐπὶ τὸν αὐτὸν ἐπαιδαγώγησε βίον, ὅπως μὴ ἄλλον
ἄνδρα ἐπεισαγάγῃ τοῖς βασιλείοις καὶ ζήλου καὶ ἐπιβουλῆς
πᾶσαν ἀνέλῃ ἀφορμήν. **4** Ἐπιβεβαιοῦσα δὲ τὰ δόξαντα καὶ
θεὸν αὐτὸν καὶ ἱερέας καὶ πάντα ἀρχόμενον μάρτυρας ποιου-

1. L'impératrice Eudoxie, fille du général franc Bauto, épousée le 17
avril 395, élevée à la dignité d'*Augusta* le 9 janvier 400, avait donné aussi
quatre filles à Arcadius : Flaccilla, l'aînée des enfants d'Arcadius, née le 17
juin 397 (*P.L.R.E.* II, p. 472), non mentionnée ici, qui était donc morte
avant 408, Pulchérie, née le 19 janvier 399 (*P.L.R.E.* II p. 929-930), Arcadia, née le 3 avril 400 (*P.L.R.E.* II, p. 129), Marina, née le 10 février 403
(*P.L.R.E.* II, p. 723). Sur Pulchérie, outre les notices de *PW* XXIII 2, 1959,
c. 1954-1963, ENSSLIN et de la *P.L.R.E.* II, p. 929-930, voir K. G. HOLUM,
*Theodosian Empresses. Women and Imperial Dominion in Late Anti-
quity*, Berkeley 1982, p. 79-111 et C. ANGELIDI, *Pulcheria. La castità al
potere (c. 399-c. 455)*, Milan, 1996/1998 (trad. ital. du texte original fr. de
D. Serman). A ces études surtout prosopographiques, ajouter l'étude thématique de L. JAMES, *Empresses and Power in Early Byzantium*, Leicester
2001, avec de nombreuses références à la figure emblématique de Pulchérie.
2. A la fin de la préfecture d'Anthémius (404-414), Pulchérie, de deux
ans plus âgée que Théodose II, assuma l'ἐπιτροπή, la « protection bienveillante » de son frère en accédant à l'Augustat le 4 juillet 414 (SEECK,
Regesten, p. 329 ; STEIN-PALANQUE, p. 275). La fin de la préfecture
d'Anthémius s'explique par la mort, la maladie ou une démission volontaire. Le choix de son successeur, l'ex-préfet Aurélianus, pourrait indiquer
le renforcement de l'influence de Pulchérie sur son frère (cf. R. C. BLOC-
KLEY, « The ascendancy of Pulcheria 414-423 », *C.A.H.* XIII, p. 133 s.). Car
Anthémius, qui tenait grand compte des conseils du sophiste Troïlus
— SOCR. *H.E.* VII, 1 —, figurait parmi les intellectuels férus d'hellénisme
(sur le cercle de Troïlos et son influence sur Socrate, voir P. VAN NUFFELEN,
Un héritage ..., p. 14-36), alors que Pulchérie voulait donner au règne de

cesser d'être nourri au sein, et trois filles, Pulchérie, Arcadia et Marina, encore toutes jeunes [1]. **2** Il me semble que c'est par cela surtout que Dieu a montré que la piété seule suffit à assurer le salut des princes et que ne sont rien sans elle armées, vigueur de l'empereur et tout le reste de l'apparat. Comme donc la Puissance divine qui veille sur l'univers prévoyait que l'empereur serait très pieux, elle établit sa sœur Pulchérie gardienne de lui-même et de l'Empire [2]. **3** Avant même d'avoir atteint quinze ans, elle eut, au-dessus de son âge, un esprit très sage et divin. Tout d'abord, elle voua à Dieu sa virginité [3] et elle instruisit ses sœurs dans le même genre de vie, pour n'introduire au palais aucun autre homme et supprimer ainsi toute occasion de rivalité et d'intrigue. **4** Pour confirmer sa décision et prendre à témoin de ses résolutions Dieu lui-même, les prêtres et tous les sujets [4],

son frère un caractère exclusivement empreint de spiritualité et de piété chrétiennes. Au contraire de Sozomène, Socrate et Théodoret ne nomment même pas Pulchérie. Une telle différence ne peut pas s'expliquer seulement par la date de la composition de leurs *Histoires* respectives.

3. Le vœu de virginité de Pulchérie est antérieur à son élévation à l'Augustat puisque, née le 19 janvier 399, elle avait 15 ans révolus et entrait dans sa seizième année quand la dignité impériale lui fut conférée, le 4 juillet 414. D'après K. G. HOLUM, *Theodosian Empresses*, p. 93, il faut dater ce vœu de 412/413, l'année de la puberté pour Pulchérie, alors que C. ANGELIDI, *Pulcheria...*, p. 23, penche plutôt pour 414. J. M. SPIESER, « Impératrices romaines et chrétiennes », dans *Mélanges Gilbert Dagron*, Paris 2002, *Travaux et Mémoires* 14, p. 593-604, attribue à Pulchérie un rôle décisif dans la construction d'un modèle de conduite « suffisamment lointain pour qu'il puisse s'incarner de diverses manières » non seulement pour les impératrices mais les femmes « byzantines ».

4. Pourtant, plus tard, le patriarche Nestorius (425-431) osa faire écho aux bruits malveillants courant sur des manquements de Pulchérie à son vœu — on lui prêtait même des relations incestueuses avec son frère, d'après la Souda —, ce qui entraîna la haine de la puissante *Augusta* à son égard : cf. STEIN-PALANQUE, p. 301 et L. JAMES, *Empresses*, Leicester 2001, p. 66 (les auteurs hostiles à Pulchérie, tel Jean de Nikiou, évêque égyptien monophysite du VIIe s., la représentent comme agissant d'une manière indécente, lui reprochant corruption, inconduite sexuelle, comportement digne de Jézabel, toutes imputations dictées par un parti pris religieux).

20 μένη τῶν αὐτῇ βεβουλευμένων, ἐκ χρυσοῦ καὶ λίθων τιμίων
1596 θαυμάσιόν τι χρῆμα θεα|μάτων κάλλιστον ὑπὲρ τῆς ἰδίας
παρθενίας καὶ τῆς τοῦ ἀδελφοῦ ἡγεμονίας ἱερὰν ἀνέθετο
τράπεζαν ἐν τῇ ἐκκλησίᾳ Κωνσταντινουπόλεως· καὶ ἐπὶ τοῦ
391 μετώπου τῆς τραπέζης, | ὡς ἂν πᾶσιν ἔκδηλα ᾖ, τάδε ἐπέγρα-
25 ψεν. 5 Ὑπεισελθοῦσα δὲ τὴν φροντίδα τῆς ἡγεμονίας ἄριστα
καὶ ἐν κόσμῳ πολλῷ τὴν Ῥωμαίων οἰκουμένην διῴκησεν, εὖ
βουλευομένη καὶ ἐν τάχει τὰ πρακτέα ἐπιτελοῦσα καὶ γρά-
φουσα. Ἠκρίβωτο γὰρ λέγειν τε καὶ γράφειν ὀρθῶς κατὰ τὴν
Ῥωμαίων καὶ Ἑλλήνων φωνήν. 6 Τῶν δὲ πραττομένων τὴν

---

1. L'« église de Constantinople » est Sainte-Sophie, dite aussi la « Grande
Église », inaugurée en 360, partiellement incendiée lors des troubles de 404
(cf. H.E. VIII, 22, 4), inaugurée à nouveau le 10 octobre 415 (JANIN,
Géographie ..., p. 456-457 ; DAGRON, Naissance ..., p. 399). D'après
K. G. HOLUM, Theodosian Empresses, p. 93-96, cette consécration était un
acte politique et le double vœu que Pulchérie fit graver dans le marbre
« pour sa propre virginité et pour l'empire de son frère » devait rappeler
constamment sa viginité consacrée — et celle de ses sœurs —, pour décourager tout ambitieux voulant entrer par le mariage dans la famille impériale.
Le vœu personnel de chasteté de Pulchérie, daté plutôt de 412/413, fut
donc affiché aux yeux de tous, deux ou trois ans plus tard, peut-être justement à l'occasion de l'inauguration solennelle de la « Grande Église ».
2. Pulchérie assuma la « régence » — en fait, le terme ἐπιτροπή évoque
l'exercice d'une autorité morale et spirituelle, qui ne pouvait être ni juridique ni politique, la loi romaine excluant la tutela et la curatela pour un
empereur — à partir du 4 juillet 414 jusqu'à la « majorité » de son frère,
probablement à 16 ans, dans la tradition romaine, au moment de la prise de
la toge virile, donc en 416/417. Mais elle continua bien au-delà d'exercer
son influence sur lui : ce serait elle, disait-on, qui lui fit, en 421, épouser
Athénaïs-Eudocie. Au contraire, pour K. G. HOLUM (p. 116), récusant le
récit romanesque de Jean Malalas (VIᵉ s.), le mariage de Théodose avec la
fille de Léontios, rhéteur d'Athènes probablement originaire d'Antioche,
fut une revanche des aristocrates traditionalistes, attachés à la culture hellé-
nique (p. 112), opinion contestée par AL. CAMERON, « The empress and the
poet. Paganism and politics at the court of Theodosius II », Yale Classical
Studies XXVII, Later Greek Literature, J. J. Winkler-G. Williams éd.,
Cambridge 1982, p. 217-289, aux p. 271-279. Sur le poids politique exceptionnel de Pulchérie, supérieur à celui d'Eudocie, malgré certaines inter-

elle fit faire, d'or et de pierres précieuses, un ouvrage admirable et le plus beau à voir, une table sainte qu'elle offrit à l'église de Constantinople pour sa virginité et le règne de son frère ; et elle fit graver ces mots mêmes sur le front de la table, pour que cela fût bien clair à tous [1]. **5** Lorsqu'elle eut assumé le soin de l'Empire [2], elle administra excellemment et avec beaucoup d'ordre le monde romain : elle délibérait avec justesse et était prompte à accomplir et à mettre par écrit les mesures à prendre [3] ; elle excellait en effet à parler et à écrire correctement en latin et en grec [4]. **6** Cependant

mittences, voir L. JAMES, *Empresses* ..., p. 66-68 et 105 : les émissions monétaires à l'effigie d'*Aelia Pulcheria Augusta* se prolongent sans interruption de 414 — date de sa « régence » — jusqu'à sa mort. Ce pouvoir que la loi rendait en principe inaccessible aux femmes reposait sur une extraordinaire réputation de piété et de philanthropie, vertus dont la possession ne leur était pas contestée : JAMES, *Empresses*..., p. 67-68.

3. Si Pulchérie rapportait bien la gloire de ses sages mesures à son frère, Sozomène affirme aussi qu'elle prenait des initiatives et donnait des ordres par écrit — c'est précisément ce que lui reproche, au VIIe s., l'évêque anti-orthodoxe Jean de Nikiou, *Hist.* XXXVII, 29-33 : cf. L. JAMES, *Empresses* ..., p. 18. Pour K. G. HOLUM, p. 97-108, sa ligne politique s'affirma contre celle d'Anthémius par les mesures législatives prises contre les Juifs et les Hellènes et par l'admission de chefs barbares à la tête de l'armée, alors que pour C. ANGELIDI, *Pulcheria* ..., elle exerça son influence exclusivement dans le domaine religieux. L. JAMES, *Empresses* ..., p. 67, a raison de souligner que Sozomène prend soin d'attribuer, en dernière analyse, l'action bénéfique et les succès de Pulchérie à l'« affection divine » (*theophileia*) répondant à sa piété. THÉOD. *H.E.* V, 38, 3 attribue à Dieu lui-même, sans la médiation humaine de sa sœur, l'éducation religieuse et l'empire paisible de Théodose.

4. Pulchérie, fille d'empereur, avait reçu l'éducation bilingue réservée aux élites. Au IVe s., dans la partie orientale de l'Empire, le latin était la langue officielle, celle de l'administration et du droit, le grec la langue de culture et d'usage. Dans les premières décennies du Ve siècle, à l'initiative du préfet et poète Cyrus de Panopolis, des actes officiels commencent à être rédigés en grec (STEIN-PALANQUE, p. 295-296). L'usage du latin n'est pas pour autant évincé : l'Université de Constantinople créée en 425 comptait quinze maîtres latins et seize maîtres grecs : voir G. DAGRON, « Aux origines de la civilisation byzantine : langue de culture et langue d'État », *Revue Historique* 241, 1969, p. 23-56.

30 δόκησιν εἰς τὸν ἀδελφὸν ἀνέφερε· καὶ ἐπεμελεῖτο ὡς ἂν μάλιστα βασιλικῶς ἀναχθείη τοῖς καθ' ἡλικίαν παιδευόμενος
μαθήμασιν. Ἀλλ' ἱππικὴν μὲν καὶ τὴν ἐν τοῖς ὅπλοις καὶ τοῖς
λόγοις ἄσκησιν παρὰ τῶν ἐπιστημόνων ἐξεδιδάσκετο, 7 περὶ
δὲ τὰς προόδους κόσμιος εἶναι καὶ βασιλικὸς παρὰ τῆς ἀδελ-
35 φῆς ἐρρυθμίζετο, ἐσθῆτά τε ἢ χρὴ περιστέλλειν μανθάνων,
καὶ τρόπῳ τίνι καθῆσθαι καὶ βαδίζειν καὶ γέλωτος κρατεῖν,
καὶ πρᾶος καὶ φοβερὸς ἐν καιρῷ εἶναι, καὶ ἁρμοδίως πυνθάνεσθαι τῶν περί του δεομένων. 8 Οὐχ ἥκιστα δὲ εἰς εὐσέβειαν
αὐτὸν ἦγε, συνεχῶς εὔχεσθαι καὶ ταῖς ἐκκλησίαις φοιτᾶν
40 ἐθίζουσα καὶ ἀναθήμασι καὶ κειμηλίοις τοὺς εὐκτηρίους
οἴκους γεραίρειν καὶ ἐν τιμῇ ἔχειν τοὺς ἱερέας καὶ ἄλλως
ἀγαθοὺς ἄνδρας καὶ τοὺς νόμῳ Χριστιανῶν φιλοσοφοῦντας.
9 Οὐ μὴν ἀλλὰ καὶ ὑπὸ νόθων δογμάτων νεωτερίζεσθαι κιν-
δυνευούσης τῆς θρησκείας σπουδῇ καὶ σοφῶς προὔστη. Καὶ

1. Faisant écho à ce qui est dit de l'éducation de Théodose II dans la
dédicace, probablement rédigée au terme de l'ouvrage (t. 1, SC 306, p. 92-
103), le passage en attribue le principal mérite à Pulchérie. Ces leçons
de maintien visent à constituer la figure hiératique de l'empereur « en
majesté », telle que la représentait Constance II dès le milieu du IVe siècle
(AMM. 16, 10, 9-12). Voir R. GUILLAND, « Études sur l'hippodrome de
Byzance », Byzantinoslavica 26, 1965, p. 1-39, à la p. 9 : « Le protocole réglait
l'attitude des empereurs dans toutes les circonstances de leur vie publique.
Cette attitude, c'était l'impassibilité. » Dans cette éducation, l'art de gouverner tient une place mineure, celui du commandement militaire n'est
pas du tout évoqué : ils sont de peu d'importance dans la pratique impériale
courante. Le livre IX met l'accent sur les actes et manifestations de piété,
seuls garants de la « Victoire impériale » accordée exclusivement par Dieu.
2. Sur la dévotion de Théodose II, qui se traduisit en dons, largesses,
privilèges au bénéfice de l'Église et des pauvres et qui lui assure « dans
l'hagiographie et dans l'histoire une belle réputation d'empereur chrétien »,
voir DAGRON, Naissance ..., p. 506. Pour « l'allure monastique » que prit la
cour sous l'influence de Pulchérie imitée par son frère, voir STEIN-
PALANQUE, p. 276 ; HOLUM, p. 91 ; R. C. BLOCKLEY, « The Dynasty ... »,
C.A.H. XIII, p. 134. Paradoxalement, SOCRATE, H.E. VII, 22, 4, notre
source principale pour la description de la cour théodosienne (οὐκ
ἀλλοιότερα δὲ ἀσκητηρίου κατέστησε τὰ βασίλεια) n'y nomme pas Pulchérie, qu'il englobe dans la collectivité des « sœurs de l'empereur ». Il ne la
nomme nulle part ailleurs.
3. Ces dogmes « bâtards », c'est-à-dire hérétiques — même expression
pour qualifier les doctrines d'Eunome et des eunomiens en H.E. VI, 5, 6 —

elle faisait remonter à son frère la gloire de ses actions ; et elle avait soin qu'il reçût le plus possible une éducation impériale, élevé dans les disciplines qui étaient de son âge. Il était instruit par des experts dans l'équitation, le maniement des armes, les exercices oratoires ; **7** pour ses sorties en public, il était formé aux bonnes manières et à une tenue impériale par sa sœur qui lui apprenait à revêtir un vêtement comme il fallait et à la façon de s'asseoir, de marcher, de maîtriser le rire, à être, selon l'occasion, doux ou terrible, à écouter avec bonne grâce ceux qui lui adressaient une supplique [1]. **8** C'est surtout vers la piété qu'elle le portait, l'accoutumant à une prière continuelle, à fréquenter les églises, à combler les maisons de prières d'offrandes et de vases sacrés, à honorer les prêtres, les hommes de bien en général et ceux qui menaient la vie d'ascèse selon la règle des chrétiens [2]. **9** Au surplus, comme la religion risquait d'être bouleversée par des dogmes bâtards [3], elle fit face avec zèle et

sont peut-être encore l'apollinarisme dont l'existence se prolongea sous diverses formes jusque vers 420 (Théod. *H.E.* V, 38, 2 reconnaît que, malgré les efforts de l'évêque orthodoxe Théodote, certains restaient encore à Antioche attachés à l'apollinarisme) et qui fut à l'origine du monophysisme (*DECA*, p. 186-187, Kannengiesser), mais plus certainement le nestorianisme : la violente querelle entre le patriarche de Constantinople Nestorius, qui voulut imposer les idées de l'école d'Antioche sur la nature du Christ et de Marie — pour lui, il y a deux personnes en Jésus-Christ, celle du Verbe et celle de l'homme ; leur union n'est pas substantielle, mais accidentelle et morale ; Marie est donc Christotokos, mère du Christ, et non Théotokos, mère de Dieu, voir J. Quasten, *Initiation aux Pères de l'Église*, III, p. 717-724 — et le patriarche Cyrille d'Alexandrie se prolongea de 425 à 431 (concile d'Éphèse) : voir H. Chadwick, « Orthodoxy and heresy from the death of Constantine to the eve of the first council of Ephesus », *C.A.H.* XIII, p. 596-598 et la contribution de C. Fraisse-Coué, « Le débat théologique au temps de Théodose II : Nestorius », dans Pietri, *Histoire...*, II, p. 499-547. Sozomène peut-il viser aussi le monophysisme, rebondissement de la querelle nestorienne, dont les premières manifestations dirigées par le moine de Constantinople Eutychès et par Dioscore, le successeur de Cyrille d'Alexandrie, sont postérieures aux années 447-448 (P. Maraval, *Le christianisme de Constantin à la conquête arabe*, p. 365) ? C'est l'avis, peu probable, d'Al. Cameron, « The empress and the poet ... », p. 266 avec la note 158 (l'achèvement de l'*H.E.* se situerait alors *ca.* 450).

45 τοῦ μὴ καινὰς αἱρέσεις ἐν τοῖς καθ᾽ ἡμᾶς χρόνοις κρατεῖν
μάλιστα αὐτὴν αἰτίαν εὑρήσομεν, ὡς ἐν τοῖς μετὰ ταῦτα
εἰσόμεθα. 10 Δέει δὲ πολλῷ τὸ θεῖον θρησκεύουσα, μακρὸν ἂν
εἴη λέγειν παρὰ τίσι καὶ πόσους εὐκτηρίους οἴκους μεγαλο-
πρεπῶς ἐτεκτήνατο, πόσα δὲ καταγώγια πτωχῶν καὶ ξένων
50 καὶ μοναστικὰς συνοικίας συνεστήσατο, διηνεκῆ τάξασα τὴν
περὶ ταῦτα δαπάνην καὶ τὸ σιτηρέσιον τῶν ἐνοικούντων.
11 Εἴ τῳ δὲ φίλον ἐκ τῶν πραγμάτων πειρᾶσθαι τῆς ἀληθείας
καὶ μὴ τοῖς ἐμοῖς πείθεσθαι λόγοις, μαθήσεται μὴ ψευδῶς
μηδὲ πρὸς χάριν με τάδε συγγράφειν, εἰ παρὰ τῶν ἐπιτρο-
55 πευόντων τὸν αὐτῆς οἶκον ἀνάγραπτον οὖσαν διέλθῃ τῶν
τοιούτων τὴν γνῶσιν καὶ παρὰ τῶν ἐγγεγραμμένων πύθηται,
εἰ τῇ γραφῇ συνᾴδει τὰ πράγματα. 12 Ὧι δὲ μὴ ταῦτα μόνα

1. Cette promesse ne sera pas tenue, dans l'état actuel du texte. Elle
prouve que Sozomène pensait rééquilibrer le livre IX dans sa deuxième
partie au profit de l'Orient et y donner une place importante aux querelles
sur le dogme, autour du concile d'Éphèse en 431. Pulchérie, dont le ressentiment était d'autant plus vif contre Nestorius qu'en refusant à la Vierge le
nom de Théotokos, il dépréciait indirectement son propre vœu de virginité,
base de son pouvoir (L. JAMES, *Empresses* ..., p. 92), se rangea du côté de
Cyrille, le plus orthodoxe malgré la brutalité de son caractère et de ses
méthodes. Théodose et Eudocie penchaient, un temps, du côté de Nestorius
(STEIN-PALANQUE, p. 301-302), avant le revirement d'Eudocie en faveur de
Cyrille, peut-être, d'après STEIN-PALANQUE, p. 304, en raison de la mort de
sa fille Flaccilla (*P.L.R.E.* II, p. 473, Fl. 2). De même, alors que Théodose
montrait des sympathies pour le monophysisme, Pulchérie accueillit favo-
rablement l'opinion contraire soutenue par le pape Léon (STEIN-PALANQUE,
p. 310).

2. La générosité de Pulchérie est incontestable : d'après le chronographe
Théophane (VIII⁰-IX⁰ s.), elle fit construire plusieurs asiles pour les pauvres
(πτωχεία, πτωχοτροφεία) — cf. JANIN, *Géographie* ..., p. 569 et DAGRON,
Naissance..., p. 409. Cette générosité était alimentée par une fortune personnelle considérable (HOLUM, *Theodosian Empresses* ..., p. 131-135). Elle
fit édifier au moins sept ou huit églises pour abriter les reliques de martyrs
et contribuer à la dévotion pour la Vierge : Saint Étienne, construction
palatine inaccessible au peuple, et, dans le quartier des Pulcherianai, Saint
Laurent, Saint Isaïe, Saint Thyrse (attribuée à Caesarius dans *H.E.* IX, 2,
6), les Quarante martyrs ainsi que, dans les dernières décennies de sa vie,
trois églises dédiées à Marie, les Blachernes, les Hodegetria (du nom des
« Guides », Hodêgoi, des aveugles allant à la source miraculeuse), la Chal-

prudence. Que de nouvelles sectes ne l'aient pas emporté de
notre temps, nous trouverons que c'est à elle surtout qu'on
le doit, comme on le verra plus loin [1]. **10** Comme elle révé-
rait la divinité en grande crainte, il serait trop long de dire en
quels lieux et combien elle bâtit de maisons de prières somp-
tueuses, combien elle fonda d'hospices de mendiants et
d'étrangers et de communautés monastiques, ayant fixé
pour tout cela des ressources à perpétuité et des allocations
de vivres pour ceux qui les habitaient [2]. **11** Si l'on veut avoir
la preuve de la vérité d'après les faits mêmes et ne pas m'en
croire sur parole, on verra que je n'écris pas cela mensongèrement ni par faveur si l'on parcourt le compte rendu de ces
choses qu'ont écrit les intendants de sa maison et si l'on
apprend de ces documents si les faits s'accordent avec mon
ouvrage [3]. **12** Et si même tout cela ne suffit pas pour qu'on

choprateia, peut-être aussi la Théotokos dite « la première fondée » (voir
Janin, *Géographie* ..., p. 161, la Théotokos des Blachernes ; p. 237-242, la
Chalchoprateia ; p. 472-473, Saint Étienne en Daphnè ; p. 199-207, les
Hodêgoi ; p. 139, Saint Isaïe ; p. 300-303, Saint Laurent ; p. 482-486, les
Quarante Martyrs. Cf. Holum, p. 137). Pour C. Angelidi, *Pulcheria*, p. 80-
84, Pulchérie a donné l'essor au culte marial à Constantinople mais plusieurs églises dont la fondation lui est attribuée sont plus tardives ou dues à
d'autres — ainsi la Théotokos est due au préfet Cyrus en 439 (Janin,
Géographie ..., p. 193-196 ; cf. Al. Cameron, « The empress and the
poet ... », p. 242). Dans le même sens, J. M. Spieser, « Impératrices romaines et chrétiennes », *Mélanges G. Dagron*, Paris 2002, p. 602.

3. La piété et les générosités pieuses de l'*Augusta* étaient-elles mises en
doute par ses adversaires politiques ? Des sources plus critiques lui repro-
chent corruption et autoritarisme. Sozomène se pose donc ici en témoin
oculaire et en contemporain pouvant accéder à des archives privées. Est-ce
un indice de sa proximité avec les *officia* (bureaux) et les services de la
chambre que possédait de droit l'*Augusta*, une position qui expliquerait la
singularité de l'*H.E.* par rapport à Socrate et Théodoret ? En IX, 2, 17, il
souligne aussi sa présence à un événement plus récent, glorieux pour Pulchérie, et renvoie les sceptiques au témoignage de tous ceux qui y ont
assisté, étant donné que « presque tous vivent encore ». *Contra* P. Van
Nuffelen, p. 58, qui dénie à Sozomène, défini a priori comme un « avocat
simple et pieux, guettant l'ascension sociale », toute relation avec la cour et
avec le milieu de Pulchérie (cf. aussi p. 56).

πρὸς πίστιν ἀρκεῖ, πιστούσθω καὶ θεὸς αὐτὸς πάντως που διὰ
τὴν πολιτείαν κεχαρισμένην αὐτὴν ἔχων, ὡς εὐχομένης ἑτοί-
60 μως ἐπακούειν καὶ πολλάκις αὐτῇ περὶ τῶν πρακτέων προ-
392 φαίνεσθαι. Οὐ γὰρ ἂν φαίην ποτὲ θεοφίλειαν | παραγίνεσθαι
τοῖς ἀνθρώποις, εἰ μὴ σφᾶς ἀξίους ταύτης διὰ τῶν ἔργων
παρέχωσιν. 13 Ἀλλ' ὅσα μὲν εἰς ἀπόδειξιν ἧκε τῶν καθ'
ἕκαστον ἐπιδεικνύντων θεοφιλῆ εἶναι τὴν τοῦ βασιλέως ἀδελ-
65 φήν, ἑκὼν παρήσω τέως, μὴ καὶ μωμήσηταί τις ὡς ἕτερα
1597 πραγματευόμενος εἰς ἐγκω|μίων νόμον ἐτράπην. Ὃ δέ μοι
καὶ κατὰ ταὐτὸν ἐκκλησιαστικῆς τε ἱστορίας ἴδιον εἶναι δοκεῖ
καὶ θεοφιλείας αὐτῆς περιφανὴς ἔλεγχος, αὐτόθεν ἐρῶ, εἰ καὶ
χρόνῳ ὕστερον συνέβη. Ἔχει δὲ ὧδε·

2

1 Γυνή τις Εὐσεβία τοὔνομα, διάκονος τῆς Μακεδονίου
αἱρέσεως, οἴκημα καὶ κῆπον εἶχε πρὸ τοῦ τείχους Κωνσταντι-

1. Pendant l'épiscopat de Proclus (434-446), qui succéda à Maximin
(431-434), remplaçant de Nestorius (425-431) déposé par le concile
d'Éphèse. Ce patriarche, comme il apparaît en *H.E.* IX, 2, 16, était étroitement lié à Pulchérie qu'il exalta dans un sermon sur la Résurrection, la
proposant comme modèle aux néophytes qui allaient être baptisées. Peut-on
déterminer une date entre 434 et 446 pour la découverte des reliques ? Si le
récit est cohérent avec la limite chronologique fixée par la dédicace — le
dix-septième consulat de Théodose, soit 439 —, la découverte s'est produite dans les cinq ou six premières années de l'épiscopat de Proclus, entre
434 et 439. La dernière date coïnciderait avec celle du retour de Jérusalem
de l'impératrice Eudocie porteuse de nombreuses reliques, ce qui renforce-
rait l'idée que les *Augustae* se livraient à une sorte de surenchère, voire de
« guerre des reliques ». En effet, la construction d'églises, la découverte de
reliques, leur déposition dans les églises de leur fondatrice sont pour les
impératrices les principaux moyens officiels d'assurer ou d'accroître leur
influence politique : voir L. JAMES, *Empresses* ..., p. 152-155.
2. L'institution des diacres, au nombre de sept à l'origine, date de l'âge
apostolique, celle des diaconesses dut la suivre de près (cf. *DACL* IV, 1,
c. 725-733, H. LECLERCQ). Déjà au IIIᵉ siècle, leur absence dans une église

croie, que Dieu en personne garantisse mes dires, lui qui de toute façon la chérit pour sa conduite, au point qu'il exauce promptement sa prière et que souvent il lui apparaît pour lui dire ce qu'il faut faire. Car jamais je ne dirais que Dieu donne son affection aux hommes, s'ils ne s'en rendent pas eux-mêmes dignes par leurs actes. **13** Mais tout ce qui nous est parvenu comme preuve parmi les témoignages particuliers de l'affection de Dieu pour la sœur de l'empereur, je le laisse pour l'instant de côté, de peur qu'on ne me reproche de traiter d'un autre sujet et d'avoir été entraîné au mode des panégyriques. Mais il est un fait qui me paraît tout à la fois appartenir à l'Histoire ecclésiastique et être une preuve manifeste de l'affection de Dieu pour elle : je vais le raconter tout de suite bien qu'il se soit passé plus tard [1]. C'est le suivant.

Chapitre 2

La découverte des reliques des Quarante saints martyrs.

1 Une dame nommée Eusébia, diaconesse [2] de la secte de Macédonius [3], avait maison et jardin devant le rempart de

paraissait même exceptionnelle. La diaconesse (διακόνισσα) est l'objet d'une ordination ou d'une imposition des mains. Son ministère charitable est le service des pauvres, le soin des malades, la surveillance des veuves et des vierges, l'ensevelissement des morts. La plus célèbre est Olympias, veuve à 18 ans, qui distribua toute sa fortune aux pauvres et à l'Église pour se consacrer à Dieu (cf. *H.E.* VIII, 9, 1-3 et 24, 4-7).

3. La secte des macédoniens prospéra du vivant de son fondateur Macédonius, le rival de Paul pour le siège de Constantinople, et se maintint après sa mort et malgré la condamnation des homéousiens au concile de Constantinople (360), en particulier dans les provinces du Pont, grâce surtout à son succès dans le milieu monastique. On identifia par la suite les macédoniens aux pneumatomaques, les « ennemis du Saint-Esprit ». La secte existait donc encore au temps de Caesarius, au début du ve s.

νουπόλεως· καὶ ἱερὰ λείψανα ἐνθάδε ἐφύλαττε τῶν ἐν Σεβα-
στείᾳ τῆς Ἀρμενίας κατὰ τοὺς Λικινίου χρόνους μαρτυρησάν-
5 των τεσσαράκοντα στρατιωτῶν. 2 Μέλλουσα δὲ τελευτᾶν
κατέλιπε τὸν προειρημένον τόπον μοναχοῖς ὁμοδόξοις, καὶ
μεθ᾽ ὅρκων αὐτῶν ἐδεήθη ἐκεῖσε ταφῆναι, ὑπὲρ δὲ κεφαλῆς
ἐπὶ τῷ ἄκρῳ τὴν αὐτῆς σορὸν ἰδίᾳ ξέσαι καὶ συγκαταθέσθαι
αὐτῇ τῶν μαρτύρων τὰ λείψανα, καὶ μηδενὶ καταμηνῦσαι.
10 3 Καὶ οἱ μὲν ὧδε ἐποίουν. Ὥστε δὲ τῆς προσηκούσης θεραπείας μεταλαγχάνειν τοὺς μάρτυρας καὶ τοὺς ἔξωθεν ἀγνοεῖν
κατὰ τὰ συντεθειμένα πρὸς Εὐσεβίαν, εὐκτήριον οἶκον ὑπὸ
γῆν ἐτεκτήναντο περὶ τὴν αὐτῆς θήκην, εἰς δὲ τὸ προφανὲς
οἴκημα ὑπεράνω πλίνθοις ὀπταῖς τὸ ἔδαφος ἠμφιεσμένον καὶ
15 καταβάσιον ἐκ τούτου λανθάνον ἐπὶ τοὺς μάρτυρας. 4 Μετὰ
δὲ ταῦτα Καισάριος ἀνὴρ τῶν τότε ἐν δυνάμει, ὃς καὶ ὑπάτου
καὶ ὑπάρχου εἰς ἀξίαν προῆλθεν, θανοῦσαν αὐτοῦ τὴν γαμετὴν παρὰ τὴν Εὐσεβίας σορὸν ἔθαψε· τοῦτο γὰρ ἔτι περιού-

---

1. Ce rempart de Constantinople était encore l'enceinte de Constantin,
puisque c'est en 412-413 qu'Anthémius, préfet du prétoire d'Orient, fit
construire et fortifier une enceinte plus large, englobant les constructions
qui s'étaient développées hors les murs (Stein-Palanque, p. 246), pour
faire face aux raids redoutés des barbares, notamment depuis celui lancé
par les Huns de Uldin (E. A. Thompson, The Huns, p. 34-35). Sous le règne
de Théodose II et la préfecture de Cyrus, l'enceinte connut, en 439, un
dernier élargissement, le long de la Corne d'Or et de la mer de Marmara,
pour protéger la capitale contre les pirates vandales (Stein-Palanque,
p. 294). Sur le développement de la capitale, voir R. Krautheimer, Three
Christian Capitals, London 1983, p. 41-68 et C. Mango, Le développement de Constantinople, Paris 1985, p. 36-50.

2. Les « Quarante martyrs de Sébaste » étaient des soldats chrétiens
appartenant à la legio XII Fulminata déjà rendue célèbre par le « miracle
de la pluie ». Ayant refusé de sacrifier aux idoles, ils affrontèrent le martyre
à Sébastée, en Arménie mineure (sur Sébastée, voir DACL XV, 1, 1950,
c. 1107 —1111, H. Leclercq), ca 320, quand Licinius, en conflit avec
Constantin, régnait en Orient. Ils sont honorés le 10 mars : voir F. Halkin,
BHG II, p. 97-99 (Passiones, Testamentum, Éphrem, Basile, Grégoire de
Nysse...) et Baudot-Chaussin, III, p. 219 et p. 224 (les reliques). Les Actes
et le Martyrologe d'Adon transmettent les 40 noms. Voir P. Maraval,
« Les premiers développements du culte des XL Martyrs de Sébastée dans
l'Orient byzantin et en Occident », Vetera Christianorum, 36, 1999, p. 193-
209, à la p. 202 : « Le récit — de Sozomène — montre bien que subsistait

Constantinople [1] : elle gardait là les saintes reliques des Quarante Soldats martyrisés à Sébaste d'Arménie au temps de Licinius [2]. **2** Sur le point de mourir, elle laissa le lieu susdit à des moines qui partageaient sa croyance et leur demanda de lui jurer qu'elle serait enterrée là [3] et qu'au-delà de sa tête, à l'extrémité, on polît un emplacement à part dans son cercueil, qu'on y déposât avec elle les reliques des martyrs et qu'on ne révélât la chose à personne. **3** Ils agirent ainsi. Pour que les martyrs jouissent des honneurs appropriés et que les gens du dehors ne connussent pas la convention avec Eusébia, ils construisirent sous terre un oratoire autour de la tombe d'Eusébia et au-dessus, visible à l'extérieur, un édifice au pavé revêtu de briques cuites, ainsi qu'un escalier caché conduisant de là jusqu'aux martyrs. **4** Après cela, Caesarius, l'un des grands d'alors, qui était parvenu à la dignité de consul et de préfet du prétoire [4], fit enterrer sa femme décédée près du cercueil d'Eusébia : elles en étaient

une tradition locale sur la présence de ces reliques, tradition que l'on fait entériner par l'unique survivant du monastère macédonien disparu. Il est probable que cette invention avait pour but de dédouaner des reliques de provenance hérétique. » Les débuts du culte des Quarante martyrs à Constantinople pourraient se situer *ca* 380.

3. Eusebia demande à être enterrée devant le rempart de Constantinople, donc hors de l'enceinte constantinienne, probablement dans le jardin de sa demeure, dans une crypte qui sera aménagée par les moines macédoniens (§ 3). D'après Y. DUVAL, *Auprès des Saints. Corps et âme. L'inhumation « ad sanctos » dans la chrétienté d'Orient et d'Occident du IIIe au VIIe siècle*, Paris 1988, p. 112-118, la pratique d'enterrer des reliques *avec* un cadavre était « exceptionnelle, sacrilège et perturbante pour l'inhumation » : ainsi s'explique qu'Eusébia exige des moines, macédoniens eux aussi, qu'ils ne révèlent rien de l'endroit et des particularités de son inhumation. Pulchérie rétablit donc la sainteté du lieu et restaure les reliques de martyrs à leur juste place, l'église de saint Thyrse.

4. Fl. Caesarius fut préfet du prétoire d'Orient en 395-397 et en 400-403, consul en 397 (*P.L.R.E.* I, p. 171 Caesarius 6 et II, p. 249). Si l'expression de ses titres est rigoureuse, la mort de sa femme doit se situer à la fin de sa première préfecture, l'année où il était consul, donc en 397 plutôt que pendant la seconde préfecture (400 et 403) où il était consulaire.

σαις αὐταῖς συνέδοξεν ὑπερφυῶς κεχαρισμέναις ἀλλήλαις καὶ
20 περὶ τὸ δόγμα καὶ τὴν θρησκείαν ὁμοφρονούσαις. 5 Ἐντεῦθεν
πρόφασις ἐγένετο Καισαρίῳ κτήσασθαι τοῦτον τὸν τόπον, ὡς
ἂν καὶ αὐτὸς πλησίον τῆς γαμετῆς ταφείη. Οἱ δὲ προειρημένοι μοναχοὶ ἀλλαχῇ μετῳκίσθησαν μηδὲν περὶ τῶν μαρτύρων
ὁμολογήσαντες. 6 Καταπεσόντος δὲ τοῦ οἴκου μετὰ ταῦτα
393 25 γῆς τε καὶ φορυτοῦ ἐπιβληθέντος | πᾶς ὁ τῇδε τόπος ἐξωμα-
λίσθη, καθότι αὐτὸς Καισάριος εἰς τιμὴν Θύρσου τοῦ μάρτυρος μεγαλοπρεπῆ ναὸν τῷ θεῷ ἐνθάδε ἀνέστησεν. Ὡς ἔοικε
δέ, ὧδε ἐπιμελῶς ἀφανισθῆναι τὸν προειρημένον χῶρον καὶ
1600 τοσοῦτον προ|ελθεῖν χρόνον ὁ θεὸς ἐβούλετο, παραδοξοτέραν
30 καὶ ἐπιφανεστέραν κατασκευάζων τῶν μαρτύρων τὴν εὕρεσιν
καὶ τῆς εὑρούσης τὴν θεοφίλειαν. Ἦν δὲ τοῦ κρατοῦντος ἡ
ἀδελφὴ Πουλχερία ἡ βασιλίς. 7 Ἐπιφανεὶς γὰρ αὐτῇ τρίτον ὁ
θεσπέσιος Θύρσος τοὺς ὑπὸ γῆν κρυπτομένους ἐμήνυσεν καὶ
μετατίθεσθαι πρὸς ἑαυτὸν ἐκέλευσεν, ὥστε τῆς ὁμοίας
35 θέσεως καὶ τιμῆς μετέχειν. Ἅμα δὲ καὶ αὐτοὶ οἱ τεσσαράκοντα χλανίδας ἠμφιεσμένοι λαμπρὰς καταδήλους αὐτῇ σφᾶς
ἐποίησαν. Ἐδόκει δὲ πίστεως κρεῖττον εἶναι τὸ πρᾶγμα καὶ
παντελῶς ἄπορον. 8 Οὔτε γὰρ οἱ παλαιότεροι τῶν ἐνθάδε
κληρικῶν πολλάκις ἐρωτηθέντες οὔτε ἄλλος οὐδεὶς καταμη-
40 νύειν εἶχε τοὺς μάρτυρας. Τὸ δὴ τελευταῖον πάντων ἀμηχα-
νούντων Πολυχρονίῳ τινὶ πρεσβυτέρῳ, πάλαι γενομένῳ τῶν
Καισαρίου οἰκείων, ἄγει τὸ θεῖον εἰς νοῦν τούς ποτε τὸν τόπον
οἰκήσαντας μοναχούς. 9 Καὶ παρὰ τοὺς Μακεδονιανῶν κληρι-

---

1. La date de la mort de Caesarius est inconnue (voir C. 6 *P.L.R.E.* I,
p. 249). Elle se place en tout cas après la préfecture qu'il exerça jusqu'en
403 et aussi après la construction de l'église qu'il dédia à saint Thyrse,
mentionnée *infra*, qu'il est également impossible de dater (JANIN, *Géographie* ..., p. 247). Si « les moines se transportèrent ailleurs », c'est que l'achat
du lieu par Caesarius entraîna en fait leur expulsion.

2. Thyrse, martyr et saint, célébré le 28 janvier, est associé à Leuce et
Callinique, martyrs probablement pendant la persécution de Dèce *ca* 250.
Thyrse était à Césarée de Bithynie un athlète très célèbre. Il suivit l'exem-

convenues de leur vivant, car elles s'aimaient extrêmement et elles étaient de même sentiment quant au dogme et à la religion. **5** Caesarius en prit occasion pour acquérir ce lieu, afin de pouvoir lui-même y être enterré près de sa femme [1]. Les moines en question se transportèrent ailleurs sans avoir rien dit au sujet des martyrs. **6** Après cela, comme l'édifice était tombé et avait été recouvert de terre et de déblais, tout le lieu fut aplani, attendu que Caesarius lui-même éleva là pour Dieu un très beau temple en l'honneur du martyr Thyrse [2]. A ce qu'il semble, Dieu voulait qu'il n'y eût plus aucune trace du dit lieu et qu'un si long temps s'écoulât pour rendre plus miraculeuses et plus éclatantes la découverte des martyrs et l'affection divine envers celle qui les aurait trouvés : ce fut l'Augusta Pulchérie, la sœur de l'empereur. **7** Saint Thyrse en effet lui apparut trois fois, lui révéla l'existence de ceux qui étaient cachés sous terre et lui commanda de les transférer auprès de lui, pour qu'ils partagent même lieu de déposition et mêmes honneurs. En même temps, les Quarante eux-mêmes se manifestèrent à elle, vêtus de manteaux brillants. Mais la chose paraissait passer toute créance et être tout à fait impossible. **8** Car, bien qu'ils fussent souvent interrogés, ni les plus âgés des clercs du lieu ne pouvaient rien révéler sur les martyrs, ni nulle autre personne. A la fin, tous étant dans l'embarras, la divinité remet à l'esprit d'un certain prêtre Polychronios, jadis l'un des familiers de Caesarius, les moines qui avaient autrefois habité le lieu. **9** Il alla chez les clercs des macédoniens et les

---

ple de Leuce qui avait refusé de sacrifier aux idoles, il fut longuement supplicié, conduit à Apamée, puis à Apollonie. Ses reliques furent peut-être transférées d'abord à Nicomédie, puis, de façon certaine, à Constantinople (Baudot-Chaussin, I, p. 565). Sur l'église de saint Thyrse et sa localisation, voir Janin, *Géographie* ..., p. 247-248 : « près des Helenianae », « probablement à l'ouest d'Isakapi, où devait se trouver la Porte Dorée du mur de Constantin, sur la voie qui allait vers la Porte Dorée du mur de Théodose ». Cette voie est-elle précisément « la voie publique qui passe à côté » du tombeau d'Eusébia et de la femme de Caesarius, dont parle Polychronios ?

κοὺς ἐλθὼν ἐπυνθάνετο περὶ αὐτῶν. Ἤδη δὲ πάντων τετελευ-
45 τηκότων ἕνα μόνον περιόντα εὑρών, ὡς ἐπὶ μηνύσει τῶν
ἐπιζητουμένων μαρτύρων ἔτι πεφυλαγμένον ἐν ζῶσιν, ἐδεῖτο
φράζειν, εἴ γε ἱερὰ λείψανα οἶδεν ὑπὸ τὸν δηλωθέντα χῶρον
κρυπτόμενα. 10 Ἐπεὶ δὲ διὰ τὰς πρὸς Εὐσεβίαν συνθήκας
ἰδὼν αὐτὸν Πολυχρόνιος ὑποπαραιτούμενον καὶ τὴν θείαν
50 ἐπιφάνειαν ἐδήλωσε καὶ τῆς βασιλίδος τὰς ὀχλήσεις καὶ
αὐτῶν τὴν ἀμηχανίαν, συνωμολόγησεν ἀληθῆ τὸν θεὸν ἐπιδεῖξαι τῇ κρατούσῃ· βούπαιδα γὰρ τότε ὄντα καὶ ὑπὸ γέροντας
ἡγουμένους τὴν μοναχικὴν ἐκδιδασκόμενον ἀκριβῶς ἐπίστασθαι μάρτυρας κεῖσθαι παρὰ τὴν τῆς Εὐσεβίας σορόν· μὴ
55 εἰδέναι μέντοι, πότερον ὑπὸ τέμενος ἢ ἑτέρωθι κατορωρυγμέ-
νοι εἰσί, τῷ πολὺν παρελθεῖν χρόνον καὶ τὴν προτέραν ὄψιν
τοῦ τόπου εἰς τὸ νῦν φαινόμενον ἀμειφθῆναι. 11 « Καὶ μήν,
ἔφη Πολυχρόνιος, οὐ τὸ αὐτὸ πέπονθα· μέμνημαι γὰρ παρα-
τυχὼν τῇ ταφῇ τῆς Καισαρίου γαμετῆς, καὶ ἀναλογιζόμενος
60 ἐκ τῆς πέλας παρακειμένης λεωφόρου εἰκάζω αὐτὴν κεῖσθαι
παρὰ τὸν ἄμβωνα » (βῆμα δὲ τοῦτο τῶν ἀναγνωστῶν). « Οὐκοῦν, ὑπολαβὼν ὁ μοναχὸς εἶπε, καὶ τὴν Εὐσεβίας σορὸν παρὰ
τὴν Καισαρίου γαμετὴν ζητητέον, καθότι καὶ περιοῦσαι τὰ
πολλὰ συνῆσαν ἀλλήλαις καὶ θανοῦσαι συνέθεντο ἅμα τὰς
394 65 θήκας ἔχειν. » 12 Ἐπεὶ | δὲ κατὰ τὰ εἰρημένα ὀρύσσειν ἔδει

---

1. Le « pacte avec Eusébia » renvoie à la promesse de silence que la
diaconesse hérétique a exigée des moines macédoniens auxquels elle léguait
sa maison et son jardin (§ 2). C'est l'église de saint Thyrse qui est désignée
par « le lieu sacré » et c'est l'ambon de cette même église qui est désigné au §
suivant.

2. L'expression est vague. Ce « long temps » se situe entre la mort
d'Eusébia, impossible à dater de façon certaine, et une période où Pulchérie
fut puissante de droit, pendant sa « régence », ou de fait, avant son retrait de
la cour *c.* 443, quand l'empereur tomba sous la coupe de son chambellan et
« porte-épée » — *spatharius* —, l'eunuque Chrysaphius. Le *terminus post
quem* est la translation des reliques des Quarante martyrs dans l'église de
saint Thyrse élevée par Caesarius : elle prit place sous l'épiscopat de Proclus (de 434 à 446), comme il sera dit au § 18 (cf. BAUDOT-CHAUSSIN, p. 224).
Un intervalle de plusieurs décennies (une cinquantaine d'années d'après

interrogea à ce sujet. Ces moines étaient déjà tous morts, il en trouva un seul vivant encore, qui semblait avoir été conservé parmi les vivants pour indiquer les martyrs que l'on cherchait. On lui demanda de s'expliquer, si du moins il savait que de saintes reliques fussent cachées sous le lieu indiqué. **10** Comme Polychronios le voyait tergiverser à cause du pacte avec Eusébia [1], il lui révéla l'apparition divine, les instances de l'Augusta, leur propre embarras. Le moine alors reconnut que ce que Dieu avait signifié à la princesse était vrai. Alors qu'il était autrefois jeune garçon et instruit dans la vie ascétique sous la conduite de vieux higoumènes, il savait exactement que des martyrs reposaient près du cercueil d'Eusébia ; mais il ignorait s'ils avaient été enterrés sous le lieu sacré ou ailleurs, car beaucoup de temps avait passé [2] et le premier aspect de l'endroit avait changé en l'aspect actuel. **11** « Mais pour moi, dit Polychronios, il n'en va pas de même. Car je me souviens d'avoir assisté à la sépulture de la femme de Caesarius [3] et si je calcule d'après la voie publique qui passe à côté, je conjecture qu'elle repose près de l'ambon » — c'est la tribune des lecteurs. « Eh bien donc, ajouta le moine, il faut chercher aussi le cercueil d'Eusébia près de la femme de Caesarius, car elles étaient extrêmement liées durant leur vie et elles avaient convenu d'avoir, une fois mortes, leurs cercueils tout proches. » **12** Comme, en vertu de ces dires, il fallait faire des fouilles et

Y. Duval, *Auprès des Saints*, p. 118) entre l'ensevelissement des reliques avec le corps d'Eusébia et leur « invention » (avant 443, date probable de l'achèvement de l'*H.E.*) n'est pas inconcevable. La déposition des reliques, mettant fin au sacrilège, se fit d'abord à l'église de saint Thyrse, comme l'avait demandé le saint apparaissant à Pulchérie (§ 7), puis dans une église spécialement bâtie sur l'ordre de celle-ci, celle des Quarante Martyrs (Janin, *Géographie* ..., p. 482).

3. La mort de la femme de Caesarius, elle aussi impossible à dater précisément, se situe après celle de son amie intime Eusébia et avant celle de son mari, mort après 403, date à laquelle il était encore préfet.

καὶ τὰ ἱερὰ λείψανα ἀνιχνεύειν, μαθοῦσα ταῦτα ἡ βασιλὶς προσέταξεν ἔχεσθαι τοῦ ἔργου. **13** Ἀνορυγέντος τε τοῦ περὶ τὸν ἄμβωνα χώρου ηὑρέθη ἡ τῆς Καισαρίου γαμετῆς θήκη,

1601 καθὼς συνέβαλε Πολυχρόνιος, ὀλίγον | δὲ διεστὼς ἐκ πλαγίου
70 κατάστρωμα πλίνθων ὀπτῶν, ἰσόμετρός τε τῇ τούτων περι- βολῇ πλὰξ μαρμαρίνη· ὑφ' ἣν αὐτῆς Εὐσεβίας ἡ σορὸς ἀπε- δείχθη καὶ τὸ περὶ αὐτὴν εὐκτήριον ἐπιεικῶς μάλα λευκοπορ- φύροις μαρμάροις ἡμφιεσμένον· τὸ δὲ ἐπίθεμα τῆς θήκης ὥσπερ εἰς ἱερὰν ἐξήσκητο τράπεζαν. Ἐπ' ἄκρου δέ, καθ' ὃ οἱ
75 μάρτυρες ἔκειντο, τρύπημα μικρὸν ἀνεφάνη. **14** Παρεστὼς δέ τις τοῦ βασιλέως οἴκου ῥάβδον λεπτὴν ἣν ἔτυχε κατέχων διὰ τοῦ τρυπήματος καθῆκε· καὶ ἀνιμήσας τῇ ῥινὶ προσήγαγε, καὶ μύρων εὐωδίας ὠσφράνθη. Ἐκ τούτου δὲ ἀγαθαὶ ἐλπίδες τοῖς ἐργαζομένοις καὶ τοῖς ἐφεστῶσιν ἐγένοντο, καὶ σπουδῇ
80 τὴν σορὸν ἀποκαλύψαντες εὑρίσκουσι τὴν Εὐσεβίαν. **15** Τὸ δὲ πρὸς κεφαλὴν αὐτῆς ἐξέχον τῆς θήκης, εἰς κιβωτοῦ σχῆμα περιεξεσμένον, ἰδίῳ ἔνδοθεν ἐκαλύπτετο ἐπιθέματι· καὶ ἑκα- τέρωθεν αὐτῷ πρὸς τὰ χείλη σίδηρος ἐπικείμενος συνεῖχε μολύβδῳ συμπεπηγώς. Ἐπὶ δὲ τοῦ μέσου τὸ αὐτὸ τρύπημα
85 πάλιν ἀναφανὲν ἔτι σαφέστερον ἐδείκνυ ἔνδοθεν ἔχειν τοὺς μάρτυρας. **16** Ὡς δὲ ταῦτα ἠγγέλθη, συνέδραμον εἰς τὸ μαρ- τύριον ἥ τε βασιλὶς καὶ ὁ ἐπίσκοπος· αὐτίκα τε διὰ τῶν

---

1. Les lois romaines interdisant la violation de sépulture (*PW* II A2, 1923, c. 1625-1628, *Sepulcri uiolatio*, PFAFF), il fallait un ordre de l'*Augusta* pour autoriser les fouilles.

2. Les fouilles révèlent successivement un pavement de briques, une dalle de marbre, puis le cercueil entouré d'un oratoire intact. L'expression « comme pour une table sainte » (ὥσπερ εἰς ἱερὰν τράπεζαν) appliquée au couvercle de la tombe semble indiquer que les moines avaient conscience de célébrer le culte sur un autel, parce que, au-dessous, se trouvaient les reliques des martyrs. La fermeture hermétique du « coffre » (κιβωτός) où les reliques sont renfermées est destinée à empêcher tout contact avec le corps impur de la morte. Mais les deux trous, celui du coffre et celui du sarcophage (σορός), qui sont superposés, permettent « la relation de culte » — des reliques — « avec l'extérieur », par l'introduction de *brandea* (ceintures entourant des reliques) ou de liquides (Y. DUVAL, *Auprès des saints*, p. 117).

aller à la recherche des saintes reliques, l'Augusta, l'ayant appris, donna ordre qu'on se mît au travail [1]. **13** Quand on eut mis au jour le lieu autour de l'ambon, on découvrit la tombe de la femme de Caesarius, comme l'avait conjecturé Polychronios, et à une petite distance, à l'oblique, un pavé de briques cuites et, de même dimension que la surface délimitée par ces briques, une dalle de marbre : sous cette dalle fut mis au jour le cercueil d'Eusébia elle-même ainsi que l'oratoire qui l'entourait [2], magnifiquement revêtu de marbres d'un porphyre veiné de blanc [3] ; le couvercle de la tombe avait été taillé comme pour une table sainte ; à l'extrémité, à l'endroit où gisaient les martyrs, parut un petit trou. **14** Un membre de la maison impériale, qui était présent, plongea à travers le trou une petite baguette qu'il se trouvait avoir en mains. Il la retira, l'approcha de son nez et sentit l'odeur d'un parfum. De ce moment, les ouvriers et les assistants eurent bon espoir et, ayant ouvert en hâte le cercueil, ils trouvent Eusébia. **15** La partie prolongée de la tombe, près de la tête, entièrement polie en forme de coffre, avait l'intérieur caché par un couvercle spécial ; et de chaque côté de ce couvercle, sur les bords, était posée un ferrure fixée par du plomb qui le maintenait. Au milieu parut de nouveau le même trou qui prouva de façon plus claire encore qu'à l'intérieur il y avait les martyrs. **16** Quand la chose eut été annoncée, l'Augusta et l'évêque accoururent ensemble au

---

3. L'expression « porphyre blanc » paraît peu compatible avec la teinte habituelle, rouge ou verte, quelquefois bleue, de ce marbre de luxe. Plutôt qu'à une nuance claire du porphyre, on doit penser à un porphyre semé de blanc. Car les Anciens appelaient communément « porphyre » une roche d'un rouge foncé semé de taches claires que l'on tirait de Haute Égypte, comme l'atteste Pline, *nat.* 36, 57 : *Rubet porphyrites in eadem Aegypto ; ex eodem candidis interuenientibus punctis leptopsephos uocatur* (« A la même Égypte appartient le porphyre rouge ; quand des petits points blancs y apparaissent, il a pour nom leptopsephos », *CUF*, trad. R. Bloch).

ἐπιστημόνων περιαιρεθέντων τῶν σιδηρίων δεσμῶν εὐπετῶς
ἐξειλκύσθη τὸ ἐπίθεμα· ὑπὸ δὲ τοῦτο μύρα πολλὰ καὶ ἐν τοῖς
90 μύροις ἀλαβαστροθῆκαι ἀργυραῖ δύο ηὑρέθησαν, ἐν αἷς τὰ
ἱερὰ λείψανα ἔκειτο. 17 Τότε μὲν οὖν ἡ βασιλὶς εὐχαριστήρια
ηὔξατο τῷ θεῷ, τοσαύτης ἐπιφανείας ἀξιωθεῖσα καὶ τῆς εὑρέσεως ἐπιτυχοῦσα τῶν ἱερῶν λειψάνων· μετὰ δὲ ταῦτα πολυτε-
λεστάτῃ θήκῃ τιμῶσα τοὺς μάρτυρας παρὰ τὸν θεσπέσιον
95 Θύρσον κατέθετο, δημοτελοῦς ἑορτῆς ὡς εἰκὸς καὶ τῆς προσηκούσης πομπῆς σὺν ψαλμῳδίαις ἐπιτελεσθείσης, ᾗ καὶ ἐγὼ
αὐτὸς παρεγενόμην. 18 Καὶ τὰ μὲν ὧδε γενέσθαι οἱ παρατυ-
χόντες τῇ ἑορτῇ μαρτυρήσουσι· σχεδὸν γὰρ πάντες ἔτι περίει-
σιν, καθότι πολλῷ ὕστερον συνέβη Πρόκλου ἐπιτροπεύοντος
100 τὴν Κωνσταντινουπόλεως ἐκκλησίαν.

1. L'*Augusta* et le patriarche accourent en même temps, en plein
accord, ce qui atteste l'extraordinaire importance des fouilles pour Pulchérie *et* pour l'Église : l'invention de telles reliques à Constantinople favorisait
les efforts de Proclus pour élargir le ressort et les privilèges de son siège :
voir DAGRON, *Naissance*..., p. 469-473 et G. FRITZ dans *DTC* XIII, 1, 1936,
c. 662-670. L'intervention conjointe et à égalité de Pulchérie et de Proclus
témoigne de l'importance croissante des femmes dans la vie politique et
religieuse de Constantinople. Elle se situe entre 434 (accession de Proclus à
l'épiscopat) et *ca* 443 (retraite de Pulchérie dans son palais de l'Hebdomon). Elle prend place dans le mouvement général de la piété constantino-
politaine : d'après DAGRON, *Naissance* ..., p. 409 « le transfert des reliques
dans la capitale atteint, au vᵉ siècle, les proportions d'une véritable collecte
religieuse », avec la note 2 (reliques de Samuel apportées en 406, de Joseph
et de Zacharie en 415, de Chrysostome en 439, année où Eudocie rapporte
les reliques données par Juvénal de Jérusalem). Mais l'événement a aussi un
sens qui lui est propre : un sacrilège est réparé par l'action conjointe de
l'*Augusta* et de l'évêque. Dès le milieu du IIᵉ siècle, *Le martyre de Polycarpe* atteste une dévotion particulière pour les restes des saints, « morts
très spéciaux », selon P. Brown. Pour la période postérieure et à partir des
sources hagiographiques mais non sans rapport avec le présent épisode, voir
M. KAPLAN, « L'ensevelissement des saints : rituel de création des reliques
et sanctification à Byzance à travers les sources hagiographiques (vᵉ-
xɪɪᵉ siècles », dans *Mélanges Gilbert Dagron*, p. 319-332.

martyrium [1]. Aussitôt, par le moyen d'experts, on enleva sur
le pourtour les ferrures ; après quoi on retira facilement le
couvercle. Sous celui-ci, on trouva quantité de flacons de
parfum [2] et, parmi ces flacons, deux alabastres en argent [3]
dans lesquels reposaient les saintes reliques. **17** Alors donc
l'Augusta adressa des prières de reconnaissance à Dieu,
parce qu'elle avait été jugée digne d'une telle apparition et
parce qu'elle avait eu l'heur de la découverte des saintes
reliques. Après cela, elle honora les martyrs d'une châsse
splendide qu'elle déposa près de saint Thyrse, et on célébra
une fête publique, comme il convenait, accompagnée d'une
procession appropriée avec chant des psaumes. J'y ai assisté
moi-même **18** Et ceux qui se sont trouvés à la fête témoigneront qu'il en fut bien ainsi. Presque tous vivent encore, étant
donné que l'événement eut lieu beaucoup plus tard, Proclus
gouvernant l'église de Constantinople.

2. Si la présence d'objets, vases compris, à l'intérieur des *tombes*, dans la
tradition de l'usage païen des dépôts funéraires destinés à accompagner le
mort dans l'au-delà, est bien attestée par l'archéologie, il n'en va pas de
même pour leur présence à l'intérieur des *reliquaires*. La chose n'est pas
impossible ici — elle ferait alors partie des pratiques hérétiques commandées par Eusébia —, mais il s'agit plutôt d'une allusion aux odeurs suavis-
simes des reliques opposées à l'odeur du cadavre (Y. Duval, *Auprès des
Saints ...*, p. 129-139 et p. 163 : le parfum suave des reliques signifie le salut
des âmes et la résurrection des corps parfaits, il préfigure le Paradis).

3. Alabastre désigne à l'époque classique un petit vase à parfum, primi-
tivement fabriqué en albâtre, mais qui se trouve aussi en verre ou en
poterie, servant pour la toilette, les cérémonies religieuses ou funéraires. La
déposition des reliques des martyrs dans ce qui n'est plus proprement un
vase mais un réceptacle s'inscrit dans la continuité de cet usage ; mais le
métal précieux utilisé, l'argent, correspond à la sainteté exceptionnelle des
martyrs. Sur les traits communs et les traits spécifiques de la « mort chrétienne », voir V. Saxer, *Vie liturgique et quotidienne en Afrique vers le
milieu du IIIᵉ siècle. Le témoignage de saint Cyprien*, 1969 (1984²), p. 264-
324, notamment les p. 298-299 sur l'usage des libations et des offrandes
alimentaires et sur les installations (tubes emboîtés) destinées à faire parvenir aux morts des aliments liquides.

3

1604 | **1** Λόγος δὲ καὶ ἐπὶ ἄλλοις πράγμασι πολλάκις τὸν θεὸν
προαναφῆναι τὸ μέλλον τῇ βασιλίδι, καὶ πλεῖστα θεοφίλειαν
395 μαρτυροῦντα συμβῆναι περὶ αὐτὴν | καὶ τὰς αὐτῆς ἀδελφάς·
ἐπεὶ καὶ αὗται τὸν ἴσον πολιτεύονται τρόπον, περὶ τοὺς ἱερέας
5 καὶ τοὺς εὐκτηρίους οἴκους σπουδάζουσαι καὶ περὶ τοὺς δεομένους ξένους καὶ πτωχοὺς φιλοτιμούμεναι. **2** Τράπεζα δὲ
καὶ πρόοδος ὡς ἐπίπαν ἡ αὐτὴ πάσαις, κοινῇ τε νύκτωρ καὶ
μεθ᾽ ἡμέραν τὸν θεὸν ὑμνοῦσι. Καὶ οἷος ἀξιαγάστων γυναικῶν
νόμος, ὑφασμάτων καὶ τῶν τοιούτων ἔργων ἐπεμελοῦντο·
10 ῥαστώνην γὰρ καὶ ἀργίαν, καίπερ βασιλεύουσαι καὶ ἐν βασιλείοις τεχθεῖσαι καὶ τραφεῖσαι, παρθενίας ἱερᾶς ἣν μετίασιν
ἀναξίαν ἡγήσαντο καὶ τοῦ οἰκείου βίου ἀφώρισαν. **3** Διὰ
ταῦτα δὲ προφανῶς ἵλεω ὄντος τοῦ θεοῦ καὶ τοῦ αὐτῶν οἴκου
ὑπερμαχοῦντος, τῷ μὲν κρατοῦντι τὰ τῆς ἡλικίας καὶ τῆς
15 ἀρχῆς ἐπεδίδου, πᾶσα δὲ ἐπιβουλὴ καὶ πόλεμος κατ᾽ αὐτοῦ
συνιστάμενος αὐτομάτως διελύετο.

4

1 Τότε γοῦν Πέρσαι μὲν εἰς μάχην κεκινημένοι ἑκατοντού-
τεις σπονδὰς πρὸς Ῥωμαίους ἔθεντο. Στελίχων δὲ ὁ τῆς

---

1. L'emploi des pluriels — « pour ses sœurs ... » — et des temps présents — « elles se conduisent ... » — semble indiquer que la rédaction de ce
chapitre et, par une inférence vraisemblable, celle du livre IX sont antérieures à la mort d'Arcadia, sœur cadette de Pulchérie, morte en 444
(cf. Marcellinus comes, *Chron. a.* 444, dans *MGH AA* XI, *Chronica* II,
p. 81). Car après la mort d'Arcadia, Pulchérie n'avait plus qu'une sœur,
Marina.

Chapitre 3

Encore la vertu de Pulchérie et l'affection divine pour elle
et pour ses sœurs.

1 On dit que sur d'autres choses aussi Dieu révéla souvent
à l'avance l'avenir à l'Augusta et qu'il y eut bien des témoignages de l'affection divine pour elle et pour ses sœurs [1].
Car elles se conduisent elles aussi de la même façon, zélées à
l'égard des prêtres et des maisons de prières, généreuses à
l'égard des étrangers dans le besoin et des pauvres. **2** Elles
n'ont toutes en général qu'une même table, une même
manière de se produire en public, nuit et jour, en commun,
elles chantent Dieu. Et selon la règle de femmes dignes
d'être admirées, elles donnaient leurs soins au tissage et aux
autres travaux semblables. Car, bien que princesses, nées et
élevées au palais, elles ont considéré l'indolence et la paresse
comme indignes de la sainte virginité qu'elles poursuivent et
les ont exclues de leur vie personnelle. **3** Tandis que Dieu,
pour ces raisons, leur était manifestement favorable et proté-
geait leur maison, le prince progressait en âge et dans l'exercice du pouvoir, et toute intrigue, toute guerre qui se formât
contre lui se dissolvait d'elle-même.

Chapitre 4

Les traités avec les Perses ;
Honorius, Stilichon et ce qui s'est fait à Rome
et en Dalmatie.

1 C'est alors en tout cas que les Perses, qui s'étaient lancés
dans la guerre, conclurent une paix de cent ans avec les

Ὀνωρίου στρατιᾶς ἡγούμενος, ὕποπτος ὢν ὡς Εὐχέριον τὸν
υἱέα τὸν ἑαυτοῦ σπουδάζων ἀναγορεῦσαι βασιλέα κατὰ τὴν
5 ἕω, κτίννυται παρὰ τῶν ἐν Ῥαβέννῃ στρατιωτῶν. **2** Οὗτος δὲ
καὶ πρότερον ἔτι περιόντος Ἀρκαδίου καταστὰς εἰς ἔχθραν
τοῖς αὐτοῦ ἄρχουσιν ἐβεβούλευτο πρὸς ἑαυτὰ συγκροῦσαι τὰ
βασίλεια. Καὶ στρατηγοῦ Ῥωμαίων ἀξίαν προξενήσας Ἀλα-

---

1. Sozomène résume beaucoup (SOCRATE *H.E.* VII, 18 est bien plus
détaillé, comme THÉODORET *H.E.* V, 37 et 39). Malgré le partage de l'Arménie conclu *ca* 387 par Théodose Ier et Bahram IV, les Arméniens, christiani-
sés, regardaient toujours vers l'Empire romain. Le souverain perse Yezdgerd Ier (399-420) rompit avec la politique de persécution des chrétiens,
d'où le surnom de « Pécheur » ou de « Méchant » que lui donnèrent le clergé
et la noblesse mazdéens. Mais les chrétiens recrutant des adeptes chez les
mazdéens, des sanctions furent prises qui amenèrent quelques-uns d'entre
eux à se réfugier dans l'Empire. Le pieux gouvernement de Pulchérie refusa
de les extrader : il s'ensuivit une guerre sous le fils de Yezdgerd, Bahram V
Gor (420-438), et une persécution générale. Le maître des milices Ardabur
pénétra en Arzanène en 421. Mais les Romains ne purent pas s'emparer de
Nisibis, ni les Perses de Théodosioupolis. Une paix fut conclue en 422,
théoriquement pour cent ans : les Perses s'engageaient à ne pas persécuter
les chrétiens. Mais ils recommencèrent peu après (cf. STEIN-PALANQUE,
p. 279-281). Analyse approfondie dans HOLUM, *Theodosian Empresses* ...,
p. 101-108, qui situe l'épisode dans l'idéologie de la « Victoire impériale »
telle que Pulchérie l'entendait.

2. Stilichon (cf. *H.E.* VIII, 25, 2 et la note) fut, comme il sera dit au § 8,
pendant près de quinze ans l'homme le plus puissant de l'Empire, exalté
par les uns (CLAUDIEN, *Panégyrique de Stilicon*), vilipendé par les autres
(les Orientaux, les chrétiens comme Orose, mais aussi les patriotes romains,
ennemis farouches des barbares, comme Rutilius Namatianus). Voir
P.L.R.E. I, p. 853-858 et S. MAZZARINO, *Stilicone. La crisi imperiale dopo
Teodosio*, Roma 1942, p. 280-300 pour la période traitée dans le l. IX). Le
jugement objectif de Sozomène s'explique par sa fidélité à Olympiodore de
Thèbes : voir J. MATTHEWS, « Olympiodorus of Thebes and the history of
the West (A. D. 407-425) », *JRS*, 60, 1970, p. 79-97 et P. VAN NUFFELEN,
« Sozomenos und Olympiodoros von Theben oder wie man Profange-
schichte lesen woll », *Jahrbuch für Antike und Christentum* 47, 2004, p. 81-

Romains [1]. Stilichon, le chef de l'armée d'Honorius [2], tenu en suspicion comme cherchant à faire proclamer son fils Eucher empereur d'Orient [3], est tué par les soldats de Ravenne [4]. **2** Précédemment déjà, du vivant encore d'Arcadius [5], il s'était pris de haine contre ses hauts dignitaires et avait eu le dessein de dresser les palais l'un contre l'autre.

97. Elle se marque dans l'emploi des noms géographiques latins, ici Παννονία, en 6, 2 et 8, 1 Πόρτον, en 6, 4 Τουσκία, en 8, 3 et 7 Ἀφρική, en 12, 2 Σπανία et en 12, 6-7 Ἰσπανία, en 12, 4 Λιγουρία etc ... (cf. MATTHEWS, « Olympiodorus », p. 86).

3. Cette accusation est très probablement une calomnie répandue par Olympios, un intrigant, catholique intransigeant d'après ZOSIME V, 32, 1 (sans doute à la suite d'Olympiodore), qui acquit une grande influence sur Honorius (*P.L.R.E.* II, p. 801-802). Eucher, fils de Stilichon et de Séréna, frère de Maria et de Thermantia successivement épousées par Honorius, dont les fiançailles avec Galla Placidia avaient été un moment envisagées, fut et resta tribun et notaire de 396 à 408, à titre honorifique sans en exercer les fonctions (voir *P.L.R.E.* I, p. 404-405, Eucherius 1). Si son père avait eu pour lui des ambitions impériales, il l'aurait promu plus haut et plus vite : voir S. MAZZARINO, *Stilicone*, p. 289.

4. Stilichon refusa de défendre sa vie en employant les troupes barbares qui lui étaient dévouées et fut assassiné par les soldats fidèles à Honorius le 22 août 408 (STEIN-PALANQUE, p. 253 ; DEMOUGEOT, *De l'unité à la division*, p. 422-427). Au récit détaillé de ZOSIME V, 33-34 favorable à Stilichon, s'oppose la sécheresse objective de Sozomène. L'opposition est d'autant plus significative qu'ils dépendent tous deux d'Olympiodore de Thèbes.

5. Cf. *H.E.* VIII, 25, 1-3. Stilichon avait eu l'intention d'intervenir en Orient contre le préfet Rufin dès 395. Il fut retenu par une lettre d'Honorius (voir CLAUDIEN, *In Rufinum*, II, 169-170, éd. J. L. Charlet, *CUF*, II, 1, 2000), mais les soldats de Théodose Ier qu'il ramenait en Orient assassinèrent Rufin, peut-être sur son ordre secret. Il s'ensuivit principalement sous le gouvernement d'Eutrope (396-399), puis sous les préfets successifs Eutychianus, Caesarius, Aurélianus et Anthémius (le dernier en fonction depuis 404/405 jusqu'à 414) — qui sont sans doute les principaux des « hauts dignitaires » mentionnés ici — une série de manœuvres, entrecoupées de périodes d'harmonie, où apparut chez Stilichon une volonté de mainmise, directe ou indirecte par l'intermédiaire d'Alaric, sur l'Illyricum oriental et peut-être sur l'Orient tout entier.

ρίχῳ τῷ ἡγουμένῳ τῶν Γότθων προὐτρέψατο καταλαβεῖν
10 τοὺς Ἰλλυριούς. **3** Καὶ ὕπαρχον αὐτῶν καταστάντα τὸν Ἰόβιον προπέμψας συνέθετο καὶ αὐτὸς συνδραμεῖσθαι μετὰ τῶν
Ῥωμαίων στρατιωτῶν, ὥστε καὶ τοὺς τῇδε ὑπηκόους ὑπὸ τὴν
Ὀνωρίου δῆθεν ἡγεμονίαν ποιῆσαι. **4** Καὶ ὁ μὲν Ἀλάριχος ἐκ
τῆς πρὸς τῇ Δαλματίᾳ καὶ Παννονίᾳ βαρβάρου γῆς, οὗ διῆ-
15 γεν, παραλαβὼν τοὺς ὑπ' αὐτὸν ἧκεν εἰς τὰς Ἠπείρους· καὶ
1605 συχνὸν ἐνταῦθα προσμείνας χρόνον ἄπρακτος ἐπαν|ῆλθεν εἰς
Ἰταλίαν. Μέλλων γὰρ ἐκδημεῖν κατὰ τὰ συντεθειμένα Ὀνω-

---

1. Sur Alaric (cf. *H.E.* VIII, 25, 3-4 et la note *ad loc.*), membre du clan
des Balthes, un des chefs, puis roi des Wisigoths, voir outre *P.L.R.E.* I,
p. 43-48, DEMOUGEOT, *De l'unité à la division*, en particulier p. 402-409
(pour les années 405-408) et p. 441-481 (la chute de Rome), H. WOLFRAM,
Histoire des Goths, p. 152-174 et P. HEATHER, *Goths and Romans*, Oxford
1991, p. 192-224. Sozomène ne conserve que les principaux épisodes de
l'étonnante « geste », de 394 à sa mort (automne 410), du chef qui saccagea
la Thrace, l'Illyricum, la Grèce, l'Épire, assiégea Rome deux fois puis la prit
et la pilla avant de chercher à conquérir l'Afrique pour offrir enfin à ses
compatriotes un établissement stable. Voir dans R. C. BLOCKLEY, « The
dynasty », *C.A.H.* XIII, les p. 118-128 « Alaric in Italy 408-410 ».
2. Alaric réclamait des subsides et du blé pour nourrir ses troupes et son
peuple, l'attribution officielle d'un établissement à ce dernier et sa propre
élévation au titre de maître des deux milices. Il se prévalait d'avoir combattu aux côtés de Théodose Ier — en 394, à la Rivière froide, ses Goths
exposés en première ligne furent décimés. Stilichon lui fit donner, en 398 ou
399, le titre de maître des deux milices pour l'Illyricum, ce qui était aussi
une façon de revendiquer pour l'Occident la totalité de l'Illyricum, dont les
deux diocèses orientaux, Dacie et Macédoine, relevaient de la *pars Orientis*.
3. D'après la *P.L.R.E.* II, p. 623-624, Jovius fut préfet du prétoire d'Illyricum en 407 (il est brièvement mentionné en *H.E.* VIII, 25, 3), avant de
devenir préfet du prétoire d'Italie en 409 et de passer du côté de l'usurpateur Attale qu'il trahit également en le desservant auprès d'Alaric. Sozomène qui, en 6, 2, montrera Alaric mettant le siège devant Rome, n'a pas
traité, sauf dans un bref passage (*H.E.* VIII, 25, 2-4), les années intermédiaires à partir de 400 : invasion de l'Italie, siège de Milan (401-402) et
ravage de l'Italie par Alaric ; défaite infligée aux Goths par Stilichon en 402
à Pollentia ; échec d'Alaric pour passer en Gaule ; victoires de Stilichon à

Ayant fait donner à Alaric, le chef des Goths [1], le titre de général des Romains, il le poussa à prendre l'Illyrie [2]. **3** Il envoya à l'avance Jovius nommé préfet d'Illyrie [3] et il promit d'accourir lui-même avec l'armée romaine, de manière à faire passer dès lors les sujets de cette contrée sous l'autorité d'Honorius. **4** Alaric, prenant avec lui les Goths auxquels il commandait, les fit sortir du pays barbare où il demeurait près de la Dalmatie et de la Pannonie, et il arriva en Épire [4]. Mais après qu'il y fut demeuré assez longtemps sans résultat, il se tourna vers l'Italie [5]. Stilichon en effet, alors qu'il était sur le point de le rejoindre comme convenu, fut retenu

---

Vérone en 402 et à Fiésole sur le goth Radagaise en 406. Zosime non plus n'essaie pas de combler la lacune entre ses deux sources, Eunape, qui termine en 404 et Olympiodore qui commence en 407 ou 408. Sur la période 395-408 et l'échec de Stilichon en grande partie imputable à l'égoïsme et à la mauvaise volonté du Sénat, voir Matthews, *Western Aristocracies*, p. 270-283.

4. Sozomène reprend l'histoire d'Alaric au moment où celui-ci, replié en Dalmatie et en Pannonie après ses défaites à Vérone et Pollentia, puis nommé *comes Illyrici* par Honorius (407-408), va être lancé par Stilichon pour enlever l'Illyricum oriental (Dacie et Macédoine) à l'Orient. Stilichon ne le rejoignit pas pour plusieurs raisons : le bruit de la mort d'Alaric avait couru, les barbares Alains, Vandales et Suèves avaient franchi en masse le Rhin gelé le 31 décembre 406, tandis que Constantin III usurpait en Bretagne (en 407 : Stein-Palanque, p. 251-242), ce qui encourageait la montée des oppositions à la cour contre le généralissime. Voir déjà *H.E.* VIII, 25, 3-4 et Zos. V, 27, 2-3.

5. Il faut restituer l'ordre des événements. Comme souvent, cette phrase liminaire anticipe sur le récit suivant et présente d'abord le résultat « Alaric se tourna vers l'Italie », avant d'exposer comment on y est parvenu. En fait, au début de 408, Alaric, las d'attendre, quitta l'Épire et s'avança par Émona vers le Norique. Il demanda par message à Stilichon de le dédommager des frais du déplacement de ses troupes. Stilichon arracha aux sénateurs une somme de 4000 livres d'or. La paix fut alors conclue et Alaric devait être envoyé en Gaule pour enrayer l'action de Constantin III quand l'assassinat de Stilichon (22 août 408) remit tout en question.

ρίου γράμμασιν ἐπεσχέθη. 5 Ἐπεὶ δὲ ἐτελεύτησεν Ἀρκάδιος,

396 ὥρμησε μὲν Ὀνώριος φειδοῖ | τῇ περὶ τὸν ἀδελφιδοῦν ἐλθεῖν
20 εἰς Κωνσταντινούπολιν καὶ πιστοὺς ἄρχοντας καὶ φύλακας
καταστῆσαι τῆς αὐτοῦ σωτηρίας καὶ βασιλείας. Ἐν τάξει γὰρ
υἱέος αὐτὸν ἔχων ἐδεδίει μή τι πάθοι διὰ τὸ νέον ἕτοιμος ὢν
πρὸς ἐπιβουλήν. 6 Ἤδη δὲ μέλλοντα ἔχεσθαι τῆς ὁδοῦ πείθει
Στελίχων ἐν τῇ Ἰταλίᾳ μένειν τὸν Ὀνώριον, ἀναγκαῖον εἶναι
25 τοῦτο εἰπών, καθότι Κωνσταντῖνός τις ἐτύγχανεν ἔναγχος ἐν
Ἀρηλάτῳ τυραννήσας. Θάτερον δὲ τῶν σκήπτρων, ὃ λάβωρον Ῥωμαῖοι καλοῦσι, καὶ γράμματα βασιλέως λαβὼν ἐπιτρέ-
ποντα αὐτῷ τὴν εἰς τὴν ἀνατολὴν ἄφιξιν, ἔμελλεν ἐκδημεῖν
τέσσαρας ἀριθμοὺς στρατιωτῶν παραλαβών. 7 Ἐν τούτῳ δὲ

1. Sozomène revient ici à l'intention première de Stilichon : rejoindre
Alaric en Illyricum pour arracher à l'Orient cette région toujours disputée.
La lettre de rappel était-elle motivée par une méfiance attisée chez l'empereur par les ennemis de Stilichon — le parti nationaliste anti-germanique,
dirigé par Olympius — qui prêtaient au généralissime l'intention d'installer son fils sur le trône de Constantinople ou même de détrôner Honorius à
son profit ? Ou bien Honorius était-il guidé uniquement par sa « bienveillance » envers son neveu et son désir de le mettre à l'abri des intrigues ?
En fait, il ne voulait laisser à personne le mérite d'établir la tutelle de
l'Occident sur l'Orient. Voir BLOCKLEY, dans *C.A.H.* XIII, p. 124.

2. L'usurpateur Constantin III avait quitté la Bretagne, lieu de son
élévation en 407, pour passer en Gaule et descendre jusqu'à Lyon puis
Arles. Cette cité, l'une des plus importantes de la Viennnaise (voir *PW* II 1,
1895, c. 633-635, IHM ; A. F. RIVET, *Gallia Narbonensis, Southern Gaul in
Roman Times*, Londres 1988, p. 97-108 et p. 190-210 et M. HEIJMANS, *Arles
durant l'Antiquité tardive*, Rome 2004, École fr. de Rome, et Paris, Coll. de
l'École fr. de Rome n° 324) avait eu la faveur de Constantin Ier qui voulut lui
donner son nom. Constance II y résida en 353 et y célébra ses *tricennalia*
(AMM. 14, 5, 1). La date du transfert de la préfecture du prétoire des Gaules
de Trèves, trop exposée aux invasions barbares, à Arles est controversée :
395 pour J. R. PALANQUE, « La date du transfert de la préfecture des Gaules
de Trèves à Arles », *REA* 36, 1934, p. 359-365 ; 398 pour DEMOUGEOT, *De
l'unité à la division*, p. 203, note 448 ; 401/402, à l'initiative de Stilichon
pour STEIN-PALANQUE, p. 248 ; et 407 — l'hypothèse la plus convain-
cante — pour A. CHASTAGNOL, « Le repli sur Arles des services administra-
tifs gaulois en l'an 407 de notre ère », *RH* 249, 1973, p. 23-40. Désormais à
la fois siège du préfet du prétoire des Gaules, du vicaire du diocèse des Sept
Provinces et du gouverneur de la province de Viennoise, Arles devint aussi,
à la même époque, le siège du primat des Gaules.

par une lettre d'Honorius [1]. **5** Après la mort d'Arcadius, Honorius entreprit par bienveillance à l'égard de son neveu de se rendre à Constantinople et d'y établir des fonctionnaires fidèles et gardiens de la vie et du trône de celui-ci. Il le regardait en effet comme son propre fils et il craignait qu'il ne lui arrivât malheur car, à cause de son jeune âge, il était exposé à l'intrigue. **6** Honorius allait se mettre en route quand Stilichon le persuade de rester en Italie, disant que c'était nécessaire vu que Constantin avait récemment usurpé le pouvoir à Arles [2]. Déjà Stilichon avait pris l'un des deux étendards, que les Romains nomment labarum [3], et des lettres de l'empereur lui ordonnant le départ pour l'Orient, et il était sur le point de partir, emmenant avec lui quatre unités de soldats [4]. **7** A ce moment-là, le bruit s'étant

3. Lié à l'apparition de la croix à Constantin avant sa victoire au pont Milvius, le labarum a été défini en *H.E.* I, 4 : « L'empereur ordonna de changer en une image de la Croix ornée d'or et de pierres précieuses l'étendard que les Romains nomment labarum (λάβωρον)... ». Sur la christianisation de cet emblème, voir *SC* 306, p. 126 note 1 et *PW* XII 1, 1924 c. 240-242, Grosse. Le texte de Sozomène semble poser l'existence matérielle de deux labarum, l'un pour la *pars Orientis*, l'autre pour la *pars Occidentis*. Mais d'après Eusèbe, *V. C.* 1, 31, 3, il y avait un labarum par armée à l'époque de Constantin. Le texte doit donc être interprété en termes de symbolique politique : il met en évidence la division effective de plus en plus profonde entre les deux parties d'un Empire resté en théorie unique.

4. Le mot correspond au latin *numeri*. Ces unités étaient en général constituées d'auxiliaires, en très grande majorité d'origine barbare. Il est difficile d'estimer ici leur effectif total. A Fiésole, Stilichon disposait de 30 τάγματα dont on estime le total à 30 000 hommes (Demougeot, *La formation de l'Europe*, p. 425), ce qui correspond à l'effectif habituel de la légion ramené, dès le IVᵉ s., à 1000 hommes. En IX, 8, 6, Sozomène précise que les six « unités » — il emploie le même terme qu'ici — envoyées d'Orient à Honorius comptaient en tout 4000 hommes, soit à peu près 700 hommes par unité ; ce qui, appliqué ici à l'armée de Stilichon, donnerait à peu près un total de 3 000 hommes. De fait, la mort soudaine d'Arcadius (1ᵉʳ mai 408) faisait d'Honorius le tuteur de Théodose II : il n'y avait donc plus lieu de faire la guerre à l'Orient, il suffisait d'y assurer une présence symbolique. Stilichon se contenta donc de demander à Honorius, dans un conseil tenu en juillet à Bologne, « de lui confier quelques troupes » — les quatre *numeri* en question — « pour aller veiller sur Théodose » (Demougeot, *La formation de l'Europe*, p. 452).

30 φήμης διαδραμούσης, ὡς ἐπιβουλεύει τῷ βασιλεῖ καὶ ἐπὶ
τυραννίδα τοῦ υἱέος παρασκευάζεται συμπράττοντας ἔχων
τοὺς ἐν δυνάμει, στασιάσαντες οἱ στρατιῶται κτείνουσι τὸν
Ἰταλίας ὕπαρχον καὶ τὸν τῶν Γαλατῶν καὶ τοὺς στρατηγοὺς
καὶ τοὺς ἄλλους τοὺς διέποντας τὰς ἐν τοῖς βασιλείοις ἀρχάς.

35 **8** Ἀναιρεῖται δὲ καὶ αὐτὸς παρὰ τῶν ἐν Ῥαβέννῃ στρατιωτῶν,
ἀνὴρ εἴπερ τις ἄλλος πώποτε ἐν πολλῇ δυνάμει γεγενημένος
καὶ πάντας ὡς εἰπεῖν βαρβάρους τε καὶ Ῥωμαίους πειθομένους ἔχων. Στελίχων μὲν οὖν ὑπονοηθεὶς κακόνους εἶναι τοῖς
βασιλείοις ὧδε ἀπώλετο· κτίννυται δὲ καὶ Εὐχέριος ὁ αὐτοῦ
40 παῖς.

1. Ce massacre eut lieu à Ticinum (Pavie), le 13 août 408, quand Honorius passait en revue les troupes d'origine romaine qui devaient être
envoyées en Gaule contre l'usurpateur Constantin III. Stilichon se trouvait
à Bologne où il avait eu quelques semaines plus tôt une entrevue avec
l'empereur qui ne laissait rien prévoir des événements ultérieurs (STEIN-
PALANQUE, p. 253). Les principales victimes furent le préfet d'Italie-Afrique
Fl. Macrobius Longinianus (*P.L.R.E.* II, p. 686-687), le préfet des Gaules
Liménius (*P.L.R.E.* II, p. 684), les généraux Chariobaudes, maître des deux
milices en Gaule (*P.L.R.E.* II, p. 283), Salvius, comte des Domestiques
(*P.L.R.E.* II, p. 974, S. 1), Vincentius 1, maître de la cavalerie en Italie
(*P.L.R.E.* II, p. 1168). Parmi les « dignitaires du Palais », autorités civiles, il
faut reconnaître le maître des offices Naemorius (*P.L.R.E.* II, p. 770),
Salvius, questeur du Palais sacré (*P.L.R.E.* II, p. 974, S. 2), Patroinus,
comte des Largesses sacrées (*P.L.R.E.* II, p. 843-844). L'identité et les
fonctions de ces victimes sont connues par ZOSIME V, 32, 4-7, qui dépend
d'Olympiodore. Toutes sont des alliés ou des proches de Stilichon.
2. Stilichon, qui se trouvait à Bologne, se rendit lui-même à Pavie. Pour
échapper à l'ordre d'arrestation lancé par Honorius, il se réfugia dans une
église. Attiré par ruse hors de son asile, il fut décapité le 22 août 408, ayant
refusé de se défendre (STEIN-PALANQUE, p. 253).

répandu qu'il conspirait contre l'empereur et qu'il se préparait à usurper le pouvoir pour son fils avec la complicité des puissants, les soldats, soulevés, tuent le préfet d'Italie, celui des Gaules, les généraux et les autres hauts dignitaires du palais [1]. **8** Il est tué lui aussi par les soldats présents à Ravenne [2]. Il avait été plus puissant qu'homme au monde, tous pour ainsi dire lui obéissaient, tant barbares que Romains [3]. Voilà donc comment périt Stilichon pour avoir été soupçonné d'avoir de mauvaises intentions à l'égard du palais. Son fils Eucher est lui aussi tué [4].

3. La constatation est objective, Sozomène ne témoigne ni faveur ni haine, évitant l'hostilité violente d'Orose ou de Rutilius Namatianus et l'admiration enthousiaste de Claudien. En une phrase, il résume ce qui fit à la fois la force et la faiblesse de Stilichon : général romain d'origine semivandale, il crut pouvoir s'appuyer sur les Romains *et* sur les barbares mais, ses louvoiements mécontentant les uns et les autres, il fut abandonné par les barbares et trahi par les Romains. Il avait cru possible de prolonger la politique unitaire et traditionaliste de Théodose (S. MAZZARINO, *Stilicone*, 1942, p. 215), « rêve chimérique » tant les deux parties de l'Empire étaient devenues deux mondes séparés (*ibid.*, p. 322-323). Pour BLOCKLEY aussi, dans *C.A.H.* XIII, p. 124-125, l'échec de la politique de Stilichon — maintien de l'unité du pouvoir impérial, appel à des barbares fédérés, défense de la seule Italie au détriment des provinces du nord — fut en fait celui de Théodose. *Contra* MATTHEWS, *Western Aristocracies*, Oxford 1975, p. 282-283, pour qui la politique de Stilichon, réaliste et cohérente, pouvait réussir.

4. Au moment où son père fut arrêté, Eucher s'enfuit à Rome. Ses fiançailles un moment envisagées avec Galla Placidia avaient suscité contre Stilichon l'accusation de viser le pouvoir impérial pour son fils (cf. V. A. SIRAGO, *Galla Placidia e la Trasformazione Politica dell'Occidente*, Louvain 1961, p. 52-54). Après l'assassinat de Stilichon, Honorius ayant donné l'ordre de tuer Eucher, celui-ci chercha asile dans une église de Rome, mais fut mis à mort par les eunuques Arsace et Térence, juste avant l'arrivée d'Alaric qui l'aurait sauvé (ZOS. V, 37).

5

1 Κατὰ ταὐτὸν δὲ συνέβη καὶ Οὔννους στρατοπεδευομέ-
νους ἐν Θρᾴκῃ, μήτε πολεμοῦντός του μήτε διώκοντος, αἰσχρῶς ὑποστρέψαι τοὺς πλείους ἀποβαλόντας. Ἐπεὶ γὰρ Οὔλδης ὁ ἡγούμενος τῶν ὑπὲρ τὸν Ἴστρον βαρβάρων πλείστην
5 ἔχων στρατιὰν ἐπεραιώθη τὸν ποταμόν, ἐν τοῖς Θρᾳκῶν ὅροις
ἐστρατοπεδεύετο. **2** Καὶ Καστράμαρτις πόλιν τῆς Μυσίας
προδοσίᾳ ἑλὼν ἐντεῦθεν τὴν ἄλλην Θρᾴκην κατέτρεχε καὶ
σπονδὰς θέσθαι πρὸς Ῥωμαίους ὑπὸ ἀλαζονείας οὐκ ἠνείχετο.
Διαλεγομένου τε αὐτῷ περὶ εἰρήνης τοῦ ὑπάρχου τῶν Θρᾳ-
10 κίων στρατευμάτων, ἀνίσχοντα τὸν ἥλιον ἐπιδείξας οὐ χαλεπὸν αὐτῷ ἔφη, ἢν βούληται, πᾶσαν ἣν ἐφορᾷ γῆν καταστρέ-
1608 ψασθαι. **3** Τερατευομένου δὲ τοιάδε καὶ δασμὸν ὅσον | ἐβού-
λετο ἐπιτάττοντος καὶ ἐπὶ τούτοις συντίθεσθαι Ῥωμαίοις
397 εἰρήνην ἔχειν ἢ πόλεμον περιμένειν, ἀμηχάνου | τε τοῦ πράγ-
15 ματος ὄντος, ἐπέδειξεν ὁ θεὸς ἣν ἔχει προμήθειαν περὶ τὴν

---

1. Le synchronisme est exact : les Huns envahirent la Thrace en 408
(Stein-Palanque, p. 247), année de la chute de Stilichon. Comme il le fait
souvent, Sozomène annonce le résultat final — la retraite des Huns et leurs
pertes — en anticipant sur le récit.

2. Sur Uldin (ou Ouldès), roi des Huns vivant au nord du Danube, voir
PW IX A, 1961, c. 510-512, Lippold ; E. A. Thompson, *The Huns*, 1996,
p. 33-35, révision par P. Heather de *A History of Attila and the Huns*,
1948 ; Demougeot, *La formation de l'Europe*, 2, p. 390-391 et *P.L.R.E.* II,
p. 1180. Connu depuis 400, quand il livra plusieurs batailles au goth Gaïnas
et finalement le défit et le tua (cf. Zos. V, 22, 1-3), il envahit la Thrace en
404-405. Mais en 406, avec le chef goth Sarus, il combattit pour les Romains
en Gaule et prit part à leurs côtés à la victoire remportée par Stilichon sur
Radagaise à Fiésole (406).

3. L'épisode se situe entre 408 — entrée de Uldin dans le diocèse thraci-
que — et le début de 409 — sa retraite précipitée : Stein-Palanque, p. 247.
Après la fuite du barbare, d'autres Skires et de nombreux Huns passèrent le
Danube et « furent vaincus par une armée romaine, probablement celle,
renforcée, du *magister militum per Thraciam* » (Demougeot, *La formation de l'Europe*, 2, p. 391).

Chapitre 5

*Différents peuples qui ont fait expédition
contre les Romains et qui ont été vaincus
grâce à la providence de Dieu ;
d'autres aussi, qui ont conclu convention avec eux.*

1 Vers ce même temps, il arriva que les Huns qui campaient en Thrace, sans que nul ne leur fît la guerre ni ne les poursuivît, se retirèrent honteusement ayant perdu la plupart de leurs troupes [1]. Uldin en effet, chef des Huns d'au-delà du Danube [2], avait franchi le fleuve avec une très forte armée et campé en territoire thrace [3]. **2** Après avoir pris par trahison la ville de Castra Martis en Mésie [4], il parcourait à partir de là le reste de la Thrace et, par arrogance, il refusait de conclure un traité avec les Romains. Comme le chef des troupes de Thrace [5] discutait avec lui sur la paix, il lui avait montré le soleil levant et dit que, s'il le voulait, il ne lui était pas difficile de bouleverser toute la terre qu'éclairait le soleil. **3** Alors qu'il se livrait à ces insanités, qu'il exigeait un tribut de guerre à son gré et de convenir avec les Romains de faire la paix à ces conditions ou bien de rester en guerre, dans l'embarras où l'on était, Dieu montra la sollicitude

4. Sur la place de *Castra Martis* en Mésie, province danubienne entre la Scythie à l'est et la Dacie à l'ouest, voir *PW* III 2, 1899, c. 1769, PATSCH, renvoyant à PROCOPE, *de aedificiis*, éd. J. Haury, Leipzig (Teubner), 1913, IV, 6, 33, p. 130. C'est aujourd'hui Kula en Bulgarie, au S. O. de Vidin où des vestiges romains ont été découverts.

5. L'identité de ce maître de milice de Thrace est inconnue : le seul *magister militum per Thracias* que nous connaissions, Constans (*P.L.R.E.* II, p. 311, C. 3) est attesté à une date trop tardive (412) pour être identifié à celui dont parle Sozomène (E. A. THOMPSON, *The Huns*, 1996, p. 33-34, ne peut pas donner son nom, pas plus qu'A. DEMANDT dans *PW* Suppl. 12, 1970, c. 553-790). A la suite de l'invasion des Huns, le préfet Anthémius prit des mesures énergiques de défense.

παροῦσαν βασιλείαν. 4 Οὐκ εἰς μακρὰν γὰρ λόγοι πρὸς τοὺς
ἀμφὶ τὸν Οὔλδην οἰκείους καὶ λοχαγοὺς ἐγένοντο περὶ τῆς
Ῥωμαίων πολιτείας καὶ τῆς τοῦ βασιλέως φιλανθρωπίας,
ὁποίων τε καὶ ὅσων ἀξιοῖ γερῶν τοὺς ἀρίστους καὶ ἀγαθοὺς
20   ἄνδρας. Οὐκ ἀθεεὶ δὲ τούτων εἰς ἔρωτα καταστάντες Ῥωμαίοις προσεχώρησαν, καὶ σὺν αὐτοῖς ἐστρατοπεδεύοντο ἅμα
τοῖς ὑπ' αὐτοὺς τεταγμένοις. 5 Ὁ δὲ Οὔλδης πρὸς τὸ πέραν
τοῦ ποταμοῦ μόλις διεσώθη πολλοὺς ἀποβαλών, ἄρδην δὲ
τοὺς καλουμένους Σκιρούς (ἔθνος δὲ τοῦτο βάρβαρον ἱκανῶς
25   πολυάνθρωπον πρὶν τοιᾶδε περιπεσεῖν συμφορᾷ)· ὑστερήσαν-
τες γὰρ ἐν τῇ φυγῇ οἱ μὲν αὐτῶν ἀνῃρέθησαν, οἱ δὲ ζωγρη-
θέντες δέσμιοι ἐπὶ τὴν Κωνσταντινούπολιν ἐξεπέμφθησαν.
6 Δόξαν δὲ τοῖς ἄρχουσι διανεῖμαι τούτους, μή τι πλῆθος
ὄντες νεωτερίσωσι, τοὺς μὲν ἐπ' ὀλίγοις τιμήμασιν ἀπέδοντο,
30   τοὺς δὲ πολλοῖς προῖκα δουλεύειν παρέδοσαν, ἐπὶ τῷ μήτε
Κωνσταντινουπόλεως μήτε πάσης Εὐρώπης ἐπιβαίνειν καὶ τῇ
μέσῃ θαλάσσῃ χωρίζεσθαι τῶν ἐγνωσμένων αὐτοῖς τόπων.
7 Ἐκ τούτων τε πλῆθος ἄπρατον περιλειφθὲν ἄλλοι ἀλλαχῇ
διατρίβειν ἐτάχθησαν· πολλοὺς δὲ ἐπὶ τῆς Βιθυνίας τεθέαμαι
35   πρὸς τῷ καλουμένῳ Ὀλύμπῳ ὄρει σποράδην οἰκοῦντας καὶ
τὰς αὐτόθι ὑπωρείας καὶ λόφους γεωργοῦντας.

---

1. Les Skires, déjà nommés par PLINE, nat. IV, 97 avec les Sarmatae,
Venedae et Hirri (cf. PW II A1, 1921, c. 824-825, KRETSCHMER) sont un des
nombreux peuples germains impliqués dans les grandes invasions. Le
Laterculus Veronensis, la « Liste de Vérone », document rédigé entre 303 et
314, les nomme après les Hérules et les Ruges et avant les Carpes, les
Scythes et les Taïfales, parmi les « peuples barbares qui ont pullulé sous les
empereurs » (de la Tétrarchie). Dans les années 370, ils figurent, avec des
Ostrogoths et des Carpodaces, parmi les peuples chassés de leurs territoire
par la poussée des Huns (DEMOUGEOT, *La formation de l'Europe* 2, p. 151).

qu'il a pour le présent règne. **4** Peu après en effet, on fit courir des bruits auprès des familiers et chefs de corps d'Uldin sur le régime politique des Romains, l'humanité de l'empereur, la nature et l'importance des récompenses qu'il donnait aux hommes de grande qualité et de mérite. Non sans une assistance divine, séduits par ces promesses, ils passèrent aux Romains et campaient avec eux en amenant les troupes sous leurs ordres. **5** Uldin ne s'échappa qu'avec peine de l'autre côté du Danube après de lourdes pertes et la destruction complète de ceux qu'on nomme Skires — c'est un peuple barbare qui était assez riche en hommes avant de succomber à cette catastrophe [1] — : comme, en effet, ils avaient tardé à fuir, les uns furent tués, d'autres, capturés, furent envoyés à Constantinople. **6** Comme il avait été jugé bon par les autorités de les disperser, de peur de les voir, réunis en corps, se révolter, on vendit les uns à bas prix, d'autres furent donnés comme esclaves gratis à beaucoup de gens, à la condition qu'ils n'entreraient ni à Constantinople ni en aucun lieu de l'Europe, mais seraient séparés par la mer de leurs lieux familiers. **7** Depuis ce temps, un grand nombre d'entre eux, qui étaient restés non vendus, reçurent l'ordre de résider qui en un lieu qui en un autre. J'en ai vu beaucoup en Bithynie près de la montagne appelée Olympe, qui habitaient dispersés, cultivant les plaines et les collines de la région [2].

La mer qui doit désormais les « séparer de leurs lieux familiers » — les parages du Danube — est l'Hellespont. L'établissement de ces barbares Skires comme colons est évoquée dans la constitution du 12 avril adressée à Anthémius : *Code Théodosien* V, 6, 3.

2. Cf. *H.E.* I, 14 , 9 à propos du novatien Eutychianos qui menait la vie d'ascèse en Bithynie près de l'Olympe (aujourd'hui Ulu dag). C'est sans doute à l'occasion de son passage dans la région que Sozomène put à la fois constater la présence de Skires devenus colons et recueillir une tradition orale sur Eutychianos qui vivait sous Constantin.

6

1 Τὰ μὲν οὖν πρὸς ἕω τῆς ἀρχομένης πολεμίων ἀπήλλακτο
καὶ σὺν κόσμῳ πολλῷ ἰθύνετο παρὰ τὴν πάντων δόξαν· ἦν
γὰρ ἔτι νέος ὁ κρατῶν. Τὰ δὲ πρὸς δύσιν ἐν ἀταξίαις ἦν
πολλῶν ἐπανισταμένων τυράννων· 2 ἡνίκα δὴ μετὰ τὴν Στε-
5 λίχωνος ἀναίρεσιν Ἀλάριχος ὁ τῶν Γότθων ἡγούμενος πρεσ-
1609 βευσάμε|νος περὶ εἰρήνης πρὸς Ὀνώριον ἀπέτυχε· καὶ κατα-
λαβὼν τὴν Ῥώμην ἐπολιόρκει πολλοὺς βαρβάρους ἐπιστήσας
Θύβριδι τῷ ποταμῷ, ὥστε μὴ εἰσκομίζεσθαι τὰ ἐπιτήδεια
τοῖς ἐν τῇ πόλει ἀπὸ τοῦ Πόρτου (ὧδε γὰρ ὀνομάζουσι τὸ
10 Ῥωμαίων ἐπίνειον). 3 Χρονίας δὲ γενομένης τῆς πολιορκίας

1. Parmi ces usurpateurs, il faut compter Marcus et Gratianus en Bretagne, Constantin III en Bretagne puis en Gaule, Attale en Italie comme
Jovinus, et Maximus en Espagne. Sozomène semble suggérer que la cour de
Ravenne s'inquiétait davantage des usurpateurs que d'Alaric. C'est aussi
une façon de souligner par opposition la stabilité de l'Empire d'Orient
fondée sur la protection divine obtenue par Pulchérie et Théodose.

2. C'est le premier siège de Rome de novembre 408 à février 409 — le
deuxième prend place de mars à novembre 409, le troisième, très bref,
aboutit à la prise de la Ville, le 24 août 410. Alaric, qui n'avait pas reçu dans
le Norique les subsides promis, avait néanmoins tenté de traiter avec le
gouvernement d'Honorius dirigé alors par Olympius (*P.L.R.E.* II, p. 801-
802), *magister officiorum* en 408-409 et 409-410, qui avait pris une part
décisive dans la chute et l'exécution de Stilichon. Mais son offre avait été
rejetée (STEIN-PALANQUE, p. 255). Sans attendre son beau-frère Athaulf
qu'il avait appelé à le rejoindre, il envahit l'Italie à l'automne en passant par
Aquilée, Concordia, Altinum, Crémone, franchissant le Pô sans coup férir,
parvenant à Bologne et, laissant Ravenne derrière lui, parvenant jusqu'au
Picenum d'où il menaçait Rome en pillant les campagnes (Zos. V, 37, 2-4).
Sur l'histoire tourmentée des années 408-410, voir le chapitre synthétique
« Alaric, Rome, Ravenna » de MATTHEWS, *Western Aristocracies*, p. 284-
306.

3. Rome n'avait pas connu de siège depuis celui qui avait suivi la défaite
de l'Allia face aux Gaulois en 390 ou 387 av. J. C. Si ses remparts avaient été

Chapitre 6

Le goth Alaric ;
il se jette sur Rome et l'étrangle par une guerre.

1 C'est ainsi donc que la partie orientale fut débarrassée des ennemis et que les affaires se redressaient avec grand éclat, contre l'attente générale, car l'empereur était encore tout jeune. Quant à la partie occidentale, elle était en désordre par le soulèvement de beaucoup d'usurpateurs [1]. **2** En ce temps-là, après le meurtre de Stilichon, Alaric, le chef des Goths, envoya une ambassade sur la paix à Honorius, mais il échoua. Ayant gagné Rome, il l'assiégeait [2] ; il avait placé beaucoup de barbares sur les bords du Tibre [3], de manière que, depuis Portus — ainsi nomme-t-on le port de Rome [4] — les vivres nécessaires ne pussent être apportés aux gens de la Ville. **3** Comme le siège se prolongeait, que

renforcés en 402 par le préfet de la Ville Fl. Macrobius Longinianus, elle n'avait pas de garnison. Mais Alaric ne voulait pas s'emparer de l'*Vrbs*. En l'affamant, il cherchait à obtenir du Sénat les richesses dont il avait besoin pour nourrir ses troupes — il pouvait aussi intercepter à son aise les convois de blé venant d'Afrique —, et il croyait pouvoir arracher des concessions au gouvernement de Ravenne en prenant en otage la Ville symbole (cf. STEIN-PALANQUE, p. 255-256 ; DEMOUGEOT, *La formation de l'Europe*, 2, p. 455-456).

4. Conçu par Auguste, réalisé par Claude, Portus, le port artificiel d'Ostie, comptait trois bassins, le port de Claude, le port de Trajan et les *fossae* (cf. R. MEIGGS, *Roman Ostia*, Oxford 1960, 1973[2], p. 83-102 pour l'époque tardive et p. 262-310 sur le blé ; R. CHEVALLIER, *Ostie antique, ville et port*, Paris, 1986). Sur les problèmes du ravitaillement à Rome, l'acheminement des cargaisons d'Ostie-Porto à l'*emporium*, sous la responsabilité de préfet de la Ville, voir A. CHASTAGNOL, *La préfecture urbaine à Rome sous le Bas-Empire*, Paris 1960, p. 54 s. et p. 301-308. A son arrivée à l'automne, le blé d'Afrique était d'abord stocké sur place dans les magasins, puis acheminé à Rome distante par le Tibre de 35 kilomètres.

λιμοῦ τε καὶ λοιμοῦ τὴν πόλιν πιέζοντος δούλων τε πολλῶν
398 καὶ μάλιστα | βαρβάρων τῷ γένει πρὸς τὸν Ἀλάριχον αὐτομο-
λούντων, ἀναγκαῖον ἐδόκει τοῖς ἑλληνίζουσι τῆς συγκλήτου
θύειν ἐν τῷ Καπιτωλίῳ καὶ τοῖς ἄλλοις ναοῖς. **4** Θοῦσκοι γάρ
15 τινες ἐπὶ τοῦτο μετακληθέντες παρὰ τοῦ ὑπάρχου τῆς πόλεως
ὑπισχνοῦντο σκηπτοῖς καὶ βρονταῖς ἀπελάσειν τοὺς βαρβά-
ρους· ηὔχουν δὲ τοιοῦτον αὐτοῖς εἰργάσθαι καὶ περὶ Λαρνίαν
πόλιν τῆς Θουσκίας, ἣν παριὼν Ἀλάριχος ἐπὶ τὴν Ῥώμην οὐχ
εἷλεν. **5** Ἀλλὰ τούτων μὲν οὐδὲν ὄφελος ἔσεσθαι τῇ πόλει ἡ
20 ἀπόβασις ἔδειξεν. Τοῖς γὰρ εὖ φρονοῦσιν ὑπὸ θεομηνίας κατε-
φαίνετο ταῦτα συμβαίνειν Ῥωμαίοις κατὰ ποινὴν ὧν πρὸ τοῦ
ὑπὸ πολλῆς ῥᾳστώνης καὶ ἀκολασίας εἰς ἀστοὺς καὶ ξένους
ἀδίκως καὶ ἀσεβῶς ἥμαρτον. **6** Λέγεται γοῦν ἀγαθός τις τῶν
ἐν Ἰταλίᾳ μοναχῶν σπεύδοντι ἐπὶ Ῥώμην Ἀλαρίχῳ παραινέ-
25 σαι φείσασθαι τῆς πόλεως μηδὲ τηλικούτων αἴτιον γενέσθαι
κακῶν· τὸν δὲ φάναι ὡς οὐχ ἑκὼν τάδε ἐπιχειρεῖ, ἀλλά τις

---

1. Si le peuple de Rome souffrit alors de famine, comme chaque fois que
des intempéries ou des troubles politiques, telle la rébellion des comtes
d'Afrique Gildon en 396 et Héraclien en 413, retardaient ou empêchaient
les arrivages d'Afrique, il ne fut pas atteint par la peste proprement dite,
maladie alors encore inconnue en Europe : le terme générique λοιμός est
synonyme d'épidémie.
2. La réaction des païens, conduite par le préfet de la Ville, représentant
de l'aristocratie sénatoriale, prend la forme d'une consultation des déten-
teurs de l'antique « discipline étrusque ». Ces derniers se fondent sur leur
connaissance des *libri fulgurales*. Le préfet de la Ville est le sénateur païen
Gabinius Barbarus Pompéianus (*P.L.R.E.* II, p. 897-898), attesté de décembre 408 à février 409 (A. CHASTAGNOL, *Les fastes de la Préfecture de Rome
au Bas-Empire*, Paris 1962, p. 265-266). Pompéianus est déjà en fonction
quand le siège de Rome commence en novembre/décembre 408 : il
consulte les haruspices, envisage de célébrer des sacrifices, avec l'accord
tacite — que Sozomène ne mentionne pas, à la différence de ZOSIME V, 41, 2
— de l'évêque de Rome Innocent Ier (cf. MATTHEWS, *Western Aristocracies*,
p. 290). Malgré les réserves de L. DUCHESNE, *Histoire de l'Église*, t. III,
p. 294, cet accord n'est pas exclu par D. BRIQUEL, *Chrétiens et haruspices,
la religion étrusque dernier rempart du paganisme romain*, Paris 1997,
p. 182-184 et il est accepté par B. LANÇON, *Rome dans l'antiquité tardive,
312-604 ap. J. C.*, Paris 1995, p. 128. Le préfet fait envoyer à Alaric une

famine et épidémie [1] pressaient la Ville, que beaucoup d'esclaves et surtout ceux qui étaient de race barbare désertaient auprès d'Alaric, il paraissait nécessaire aux païens du Sénat de sacrifier au Capitole et dans les autres temples. **4** Des Étrusques en effet, mandés par le préfet de la Ville à cette occasion, promettaient de chasser les barbares par des coups de foudre et de tonnerre [2] ; ils se vantaient d'avoir produit cela à Narni [3], ville d'Étrurie, qu'Alaric, en route vers Rome, n'avait pas prise. **5** Mais l'événement montra que rien de tout cela ne serait d'utilité à la Ville. Il était clair pour les gens de bon sens que ce malheur arrivait aux Romains en vertu d'une colère divine, comme punition des iniquités et impiétés que beaucoup de mollesse et d'intempérance [4] leur avait fait commettre envers citadins et pérégrins. **6** On raconte en tout cas qu'en Italie un moine vertueux avait conseillé à Alaric, en marche vers Rome, d'épargner la Ville et de ne pas être la cause de si grands malheurs : il avait répondu qu'il ne tentait pas cette entreprise de plein gré, mais que quelqu'un l'importunait sans cesse, le forçait, lui

ambassade indiquée au § 7, sans précision du nom des délégués (Basilius, ex-préfet de la Ville — *P.L.R.E.* I, p. 149, Basilius 3 — et Jean, primicier des notaires en 408 — *P.L.R.E.* II, p. 594, Ioannes 4), puis une délégation à Ravenne, avec Attale, en janvier 409, mentionnée en 7, 1. L'autre source sur l'action de Pompéianus est la *Vita sanctae Melaniae* 19, éd. D. Gorce, *SC* 90, 1962, p. 166.

3. Λαρνία (Narni) est une transcription fautive du latin Narnia : cf. *PW* XVI 2, 1935, c. 1734-1736, H. Philipp. Zosime lui aussi rapporte en V, 41, 1 les propos des haruspices étrusques s'attribuant le mérite d'avoir chassé les barbares par leurs rites et cérémonies. Cette ville d'Ombrie (province de Tuscie-Ombrie) tient son nom de celui de ses habitants, riverains du Nar. Elle est mentionnée par Claudien, *VI cons. Hon.* 515.

4. Cette interprétation chrétienne des malheurs de Rome est aussi celle d'Orose, *hist.* VII, 39, 18, pour lequel la prise de Rome a été permise aux ennemis *ad correptionem superbae, lasciuae et blasphemae ciuitatis*, « pour la correction de la cité orgueilleuse, débauchée et blasphématrice ». Les païens comme Zosime y voyaient au contraire le châtiment de l'abandon des dieux protecteurs et des cultes traditionnels.

συνεχῶς ἐνοχλῶν αὐτὸν βιάζεται καὶ ἐπιτάττει τὴν Ῥώμην
πορθεῖν· ὃ δὴ τελευτῶν ἐποίησεν. 7 Ἐν ᾧ δὲ ἐπολιόρκει,
πλεῖστα δῶρα λαβὼν ἐπὶ χρόνον τινὰ τὴν πολιορκίαν ἔλυσε,
30 συνθεμένων Ῥωμαίων τὸν βασιλέα πείσειν εἰς εἰρήνην αὐτὸν
δέχεσθαι.

7

1 Γενομένης δὲ περὶ τούτου πρεσβείας οἱ τὰ ἐναντία πράτ-
τοντες Ἀλαρίχῳ ἐν τοῖς βασιλείοις ἐνεπόδιζον τῇ εἰρήνῃ.
Μετὰ δὲ ταῦτα πρεσβευσαμένου Ἰννοκεντίου τοῦ Ῥωμαίων
ἐπισκόπου μετακληθεὶς Ἀλάριχος γράμμασι τοῦ βασιλέως

1. Anticipation de *H.E.* 9, 4. L'introduction du « moine vertueux » — on
pense au moine Isaac admonestant Valens avant Andrinople (*H.E.* VI, 40,
1) — assortie de la réplique mystérieuse d'Alaric, renforce l'atmosphère
tragique du récit et humanise le personnage du chef goth qui se présente
lui-même comme « une force qui va », manipulée par une Furie ou par
Dieu, dont il est le fléau pour Sozomène comme pour saint Augustin et
pour OROSE, *hist.* VII, 38, 7. Le mot d'Alaric se trouve chez SOCR.,
H.E. VII, 10 et déjà chez CLAUD., *De bello get.* 506-513 et 546-548 (au sage
vieillard qui cherche à le dissuader de s'attaquer à l'inviolable Rome, Alaric
répond qu'une voix l'y contraint).
2. Les « dons considérables » sont ceux que lui a fait parvenir le préfet de
la Ville Pompéianus « en envoyant à la fonte de nombreux objets d'or et
d'argent, même des statues de dieux païens d'une haute valeur artistique »
(STEIN-PALANQUE, p. 256). Alaric avait accepté de se retirer en échange
d'une rançon de 5000 livres d'or et de 3000 livres d'argent (Zos. V, 41, 4)
assortie de la promesse d'un traité garanti par des otages. Les sénateurs
réunirent la somme sous l'impulsion du préfet — qui proposa même de
confisquer la fortune que Pinianus et Mélanie la jeune consacraient à des
œuvres pieuses — et la firent livrer, mais Honorius de son côté n'accorda ni
traité ni otages. Tout en levant le siège, Alaric, renforcé par une masse
d'esclaves barbares déserteurs, ne se retira pas au-delà de l'Étrurie, restant
ainsi menaçant.
3. Cette ambassade envoyée par le Sénat à la cour de Ravenne pour faire
ratifier l'accord avec Alaric prit sans doute place en janvier 409 (SEECK,
Regesten, p. 316). Priscus Attalus (*P.L.R.E.* II, p. 180-181), sénateur riche
et cultivé, en faisait partie avec le futur préfet du prétoire d'Italie-Illyricum

commandait de dévaster Rome, ce qu'il finit par faire [1].
7 Tandis qu'il y mettait le siège, il reçut des dons considérables ; il leva alors le siège pour un temps, des Romains lui ayant promis de persuader l'empereur d'entrer en paix avec lui [2].

Chapitre 7

Innocent évêque de la vieille Rome,
il envoie une ambassade à Alaric ; le préfet d'Italie Jovius ;
l'ambassade auprès de l'empereur et ce qui arriva à Alaric.

1 Une ambassade ayant eu lieu sur ce sujet [3], ceux qui travaillaient contre Alaric au palais faisaient obstacle à la paix [4]. Après cela, Innocent, l'évêque de Rome, ayant conduit une ambassade [5], Alaric fut invité par une lettre

Caecilianus (*P.L.R.E.* II, p. 244-246) et le sénateur Maximianus (*P.L.R.E.* II, p. 739), fils de Marcianus, le futur préfet de la Ville d'Attale (déc. 409-juillet 410) : voir Chastagnol, *Les fastes*, p. 268-269.
4. Le chef de file des bellicistes, catholiques intransigeants, était le maître des offices Olympius (*P.L.R.E.* II, p. 801-802).
5. L'ambassade d'Innocentius Ier, pape de 402 à 417 (*DECA*, p. 1225-1226, Studer), auprès d'Honorius en faveur de la paix, en 409, aurait donc été décisive. Au contraire, E. Demougeot, « A propos des interventions du pape Innocent Ier dans la politique séculière », *RH*, juillet-septembre 1954, p. 23-38, observe qu'Innocentius, impérieux en matière ecclésiastique, « s'effaça de propos délibéré » devant Honorius et montra une « attitude docile au cours du siège de Rome », en restant à Ravenne loin de ses fidèles et en feignant ensuite, selon les consignes officielles, « d'ignorer l'affront subi par la ville-reine », auquel du reste il n'assista pas (Orose, *hist.* VII, 39, 2 s'en félicite comme d'une manifestation de la bienveillance divine !). En tout cas, Olympius fut renvoyé pour un temps et dans le nouveau gouvernement figurèrent l'ambassadeur du Sénat Attale, promu comte des Largesses sacrées (Zos. V, 44) et Caecilianus, promu préfet du prétoire d'Italie-Illyricum. Pour montrer à Alaric qu'il renonçait à sa politique anti-germanique, Honorius nomma même un Germain, Allobichus (*P.L.R.E.* II, p. 61), au poste de confiance de comte des Domestiques.

5 ἧκεν εἰς Ἀρίμηνον πόλιν δέκα καὶ διακοσίοις σταδίοις τῆς
Ῥαβέννης ἀφεστῶσαν. 2 Ἐνταῦθα δὲ τὰς σκηνὰς ἔχοντι πρὸ
1612 τῶν τειχῶν εἰς λόγους ἐλθὼν ὁ Ἰόβιος τῆς Ἰταλίας | ὕπαρχος
ὢν δηλοῖ τῷ βασιλεῖ τὴν Ἀλαρίχου αἴτησιν καὶ ὡς δέοι
δέλτοις αὐτὸν τιμῆσαι στρατηγοῦ δυνάμεως ἑκατέρας. 3 Ὁ δὲ
10 βασιλεὺς χρημάτων μὲν καὶ σιτηρεσίων ὧν ᾔτει ὡς ὑπάρχῳ
Ἰοβίῳ τὴν ἐξουσίαν δέδωκεν, ἀξίας δὲ οὔποτε μεταδώσειν
αὐτῷ ἀντεδήλωσεν. Ἀβούλως δὲ Ἰόβιος ἐν τῇ Ἀλαρίχου
σκηνῇ περιμείνας τὸν ἐκ τῶν βασιλείων ἀπεσταλμένον ἀναγι-
399 νώσκειν ἐκέλευσε παρόντων τῶν βαρ|βάρων τὰ δόξαντα τῷ
15 βασιλεῖ. 4 Ἐπὶ δὲ τῇ ἀρνήσει τοῦ ἀξιώματος ὀργισθεὶς Ἀλάριχος ὡς ὑβρισμένος αὐθωρὸν τῇ σάλπιγγι σημήνας ἐπὶ τὴν
Ῥώμην ἤλαυνε. Δείσας δὲ Ἰόβιος, μὴ ὑπονοηθῇ παρὰ τῷ
βασιλεῖ Ἀλαρίχῳ σπουδάζειν, ἀβουλοτέρῳ ἢ πρότερον περι-
πεσών, πρὸς τῆς σωτηρίας τοῦ βασιλέως αὐτός τε ὤμοσε καὶ
20 τοὺς ἄλλους ἄρχοντας παρεσκεύασε μήποτε εἰρήνην θέσθαι
πρὸς Ἀλάριχον. 5 Οὐκ εἰς μακρὰν δὲ μεταμεληθεὶς ὁ βάρβαρος ἐδήλωσε μηδὲν ἀξιωμάτων δεῖσθαι, σύμμαχον δὲ παρέ-

---

1. Deux cent dix stades font environ quarante kilomètres. Alaric n'ima-
ginait pas pouvoir être reçu à Ravenne comme un nouvel allié, mais il
croyait que sa présence toute proche détournerait Honorius de toute velléité
de revenir sur sa promesse.
2. Sur Jovius, préfet du prétoire d'Illyricum en 407 (cf. *H.E.* VIII, 25, 3),
puis préfet du prétoire d'Italie en 409, voir *P.L.R.E.* II, p. 623-624. Sozomène lui confère un rôle de premier plan, en effaçant totalement celui
d'Olympius — celui-ci, il est vrai, une fois revenu au pouvoir, ne s'y
maintint pas longtemps. Mais il présente Jovius comme un politique à la
fois irréfléchi et arrogant. Habitué des volte-face opportunistes, il abandon-
nera Honorius pour passer du côté d'Attale puis détachera Alaric de l'usurpateur qu'il avait contribué à mettre en place. E. DEMOUGEOT, *De l'unité à
la division*, p. 441-447, permet de suivre sa ligne politique d'abord assurée,
puis fluctuante. MATTHEWS, « Olympiodorus of Thebes », p. 87-88, considère que Jovius, qui était devenu l'hôte (πρόξενος) d'Alaric en Épire (Zos.
V, 48, 2) était un diplomate intelligent qui s'efforça de s'adapter à des
conditions politiques très changeantes.

impériale et il se rendit à Rimini qui est une ville distante de deux cent dix stades de Ravenne [1]. **2** Là, tandis qu'il avait son camp hors les murs, Jovius, qui était préfet du prétoire d'Italie [2], entre en pourparlers avec lui et fait connaître à l'empereur la requête d'Alaric et qu'il fallait qu'on l'honorât par écrit du grade de maître des deux milices. **3** L'empereur donna pouvoir à Jovius, en tant que préfet du prétoire, d'accorder à Alaric l'argent et les fournitures de vivres qu'il demandait, mais il lui fit savoir en revanche qu'il ne lui donnerait jamais ce titre [3]. De façon inconsidérée, Jovius qui avait attendu l'émissaire du palais dans la tente d'Alaric, fit lire en présence des barbares les décisions de l'empereur. **4** Irrité de ce qu'on lui refusait la distinction, Alaric, se regardant comme outragé, fit donner à l'heure même le signal de la trompette et partit pour Rome. Jovius craignit qu'on ne le soupçonnât, chez l'empereur, de favoriser Alaric, et, de façon plus inconsidérée encore que précédemment, il jura lui-même au nom du salut du prince et fit jurer aux autres dignitaires qu'on ne conclurait jamais la paix avec Alaric. **5** Peu de temps après, le barbare changea d'opinion et fit savoir qu'il n'avait nul besoin de distinctions, mais s'offrait comme allié, pourvu qu'on lui fournît une quantité

---

3. Alaric exigeait non seulement un tribut en or et en blé mais aussi des terres pour son peuple en Vénétie, Istrie et Norique (P. HEATHER, *Goths and Romans*, p. 217). C'est peut-être Jovius qui suggéra de lui offrir le titre de maître des deux milices alors qu'il se serait contenté de celui de maître de l'infanterie (TH. S. BURNS, *Barbarians within the Gates of Rome. A Study of Roman military Policy and the Barbarians ca 375-425 A. D.*, Indianapolis 1994, p. 238-239). Honorius ne voulait pas d'un nouveau Stilichon ni de Goths installés aux portes de Ravenne. Assuré d'un accord avec Constantin III et du ravitaillement stocké dans les villes du Nord, espérant aussi un renfort de 6000 soldats romains venus de Dalmatie sous la conduite du *comes rei militaris* Valens — qui tomba dans une embuscade d'Alaric où il perdit presque tous ses hommes (*P.L.R.E.* II, p. 1137 Valens 2) —, il se rejette vers le parti de la guerre, rappelle provisoirement Olympius au pouvoir (STEIN-PALANQUE, p. 256) et refuse les propositions devenues pourtant plus modérées d'Alaric.

ξειν ἑαυτὸν ἐπὶ μετρίᾳ σίτου δόσει καὶ οἰκήσει τόπων οὐ πάνυ Ῥωμαίοις ἐσπουδασμένων.

8

1 Ἐπεὶ δὲ δὶς ἀπέτυχε περὶ τούτου πρεσβευσάμενος διά τινων ἐπισκόπων, ἐλθὼν εἰς Ῥώμην ἐπολιόρκει τὴν πόλιν· καὶ ἐξ ἑνὸς μέρους τὸν Πόρτον ἑλὼν βιάζεται Ῥωμαίους βασιλέα ψηφίσασθαι τὸν Ἄτταλον, ὕπαρχον ὄντα τότε τῆς πόλεως.

5 2 Ῥωμαίων δὲ προβληθέντων ἐπὶ τὰς ἄλλας ἀρχὰς χειροτονεῖται Ἀλάριχος στρατηγὸς ἑκατέρας δυνάμεως, Ἀδαοῦλφος δὲ ὁ τῆς αὐτοῦ γαμετῆς ἀδελφὸς ἡγεμὼν τῶν ἱππέων δομεστίκων καλουμένων. Συγκαλέσας δὲ τὴν γερουσίαν Ἄτταλος

---

1. Sans doute en proie à des difficultés de ravitaillement, Alaric renonce maintenant à la plupart de ses exigences — titre de général, livraison d'or, terres près de Ravenne — et se contente de réclamer du grain et les deux provinces du Norique, territoires déjà ravagés, donc peu prisés des Romains (WOLFRAM, *Histoire*, p. 171).

2. Les deux échecs d'Alaric dans ses tentatives d'extorsion ont été rapportés au chapitre précédent (§§ 2-3 et § 5). Le pluriel « des évêques » peut surprendre, mais ne suffit pas pour accréditer l'idée qu'il y avait plus d'un évêque chez les Goths, alors que Sozomène dira plus tard que l'usurpateur païen Attale accepta d'être baptisé par Sigésarus, « l'évêque des Goths ». Plutôt que d'imaginer une hiérarchie dans l'église arienne des Goths, Sigésarus étant en quelque sorte l'archevêque des Goths (hypothèse déjà écartée par E. A. THOMPSON, *The Visigoths in the time of Ulfila*, 1966, p. 163 et note 3), on croira que, parmi les évêques auxquels Sozomène se réfère de façon indéfinie (τινων), figuraient aussi des catholiques agissant sous la contrainte et/ou à des fins humanitaires. MATTHEWS, *Western Aristocracies*, p. 294, pense même qu'Alaric avait envoyé « les évêques des cités d'Italie comme émissaires », ce qui serait de fait plus diplomatique.

3. Au terme du second siège — de mars à novembre 409 —, Alaric força le Sénat à élire comme empereur Attale, précédemment préfet de la Ville (*P.L.R.E.* II, p. 180-181 Priscus Attalus 2). Ami du grand orateur et épistolier Symmaque, il bénéficiait des sympathies des sénateurs païens. Oriental, né vers 350 dans une famille originaire d'Antioche, il fut élevé à Rome,

modérée de grain et des lieux d'habitation en des contrées
que ne recherchaient pas du tout les Romains [1].

Chapitre 8

*La rébellion d'Attale et le général Héraclianus ; plus tard,
se jetant aux pieds d'Honorius, il obtient le pardon.*

1 Après qu'Alaric eut deux fois échoué sur ce sujet, bien
qu'il eût envoyé des évêques en ambassade [2], il vint à Rome
et assiégeait la Ville. Sur un côté, il s'empare de Portus et
force les Romains à proclamer empereur Attale, alors préfet
de la Ville [3]. **2** Pendant que des Romains étaient élevés aux
autres dignités, Alaric est constitué maître des deux milices
et Athaulf, le frère de son épouse, chef de ceux qu'on
appelle cavaliers domestiques [4]. Attale convoqua le Sénat et

exerça peut-être un proconsulat avant 394, fit partie de deux ambassades
sénatoriales en 398 et en 409. Il obtint la préfecture urbaine en février/mars
409 et la conserva jusqu'en novembre/décembre, quand il fut reconnu et
proclamé empereur par le Sénat (CHASTAGNOL, *Les fastes*, p. 266-268).

4. Alaric réalisait l'ambition qu'il nourrissait depuis près de quinze ans.
Sa promotion entraîna celle de son beau-frère Athaulf qui lui succéda en
410 et commanda le peuple des Wisigoths jusqu'à son assassinat en 415
(*P.L.R.E.* II, p. 176-168 et WOLFRAM, *Histoire ...*, p. 178-180). Attale répar-
tit les dignités civiles et militaires entre Romains et barbares. Le romain
Lampadius (*P.L.R.E.* II, p. 656) est nommé préfet du prétoire et le
romain Marcien (*P.L.R.E.* I, p. 555-556) préfet de la Ville. Si Alaric, nommé
maître de l'infanterie présent à la cour plutôt que maître des deux milices,
et Athaulf, nommé comte des cavaliers domestiques, obtiennent de hauts
commandements, le romain Valens devient maître de l'infanterie et un
Romain commande l'infanterie des Domestiques. Sur le corps des protecteurs domestiques et sa division entre cavaliers et fantassins, voir
A. H. M. JONES, *The Later Roman Empire*, 1964, t. 2, p. 636 et t. 3,
p. 195-196, note 64 : Sozomène atteste le premier, pour 409, la répartition
de la charge de *comes domesticorum* entre le *comes domesticorum peditum*
et le *comes domesticorum equitum*, deux « dignités » figurant dans la *Noti-
tia Dignitatum Orientis* 15 et *Occidentis* 13.

λόγον διῆλθε μακρὸν καὶ λαμπρῶς μάλα πεπονημένον, ὑπισχ-
10 νούμενος τὰ πάτρια τῇ συγκλήτῳ φυλάξειν καὶ τὴν Αἴγυπτον
καὶ πᾶσαν τὴν πρὸς ἔω ἀρχομένην ὑπήκοον Ἰταλοῖς ποιήσειν.
3 Καὶ ὁ μὲν ὧδε ἀλαζονευσάμενος οὐδὲ εἰς ἐνιαυτὸν ὁλόκλη-
ρον ἤμελλε βασιλεὺς καλεῖσθαι· μάντεσι δέ τισιν ὑπαχθεὶς
ὑπισχνουμένοις ἀμαχητὶ τὴν Ἀφρικὴν καθέξειν, οὔτε Ἀλα-
15 ρίχῳ ἐπείσθη μετρίαν δύναμιν εἰσηγησαμένῳ πέμψαι εἰς
Καρχηδόνα ἐπὶ ἀναιρέσει τῶν Ὀνωρίου ἀρχόντων, εἰ ἀντιπα-
ρατάξοιεν αὐτῷ, οὔτε Ἰωάννῃ, ὃν προεστήσατο τῶν ἀμφ᾽
αὐτὸν βασιλικῶν τάξεων, φάσκοντι χρῆναι Κώνσταντα τὸν
ἐκδημεῖν εἰς Λιβύην παρ᾽ αὐτοῦ τεταγμένον, ὡς παρὰ Ὀνω-
20 ρίου ἀπεσταλμένον, γράμματι συνήθει, ὃ διάταγμα καλοῦσι,
1613 παῦσαι τῆς | ἀρχῆς Ἡρακλειανὸν τὸν τηνικάδε τῶν ἐν
Ἀφρικῇ στρατιῶν ἐπιτετραμμένον τὴν ἡγεμονίαν. 4 Ἴσως δὲ
ἂν καὶ τοῦτο προὐχώρησεν· οὔπω γὰρ δῆλα ἐγεγόνει τοῖς ἐν
Λιβύῃ τὰ κατὰ Ἄτταλον. Ἐπεὶ δὲ Κώνστας, τοῦτο τοῖς
400 25 μάντεσι δόξαν, ἔπλευσεν εἰς Καρχηδόνα, Ἄτταλος | δὲ ἐπὶ

---

1. Attale avait reçu une éducation très soignée, en latin et en grec. Ses
maîtres avaient été le romain Privatus, puis le célèbre rhéteur grec Himé-
rios. Réputé orateur éloquent et fin poète, il correspondait entre 395 et 398
avec Symmaque dont il reçut les *ep.* VII, 15-25. Il déclama un épithalame
pour les noces d'Athaulf et de Galla Placidia à Narbonne le 1ᵉʳ janvier 414
(CHASTAGNOL, *Les fastes*, p. 267-268). Attale cherche ici à consolider
l'appui que lui apporte le Sénat en lui promettant de restaurer sa dignité
face à la cour de Ravenne ; il professe une politique chimérique visant, faute
de pouvoir compter sur l'Afrique tenue par Héraclianus, à assurer le ravitaillement régulier de Rome par la conquête de l'Égypte d'où partaient les
convois de blé destinés à Constantinople, ce qui devait réduire la *pars
Orientis* à la famine, donc à la capitulation. C'est donc à la restauration de
Rome comme capitale de l'Empire qu'il appelle les sénateurs (cf. MAT-
THEWS, *Western aristocracies*, p. 297). Il fait émettre alors des médaillons
représentant Rome trônant avec la sphère et portant une couronne, avec la
légende *Inuicta Roma aeterna*.

2. De novembre/décembre 409 à juillet/août 410 (SEECK, *Regesten*,
p. 320 ; CHASTAGNOL, *Les fastes*, p. 267-268).

3. Peut-être les hauts fonctionnaires civils, comme le proconsul Macrobius (*P.L.R.E.* II, p. 698), attesté en juin 410 — auquel succéda, dès août
410, Palladius (*P.L.R.E.* II, p. 819), mais avant tout Héraclianus, le comte
commandant les troupes d'Afrique, nommé à cette fonction pour avoir tué

y prononça un long discours très brillamment travaillé [1] où il promettait de maintenir au Sénat ses privilèges ancestraux et de faire passer sous l'autorité de l'Italie et l'Égypte et toute la partie orientale de l'Empire. **3** Mais, malgré ces vantardises, il ne devait être appelé empereur pas même pendant une année entière [2]. Poussé par certains devins qui lui promettaient qu'il se rendrait maître de l'Afrique sans combat, il n'écouta ni Alaric qui lui avait proposé d'envoyer à Carthage un corps de troupes suffisant pour supprimer, s'ils faisaient résistance, les fonctionnaires d'Honorius [3], ni Jean non plus qu'il avait mis à la tête de la Garde impériale [4] ; celui-ci disait qu'il fallait que Constant, chargé par lui de se rendre en Libye [5], comme s'il était l'envoyé d'Honorius, porteur d'une lettre d'usage qu'on appelle un édit, enlevât son gouvernement à Héraclianus, auquel était alors confié le commandement des troupes d'Afrique. **4** Peut-être pourtant la machination eût-elle réussi, car on ne savait pas encore en Libye ce qui s'était passé au sujet d'Attale. Bref, alors que Constant, sur l'avis des devins, voguait vers Car-

Stilichon de sa main (*P.L.R.E.* II, p. 539). Pour Alaric (cf. *infra* § 8), l'envoi d'un corps de 500 hommes aguerris, comme les siens, suffisait à abattre Héraclianus. Ce dernier resta en fonction de 408 à 413, il fut même nommé consul en 413 par Honorius en remerciement des livraisons de blé envoyées à Ravenne.

4. Attale avait confié la charge très importante de maître des offices, commandant des scholes palatines et plus généralement des gardes du Palais — cf. R. DELMAIRE, *Les institutions du Bas-Empire romain* ..., I, 1995, p. 75-95 — à Jean, un Romain (*P.L.R.E.* I, p. 459 et II, p. 594, Ioannes 4), primicier des notaires en 408 avant sa nomination, puis préfet du prétoire d'Italie et Afrique en 412-413 et peut-être en 422, mais qui était en même temps un proche d'Alaric (Zos. V, 40).

5. Constant est vraisemblablement nommé comte d'Afrique chargé d'y commander les troupes romaines (Zos. VI, 7, 6) : voir *P.L.R.E.* II, p. 310. Faute d'amener avec lui les troupes adéquates, il fut tué dès son arrivée (Zos. VI, 7, 6 et 9, 1). On peut dater de mars/avril 410, à la fin du *mare clausum* (10 mars), la tentative d'Attale pour s'emparer de l'Afrique, le grenier à blé de Rome. Le nom *Libya* est le synonyme classicisant d'*Africa*.

τοσοῦτον ἐβλάβη τὸν νοῦν, ὡς μηδὲ ἀμφιβάλλειν ἀξιοῦν, ἀλλὰ
πεπεῖσθαι τοὺς Ἄφρους ὑπηκόους ἔχειν κατὰ τὴν πρόρρησιν
τῶν μάντεων, ἐπιστρατεύει τῇ Ῥαβέννῃ. 5 Ἅμα δὲ ἠγγέλθη
εἰς Ἀρίμηνον ἀφῖχθαι μετὰ τῆς Ῥωμαίων καὶ βαρβάρων
30 στρατιᾶς, γράφει αὐτῷ Ὀνώριος ὡς βασιλεῖ καὶ πρεσβεύεται
διὰ τῶν ἀμφ' αὐτὸν τὰς μεγίστας ἀρχὰς λαχόντων, κοινωνὸν
ἀγαπῶν ἔχειν τῆς βασιλείας. Ἄτταλος δὲ τὴν μὲν κοινωνίαν
τοῦ κράτους ἀπαρνεῖται· δηλοῖ δὲ Ὀνωρίῳ νῆσον ἢ τόπον
ἑλέσθαι ὃν βούλεται καὶ καθ' ἑαυτὸν διάγειν πάσης βασιλικῆς
35 θεραπείας ἀξιούμενον. 6 Εἰς τοῦτο δὲ περιστάντων τῶν
πραγμάτων, ὡς εὐτρεπεῖς αὐτὸν ἔχειν ναῦς, ἵν' εἰ δεήσειεν
ἀποπλεύσῃ πρὸς τὸν ἀδελφιδοῦν, ἀδοκήτως ἐν ἐξ ἀριθμοῖς
ἀμφὶ τετρακισχίλιοι στρατιῶται νύκτωρ τῇ Ῥαβέννῃ προσέ-
πλευσαν ἐκ τῆς ἀνατολῆς· οἷς τὴν φυλακὴν τῶν τειχῶν ἐπέ-
40 τρεψε δεδιὼς τῶν ἐπιχωρίων στρατιωτῶν τὸ ἕτοιμον εἰς προ-
δοσίαν. 7 Ἐν τούτῳ δὲ Ἡρακλειανὸς ἀνελὼν τὸν Κώνσταντα
φύλακας ἐπέστησεν ἐν τοῖς λιμέσι καὶ ταῖς ἀκταῖς τῆς Ἀφρι-
κῆς καὶ τὰ πλοῖα τῶν ἐμπόρων ἐκώλυσεν εἰς Ῥώμην ἀνάγε-
σθαι. Λιμοῦ δὲ ἐντεῦθεν καταλαβόντος τοὺς Ῥωμαίους πρε-
45 σβεύονται περὶ τούτου πρὸς Ἄτταλον. 8 Ὁ δὲ πρὸς τὸ πρακ-

---

1. L'expédition d'Attale doit se situer également en mars/avril 410, si
elle se déroula en même temps que Constant gagnait l'Afrique (Demougeot, *La formation de l'Europe*, p. 459, la date pourtant de janvier 410).
Les « plus hauts dignitaires » qu'Honorius lui envoie (Olympiodore, fr. 13,
FHG IV, Müller, p. 59-60 = fr. 14 dans R. C. Blockley, *The fragmentary
classicising Historians*, II, Liverpool 1983, p. 172-173) sont le préfet
Jovius, alors tout puissant, et le maître des deux milices Valens (*P.L.R.E.* II,
p. 1136-1137 Valens 1), accompagnés du questeur Potamius (*P.L.R.E.* II,
p. 902) et du primicier des notaires Julianus (*P.L.R.E.* II, p. 638 Iulianus 8).
Pour Stein-Palanque, p. 258, Jovius était passé du côté d'Attale vers Noël
409.

2. En fait, les conditions imposées à Honorius, peut-être à l'instigation
de Jovius passé dans le camp d'Alaric et d'Attale, prévoyaient aussi de le
mutiler pour lui interdire tout retour sur le trône (Olympiodore, fr. 13,
FHG IV, p. 60 = fr. 14, Blockley, II, p. 174-175).

3. Honorius, assiégé par les Goths et en passe d'être trahi par Allobichus, son maître des deux milices, qui se préparait à rejoindre l'usurpateur
Constantin, était dans une situation désespérée. Le renfort envoyé d'Orient,

thage, Attale avait à ce point l'esprit dérangé que, ne daignant même pas être en doute mais persuadé, sur la prédiction des devins, que les Africains étaient déjà ses sujets, il part en expédition contre Ravenne [1]. **5** Quand la nouvelle fut parvenue qu'il était arrivé à Rimini avec l'armée des Romains et des barbares, Honorius lui écrit comme à un empereur, lui envoie une ambassade de ses plus hauts dignitaires, se réjouissant de l'avoir comme associé au pouvoir impérial. Mais Attale rejette le partage du trône et fait savoir à Honorius d'avoir à choisir une île ou un lieu à son gré pour y vivre en homme privé, gratifié de tous les honneurs dus à un prince [2]. **6** Comme les affaires en étaient venues à ce point qu'il tenait prêts des vaisseaux de manière à prendre la mer, s'il le fallait, vers son neveu, à l'improviste, environ quatre mille soldats divisés en six unités, abordèrent de nuit, venant d'Orient, à Ravenne [3]. Il leur confia la garde des remparts, car il craignait que les soldats du pays ne fussent prompts à le trahir. **7** A ce moment, Héraclianus ayant tué Constant, aposta des gardes aux ports et aux promontoires de l'Afrique et empêcha les vaisseaux marchands de prendre la mer pour Rome. De ce fait, la famine accabla les Romains et ils envoient une ambassade sur cela à Attale [4]. **8** Celui-ci,

que ne mentionne pas Socrate, apparaît comme le signe miraculeux de la protection divine s'exerçant sur la dynastie. Il était dû à la décision sage et opportune du préfet d'Orient Anthémius, oubliant les différends des deux gouvernements (pour Zos. VI, 8, 2, le contingent avait déjà été réclamé du temps de Stilichon). Le renfort oriental, auquel s'ajouta, ce que Sozomène ne précise pas, l'arrivée en avril de la flotte annonaire venant de Carthage et des impôts des Africains envoyés par Héraclianus (DEMOUGEOT, *La formation de l'Europe*, 2, p. 459), permit à Honorius d'oser faire assassiner Allobichus. L'usurpateur Constantin III dut alors en hâte regagner la Gaule.

4. La famine doit prendre place au printemps 410, quand les livraisons attendues au printemps, à la fin du *mare clausum*, ne sont toujours pas arrivées à Rome. Attale qui se trouvait alors devant Ravenne revient vers Rome en mai ou juin et il est destitué par Alaric en juillet, à l'instigation de Jovius.

τέον ἀμηχανῶν ἐπανῆλθεν εἰς Ῥώμην ὡς μετὰ τῆς συγκλήτου συμβουλευσόμενος. Ἐπικρατήσαντος δὲ τοῦ λιμοῦ ἐπὶ
τοσοῦτον ὡς καστάνοις ἀντὶ σίτου κεχρῆσθαι τὸν δῆμον,
ὑπονοηθῆναι δέ τινας καὶ ἀνθρωπείων ἀπογεύσασθαι κρεῶν,
50 Ἀλάριχος μὲν συνεβούλευεν πεντακοσίους βαρβάρους κατὰ
Ἡρακλειανοῦ πέμψαι, τῇ δὲ συγκλήτῳ καὶ τῷ Ἀττάλῳ ἐδόκει μὴ δεῖν πιστευθῆναι βαρβάροις τὴν Ἀφρικήν. 9 Ἐπεὶ δὲ
δῆλον ἦν τὸν θεὸν ἀντιπράττειν τῇ Ἀττάλου βασιλείᾳ, συνιδὼν Ἀλάριχος μάτην πονεῖν ἐπὶ πράγματι οὐκ ἐν αὐτῷ
55 κειμένῳ, συντίθεται περὶ καταλύσεως τῆς αὐτοῦ ἀρχῆς πρὸς
Ὀνώριον, ὑποσχέσεις λαβὼν περὶ εἰρήνης. 10 Πάντων τοίνυν
συνελθόντων πρὸ τῆς πόλεως, ἀποτίθεται Ἄτταλος τὰ σύμβολα τοῦ βασιλέως· συναποτίθενται δὲ τὰς ζώνας καὶ οἱ αὐτοῦ
401 ἄρχοντες, | καὶ συγγνώμην ἐπὶ τοῖς συμβεβηκόσι νέμει πᾶσιν
60 Ὀνώριος, μετ' οὐ πολὺ νομοθετήσας ἕκαστον ἔχειν τὴν τιμὴν
καὶ τὴν ἀξίαν ἧς πρὸ τοῦ μετελάγχανεν. 11 Ἄτταλος δὲ ἅμα
τῷ παιδὶ Ἀλαρίχῳ συνῆν οὐκ ἀσφαλὲς τέως ἡγούμενος ἐν
Ῥωμαίοις διάγειν.

9

1616 | 1 Ἐπὶ τούτοις δὲ ὧδε ἀποβεβηκόσι οὐ μετρίως ἐδυσφό-
ρουν Ἕλληνές τε καὶ Χριστιανοὶ οἱ ἀπὸ τῆς Ἀρείου αἱρέσεως.

---

1. Zosime VI, 11, 2 signale aussi des cas de cannibalisme. La source
commune est sans doute Olympiodore, fr. 4, FHG IV, p. 58.

2. Alaric n'a pas pu s'imposer contre Honorius dont la position s'est
notamment renforcée et il est aux prises avec des difficultés de ravitaillement puisque Ostie-Porto ne reçoit plus les convois de blé africains bloqués
par Héraclianus. Il convoque donc Attale près de Rimini pour le destituer
en grande cérémonie et prouver ainsi à Honorius ses intentions pacifiques.
Les conditions de la paix que l'empereur lui promet en retour ne sont pas
connues (Stein-Palanque, p. 259 ; Matthews, Western Aristocracies,
p. 299). Du reste, cette paix ne connut même pas un début de réalisation
à cause du coup de main imprévu de Sarus (infra 9, 2-3 et la note ad
loc.).

ne sachant que faire, revint à Rome pour en délibérer avec le Sénat. Alors que la famine sévissait au point que le peuple mangeait des châtaignes au lieu de pain et qu'on soupçonnait même certains de se nourrir de chair humaine [1], Alaric conseillait d'envoyer cinq cents barbares contre Héraclianus ; mais Attale et le Sénat étaient d'avis qu'il ne fallait pas confier l'Afrique à des barbares. **9** Comme il était manifeste que Dieu s'opposait au règne d'Attale, Alaric, comprenant qu'il peinait en vain pour une chose qui n'était pas entre ses mains, convient avec Honorius de se défaire du pouvoir d'Attale, sur la promesse d'Honorius de conclure la paix [2]. **10** Toutes les troupes étant réunies devant la ville, Attale dépose les insignes impériaux. Ses officiers déposent aussi le baudrier. Honorius leur accorde à tous le pardon de ce qui était arrivé et il édicte peu après que chacun recouvre les honneurs et le rang qu'il avait auparavant. **11** Mais Attale et son fils restèrent avec Alaric, ne jugeant pas sûr pour l'instant de vivre chez les Romains [3].

Chapitre 9

Les troubles entre païens et chrétiens au sujet d'Attale ;
un certain Sarus, un brave ;
Alaric prend Rome par ruse
mais conserve inviolé le sanctuaire de l'apôtre Pierre.

1 Ce dénouement n'indisposa pas médiocrement aussi bien les païens que les chrétiens de la secte d'Arius. Les

---

3. Attale et son fils Ampélius restèrent avec Alaric jusqu'à la mort de celui-ci en novembre 410, puis ils suivirent Athaulf d'Italie en Gaule : Attale fut proclamé une seconde fois empereur par le chef goth, successeur d'Alaric, à Bordeaux en 414-415. Mais, capturé en mer par les soldats d'Honorius, il figura comme un vaincu au triomphe d'Honorius à Rome en mai ou juin 416 et finit sa vie en exil aux îles Lipari, après avoir été mutilé des doigts de la main droite (OLYMPIODORE — conservé par PHILOSTORGE XII, 4-5 — fr. 13, *FHG* IV, p. 60 : cf. BLOCKLEY, fr. 26, 2, II, p. 190-191).

Οἱ μὲν γὰρ τεκμηράμενοι τῆς Ἀττάλου προαιρέσεως καὶ τῆς
προτέρας ἀγωγῆς εἰς τὸ προφανὲς ἑλληνίσειν αὐτὸν ἡγοῦντο
5 καὶ τοὺς πατρίους ἀποδιδόναι ναοὺς καὶ ἑορτὰς καὶ θυσίας· οἱ
δὲ τῶν ἐκκλησιῶν ὡς ἐπὶ Κωνσταντίου καὶ Οὐάλεντος πάλιν
κρατήσειν ᾤοντο, εἰ βεβαίως σχοίη τὴν βασιλείαν, καθότι καὶ
βαπτισθεὶς ἦν παρὰ Σιγησαρίου τοῦ ἐπισκόπου τῶν Γότθων
καὶ καταθύμιος ἐπὶ τούτῳ πᾶσί τε αὐτοῖς καὶ Ἀλαρίχῳ ἐτύγ-
10 χανεν.

2 Οὐ πολλῷ δὲ ὕστερον Ἀλάριχος καταλαβὼν τὰς Ἄλπεις
(χωρίον δὲ τοῦτο ἀμφὶ τὰ ἑξήκοντα στάδια διεστὼς τῆς Ῥαβέννης) εἰς λόγους ἦλθε τῷ βασιλεῖ περὶ τῆς εἰρήνης. 3 Σάρος
δέ τις βάρβαρος τὸ γένος, εἰς ἄκρον δὲ τὰ πολέμια ἠσκημένος,
15 ἀμφὶ τριακοσίους μόνους περὶ αὐτὸν ἔχων πάντας εὔνους καὶ
ἀρίστους, ὕποπτος ὢν Ἀλαρίχῳ διὰ προτέραν ἔχθραν, ἐλογί-
σατο μὴ συνοίσειν αὐτῷ τὰς μεταξὺ Ῥωμαίων καὶ Γότθων
σπονδάς, καὶ ἐξαπίνης μετὰ τῶν ἰδίων ἐπελθὼν ἀναιρεῖ τινας
τῶν βαρβάρων. 4 Ἐκ τούτου δὲ εἰς ὀργὴν καὶ δέος καταστὰς
20 Ἀλάριχος τὴν αὐτὴν ὁδὸν ἀναστρέφει· καὶ περικαθεσθεὶς τὴν
Ῥώμην εἷλε προδοσίᾳ, καὶ τοῖς αὐτοῦ πλήθεσιν ἐπέτρεψε

1. D'abord païen, Attale avait par politique, à la demande d'Alaric,
consenti à recevoir le baptême, naturellement dans l'arianisme auquel,
depuis Ulfila, les Goths et leurs chefs étaient attachés. Sigesar(i)us est
mentionné dans le fr. 26 d'OLYMPIODORE, FHG IV, p. 63 (= fr. 26, 1 BLOC-
KLEY, II, p. 188-189) : il tenta à Barcelone de sauver les enfants du premier
mariage d'Athaulf (MATTHEWS, « Olympiodorus », p. 95).

2. La bourgade non identifiée d'Alpéïs, dont le nom est déformé (BLOC-
KLEY, II, p. 214, note 28), est située à 12 kilomètres de Ravenne, distance
favorable pour des pourparlers de paix.

3. Sarus était alors au service d'Honorius mais, en massacrant les Goths
d'Alaric, il ne semble pas avoir agi sur son ordre. Ce chef goth, courageux et
expérimenté, mais éclipsé par Alaric, était son rival et son ennemi : voir
P.L.R.E. II, p. 978-979. Il avait combattu contre Radagaise et, avec Uldin,
l'avait vaincu en 406. En 407, il fut envoyé par Stilichon en Gaule contre
l'usurpateur Constantin III, avec peut-être le titre de magister militum. Il
eut une part de responsabilité dans la chute de Stilichon (408). Si on le voit,
en 410, repousser Alaric quand celui-ci marchait sur Ravenne, en 412 il
abandonna Honorius pour se joindre en Gaule à Jovinus, usurpateur de 411
à 413 — voir P.L.R.E. II, p. 621-622 —, mais il fut capturé en chemin et
exécuté par Athaulf.

premiers, se fondant sur la ligne politique d'Attale et son comportement passé, pensaient qu'il serait ouvertement païen et qu'il rétablirait les temples ancestraux, les fêtes et les sacrifices traditionnels. Les seconds pensaient que, si Attale tenait fermement le pouvoir impérial, ils s'empareraient de nouveau des églises comme sous Constance et sous Valens, attendu qu'il avait été baptisé par Sigésarus, l'évêque des Goths, et que, pour cette raison, il était très cher à tous les Goths et à Alaric [1].

2 Peu après Alaric, ayant gagné Alpeïs — c'est un bourg distant d'environ soixante stades de Ravenne [2] — entra en pourparlers avec l'empereur sur la paix. **3** Mais un certain Sarus, barbare d'origine, au plus haut point exercé à la guerre, n'ayant avec lui qu'environ trois cents soldats tous fidèles et très courageux, tenu d'ailleurs en suspicion par Alaric à cause d'une vieille inimitié, considéra qu'un traité entre Goths et Romains ne lui serait pas profitable, et soudain avec ses hommes il attaque Alaric et tue quelques-uns des barbares [3]. **4** Alaric en prend colère et peur et il s'en retourne par le même chemin. Ayant assiégé Rome, il la prit par trahison [4] et il permit à la masse de ses soldats de faire

---

4. Le siège de Rome (août 410) dut être très bref : il se situe après la destitution d'Attale en juillet et le coup de main de Sarus qui interrompit les négociations entre Honorius et Alaric et avant le 24 août, date de la prise de la Ville. Celle-ci tomba sans combat. L'expression lapidaire de Sozomène ne dit pas d'où vint la trahison dont s'accusèrent mutuellement païens et chrétiens (selon Procope, une rumeur accusait la veuve du grand préfet Probus, Anicia Faltonia Proba, qui aurait agi pour des motifs humanitaires). Plusieurs indices, le passage d'Alaric par la *porta Salaria* qui n'était pas gardée, la limitation du pillage à trois jours (24-27 août), la désignation de lieux d'asile, la fuite, sains et saufs, surtout dans les îles, en Orient et en Afrique, des membres des riches familles, fuite probablement négociée contre l'abandon de leurs demeures et de leurs biens, sont autant d'indices que Rome fut livrée par convention pour limiter les pillages (Demougeot, *La formation de l'Europe*, 2, p. 460-461).

ἑκάστῳ, ὡς ἂν δύναιτο, τὸν Ῥωμαίων πλοῦτον διαρπάζειν
καὶ πάντας τοὺς οἴκους ληίζεσθαι, ἄσυλον εἶναι προστάξας
αἰδοῖ τῇ πρὸς τὸν ἀπόστολον Πέτρον τὴν περὶ τὴν αὐτοῦ
25 σορὸν ἐκκλησίαν, μεγάλην τε καὶ πολὺν χῶρον περιέχουσαν.
5 Τουτὶ δὲ γέγονεν αἴτιον τοῦ μὴ ἄρδην ἀπολέσθαι τὴν Ῥώ-
μην· οἱ γὰρ ἐνθάδε διασωθέντες (πολλοὶ δὲ ἦσαν) πάλιν τὴν
πόλιν ᾤκισαν.

10

1 Οἷα δὲ εἰκὸς ὡς ἐν ἁλώσει τοσαύτης πόλεως πολλῶν
συμβεβηκότων ὃ τότε μοι ἔδοξεν ἐκκλησιαστικῆς ἱστορίας
402 ἄξιον γεγενῆσθαι ἀναγράψομαι. | Δηλοῖ γὰρ ἀνδρὸς βαρβάρου
πρᾶξιν εὐσεβῆ καὶ γυναικὸς Ῥωμαίας ἀνδρείαν ἐπὶ φυλακῇ
1617 5 σωφροσύνης, | ἀμφοτέρων δὲ Χριστιανῶν οὐκ ἀπὸ τῆς αὐτῆς
αἱρέσεως, καθότι ὁ μὲν τὴν Ἀρείου, ἡ δὲ τῶν ἐν Νικαίᾳ τὴν

---

1. La chute de la Ville éternelle eut un retentissement considérable
(P. Courcelle, *Histoire littéraire des invasions germaniques*, Paris 1964,
p. 50-56) dont l'écho résonne chez Jérôme, chez Rutilius Namatianus, dans
cinq homélies de Saint Augustin, notamment le *De excidio Vrbis Romae*
— cf. J.-Cl. Fredouille, *Saint Augustin. Sermons sur la chute de Rome*,
Paris, Institut d'Études Augustiniennes, 2004 (*Nouvelle Bibliothèque
Augustinienne* 8) — et dans *La Cité de Dieu*. Ici s'interrompt, comme
chez Zosime, l'histoire d'Alaric dont Sozomène ne rapporte ni le départ
avec, comme prisonnière, Galla Placidia, demi-sœur de l'empereur, ni la
marche vers la Campanie, ni la tentative avortée pour traverser le détroit de
Messine, gagner la Sicile, puis de là l'Afrique, ni la mort subite à Cosenza
(oct. 410), ni les « funérailles dignes d'un héros » selon un antique rituel
germanique (Demougeot, *La formation de l'Europe*, 2, p. 463 ; Wolfram,
Histoire, p. 173-174).
2. Le principal lieu d'asile fut la basilique de Saint-Pierre au Vatican,
fondation de Constantin. Mais Rome comptait aussi une vingtaine de basiliques et d'églises. Sozomène cherche à minorer l'importance des dégâts et
des pillages pour mettre en relief le rôle salvateur que joua le christianisme.
Mais il reste loin des exagérations d'Orose, *hist.* VII, 39,15-40, 1, pour
lequel les dégâts furent minimes et n'étaient même plus visibles, aux
Romains eux-mêmes, quelques années plus tard : *nihil factum*, « il ne s'est

main basse, chacun comme il pourrait, sur les trésors des Romains et de piller toutes les maisons [1]. Cependant il déclara inviolable, par respect pour l'apôtre Pierre, l'église grande et très vaste qui entoure le cercueil de l'apôtre [2]. **5** Cela fut cause que les Romains ne périrent pas tous : car ceux qui avaient trouvé là le salut — ils étaient nombreux — habitèrent de nouveau la Ville [3].

Chapitre 10

La femme romaine qui se signale par un acte de vertu.

1 Comme il est naturel dans la prise d'une si grande ville, il se passa bien des choses dont je ne rapporterai qu'une, qui m'a paru alors digne d'entrer dans une Histoire de l'Église [4]. Car elle montre une pieuse action d'un barbare et le courage d'une femme romaine pour garder sa vertu. Ils étaient tous deux chrétiens, mais non de la même secte étant donné que lui favorisait la croyance d'Arius et elle celle des Pères de

rien passé ». Saint Augustin qui assista en Afrique à l'arrivée pitoyable des réfugiés est moins optimiste et plus proche de la réalité.

3. Le préfet de la Ville Caecina Décius Aginatius Albinus demande, dès 414, dans un rapport (*relatio*) adressé à l'empereur, une augmentation du « canon frumentaire » pour répondre à une augmentation de 14 000 personnes par rapport au nombre d'habitants recensés après les événements de 410 (Olympiodore, fr. 25, *FHG* IV, p. 62 = fr. 25, Blockley II, p. 188-189). Chastagnol, *La préfecture urbaine*, p. 293, propose des chiffres vraisemblables : la population de Rome était tombée à 106 000 bénéficiaires de l'annone en 410, elle était remontée à 120 000 quatre ans plus tard.

4. Orose, *hist.* VII, 39, 3-14, rapporte un épisode différent dans la même optique édifiante : un Goth puissant et chrétien découvre dans une demeure ecclésiastique éloignée une vierge chrétienne (une diaconesse ou une moniale ?) avancée en âge. Il lui réclame de l'or et de l'argent : elle lui apporte ... la vaisselle consacrée de l'apôtre Pierre. Sur l'ordre d'Alaric, ces vases sacrés sont rapportés en procession solennelle, les Romains et les Goths mêlés, dans la basilique de l'apôtre. Le récit très rhétorique d'Orose cherche à montrer que les barbares se sont conduits en chrétiens, donc mieux que les Romains attachés au paganisme.

πίστιν ἐζήλου. **2** Ταύτην δὲ εὖ μάλα καλὴν ἰδών τις νέος τῶν
Ἀλαρίχου στρατιωτῶν ἡττήθη τοῦ κάλλους καὶ εἰς συνουσίαν
εἶλκεν. Ἀνθέλκουσαν δὲ καὶ βιαζομένην μηδὲν ἀσελγὲς
10 παθεῖν γυμνώσας τὸ ξίφος ἠπείλησεν ἀναιρεῖν· καὶ μετὰ φειδοῦς, οἷά γε ἐρωτικῶς διακείμενος, ἐξ ἐπιπολῆς ἔπληξε τὸν
τράχηλον. **3** Πολλῷ δὲ περιρρεομένη τῷ αἵματι τὸν αὐχένα
τῷ ξίφει ὑπέσχεν, αἱρετώτερον ἐν σωφροσύνῃ λογισαμένη
ἀποθανεῖν ἢ ζῆν ἑτέρου πειραθεῖσαν ἀνδρὸς μετὰ τὸν νόμῳ
15 συνοικήσαντα. **4** Ἐπεὶ δὲ παλαίων ὁ βάρβαρος καὶ φοβερώτε-
ρος ἐπιὼν οὐδὲν πλέον ἤνυεν, θαυμάσας αὐτὴν τῆς σωφροσύνης ἤγαγεν εἰς τὸ Πέτρου ἀποστολεῖον, καὶ παραδοὺς τῷ
φύλακι τῆς ἐκκλησίας καὶ χρυσοῦς ἓξ εἰς ἀποτροφὴν αὐτῆς
ἐκέλευσε τῷ ἀνδρὶ φυλάττειν.

11

1 Ὑπὸ δὲ τοῦτον τὸν χρόνον πολλῶν ἐπανισταμένων τυράννων ἐν τῇ πρὸς δύσιν ἀρχῇ, οἱ μὲν πρὸς ἀλλήλων πίπτοντες, οἱ
δὲ παραδόξως συλλαμβανόμενοι οὐ τὴν τυχοῦσαν ἐπεμαρτύ-
ρουν Ὀνωρίῳ θεοφίλειαν. **2** Πρῶτον μὲν γὰρ οἱ ἐν Βρεττανίᾳ
5 στρατιῶται στασιάσαντες ἀναγορεύουσι Μᾶρκον τύραννον,
μετὰ δὲ τοῦτον Γρατιανόν, ἀνελόντες Μᾶρκον· ἐπεὶ δὲ καὶ
οὗτος οὐ πλέον τεσσάρων μηνῶν διελθόντων ἐφονεύθη παρ'
αὐτῶν, πάλιν Κωνσταντῖνον χειροτονοῦσιν, οἰηθέντες, καθότι
ταύτην εἶχε προσηγορίαν, καὶ βεβαίως αὐτὸν κρατήσειν τῆς

1. Les usurpations successives de Marcus (*P.L.R.E.* II, p. 719-720 Marcus 2, un *comes* ?), de Gratien (*P.L.R.E.* II, p. 518 Gratianus 3, un *municeps* ?) et de Constantin (*P.L.R.E.* II, p. 316-317, un simple soldat ?) en Bretagne de 406 à 407, ont pour cause le mécontentement des habitants et des soldats soumis aux incursions des pirates saxons et irlandais et abandonnés à leur sort — les côtes du Pays de Galles et de la Cornouaille restaient pratiquement sans défenseurs — depuis que Stilichon, en 402,

Nicée. **2** Un jeune soldat d'Alaric vit qu'elle était très belle, il fut séduit par sa beauté et la tirait pour s'unir à elle. Comme elle résistait et voulait de toutes ses forces s'opposer à subir un outrage, il dégaina son épée et menaça de la tuer ; et usant de ménagement car il était ravi d'amour, il la blessa superficiellement à la gorge. **3** Ruisselant de sang, elle tendit le cou au glaive, considérant qu'il lui valait mieux mourir dans la chasteté que de vivre en ayant subi les atteintes d'un autre homme venant après celui qui partageait sa vie selon la loi. **4** Le barbare avait beau lutter et se montrer plus redoutable dans son assaut, il n'obtint rien de plus. Pris d'admiration alors pour sa vertu, il la conduisit à la basilique de saint Pierre, remit aussi au gardien de l'église six sous d'or pour son entretien et lui commanda de la garder pour son époux.

Chapitre 11

Les usurpateurs qui, en ces temps,
se soulèvent en Occident contre Honorius et qui,
tous sans exception,
sont supprimés grâce à l'affection divine pour l'empereur.

1 Vers ce temps, beaucoup d'usurpateurs se soulevèrent dans l'Empire d'Occident [1] ; les uns se détruisirent mutuellement, les autres furent pris contre toute attente et témoignèrent de l'affection divine peu ordinaire envers Honorius. **2** Tout d'abord, les soldats de Bretagne, s'étant révoltés, proclament empereur Marcus, puis, ayant tué Marcus, ils proclament Gratien. Lorsque celui-ci, pas plus de quatre mois après, eut été lui aussi assassiné par eux, ils élisent cette fois Constantin, dans la pensée que, puisqu'il portait ce

avait retiré les meilleures troupes du *comes Britanniae* pour les déployer contre les barbares sur le front danubien. Après la victoire de Stilichon sur Radagaise (406), les soldats de Bretagne réclamèrent en vain des renforts (DEMOUGEOT, *La formation de l'Europe*, 2, p. 436-437).

10 βασιλείας. 3 Ἐκ τοιαύτης γὰρ αἰτίας φαίνονται καὶ τοὺς
ἄλλους εἰς τυραννίδα ἐπιλεξάμενοι. Περαιωθεὶς δὲ Κωνσταντῖνος ἐκ τῆς Βρεττανίας ἐπὶ Βονωνίαν πόλιν τῆς Γαλατίας
παρὰ θάλασσαν κειμένην προσηγάγετο τοὺς παρὰ Γαλάταις
καὶ Ἀκοιτανοῖς στρατιώτας· καὶ τοὺς τῇδε ὑπηκόους περιε-
1620 15 ποίησεν ἑαυτῷ μέχρι τῶν | μεταξὺ Ἰταλίας καὶ Γαλατίας
403 ὅρων, ἃς Κοττίας Ἄλπεις Ῥωμαῖοι καλοῦσι. 4 Κώνσταντα |
δὲ τὸν πρεσβύτερον τῶν αὐτοῦ υἱέων, ὃν ὕστερον βασιλέως
σχῆμα ἐνέδυσε, Καίσαρα τότε ἀναγορεύσας πέπομφε εἰς
Σπανίαν· ὁ δὲ τὸ ἔθνος καταλαβὼν ἄρχοντας ἰδίους κατέστη-
20 σε. Καὶ δεσμίους ἀχθῆναι αὐτῷ προσέταξεν Δίδυμον καὶ
Βερενιανὸν τοὺς Ὀνωρίου συγγενεῖς· οἳ τὰ πρῶτα διαφερόμε-

---

1. Il n'est pas impossible, d'autres sources comme Orose, *hist.* VII, 40, 4 l'attestent, que le nom glorieux des empereurs Marc Aurèle, Gratien et Constantin ait joué un rôle décisif pour le choix superstitieux de leurs homonymes. Le nom Marcus pouvait aussi renvoyer à l'usurpateur Marcus Carausius, victorieux des Saxons et organisateur de la défense des côtes bretonnes à la fin du IIIᵉ s. Sur les débuts des usurpateurs en Bretagne, voir C. E. Stevens, « Marcus, Gratian, Constantine », *Athenaeum*, 35, 1957, p. 316-347 et, plus général, le chapitre de Matthews, *Western Aristocracies*, p. 307-328 (« Gaul and Spain »). Marcus est tué à l'automne 406 ; Gratien, au pouvoir en novembre 406, est assassiné en mars 407, date de l'avènement de Constantin III.

2. L'objectif premier des usurpateurs était la défense de la Bretagne contre la menace des pirates saxons, mais surtout, à la fin de 407, des Vandales-Alains-Suèves qui venaient de franchir le Rhin. Mais Constantin, qui débarqua à Boulogne au début du printemps, voyait plus loin : cf. Stevens, « Marcus... », p. 322. Sur Fl. Claudius Constantinus, devenu Constantin III après sa reconnaissance par Honorius en 409, voir *P.L.R.E.* II, p. 316-317 C. 21, Demougeot, « Constantin III, l'empereur d'Arles », *Hommage à André Dupont. Études médiévales languedociennes*, Montpellier 1974, p. 83-125 (rassemble les sources et s'efforce d'établir un récit cohérent, militaire et politique, du règne de Constantin) et surtout J. F. Drinkwater, « The usurpers Constantinus III (407-411) and Jovinus (411-413) », *Britannia* 29, 1998, p. 269-298. Grégoire de Tours, citant l'historien Renatus Profuturus Frigeridus, décrit Constantin comme un glouton, Sidoine Apollinaire flétrit son inconstance. Sur son usurpation, les sources principales sont Orose, *hist.* 40, 5, les fragments d'Olympiodore et Sozomène et Zosime VI, 4 qui dépendent de lui.

nom, il tiendrait aussi fermement le pouvoir. **3** C'est la
même cause en effet, de toute évidence, qui avait fait choisir
les autres aussi pour en faire des usurpateurs [1]. Constantin
traversa le détroit depuis la Bretagne jusqu'à Boulogne, ville
de la Gaule située au bord de la mer [2]. Il attira à lui les
troupes stationnées en Gaule et en Aquitaine [3] et mit de son
côté les sujets de ces pays jusqu'à la frontière entre l'Italie et
la Gaule, que les Romains appellent Alpes Cottiennes [4].
4 Constant, l'aîné de ses fils [5], qu'il revêtit plus tard de la
tenue impériale, il le proclama César et l'envoya en Espagne.
Constant occupa la province et établit des fonctionnaires de
son parti. Il se fit amener prisonniers Didyme et Verénianus,
parents d'Honorius. Ceux-ci avaient d'abord été en inimitié

3. Voir déjà *H.E.* IX, 4, 6 : Stilichon invoque la présence de l'usurpateur
Constantin à Arles, en 408, pour persuader Honorius de se porter contre lui
avec les troupes d'Alaric tandis qu'il ira lui-même à Constantinople « protéger » Théodose II. Constantin, après avoir séjourné quelque temps à Boulogne, est très vite reconnu par l'ensemble de la Gaule comme son défenseur
contre les Vandales-Alains-Suèves qui ont franchi le Rhin à la fin de décembre 408 et dont certains menacent la vallée du Rhône. Il les repousse
effectivement vers l'Aquitaine. Il fait étape à Lyon avant d'installer sa
capitale à Arles au printemps 408 : cf. DRINKWATER, « The usurpers »,
p. 278. Proclamé en 407, il s'empare de l'Espagne en 408 et il est reconnu
par Honorius en 409.

4. En 408, Constantin contrôle les provinces alpines et les routes menant
vers l'Italie où Honorius ne l'a pas encore reconnu. Les Alpes Cottiennes
tirent leur nom du roi Cottius qui les rendit praticables après s'être soumis
à Auguste. Elles offrent les passages les plus faciles et les plus sûrs entre la
Gaule et l'Italie, notamment par le col de Mont Genèvre (*Matrona* ou *in
Alpe Cottia* dans les Itinéraires). Voir J. PRIEUR, *La province romaine des
Alpes Cottiennes*, Lyon 1968, notamment p. 94-107 sur la « voie cot-
tienne ».

5. Constant (*P.L.R.E.* II, p. 310), le fils aîné de Constantin III, reçut
peut-être ce nom pour apparaître comme homonyme du fils de Constantin
Ier. Il fut tiré de l'état monastique d'après OROSE, *hist.* VII, 40, 7 pour être
nommé César en juillet 408 et envoyé en Espagne, pendant que Constantin
se préparait à résister à l'expédition projetée par Stilichon juste avant sa
mort en août 408 (DRINKWATER, « The usurpers », p. 280). Nommé Auguste
(409-410/411), il fut tué à Vienne par Gérontius, général de Constantin qui
s'était rebellé contre celui-ci.

νοι πρὸς ἑαυτούς, εἰς κίνδυνον καταστάντες ὡμονόησαν· καὶ
πλῆθος ἀγροίκων καὶ οἰκετῶν συλλέξαντες κοινῇ κατὰ τὴν
Λυσιτανίαν παρετάξαντο καὶ πολλοὺς ἀνεῖλον τῶν εἰς σύλλη-
25 ψιν αὐτῶν ἀποσταλέντων παρὰ τοῦ τυράννου στρατιωτῶν.

12

1 Μετὰ δὲ ταῦτα συμμαχίας προστεθείσης τοῖς ἐναντίοις
ἐζωγρήθησαν καὶ ἅμα ταῖς αὐτῶν γαμεταῖς ἀπήχθησαν καὶ
ὕστερον ἀνηρέθησαν. Ἐν ἑτέραις δὲ ἐπαρχίαις διατρίβοντες
Θεοδοσίωλος καὶ Λαγώδιος οἱ αὐτῶν ἀδελφοὶ φεύγουσι τὴν
5 πατρίδα· καὶ διασώζονται Θεοδοσίωλος μὲν εἰς Ἰταλίαν πρὸς
Ὀνώριον τὸν βασιλέα, Λαγώδιος δὲ πρὸς Θεοδόσιον εἰς τὴν
ἀνατολήν. 2 Καὶ ὁ μὲν Κώνστας ταῦτα διαπραξάμενος ἐπανῆλθε πρὸς τὸν πατέρα φρουρὰν καταστήσας ἀπὸ τῶν στρατιωτῶν τῆς ἐπὶ τὰς Σπανίας παρόδου· ἣν δεομένοις Ἰσπανοῖς
10 κατὰ τὸ ἀρχαῖον ἔθος φυλάττειν οὐκ ἐπέτρεψεν. 3 Ὃ καὶ
αἴτιον ἐγένετο μετὰ ταῦτα τῆς ἀπωλείας τῶν τῇδε· καταπεσούσης γὰρ τῆς Κωνσταντίνου δυνάμεως ἀναλαβόντες ἑαυτοὺς Οὐάνδαλοί τε καὶ Σοῦῆβοι καὶ Ἀλανοί, ἔθνη βάρβαρα,
τῆς παρόδου ἐκράτησαν καὶ πολλὰ φρούρια καὶ πόλεις τῶν
15 Ἰσπανῶν καὶ Γαλατῶν εἷλον καὶ τοὺς ἄρχοντας τοῦ τυράννου. 4 Κωνσταντῖνος δὲ τέως κατὰ γνώμην πράττειν δοκῶν,
Κώνσταντα τὸν υἱὸν ἀντὶ Καίσαρος βασιλέα καταστήσας,
ἐβουλεύετο τὴν Ἰταλίαν καταλαβεῖν· καὶ παραμείψας τὰς

---

1. Didyme (*P.L.R.E.* II, p. 358) et Vérénianus (*P.L.R.E.* II, p. 1155)
étaient, comme leurs frères Lagodius (*P.L.R.E.* II, p. 654) et Théodosiolus
(*P.L.R.E.* II, p. 1099), des parents, peut-être des cousins d'Honorius. En
tout cas, ils possédaient de grands et riches domaines dans la région de
Ségovie, berceau de la dynastie théodosienne. L'armée de fortune qu'ils
avaient réunie fut vaincue par Constant, avec l'aide des renforts commandés
par Gérontius que lui avait envoyés Constantin.

entre eux, mais le danger les avait rapprochés ; ils avaient
rassemblé une masse de paysans et d'esclaves, les avait
ensemble rangés en bataille en Lusitanie et avaient tué beaucoup de soldats envoyés par l'usurpateur pour les prendre [1].

Chapitre 12

Théodosiolus et Lagodius ; peuples vandales et suèves ;
la mort d'Alaric.
La fuite des usurpateurs Constantin et Constant.

1 Après cela, des renforts s'étant joints à leurs ennemis, ils
furent capturés, emmenés avec leurs femmes et plus tard
tués. Leurs frères Théodosiolus et Lagodius, qui se trouvaient en d'autres provinces, fuient leur patrie ; Théodosiolus s'échappe en Italie chez l'empereur Honorius, Lagodius
en Orient chez Théodose. **2** Après ces succès, Constant
revint auprès de son père. Il avait fait garder par ses soldats
le passage vers l'Espagne. Les Espagnols demandaient d'en
assurer la garde selon leur coutume ancienne, mais il ne le
leur permit pas. **3** Or ce fut là plus tard la cause de la perte
des gens de ces contrées. Quand en effet la puissance de
Constantin se fut écroulée, les Vandales, Suèves et Alains,
peuples barbares, reprirent confiance en eux-mêmes, ils se
rendirent maîtres du passage et prirent beaucoup de postes
de garde et de villes d'Espagne et de Gaule ainsi que les
fonctionnaires de l'usurpateur [2]. **4** Constantin, pour l'instant, estimant qu'il réussissait, établit son fils Auguste au
lieu de César et il méditait de gagner l'Italie. Il passa les

---

2. Constant, revenant à Arles, avait laissé derrière lui, pour garder les
passes des Pyrénées, des contingents de l'armée gauloise, barbares de recrutement récent. Après avoir abondamment pillé la région, ils se rallièrent aux
Vandales qui, à l'automne 409, passèrent, de l'Aquitaine où ils s'étaient
installés, en Espagne. L'invasion la plus terrible des Vandales-Suèves-Alains
ne déferla sur l'Espagne qu'après la chute de Constantin III en 411 (STEIN-
PALANQUE, p. 262-263).

1621 Κοττίας Ἄλπεις ἦκεν εἰς Βέρωνα πόλιν τῆς | Λιγουρίας.
20 **5** Μέλλων δὲ περαιοῦσθαι τὸν Ἠριδανὸν τὴν αὐτὴν ὁδὸν
ἀνέστρεψε, μαθὼν τὸν Ἀλαβίχου θάνατον· ὃν δὴ στρατηγὸν
Ὀνωρίου ὄντα καὶ ὕποπτον ὡς Κωνσταντίνῳ πραγματευόμε-
νον πᾶσαν τὴν πρὸς τὴν δύσιν ἡγεμονίαν, ἀναιρεθῆναι συνέβη
404 τότε, προηγούμενον, ὡς ἔθος, ἐπανιόντος ἐκ προόδου τινὸς |
25 τοῦ κρατοῦντος· ἡνίκα δὴ καὶ ὁ βασιλεὺς αὐτίκα τοῦ ἵππου
ἀποβὰς δημοσίᾳ εὐχαριστήρια τῷ θεῷ ηὔξατο ὡς προφανοῦς
ἐπιβούλου ἀπαλλαγείς. **6** Κωνσταντῖνος δὲ φεύγων τὴν Ἀρήλατον κατέλαβε, κατὰ ταὐτὸν δὲ καὶ Κώνστας ὁ αὐτοῦ παῖς
φεύγων ἐκ τῆς Ἰσπανίας. **7** Καταπεσούσης γὰρ τῆς Κωνσταν-
30 τίνου δυνάμεως ἀναλαβόντες ἑαυτοὺς Οὐάνδαλοί τε καὶ
Σουῆβοι καὶ Ἀλανοὶ σπουδῇ τὸ Πυρηναῖον ὄρος κατέλαβον,
εὐδαίμονα καὶ πλουσιωτάτην τὴν χώραν ἀκούοντες. Παρημε-
ληκότων τε τῶν ἐπιτραπέντων παρὰ Κώνσταντος τὴν φρουρὰν τῆς παρόδου παρῆλθον εἰς Ἰσπανίαν.

---

1. Constantin qu'Honorius avait fini par reconnaître (en mai-juin 409,
d'après DEMOUGEOT, *La formation de l'Europe*, 2, p. 457) parce qu'il avait
besoin de son alliance contre Alaric, se met en marche vers l'Italie, après
avoir nommé Auguste son fils Constant. L'itinéraire qu'il suit à partir
d'Arles pose un problème géographique lié sans doute à une difficulté
textuelle. D'abord, Vérone, qui correspond au texte retenu par l'édition
Bidez-Hansen, à la suite de Valois (*PG* 67 c. 1619), n'est pas en Ligurie,
mais en Vénétie. D'autre part, il est dit qu'après être arrivé à Vérone,
Constantin s'apprêtait à franchir l'Éridan, le Pô. Or si, parti d'Arles, il était
déjà arrivé à Vérone, il aurait depuis longtemps franchi ce fleuve. Il est donc
arrivé dans une autre localité, Libarna (aujourd'hui Serravalle en Ligurie :
cf. *PW* XIII 1, 1926, c. 13, PHILIPP), qui, elle, est bien située en Ligurie et
en deçà du Pô. Du reste, la forme plus proche λιβερῶνα est donnée par les
manuscrits *B* et *C* (voir la note 37 de BLOCKLEY II, p. 214-215 sur le fr. 15, 2
d'Olympiodore).

Alpes Cottiennes et arriva à Vérone, ville de Ligurie [1].
5 Mais, sur le point de franchir le Pô, il revint sur ses pas par
le même chemin, car il avait appris la mort d'Allobich [2].
Celui-ci était général d'Honorius et il était soupçonné de
manœuvrer pour livrer à Constantin tout l'Empire d'Occident. Or il arriva à ce moment-là qu'il fut assassiné alors
que, le prince revenant d'une sortie, il le précédait selon
l'usage. Alors l'empereur descendit aussitôt de cheval et
adressa en public des prières de remerciement à Dieu pour
avoir été débarrassé d'un conspirateur manifeste. **6** Constantin en fuite gagna Arles et au même moment vint aussi son
fils Constant qui fuyait l'Espagne. En effet, la puissance de
Constantin s'étant écroulée, les Vandales, Suèves et Alains
avaient repris confiance en eux-mêmes et occupé en hâte les
Pyrénées, au bruit que le pays au-delà était prospère et très
riche. Comme les soldats que Constant avait chargés de
garder le passage s'étaient montrés négligents, ils passèrent
en Espagne.

---

2. Sur Allobich, général d'origine germanique, voir *P.L.R.E.* II, p. 61 :
nommé d'abord par Honorius *comes domesticorum equitum* (409), il aurait
aidé le préfet Jovius à soulever une mutinerie parmi les troupes de
Ravenne ; puis nommé *magister equitum* (409), il aurait fait assassiner le
grand chambellan Eusébius, avant d'être assassiné lui-même, peut-être sur
l'ordre d'Honorius, au moment où celui-ci était conforté par l'arrivée des
renforts d'Orient. La connivence avec Constantin dont Honorius le soupçonnait semble confirmée par le repli rapide de l'usurpateur après la mort
d'Allobich.

13

1 Ἐν τούτῳ δὲ Γερόντιος ὁ τῶν Κωνσταντίνου στρατηγῶν
ἄριστος δυσμενὴς αὐτῷ γέγονεν· ἐπιτήδειόν τε εἰς τυραννίδα
Μάξιμον τὸν αὐτοῦ οἰκεῖον νομίσας βασιλικὴν ἐνέδυσεν
ἐσθῆτα καὶ ἐν Ταρακόνῃ διάγειν εἴασεν. Αὐτὸς δὲ Κωνσταν-
5 τίνῳ ἐπεστράτευσεν, ἐν παρόδῳ Κώνσταντα τὸν υἱὸν αὐτοῦ
ἐν Βιέννῃ ὄντα ἀναιρεθῆναι παρασκευάσας. 2 Ἐπεὶ δὲ ἔμαθε
Κωνσταντῖνος τὰ κατὰ Μάξιμον, Ἐδόβιχον μὲν τὸν αὐτοῦ
στρατηγὸν πέραν τοῦ Ῥήνου πέπομφε Φράγκων τε καὶ Ἀλαμανῶν συμμαχίαν προτρεψόμενον, Κώνσταντι δὲ τῷ αὐτοῦ
10 παιδὶ Βιέννης καὶ τῶν τῇδε πόλεων τὴν φυλακὴν ἐπέτρεψε.
3 Καὶ Γερόντιος μὲν ἐπὶ τὴν Ἀρήλατον ἐλάσας ἐπολιόρκει

---

1. Gérontius (*P.L.R.E.* II, p. 508), né en Bretagne, fut d'abord le
meilleur général de Constantin dont il fut le maître des deux milices de 407
à 409. Avec Edobichus, il remplaça après leur défaite et leur mort les deux
premiers généraux de Constantin III, Iustinianus et Nebiogastes. Avec le
même Edobichus, il contraignit le goth Sarus à lever le siège de Valence
(Zos. VI, 2, 4-5). En 408, il accompagna le César Constant en Espagne.
Sozomène ne précise pas la cause du revirement de Gérontius à l'égard de
Constantin. Mais il semble que Constant soit revenu en Espagne avec Iustus
(cf. *P.L.R.E.* II, p. 651 invoquant Zos. VI, 5, 2) pour remettre à ce dernier le
commandement assuré jusque là par Gérontius. Irrité aussi par le fait que
Constantin avait peut-être prélevé des troupes sur son armée pour son
expédition en Italie (DRINKWATER, « The usurpers ... », p. 289), Gérontius
se rallia les troupes d'Espagne et souleva les barbares en Gaule contre
Constantin III. Pour OROSE, qui le tient sans doute pour partiellement
responsable des malheurs de l'Espagne, il est « malfaisant plutôt que
déloyal » (*hist.* VII, 42, 4), pour Sidoine Apollinaire, c'est un traître, pour
OLYMPIODORE (fr. 16, *FHG* IV, p. 61 = fr. 17, 1, BLOCKLEY, II, p. 178-179)
suivi par ZOSIME (VI, 2, 4), un soldat capable et expérimenté faisant régner
une discipline rigoureuse.

2. Les sources diffèrent quant aux liens entre Maximus et Gérontius. Ce
dernier fut, de 409 à 411, le maître des deux milices de Maximus, que
celui-ci fût un « familier » (οἰκεῖος) d'après Sozomène, son propre fils
d'après OLYMPIODORE (fr. 16, *FHG* IV, p. 61 = fr. 17, 1, BLOCKLEY II,
p. 176-177), en général crédible, un *cliens* selon Grégoire de Tours, *HF* 9,

Chapitre 13

*Gérontius et Maximus ; l'armée d'Honorius,
la capture de Gérontius et de sa femme, ils sont tués.*

1 A ce moment, Gérontius, le meilleur des généraux de Constantin [1], lui devint hostile. Ayant jugé son familier Maximus [2] propre à se saisir du trône, il le revêtit de la robe impériale et le laissa résider à Tarragone. Lui-même marcha contre Constantin, après avoir pris des dispositions pour faire en chemin assassiner son fils Constant, qui était à Vienne. **2** Quand Constantin eut appris ce qui concernait Maximus [3], il envoya son général Édobich au-delà du Rhin chercher du secours auprès des Francs et des Alamans [4], et il confia à son fils Constant la garde de Vienne et des villes de la région. **3** Cependant, Gérontius s'étant porté contre Arles

ou encore son *domesticus*, son aide de camp, pour la *P.L.R.E.* II, p. 744-745. Gérontius s'attaque en 411 à Constantin III et Constant en Gaule, assiégeant le premier dans Arles, faisant assassiner le second à Vienne. Fuyant devant les généraux d'Honorius, il lève le siège d'Arles et la révolte de ses soldats le contraint au suicide.

3. Sur Maximus, dont l'histoire est indissociable de celle de Gérontius, voir *P.L.R.E.* II, p. 744-745 M. 4. Son usurpation de 409 à 411 ne dépassa pas les limites de l'Espagne. Déposé après la mort de Gérontius, il s'enfuit auprès des barbares Vandales-Suèves-Alains, d'après OROSE, *hist.* VII, 42, 5, qui le dit vivant parmi eux au moment où il écrit (417). C'est par erreur, semble-t-il, que Sozomène mentionne en IX, 15, 3 son exécution, sauf si Maximus 4 est le même homme que Maximus 7, qui s'empara du pouvoir en Espagne *ca* 420, fut capturé et exécuté à Ravenne en 422 pendant les Jeux publics célébrant les *tricennalia* d'Honorius.

4. Edobichus, maître des deux milices sous Constantin III de 407 à 411, était d'origine franque. L'usurpateur, confronté à une situation critique, l'envoie donc recruter des renforts au delà du Rhin parmi ses compatriotes Francs et Alamans. Edobichus avait fait ses preuves quand, associé à Gérontius, il avait contraint le redoutable goth Sarus à lever le siège de Valence (*P.L.R.E.* II, p. 386).

τὴν πόλιν, μετ᾽ οὐ πολὺ δὲ στρατιᾶς Ὀνωρίου κατὰ τοῦ
τυράννου παραγενομένης, ἧς ἡγεῖτο Κωνστάντιος ὁ τοῦ Οὐαλεντινιανοῦ τοῦ βασιλέως πατήρ, φεύγει παραχρῆμα μετ᾽
15 ὀλίγων στρατιωτῶν· οἱ γὰρ πλείους τοῖς ἀμφὶ τὸν Κωνστάντιον προσεχώρησαν. 4 Οἱ δὲ ἐν Ἰσπανίᾳ στρατιῶται εὐκα-
ταφρόνητον ἀπὸ τῆς φυγῆς δόξαντα τὸν Γερόντιον ἐβουλεύ-
1624 σαντο ἀνελεῖν· καὶ | φραξάμενοι νύκτωρ αὐτοῦ τὴν οἰκίαν
κατέδραμον. Ὁ δὲ μεθ᾽ ἑνὸς Ἀλανοῦ ἐπιτηδείου καὶ ὀλίγων
20 οἰκετῶν ἄνωθεν τοξεύων ὑπὲρ τοὺς τριακοσίους ἀναιρεῖ στρατιώτας. Ἐπιλειψάντων δὲ τῶν βελῶν φεύγουσιν οἱ οἰκέται
καθέντες ἑαυτοὺς λάθρα ἀπὸ τοῦ οἰκήματος. 5 Γερόντιος δὲ
τὸν ἴσον τρόπον διασωθῆναι δυνάμενος οὐχ εἵλετο, κατασχε-
405 θεὶς ἔρωτι Νοννιχίας τῆς | αὐτοῦ γαμετῆς. Περὶ δὲ τὴν ἕω
25 πῦρ ἐμβαλόντων τῇ οἰκίᾳ τῶν στρατιωτῶν οὐκ ἔχων λοιπὸν
σωτηρίας ἐλπίδα ἑκόντος τοῦ συνόντος αὐτῷ Ἀλανοῦ ἀπο-
τέμνει τὴν κεφαλήν, 6 μετὰ δὲ ταῦτα καὶ τῆς ἰδίας γαμετῆς,
ὀλοφυρομένης καὶ μετὰ δακρύων προσωθούσης ἑαυτὴν τῷ
ξίφει καὶ πρὶν ὑφ᾽ ἑτέροις γενέσθαι παρὰ τοῦ ἀνδρὸς ἀποθα-
30 νεῖν αἰτούσης καὶ τοῦτο δῶρον ὕστατον παρ᾽ αὐτοῦ λαβεῖν
ἀντιβολούσης. 7 Καὶ ἡ μὲν ἀνδρεία γυνὴ τῆς θρησκείας ἐπα-
ξίως (ἦν γὰρ Χριστιανή) ὧδε τέθνηκε, κρείττονα λήθης τὴν
περὶ αὐτῆς μνήμην τῷ χρόνῳ παραδοῦσα· Γερόντιος δὲ τρίτον

---

1. C'est la première apparition de Constantius, le meilleur général
d'Honorius (*P.L.R.E.* II, p. 321-325). Illyrien né à Naïssus (Nisch), donc
Romain d'origine, il avait servi dans plusieurs campagnes de Théodose Ier
(OLYMPIODORE, fr. 39, *FHG* IV, p. 66), avant de devenir comte et maître des
deux milices de 411 à 421, consul en 414, patrice de 415 à 421. Son courage,
ses compétences militaires et sa rare fidélité déterminèrent Honorius à lui
donner en mariage sa demi-sœur Galla Placidia, quand celle-ci, veuve
d'Athaulf, eut été rendue aux Romains par le successeur de celui-ci, Vallia.
De cette union célébrée le 1er janvier 417, Constantius eut deux enfants,
Iusta Grata Honoria et le futur empereur Valentinien III. Trois fois consul,
il fut proclamé Auguste par Honorius le 8 février 421, sous le nom de
Constance III, mais mourut six mois plus tard, le 2 septembre 421 (STEIN-
PALANQUE, p. 274). Strict et sévère en public, il était enjoué en privé (OLYM-
PIODORE, fr. 23, *FHG* IV, p. 62 = fr. 23, BLOCKLEY II, p. 186-187), soldat et
général capable.

assiégeait la ville. Mais comme, peu après, était survenue
l'armée envoyée par Honorius contre l'usurpateur sous le
commandement de Constantius [1], le père de l'empereur
Valentinien [2], Gérontius prend aussitôt la fuite avec un petit
nombre de soldats ; la plupart en effet étaient passés du côté
de Constantius. **4** Les soldats d'Espagne, comme Gérontius
leur paraissait méprisable par sa fuite, méditèrent de le supprimer. Ils bloquèrent de nuit sa maison et l'attaquèrent.
Avec un seul familier, un Alain, et quelques serviteurs, il
lance d'en haut des flèches et en tue plus de trois cents. Mais
les flèches venant à manquer, les serviteurs s'enfuient,
s'étant laissés descendre du haut de l'édifice en cachette.
5 Gérontius aurait pu se sauver de même, mais il ne le voulut
pas, retenu par amour pour sa femme Nonnichia [3]. Au petit
matin, les soldats ayant mis le feu à la maison, il n'eut plus
d'espoir de salut. A son compagnon alain qui l'en priait, il
coupe la tête **6**, puis celle de sa femme qui se lamentait,
pleurait, s'offrait elle-même au glaive, demandait de mourir
de la main de son époux plutôt que de tomber en d'autres
mains et le suppliait de lui accorder cette dernière faveur.
7 Ainsi mourut cette femme courageuse d'une façon digne
de sa religion — elle était chrétienne —, laissant d'elle à la
postérité une mémoire plus forte que l'oubli. Gérontius

2. Placidus Valentinanus, le futur Valentinien III, né le 2 juillet 419, fut
d'abord *nobilissimus* (421-423). A la mort de son père Constance III en 421
puis de son oncle Honorius en 423, gravement menacé de 423 à 425 par
l'usurpation de Jean (*P.L.R.E.* II, p. 595 Ioannes 6), il fut soutenu militairement par Théodose II qui le fit installer par son maître des offices Hélion
sur le trône d'Occident : il régna de 425 à 455 (*P.L.R.E.* II, p. 1138-1139).

3. Nonnichia (*PW* XVII 2, 1937, c. 1473, ENSSLIN) incarne les vertus de
courage, de fidélité et d'amour conjugal. Soulignant qu'elle était chrétienne, Sozomène enrichit cet épisode, rapporté par OLYMPIODORE (fr. 16,
FHG IV, p. 61 = fr. 17, 1, BLOCKLEY, II, p. 178-179) avec une stricte objecti-
vité — et sans donner le nom de l'épouse — et par OROSE, *hist.* VII, 42, 4,
avec une extrême sécheresse, d'une émotion et d'un sens des attitudes qui
rappellent des épisodes liviens et des groupes de la plastique hellénistique
comme celui du Galate blessé donnant la mort à sa femme avant de se
tuer.

436   HISTOIRE ECCLÉSIASTIQUE

ἑαυτὸν τῷ ξίφει παίσας, ὡς οὐ καιρίαν λαβὼν ᾔσθετο, σπασά-
35 μενος τὸ παρὰ τὸν μηρὸν ξιφίδιον κατὰ τῆς καρδίας ἤλασε.

14

1 Κωνσταντῖνος δὲ περικαθημένης τῆς Ὀνωρίου στρατιᾶς
ἔτι πρὸς τὴν πολιορκίαν ἀντεῖχεν, ἀγγελθέντος Ἐδοβίχου
μετὰ πλείστης συμμαχίας ἥξειν. Τοῦτο δὲ καὶ τοὺς Ὀνωρίου
στρατηγοὺς οὐ μετρίως ἐφόβει· βουλευσαμένων τε αὐτῶν
5 ἀναστρέφειν εἰς Ἰταλίαν κἀκεῖ πειραθῆναι τοῦ πολέμου καί,
ἐπειδὴ τοῦτο συνεδόκει, πλησίον ἀγγελθέντος Ἐδοβίχου
περῶσι Ῥοδανὸν τὸν ποταμόν. 2 Καὶ Κωνστάντιος μὲν ἔχων
τοὺς πεζοὺς ἐπιόντας περιμένει τοὺς πολεμίους, Οὐλφίλας δὲ
ὁ Κωνσταντίου συστράτηγος οὐ πόρρωθεν ἀποκρυβεὶς μετὰ
10 τῶν ἱππέων ἐλάνθανεν. Ἐπεὶ δὲ τὸν λόχον παραμείψαντες ἡ
Ἐδοβίχου στρατιὰ ἔμελλον εἰς χεῖρας ἰέναι τῶν ἀμφὶ τὸν
Κωνστάντιον, σημείου δοθέντος ἐξαπίνης ἀναφανεὶς Οὐλφίλας κατὰ νώτου τῶν πολεμίων ἤλαυνεν· αὐτίκα τε τροπῆς
γενομένης οἱ μὲν φεύγουσιν, οἱ δὲ ἀναιροῦνται· οἱ δὲ πλείους
15 τὰ ὅπλα ἀποθέμενοι συγγνώμην ᾔτησαν καὶ φειδοῦς ἠξιώθη-
σαν. 3 Ἐδόβιχος δὲ ἵππου ἐπιβὰς ἔφυγεν εἰς ἀγρόν τινα πρὸς
Ἐκδίκιον τὸν κεκτημένον, πλεῖστα παρ᾽ αὐτοῦ Ἐδοβίχου

1. Si les généraux d'Honorius avaient choisi de lever le siège d'Arles et
de regagner rapidement l'Italie en commençant par passer sur la rive gauche du Rhône, c'est moins, comme le dit Sozomène, par crainte de l'arrivée
d'Edobichus — dont la mission au delà du Rhin indiquée en *H.E.* IX, 13, 2
avait, semble-t-il, réussi — que pour combattre en Italie Athaulf, beau-frère
d'Alaric, qui avait succédé à celui-ci. La bataille sera donc livrée sur la rive
gauche du Rhône et, après leur victoire, les généraux d'Honorius repasse-
ront sur la rive droite où ils mettront à nouveau le siège devant Arles
(*H.E.* IX, 15, 1) que Constantin renoncera à défendre.
2. D'origine gothique, comme l'indique son homonymie avec l'évangéli-
sateur des Goths, il fut d'abord duc, puis maître de la cavalerie (*P.L.R.E.* II,
p. 1181).

alors se frappa de trois coups d'épée, et, voyant qu'aucun de
ces coups n'était mortel, il tira de sa cuisse son poignard et
se perça le cœur.

Chapitre 14

Constantin et l'armée d'Honorius,
le général Édobich ;
défaite infligée à Édobich par le général Ulphila,
collègue de Constantin, et son exécution.

1 Constantin, pendant que l'armée d'Honorius assiégeait
Arles, persévérait dans la résistance à ce siège, car il avait
reçu la nouvelle qu'Édobich allait arriver avec un ample
secours. Cela aussi n'effrayait pas médiocrement les généraux d'Honorius. Ils avaient délibéré de rentrer en Italie et
de s'en remettre là-bas à la guerre ; une fois cette décision
prise en commun, sur la nouvelle qu'Édobich était tout
proche, ils franchissent le Rhône [1]. **2** Constantius, avec
l'infanterie, attend l'attaque ennemie ; Ulfilas, le collègue de
Constantius [2], s'était caché à l'insu de tous non loin de là
avec la cavalerie. Les troupes d'Édobich avaient dépassé
l'embuscade et elles allaient en venir aux mains avec l'armée
de Constantius, quand, sur un signal donné, soudain Ulfilas
parut dans le dos de l'ennemi et attaqua. Aussitôt, c'est la
débandade : les uns s'enfuient, d'autres sont tués, la plupart,
jetant leurs armes, demandèrent leur pardon et obtinrent
d'être épargnés. **3** Édobich monta à cheval et s'enfuit dans
un domaine chez son propriétaire Ecdicius [3], qui avait reçu

---

3. Sur Ecdicius, propriétaire d'un important domaine non loin d'Arles,
Sozomène paraît la seule source conservée (cf. *P.L.R.E.* II, p. 383). Il doit
vraisemblablement son information à Olympiodore, bien que l'interruption
du récit de Zosime avant la prise de Rome ne permette pas de l'affirmer. Il
confère une valeur exemplaire à l'opposition du traître à l'amitié et du vrai
Romain attaché à la *fides*.

πρότερον εὐηργετημένον καὶ φίλον νομιζόμενον. Ὁ δὲ τὴν
αὐτοῦ κεφαλὴν ἀποτεμὼν προσφέρει τοῖς Ὀνωρίου στρατη-
1625 20 γοῖς ἐπ᾽ ἐλπίδι μεγάλων | δώρων καὶ τιμῆς. 4 Κωνστάντιος δὲ
τὴν μὲν κεφαλὴν δεχθῆναι προσέταξε, χάριν ἔχειν Ἐκδικίῳ
τὸ δημόσιον εἰπὼν τῆς ἀφίλου πράξεως· συνεῖναι δὲ σπουδά-
ζοντα αὐτῷ ἀναχωρῆσαι ἐκέλευσεν, οὐκ ἀγαθὴν ἡγησάμενος
406 κακοῦ ξενοδόχου τὴν συνου|σίαν ἔσεσθαι αὐτῷ ἢ τῇ στρατιᾷ.
25 Καὶ ὁ μὲν φίλου ἀνδρὸς καὶ ξένου ἐν δυσπραγίᾳ διακειμένου
ἀνοσιώτατον φόνον τολμήσας κατὰ κενῆς, τοῦτο δὴ τὸ τοῦ
λόγου, χανὼν ἀπῆλθε.

15

1 Μετὰ δὲ τὴν νίκην ἀντιπεραιωθείσης αὖθις πρὸς τὴν
πόλιν τῆς Ὀνωρίου στρατιᾶς, μαθὼν Κωνσταντῖνος ἀνηρῆ-
σθαι τὸν Ἐδόβιχον αὐτὸς ἑαυτῷ τὴν ἁλουργίδα καὶ τὰ τῆς
βασιλείας σύμβολα ἀπέθετο· καὶ καταλαβὼν τὴν ἐκκλησίαν
5 χειροτονεῖται πρεσβύτερος. 2 Ὅρκους τε πρότερον λαβόντες
οἱ ἔσω τειχῶν ἀνοίγουσι τὰς πύλας καὶ φειδοῦς ἀξιοῦνται

1. Les nobles propos de Constance ne sont pas invraisemblables mais, en
les développant généreusement dans un récit le plus souvent très concis,
Sozomène exprime son attachement personnel à des valeurs traditionnelles,
ici plus romaines, voire liviennes, que grecques.
2. Le caractère exemplaire du récit est souligné par le recours final à un
proverbe, dont la fonction rhétorique est de renforcer ou d'obtenir l'assentiment du public, ici par la connivence. Classique, il apparaît sous des
formes voisines depuis l'Iliade, chez Sophocle, Thucydide, Aristophane et
la littérature comique, jusqu'à Proclus, commentateur tardif du *Timée*, et,
quasi littéralement (κατὰ κενοῦ χαίνειν), dans la Souda (nombreux exemples dans Liddell-Scott-Jones).
3. En se réfugiant dans l'église, Constantin espérait bénéficier d'immu-
nités juridiques réservées aux clercs (exemption de la torture) et du droit
d'asile auquel prétendaient les églises, sans qu'il fût encore reconnu par la
loi (il ne fut réglementé pour la première fois en détail en Occident qu'en
431-432 : cf. J. Gaudemet, *L'Église dans l'Empire Romain*, Paris 1958,

auparavant de grands bienfaits d'Édobich lui-même et passait pour son ami. Mais Ecdicius lui coupe la tête et l'apporte aux généraux d'Honorius avec l'espoir d'en recevoir grandes récompenses et honneur. 4 Constantius ordonna d'accepter la tête, disant que l'État avait reconnaissance à Ecdicius pour cet acte contraire à l'amitié ; mais alors qu'Ecdicius cherchait à rester avec lui, il lui ordonna de se retirer, estimant que la compagnie d'un homme qui recevait si mal ses hôtes ne serait bonne ni à lui-même, ni à l'armée [1]. Ainsi, celui qui avait osé le meurtre le plus abominable d'un homme qui était son ami et son hôte plongé dans le malheur s'en revint « à vide », comme dit le proverbe, « la gueule béante » [2].

Chapitre 15

Constantin dépose les insigne impériaux,
il est ordonné prêtre ; sa mort plus tard
et celle des autres usurpateurs soulevés contre Honorius.

1 Après la victoire, l'armée d'Honorius traversa de nouveau le fleuve en direction de la ville. Mais Constantin, apprenant qu'Édobich avait été tué, déposa de lui-même la pourpre et les insignes impériaux. Il gagne l'église et il est ordonné prêtre [3]. 2 Après avoir préalablement reçu serments, les gens à l'intérieur des remparts ouvrent les portes

p. 318 et p. 283-285). Ses espoirs étaient bien illusoires pour un usurpateur tombant sur le coup de la loi de majesté. Il fut exécuté en août 411 (DEMOUGEOT, « Constantin III... », p. 118). C'est faire preuve d'une clémence exceptionnelle que de laisser la vie sauve à un usurpateur comme le fit Honorius pour Attale qu'il envoya en exil, non sans lui avoir fait couper deux doigts. La mutilation semble avoir deux fonctions : elle manifeste la clémence quand elle se substitue à la mort « méritée », mais elle est aussi marque d'infamie : elle empêche le mutilé de prétendre au trône, l'exercice du pouvoir impérial exigeant l'intégrité physique.

πάντες. Καὶ τὸ ἐξ ἐκείνου πάλιν τὸ τῇδε ὑπήκοον εἰς τὴν
Ὀνωρίου ἡγεμονίαν ἐπανῆλθε καὶ τοῖς ὑπ᾽ αὐτὸν ἄρχουσιν
ἐπείθετο. 3 Κωνσταντῖνος δὲ ἅμα Ἰουλιανῷ τῷ παιδὶ παρα-
10 πεμφθεὶς εἰς Ἰταλίαν, πρὶν φθάσαι κατὰ τὴν ὁδὸν κτίννυται.
Οὐ πολλῷ δὲ ὕστερον ἀδοκήτως ἀναιροῦνται Ἰοβιανός τε καὶ
Μάξιμος οἱ προειρημένοι τύραννοι καὶ Σάρος καὶ ἄλλοι πλεῖστοι ἐπὶ τούτοις ἐπιβουλεύσαντες τῇ Ὀνωρίου βασιλείᾳ.

16

1628 | **1** Ταῦτα δὲ καταλέγειν οὐκ ἐπὶ τοῦ παρόντος καιροῦ·
ὅμως δ᾽ οὖν ἀναγκαίως ἐπεμνήσθην, ὡς ἂν ἔχοιμεν εἰδέναι
ἀρκεῖν βασιλεῖ πρὸς φυλακὴν τοῦ κράτους ἐπιμελῶς τὸ θεῖον
πρεσβεύειν, ὁποῖος καὶ οὑτοσὶ ὁ βασιλεὺς ἐγένετο. **2** Τούτῳ

---

1. Julien (*P.L.R.E.* II, p. 638 Iulianus 7) était le fils cadet de Constantin III. Contrairement à son frère Constant, il ne semble pas avoir pris une
part active dans la tentative de son père : il resta *nobilissimus* de 408 à à
411. Il fut cependant exécuté avec lui (OLYMPIODORE, fr. 16, *FHG* IV, p. 61)
et sa tête fut exhibée avec celle de Constantin, à Carthagène plutôt qu'à
Carthage : OLYMPIODORE, fr. 19, *FHG* IV, p. 61 = fr. 20, 1 BLOCKLEY, II,
p. 184-185 (avec discussion p. 216, note 50).
2. Sozomène regroupe les personnages qui constituèrent une menace
pour Honorius sans établir de différence entre les usurpateurs, celui qu'il
appelle Iouianus et Maximus, et le chef goth Sarus. En fait, d'une part, il
n'a pas parlé précédemment, comme il le croit, de « Iouianus » dont l'usurpation en Gaule (411-413) est postérieure à celle de Constantin III, et
d'autre part, il donne ce nom par erreur — à moins que la transmission
textuelle ne soit en cause — à Iouinus 5, un noble gaulois, dont le nom est
transmis correctement par Olympiodore et Orose (*P.L.R.E.* II, p. 621-622 ;
mais WOLFRAM, *Histoire*, p. 175-176, le nomme Jovien). Jovinus, issu d'une
famille sénatoriale arverne, avait été proclamé empereur à Mundiacum
(Montzen ?) en Germanie II (d'après OLYMPIODORE, fr. 17, *FHG* IV, p. 61 =

et sont tous épargnés. De ce moment, les sujets de cette contrée rentrèrent sous l'autorité d'Honorius et obéirent à ses fonctionnaires. **3** Constantin, avec son fils Julien, est envoyé en Italie, mais, avant d'y arriver, il est tué en chemin [1]. Peu après sont supprimés à l'improviste les usurpateurs Jovianus et Maximus dont nous avons parlé, ainsi que Sarus et, outre ceux-là, beaucoup d'autres qui avaient conspiré contre le règne d'Honorius [2].

Chapitre 16

*L'affection divine pour l'empereur Honorius
et la mort de celui-ci ; la paix universelle en ce temps.*

1 Mais ce n'est pas le lieu de raconter tous ces faits en détail. J'ai jugé pourtant nécessaire de les rappeler, en sorte que nous puissions nous convaincre que, pour garder son pouvoir, il suffit à l'empereur d'honorer avec soin la divinité, comme le fit cet empereur-ci [3]. **2** Avec lui vivait Galla Placi-

---

fr. 18, BLOCKLEY II, p. 182-183), peu après la chute de Constantin III, par des troupes d'origine barbare, avec le soutien probable de l'aristocratie gallo-romaine. Alors qu'il marchait sur Arles en 413, il fut vaincu et tué par Athaulf qui s'était mis au service d'Honorius. Le rôle décisif d'Athaulf fait-il que Sozomène a omis cet épisode ? On croira plutôt à une trace de l'inachèvement du l. IX et à l'absence de relecture. Maximus n'est pas non plus « supprimé à l'improviste » puisqu'au témoignage d'Orose, il vivait encore en Espagne chez les barbares en 417. Quant à Sarus, il avait été tué en 412 par Athaulf qui s'était rallié provisoirement à l'usurpateur Iouinus.

3. La garantie apportée à l'Empire par la piété de l'empereur *christianissimus* est un thème récurrent qui vaut aussi bien pour Théodose II que pour Honorius. Si la piété chrétienne était un trait familial dans la dynastie théodosienne, chez les *Augusti* comme chez les *Augustae*, Honorius se montra dévot quand il tomba sous la coupe de son maître des offices Olympios, catholique intransigeant mais hypocrite.

5 δὲ συνῆν καὶ Γάλλα Πλακιδία, ὁμοπατρία αὐτοῦ ἀδελφή,
παραπλησίως πολὺν ποιουμένη λόγον τῆς θρησκείας καὶ τῶν
ἐκκλησιῶν. Ἄγεται δὲ ταύτην Κωνστάντιος ὁ τὴν Κωνσταντίνου τυραννίδα καθελών, ἀνὴρ μαχιμώτατος καὶ στρατηγικός·
ὃν ὁ βασιλεὺς γεραίρων τὴν ἀδελφὴν στεφάνῳ καὶ ἁλουργίδι
10 καὶ τῇ κοινωνίᾳ τοῦ κράτους ἐτίμησεν. Ὀλίγον δὲ χρόνον
ἐπιβιώσας ἐτελεύτησεν, Οὐαλεντινιανὸν τὸν Ὀνωρίου διάδοχον καὶ Ὀνωρίαν παῖδας καταλιπών.

407 3 Ἐν τούτῳ δὲ τὰ μὲν πρὸς ἔω τῆς ἀρχομένης | πολεμίων
ἀπήλλακτο καὶ σὺν κόσμῳ πολλῷ τὰ τῇδε ἰθύνετο παρὰ
15 τὴν πάντων δόξαν· ἦν γὰρ ἔτι νέος ὁ κρατῶν. 4 Ἐδόκει δὲ
ὁ θεὸς περιφανῶς ἥδεσθαι τῇ παρούσῃ βασιλείᾳ, οὐ μόνον
ἐξ ἀπροσδοκήτου τὰ περὶ τοὺς πολέμους ὧδε διατιθείς,
ἀλλὰ καὶ πολλῶν ἐπ᾽ εὐσεβείᾳ πάλαι εὐδοκιμηκότων τὰ ἱερὰ

---

1. Sur Aelia Galla Placidia, voir *P.L.R.E.* II, p. 888-889. Fille de Théodose et de Galla, réunissant en sa personne les dynasties valentinienne et
théodosienne, elle était bien la demi-sœur d'Arcadius et d'Honorius, fils de
Théodose et de sa première épouse Flaccilla. Les vicissitudes de sa vie —
otage d'Alaric depuis 410, emmenée comme prisonnière après la prise de
Rome, elle épousa ensuite Athaulf, devenant reine des Wisigoths — sont
passées sous silence. L'expression de Sozomène est floue : Galla Placidia
ne vécut auprès d'Honorius qu'une fois que Vallia, roi des Wisigoths
après la mort d'Athaulf, l'eut rendue contre rançon aux Romains en 416.
Sa piété est avérée par les témoignages des contemporains comme Orose,
hist. VII, 43, 7 et par les multiples constructions qu'elle fit élever pour
l'Église à Ravenne, à Rimini et à Rome. Voir la notice de V. A. Sirago,
DHGE XIX, 1981, c. 807-811 avec biblio. ; K. Holum, *Theodosian Empresses, passim* ; S. I. Oost, *Galla Placidia Augusta*, Chicago et Londres
1968 et V. A. Sirago, *Galla Placidia. La nobilissima* (Donne d'Oriente e
d'Occidente, 1), Milan 1996. Sozomène a peut-être puisé ou complété son
information sur la Gaule dans l'entourage de Pulchérie et d'Eudocie qui
avaient accueilli Galla Placidia et ses enfants après sa brouille avec Honorius
(423) : c'est l'hypothèse de Demougeot, « Constantin III, l'empereur
d'Arles », p. 123. *Contra* P. Van Nuffelen, *Un héritage...*, p. 56 et *passim*
qui ne croit pas que Sozomène ait pu avoir des liens avec la cour.

2. Constantius a déjà été nommé à l'occasion de sa victoire sur l'usurpateur Constantin (voir *H.E.* IX, 13, 3 et la note). Son mariage avec Galla
Placidia est daté du 1ᵉʳ janvier 417, son élévation à l'Augustat sous le nom
de Constance III du 8 février 421. Sa mort survint le 2 septembre 421.

dia [1], sa sœur, fille du même père, qui, comme lui, tenait en grande estime la religion et les églises. Elle est épousée par Constantius, qui avait supprimé l'usurpation de Constantin, un homme très valeureux à la guerre et bon général [2]. L'empereur, lui accordant en récompense sa sœur, l'honora de la couronne et de la pourpre et lui fit partager avec lui le pouvoir. Mais il ne survécut que peu de temps et mourut laissant deux enfants, Valentinien, qui fut le successeur d'Honorius [3], et Honoria [4].

3 Dans ce temps-là, la partie orientale de l'Empire se trouvait à l'abri des ennemis et les affaires y étaient dirigées dans le plus bel ordre, contre l'attente générale, car l'empereur était encore jeune. **4** Ce présent règne était visiblement agréable à Dieu, non seulement parce qu'il avait ainsi, de façon inattendue, réglé la question des guerres [5], mais encore parce qu'il fit découvrir alors les saints corps de beaucoup qui s'étaient illustrés autrefois pour leur piété.

3. Valentinien III (*P.L.R.E.* II, p. 1138-1139) ne succéda pas sans vicissitudes à Honorius qui mourut le 15 août 423. Après la mort de Constantius III, Galla Placidia avait, avec ses deux enfants, gagné Constantinople, bannie par Honorius ou pour y chercher refuge. Les armées d'Ardabur et Aspar envoyées par Théodose II ayant réduit l'usurpation de Jean, primicier des notaires proclamé à Rome (*P.L.R.E.* II, p. 594-595 ; BLOCKLEY, « The dynasty ... », dans *C.A.H.*, p. 136), Valentinien, d'abord nommé César à Thessalonique, fut proclamé Auguste en 425. Comme il était âgé de 6 ans, Galla Placidia exerça sagement la régence jusqu'à sa majorité et continua ensuite de l'assister de ses conseils.

4. Sur Iusta Grata Honoria, sœur aînée de Valentinien, née en 417 ou 418, proclamée *Augusta* en 437, voir *P.L.R.E.* II, p. 568-569. Soupçonnée d'entretenir des relations coupables avec Eugénius, l'intendant de ses domaines, et surtout d'aspirer à l'Empire, elle fut expulsée du palais et même emprisonnée.

5. Le § 3 se rattache, par delà le récit des affaires d'Occident, aux chapitres initiaux sur l'éloge du pieux gouvernement de Pulchérie (1-3). Le règlement de la question des guerres fait allusion à des succès remportés sur les Huns de Uldin, mais surtout au règlement pacifique du contentieux romano-perse en 422 par la « paix de cent ans ».

σώματα ἀναφαίνων· οἷον δὴ καὶ τότε συνέβη ἐπὶ Ζαχαρίᾳ τῷ
20 παλαιῷ προφήτῃ γενέσθαι καὶ Στεφάνῳ τῷ διακόνῳ χειροτο-
νηθέντι παρὰ τῶν ἀποστόλων. Ἑκατέρου δὲ τῆς εὑρέσεως
παραδόξου καὶ θείας οὔσης ἀναγκαῖον εἰπεῖν τὸν τρόπον.

17

1 Ἄρξομαι δὲ ἀπὸ τοῦ προφήτου. Χαφὰρ Ζαχαρία κώμη
ἐστὶν ἐν ὁρίοις Ἐλευθεροπόλεως τῆς Παλαιστίνης. Ἐπετρόπευε δὲ ταύτην Καλήμερός τις ὁμόδουλος τῷ ἀγρῷ, εὔνους
μὲν τῷ κεκτημένῳ, χαλεπὸς δὲ καὶ δύσκολος καὶ περὶ τοὺς
5 ὁμόρους ἀγροίκους ἄδικος. 2 Τοιούτῳ δὲ ὄντι ὕπαρ ἐπιστὰς ὁ
προφήτης ἑαυτὸν κατεμήνυσεν· καὶ κῆπόν τινα ἐπιδείξας
« ἄγε δή, ἔφη, ἐνθάδε ὄρυξον δύο πήχεις ἀναμετρήσας ἀπὸ

1. Sur le diacre Étienne protomartyr, lapidé vers 31, voir *Dictionnaire
encyclopédique de la Bible*, p. 444 et, pour le détail, Baudot-Chaussin, XII
(décembre), p. 687-702.

2. Sozomène projetait sans doute de rapporter l'invention des reliques
de saint Étienne selon le schéma — vision(s), fouilles, découverte des
reliques, cérémonie de leur translation — déjà utilisé en IX, 2 pour l'invention des reliques des Quarante Martyrs et qui est repris en IX, 17 pour
Zacharie. De son premier séjour à Jérusalem, Eudocie avait rapporté en 439
des reliques d'Étienne pour la basilique Saint Laurent. Mais Pulchérie elle
aussi, dès 428, avait déposé à l'église Saint Étienne du palais de Daphné à
Constantinople la relique de la main droite du proto-martyr (cf. Dagron,
Naissance ..., p. 95).

3. Sozomène, comme ses contemporains, ne distingue pas le prophète
Zacharie, que l'on rapproche souvent d'Aggée dans le groupe des douze
« Petits Prophètes », et son homonyme, victime du roi Joas (le *Dictionnaire
encyclopédique de la Bible*, p. 1358, distingue Zacharie 2 et Z. 3).

4. Chaphar Zacharia, le « village de Zacharie », est situé dans le nome
d'Éleuthéropolis, ville mentionnée par Ammien 14, 8, 11, Sozomène
H.E. VI, 32 et VII, 29, Épiphane, *adu. haeres.* 40, 1, et Eunape. Cette ville
du sud de la Palestine sur la route d'Ascalon à Jérusalem est également citée
par Eusèbe dans son *Onomasticon* (voir F. M. Abel, *Géographie de la*

C'est ce qui arriva alors dans le cas de l'antique prophète Zacharie et d'Étienne qui avait été ordonné diacre par les apôtres [1]. La découverte de l'un et de l'autre est miraculeuse et divine ; il me faut dire comment elle se fit [2].

Chapitre 17

Découverte du prophète Zacharie et du protomartyr Étienne.

1 Je commencerai par le prophète [3]. Chaphar Zacharia est un village sur le territoire d'Éleuthéropolis en Palestine [4]. Il était dirigé par un certain Calèméros, un fermier attaché au domaine [5], qui était en bons termes avec le propriétaire, mais pénible, grincheux et dur pour les paysans voisins. **2** Bien qu'il fût tel, le prophète lui apparut à l'état de veille et se fit connaître. Et, lui ayant montré un certain jardin, « Va, dit-il, creuse à cet endroit après avoir compté deux cou-

---

Palestine, t. II, Paris, 1967, p. 272). Son nom est la traduction grecque du nom hébraïque Hôrim (= les libres) de ses habitants : cf. *PW* V 2, 1905, c. 2353-2354, BENZINGER. L'identification proposée d'Éleuthéropolis avec l'actuelle Bêt Dschribin au nord-est d'Hébron, à mi-chemin entre Jérusalem et Gaza, suggère un rapprochement avec le nom du village de Beththérébin, pour lequel les manuscrits présentent des variantes (§ 2). C'est sans doute seulement après qu'on y eut découvert le cercueil de Zacharie qu'on donna au village le nom de Chaphar Zacharia.

5. L'expression périphrastique ὁμόδουλος τῷ ἀγρῷ correspond exactement à la condition juridique du *colonus* à l'époque de Sozomène. Au départ, d'après Varron et Columelle, *colonus* désignait le fermier qui prenait une terre à bail et s'engageait à la cultiver en fournissant au propriétaire une prestation en argent ou une partie de la production et des corvées. A l'époque tardive, pour des raisons essentiellement fiscales, le statut de colon tend à impliquer une forte attache à la terre, une astreinte à demeurer sur le territoire cultivé : cf. J.-M. CARRIÉ, A. ROUSSELLE, *L'Empire romain en mutation*, Paris 1999, p. 611-614. Dans le but assez illusoire de favoriser l'agriculture, les *coloni* devaient succéder à des parents *coloni*, — c'est le cas de Calèméros —, et, de plus en plus, des prisonniers barbares, comme les Skires, étaient installés pour cultiver les terres.

1629 τῆς αἱμασιᾶς ἐπὶ τὸν κῆπον, παρὰ | τὴν ὁδὸν τὴν ἐπὶ Βηθθε-
ρέβιν τὴν κώμην ἄγουσαν· εὑρήσεις δὲ λάρνακα διπλῆν, ξυλί-
10 νην τὴν ἔνδον ἐν μολυβδίνῃ τῇ ἔξωθεν, ἀμφὶ δὲ τὴν λάρνακα
ὑέλινον σκεῦος πλῆρες ὕδατος καὶ ὄφεις δύο μεγέθει μετρίους
καὶ πράους καὶ ἀβλαβεῖς, ὡς δοκεῖν χειροήθεις εἶναι.»
3 Κατὰ δὲ τὴν σύνταξιν τοῦ προφήτου παραγενόμενος Καλή-
μερος ἐπὶ τὸν δηλωθέντα τόπον σπουδῇ τοῦ ἔργου εἴχετο.
15 Ὑπὸ δὲ τοῖς προειρημένοις συμβόλοις ἀνακαλυφθείσης τῆς
ἱερᾶς θήκης ἀνεφάνη ὁ θεῖος προφήτης, χιτῶνα καὶ λευκὴν
ἐσθῆτα ἠμφιεσμένος, οἷά γε οἶμαι καὶ ἱερεὺς ὤν· ὑπὸ δὲ τοὺς
πόδας αὐτοῦ ἔξωθεν τῆς λάρνακος παιδίον ἔκειτο βασιλικῆς
ἠξιωμένον ταφῆς· εἶχε γὰρ ἐπὶ μὲν τῆς κεφαλῆς χρυσοῦν
20 στέφανον, χρυσᾶ δὲ τὰ ὑποδήματα καὶ τὴν ἐσθῆτα τιμίαν.
4 Ἀπορούντων δὲ τῶν τότε ἱερέων καὶ σοφῶν περὶ τούτου τοῦ
408 παιδίου, τίς τε | καὶ πόθεν εἴη καὶ οὗ χάριν τοιάδε ἠμφίεστο,
λέγεται Ζαχαρίαν τὸν ἡγούμενον τῆς ἐν Γεράροις μοναχικῆς

---

1. D'après le *Dictionnaire encyclopédique de la Bible*, 1987, p. 1193-
1195, invoquant les découvertes archéologiques, « le culte du serpent était
répandu dans tout l'ancien Proche-Orient et avait sa place dans les religions
cananéennes. La Bible elle-même atteste son existence en Israël sous une
forme compatible avec la foi yahviste, jusqu'à la réforme d'Ézéchias. Dans
ce monde oriental, le serpent est considéré comme un animal sacré, en
contact avec le monde divin et qui, comme tel, est mis en relation avec la vie
et la sagesse ». Cette symbolique positive du serpent est renforcée par celle
de l'eau maternelle et nourricière. Ce double symbole a sans doute un
rapport avec le parfait état de conservation du corps du prophète.
2. Le blanc est en général la couleur des vêtements des anges, des martyrs ou des prêtres — ici du prophète — quand ils apparaissent dans des
visions. Le Zacharie lié à l'histoire du roi Joas, s'il est bien à distinguer du
prophète (Sozomène, comme ses contemporains, les confond), était le fils
du Grand Prêtre Yehoyada et, de ce fait, lui-même un lévite, desservant du
culte. Il est dit « revêtu de l'esprit de Dieu » dans 2 Ch 24, 20 où il prophétise. Ayant reproché aux Judéens leur apostasie, il est lapidé par ordre du roi
sur le parvis du Temple (2 Ch 24, 20-22).

dées depuis le mur de clôture jusqu'au jardin, le long de la route qui mène au village de Bèththérébin. Tu trouveras un double coffre, celui de dedans en bois, placé dans celui de l'extérieur en plomb, et, autour du coffre, un récipient de verre plein d'eau avec deux serpents de taille moyenne, doux et inoffensifs, au point de paraître apprivoisés » [1]. **3** Obéissant à l'ordre du prophète, Calèméros se rendit au lieu indiqué et se mit en hâte à l'ouvrage. Grâce aux indications données plus haut, il découvrit la sainte châsse, et le divin prophète apparut, revêtu d'une tunique et d'une robe blanches, puisque, comme je pense, il était aussi prêtre [2]. A ses pieds, hors du coffre, reposait un petit garçon qui avait été honoré de funérailles royales : il avait en effet sur la tête une couronne d'or, des souliers dorés, une robe précieuse. **4** Comme les prêtres d'alors et les sages étaient incertains sur cet enfant, qui il était, et d'où et pourquoi il était ainsi vêtu, on dit que Zacharias, l'higoumène de la communauté monastique de Gérara [3], tomba sur un antique écrit hébreu,

3. Gérara et l'higoumène Zacharias ont déjà été mentionnés dans *H.E.* VI, 32, 8. Sur Gérara, voir *PW* VII 1, 1910, c. 1240, Benzinger et surtout *DHGE* XX, 1984, c. 709-712, D. L. Stiernon. La localité, citée plusieurs fois dans la Bible dès l'époque abrahamique (Gn X, 19, XX, 2, XXVII, 17 ; 1 Ch IV, 38-40), était située à l'extrême S. E. de la Palestine, en bordure du désert du Negev, entre Gaza et Beér Sheba, dans une région pourvue de points d'eau et de pâturages. Eusèbe de Césarée dans l'*Onomasticon* la situe à 25 milles d'Éleuthéropolis (F. M. Abel, *Géographie de la Palestine*, II, p. 330-331, propose son identification avec Tell' es-Seria). C'était, à l'époque de Sozomène, le siège d'un évêché et d'un monastère : l'évêque de Gérara, Marcien, participa au concile de Chalcédoine (451). Quant à Zacharie, il aurait succédé, comme higoumène du monastère, au moine fondateur Silvain, en 415 (d'après S. Vailhé, « Répertoire alphabétique des monastères de Palestine », *Revue de l'Orient chrétien* V, 1900, p. 281-282, note 117). Les auteurs de la notice Gérara du *DHGE* n'expliquent pas ce qui les autorise à dater de 450 la découverte des reliques de Zacharie.

συνοικίας Ἑβραίᾳ καὶ παλαιᾷ περιτυχεῖν γραφῇ, οὐ τῶν
25 ἐκκλησιαζομένων. Ἐδήλου δὲ ὡς, ἡνίκα Ζαχαρίαν τὸν προ-
φήτην ἀνεῖλεν ὁ Ἰωὰς ὁ τῆς Ἰουδαίας βασιλεύς, οὐκ εἰς
μακρὰν περὶ τὸν οἶκον ἐχρήσατο χαλεπῇ συμφορᾷ. 5 Ἑβδόμῃ
γὰρ ἡμέρᾳ τῆς ἀναιρέσεως τοῦ προφήτου ἐξαπίνης αὐτῷ
μάλα κεχαρισμένος ὁ παῖς ἀπωλώλει. Συμβαλὼν δὲ κατὰ
30 θεομηνίαν τοιούτῳ παθήματι περιπεσεῖν, ὑπὸ τοὺς πόδας
αὐτοῦ τὸ μειράκιον ἔθαψεν, ἀπολογούμενος ταύτῃ ὑπὲρ ὧν εἰς
αὐτὸν ἥμαρτε. Καὶ τὰ μὲν ὧδε ἔγνων. 6 Ὁ δὲ προφήτης,
καίπερ πρὸ πλείστων γενεῶν ὑπὸ γῆν κείμενος, σῶος ἀνεφάνη, ἐν χρῷ κεκαρμένος, εὐθύρρις, γενειάδα μετρίως καθειμέ-
35 νην ἔχων, τὴν δὲ κεφαλὴν βραχυτέραν καὶ τοὺς ὀφθαλμοὺς
ὀλίγῳ ἐν βάθει ταῖς ὀφρύσι καλυπτομένους.

1. L'expression peut désigner un texte deutérocanonique ou un apocryphe. De fait, ni 2 Rois 11-12 ni 2 Ch 23-24, les textes canoniques traitant de
Joas, ne mentionnent la mort d'un jeune fils du roi liée à la lapidation de
Zacharie. On peut penser, sans aucune certitude, à la *Chronique des rois
juifs disposée en ordre généalogique* de Justus de Tibériade, contemporain
et adversaire de Flavius Josèphe (37-98), qui allait de Moïse à la mort
d'Agrippa, septième souverain de la maison d'Hérode, ouvrage doté d'autorité jusqu'au ixe s. puisqu'il est lu et résumé par Photius (*Bibl.* 31, éd.
Henry, t. 1, p. 18-19) ou à toute œuvre analogue.

2. Voir *Dictionnaire encyclopédique de la Bible*, p. 672. Joas, roi de Juda
(*ca* 835-802), apparaît dans 2 R 11-12 et 2 Ch 23-24 : fils d'Ochosias et seul
rescapé du massacre de la famille royale perpétré par Athalie, il était resté
caché six ans dans le Temple grâce à sa tante Yehosheba, femme du Grand
Prêtre Yehoyada selon 2 Ch 22, 11. Celui-ci, avec l'aide de l'armée, lui
restitua le pouvoir. Joas répara le Temple et réorganisa son système financier. L'historien deutéronomiste porte un jugement positif sur ce roi qui
fut assassiné à Bet Milo par un groupe d'officiers. Le récit plus détaillé de
2 Ch 24, 17-27 met la mort du roi sur le compte de ses défaillances religieuses après la mort de Yehoyada, dont il tua même le fils, le prophète (?)
Zacharie.

3. Pour authentifier son récit, l'historien indique qu'il repose sur une
information recueillie de façon personnelle, de la même façon qu'au chapitre 2, 17-18 il a scellé le récit de la découverte des reliques des Quarante
martyrs en affirmant sa présence personnelle et en invoquant la garantie de

non de ceux qui sont canoniques [1]. Il racontait que, quand Joas, roi de Juda, tua le prophète Zacharie [2], peu de temps après il éprouva un grand malheur domestique. **5** Sept jours en effet après le meurtre du prophète, soudain mourut son fils qui lui était très cher. Ayant conjecturé qu'il encourait un tel malheur à cause d'une colère divine, il avait fait enterrer le jeune garçon aux pieds du prophète, pour se faire pardonner ainsi la faute qu'il avait commise envers lui. Voilà ce que j'ai appris [3]. **6** Quant au prophète, bien qu'il eût reposé sous terre depuis un très grand nombre de générations, il apparut intact [4]. Il avait les cheveux ras, le nez droit, une barbe moyennement longue, la tête assez étroite, les yeux un peu enfoncés et cachés par les sourcils [5].

tous ceux, encore vivants, qui ont assisté à l'événement. Il n'y a pas lieu de mettre en doute, comme P. Van Nuffelen, *Un héritage* ..., p. 242-248, le caractère authentique de cette autopsie par la médiation de témoins.

4. Un grand nombre de générations s'étant écoulé depuis le IXe s. avant J.C. (règne de Joas et mort de Zacharie) jusqu'au Ve s. après, sur une durée de près de quinze siècles, la conservation parfaite du corps de Zacharie apparaît d'autant plus miraculeuse, plus encore peut-être que la découverte des reliques de martyrs relativement récents. Un tel récit est-il inspiré par une crédulité pieuse propre à Sozomène ? On y voit plutôt une volonté partagée par ses contemporains de relier étroitement leur propre temps chrétien à celui des plus anciens prophètes juifs, volonté dont témoigne également la translation des reliques du prophète Samuel et du prophète Ésaïe à Constantinople. Celle des reliques de Zacharie se situe en 415 (Dagron, *Naissance* ..., p. 409, note 2), donc au début de la pieuse « régence » de Pulchérie.

5. Sozomène n'a donc pas réalisé l'intention, exprimée en 16, 3, de rapporter aussi la découverte du « saint corps » du diacre Étienne. Mais ce portrait physique de Zacharie, unique dans toute l'œuvre et doublement final puisqu'il clôt le récit de l'invention du corps du « prophète » et l'histoire, mutilée ou inachevée, de Sozomène, impose au lecteur une image très forte. Elle évoque les superbes représentations des Pères de l'Église et des Saints dans les mosaïques et les icônes de Byzance — tel Jean Chrysostome dans une mosaïque du tympan nord de Sainte Sophie et en icône dans un reliquaire (Brändle, p. 83 et 86) — et affirme, voire revendique, la continuité entre les prophètes juifs et le christianisme du Ve siècle byzantin.

INDEX GÉNÉRAL DES NOMS PROPRES

Les chiffres romains en gras renvoient aux livres ; le premier chiffre arabe, au chapitre ; le second à l'alinéa.
L'index renvoie à la traduction.

CARTES

L'Empire romain

N

BRETAGNE
Londres
Xanten
Boulogne
Paris
Trèves

OCÉAN
ATLANTIQUE

Rhin
Danube
GAULE
NORIQUE 2
AQUITAINE
Lyon
Milan
Aquilée
Vienne
LIGURIE
PO
DALMATIE
Arles
1
GALICE
IBÈRES
Ravenne
Braga
Pyrénées
Rimini
LUSITANIE
ESPAGNE
Salone
Tarragone
Rome
Séville
Naples
BÉTIQUE
Cagliari
Tanger
Césarée
Hippone
MAURÉTANIE
Cirta
AFRIQUE
Carthage
Syracuse
NUMIDIE

OCCIDENT

1   ALPES COTTIENNES
2   PANNONIE

B. SAUVLET – SC 2008

à l'époque théodosienne

ORIENT

0   200   400 km

NORIQUE 2
DACIE
Aquilée   Sirmium
ILLYRICUM
Danube   *SCYTHIE*
Histria
Tomi   *PONT EUXIN*
Marcianopolis
DALMATIE
THRACE   3
Rimini   *ARMÉNIE*
Salone
Thessalonique   Constantinople   Chalcédoine
GALATIE   Césarée
Naples   *ÉPIRE*   *GRÈCE*   *ASIE*   *CAPPADOCE*   4
Éphèse   *CILICIE*   Édesse
CARIE   Antioche
Syracuse   Athènes
PHÉNICIE
CHYPRE
CRÈTE
MER MÉDITERRANÉE   Césarée   5
Jérusalem
Ptolémaïs   Alexandrie
Cyrène   Péluse
LIBYE   *ÉGYPTE*
MER ROUGE
3   *BITHYNIE ET PONT*
4   *MÉSOPOTAMIE*   *THÉBAÏDE*
5   *PALESTINE*

L'Orient chrétien aux IVe-Ve siècles

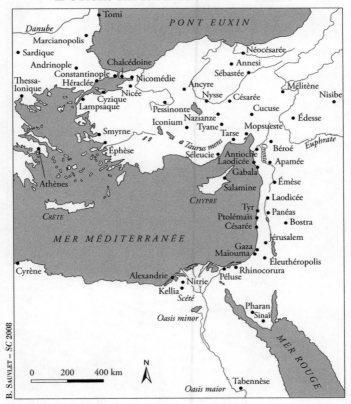

Constantinople aux IVe-Ve siècles

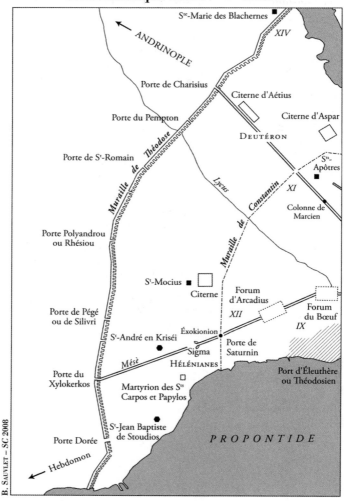

Ste-Marie des Blachernes

ANDRINOPLE

XIV

Porte de Charisius

Citerne d'Aétius

Porte du Pempton

Citerne d'Aspar

DEUTÉRON

Porte de St-Romain

Sts-Apôtres

Muraille de Théodose

Lycus

Muraille de Constantin

XI

Colonne de Marcien

Porte Polyandrou ou Rhésiou

St-Mocius

Citerne

Forum d'Arcadius

Forum du Bœuf

Porte de Pégé ou de Silivri

XII

IX

St-André en Kriséi

Éxokionion

Porte de Saturnin

Sigma

Mésè

HÉLÉNIANES

Port d'Éleuthère ou Théodosien

Porte du Xylokerkos

Martyrion des Sts Carpos et Papylos

St-Jean Baptiste de Stoudios

PROPONTIDE

Porte Dorée

Hebdomon

B. SAUVLET – SC 2008

d'après C. Mango, *Le développement urbain de Constantinople (IVᵉ-VIIᵉ siècles)*, Paris 1990 (réimpr. 2004)

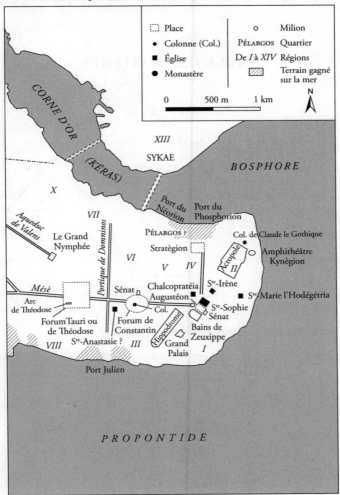

TABLE DES MATIÈRES

SOURCES CHRÉTIENNES

Fondateurs : † H. de Lubac, s.j.
† J. Daniélou, s.j. ; † C. Mondésert, s.j.
Directeur : B. Meunier
Conseiller scientifique : P. Mattei

Dans la liste qui suit, dite « liste alphabétique », tous les ouvrages sont rangés par noms d'auteurs anciens et titres d'ouvrages anonymes, les numéros précisant pour chacun l'ordre de parution depuis le début de la collection.

Pour une information plus complète, une « liste numérique » est téléchargeable sur le site Internet, à l'adresse suivante : www.sources-chretiennes.mom.fr. Elle présente les volumes et leurs auteurs actuels d'après les dates de publication ; elle indique également les réimpressions et les ouvrages momentanément épuisés ou dont la réédition est préparée.

On peut se la procurer aussi au secrétariat de l'Institut des « Sources chrétiennes », 29 rue du Plat, F-69002 Lyon (Tél. : 04 72 77 73 50 et Courriel : sources.chretiennes@ mom.fr).

LISTE ALPHABÉTIQUE (1-516)

SOUS PRESSE

HILAIRE DE POITIERS, **Commentaire sur les Psaumes.** Tome I. P. Descourtieux.

PROCHAINES PUBLICATIONS

GRÉGOIRE DE NYSSE, **Contre Eunome. Livre I.** R. Winling.

GRÉGOIRE LE GRAND, **Homélies sur l'Évangile. Livre II.** R. Etaix (†), B. Judic, C. Morel (†).

GRÉGOIRE LE GRAND, **Registre des lettres, III-IV.** M. Reydellet.

JEAN CHRYSOSTOME, **Discours contre les juifs.** R. Brandle, W. Pradels.

MAXIME LE CONFESSEUR, **Questions à Thalassios.** Tome I. J.-Cl. Larchet, F. Vinel.

NIL D'ANCYRE, **Commentaire sur le Cantique.** Tome II. M.-G. Guérard.

THÉODORET DE CYR, **Sur la Trinité et Sur l'Incarnation.** J.-N. Guinot.

RÉIMPRESSIONS PRÉVUES EN 2008

9. **De agricultura.** J. Pouilloux.
10. **De plantatione.** J. Pouilloux.
11-12. **De ebrietate. De sobrietate.** J. Gorez.
13. **De confusione linguarum.** J.-G. Kahn.
14. **De migratione Abrahami.** J. Cazeaux.
15. **Quis rerum divinarum heres sit.** M. Harl.
16. **De congressu eruditionis gratia.** M. Alexandre.
17. **De fuga et inventione.** E. Starobinski-Safran.
18. **De mutatione nominum.** R. Arnaldez.
19. **De somniis.** P. Savinel.
20. **De Abrahamo.** J. Gorez.
21. **De Iosepho.** J. Laporte.
22. **De vita Mosis.** R. Arnaldez, C. Mondésert, J. Pouilloux, P. Savinel.
23. **De Decalogo.** V. Nikiprowetzky.
24. **De specialibus legibus.** Livres I-II. S. Daniel.
25. **De specialibus legibus.** Livres III-IV. A. Mosès.
26. **De virtutibus.** R. Arnaldez, A.-M. Vérilhac, M.-R. Servel, P. Delobre.
27. **De praemiis et poenis. De exsecrationibus.** A. Beckaert.
28. **Quod omnis probus liber sit.** M. Petit.
29. **De vita contemplativa.** F. Daumas et P. Miquel.
30. **De aeternitate mundi.** R. Arnaldez et J. Pouilloux.
31. **In Flaccum.** A. Pelletier.
32. **Legatio ad Caium.** A. Pelletier.
33. **Quaestiones in Genesim et in Exodum. Fragmenta graeca.** F. Petit.
34 A. **Quaestiones in Genesim,** I-II (e vers. armen.). Ch. Mercier.
34 B. **Quaestiones in Genesim,** III-IV (e vers. armen.). Ch. Mercier et F. Petit.
34 C. **Quaestiones in Exodum,** I-II (e vers. armen.). A. Terian.
35. **De Providentia,** I-II. M. Hadas-Lebel.
36. **Alexander** *vel* **De animalibus** (e vers. armen.). A. Terian.

IMPRIMERIE F. PAILLART, B.P. 324, 80103 ABBEVILLE — (13136)
DÉPÔT LÉGAL : AVRIL 2008
Nᵒ ÉDITEUR : 14333